KANCELARIA

Tego autora w Wydawnictwie Albatros

FIRMA

KANCELARIA

ZAKLINACZ DESZCZU

Wkrótce

WIĘZIENNY PRAWNIK

KOMORA

RAPORT PELIKANA

KRÓL ODSZKODOWAŃ

NIEWINNY CZŁOWIEK

oraz

THEODORE BOONE: OSKARŻONY

JOHN GRISHAM

KANCELARIA

Z angielskiego przełożył

KRZYSZTOF OBŁUCKI

Wydawnictwo
A. Kuryłowicz

Tytuł oryginału:
THE LITIGATORS

Copyright © Belfry Holdings Inc. 2011
All rights reserved
Polish edition copyright © Wydawnictwo Albatros A. Kuryłowicz 2012
Polish translation copyright © Krzysztof Obłucki 2012

Redakcja: Beata Słama
Konsultacja prawnicza: prof. Tadeusz Tomaszewski
Zdjęcie Chicago na okładce: Kelly DeLay
Projekt graficzny okładki: Hachette UK
Skład: Laguna

ISBN 978-83-7659-632-7
(oprawa miękka)

ISBN 978-83-7659-633-4
(oprawa twarda)

Książka dostępna także jako i jako 📘
(czyta Wiktor Zborowski)

Dystrybutor
Firma Księgarska Olesiejuk sp. z o.o. sp. k.-a.
Poznańska 91, 05-850 Ożarów Maz.
t./f. 22.535.0557, 22.721.3011/7007/7009
www.olesiejuk.pl

Sprzedaż wysyłkowa – księgarnie internetowe
www.merlin.pl
www.empik.com
www.amazonka.pl

Wydawca
WYDAWNICTWO ALBATROS A. KURYŁOWICZ
Hlonda 2A/25, 02-972 Warszawa
www.wydawnictwoalbatros.com

[f]

2012. Wydanie I/oprawa miękka
Druk: WZDZ – Drukarnia Lega, Opole

Rozdział 1

W kancelarii adwokackiej Finleya i Figga firmę nazywano „butikiem". To nieprzystające określenie pracownicy wplatali w codzienne rozmowy przy każdej okazji, pojawiało się nawet drukiem w najróżniejszych formach wymyślanych przez wspólników. Gdy używano go właściwie, sugerowało, że Finley i Figg to coś więcej niż dwuosobowe przedsięwzięcie. Butik miał się kojarzyć z czymś niewielkim, o indywidualnym charakterze, wyspecjalizowanym w bardzo określonej dziedzinie. Butik to wyszukany luz i jednocześnie szyk, w końcu nazwa pochodziła od francuskiego słowa *boutique*. Butik jako firma, która z założenia ma być mała, nie jest dla wszystkich i dobrze prosperuje.

Poza wielkością kancelaria nie miała żadnej z tych cech. Adwokaciny z firmy Finleya i Figga, których raczej trudno byłoby uznać za symbole elegancji i seksu, uganiali się za sprawami o odszkodowania za uszkodzenie ciała, w codziennym młynie wymagającym niewielkich umiejętności czy inteligencji. Zyski były równie iluzoryczne, jak status kancelarii. Firma nie powiększała się, ponieważ brakowało pieniędzy na jej rozwój. Nie każdy mógł w niej pracować, bo i nikt nie chciał, podobnie jak jej dwóch właścicieli. Nawet sąsiedztwo było dowodem, iż monotonnie egzystuje na marginesie ostatniej prawniczej ligi: wietnamski salon masażu po lewej i warsztat naprawczy kosiarek do trawy po prawej stronie. Na pierwszy rzut oka było widać, że Finley i Figg cienko przędzie. Dokładnie naprzeciwko, po drugiej stronie ulicy, działał inny butik — znienawidzona konkurencja — a jeszcze więcej adwokatów gnieździło się za rogiem. Prawdę mówiąc, okolica roiła się od prawników, niektórych pracujących na własny rachunek, innych zatrudnianych w małych kancelariach i najróżniejszych odpowiednikach ich skromniutkiego biura.

Kancelaria Finleya i Figga działała przy Preston Avenue, ruchliwej ulicy ze starymi parterowymi domami, wykorzystywanymi do wszelkiego rodzaju działalności gospodarczej. Były tam sklepy (monopolowe), punkty usługowe (pralnia chemiczna, masaże, naprawa kosiarek), gabinety dentystyczne i firmy adwokackie oraz punkt gastronomiczny (enchilady, baklawy i pizza na wynos). Oscar Finley stał się właścicielem budynku po wygraniu sprawy w sądzie dwadzieścia lat temu. Niedostatki adresu rekompensowała lokalizacja: w bezpośredniej bliskości skrzyżowania Preston, Beech i Trzydziestej Ósmej, chaotycznego natłoku asfaltu i mnóstwa samochodów, gwarantującego co najmniej jeden porządny wypadek w tygodniu, a często nawet więcej. Koszty ogólne kancelarii pokrywane były z kolizji, do jakich dochodziło mniej niż sto metrów od jej siedziby. Ludzie z firm prawniczych, butików i całej reszty często krążyli po okolicy w poszukiwaniu dostępnego taniego budynku, z którego wygłodzeni adwokaci mogliby usłyszeć pisk opon i zgrzyt miażdżonej blachy.

Jako że w kancelarii pracowało tylko dwóch adwokatów/wspólników, z oczywistych względów jeden z nich musiał być szefem. Starszym wspólnikiem został zatem Oscar Finley, mający sześćdziesiąt dwa lata i trzydziestoletnie doświadczenie w tym, jak działa prawo pięści, dominujące na bezwzględnych ulicach południowo-zachodniego Chicago. Oscar był kiedyś policjantem patrolującym pieszo ulice, ale zawieszono go za zbyt pochopne rozwalanie łbów. Niewiele brakowało, a trafiłby do więzienia, zamiast tego jednak doznał przebudzenia, zdał maturę, a potem skończył prawo. Ponieważ żadna kancelaria nie chciała go zatrudnić, założył własną firmę i wypełniał pozwy każdemu, kto się nawinął. Trzydzieści dwa lata później sam nie mógł uwierzyć, że przez cały ten czas marnował karierę na prowadzenie spraw o wyegzekwowanie zaległych płatności, odszkodowania za stłuczki i złamania kończyn na śliskiej posadzce oraz szybkie rozwody. Od lat miał tę samą żonę, straszną kobietę. Codziennie marzył o rozwodzie. Tyle że nie było go na niego stać. Po trzydziestu dwóch latach uprawiania zawodu adwokata mógł sobie pozwolić na bardzo niewiele.

Jego młodszym wspólnikiem — Oscar miał skłonność do mówienia czegoś w rodzaju: „Polecę młodszemu wspólnikowi, żeby się tym zajął", kiedy próbował zrobić wrażenie na sędziach albo adwokatach, a zwłaszcza na ewentualnych klientach — był Wally Figg, czterdziestopięciolatek. Wally uważał się za adwokata idącego do celu po trupach. W aż nadto śmiałych ogłoszeniach obiecywał wszelkie możliwe agresywne zachowania. „Walczymy o Twoje prawa!", „Firmy ubezpieczeniowe drżą przed nami!", „My to fachowość!". Takie ogłoszenia można było zobaczyć na ławkach w parkach, autobusach komunikacji miejskiej, w taksówkach, programach studenckich rozgrywek futbolowych, a nawet na słupach telefonicznych, choć łamał w ten sposób sporo przepisów. Tych ogłoszeń nie widziało się jednak w dwóch najważniejszych miejscach: w telewizji i na billboardach. Wally i Oscar ciągle się o to kłócili. Oscar nie chciał wydawać na nie pieniędzy — oba rodzaje reklamy były wyjątkowo drogie — Wally zaś bez przerwy kombinował, jak go przekonać. Szczytem jego marzeń było zobaczenie swojej uśmiechniętej twarzy i głowy z gładko zaczesanymi włosami na ekranie telewizora, kiedy mówiłby przerażające rzeczy o firmach ubezpieczeniowych i jednocześnie obiecywał ogromne odszkodowania ludziom, którzy mieli wypadki i byli na tyle mądrzy, by zadzwonić pod jego darmowy numer.

Jednak Oscar nie chciał płacić nawet za billboardy. Wally miał już nawet upatrzoną jedną tablicę, sześć przecznic od ich siedziby. Na rogu Beech i Trzydziestej Drugiej, wysoko nad kłębiącym się ruchem ulicznym, na dachu trzypiętrowej kamienicy czynszowej było idealne miejsce, najlepsze w całej aglomeracji Chicago. W tej chwili reklamowano tam tanią bieliznę damską (bardzo ładne ogłoszenie, co Wally musiał przyznać), ale widział już oczami wyobraźni swoją twarz i nazwisko. Oscar jednak niezmiennie się nie zgadzał.

Wally zrobił dyplom na prestiżowym wydziale prawa Uniwersytetu Chicagowskiego, Oscar zaś na nieistniejącej już uczelni, która prowadziła kiedyś kursy wieczorowe. Obaj trzykrotnie podchodzili do egzaminów adwokackich, Wally rozwodził się już cztery razy, o czym Oscar mógł tylko pomarzyć. Wally chciał dużych spraw za ogromne pieniądze i wynagrodzenia sięgającego milionów dolarów. Oscarowi zależało tylko na dwóch rzeczach: rozwodzie i emeryturze.

Jakim cudem tych dwóch mężczyzn zostało wspólnikami

w domu mieszkalnym przerobionym na kancelarię, to osobna historia. Jakim cudem przetrwali, nie mordując się wzajemnie, było tajemnicą ich codziennego życia.

▲　▲　▲

Arbitrem stała się Rochelle Gibson, krzepka czarna kobieta, którą ulice, gdzie się wychowała, nauczyły przebiegłości i zdecydowania. Pani Gibson zajmowała się frontem: telefonami, recepcją, przyszłymi klientami, którzy zaszli do firmy, i niezadowolonymi, którzy wychodzili źli, od czasu do czasu przepisywała coś na komputerze (choć jej szefowie nauczyli się, że jeśli chcieli mieć coś wklepane w komputer, powinni zrobić to sami), firmowym psem i, co najważniejsze, ciągłymi kłótniami pomiędzy Oscarem i Wallym.

Wiele lat temu pani Gibson została ranna w wypadku samochodowym, nie ze swojej winy. Skomplikowała sobie potem życie jeszcze bardziej, wynajmując kancelarię Finleya i Figga, choć nie z własnego wyboru. Dwadzieścia cztery godziny po wypadku, nafaszerowana środkami przeciwbólowymi, usztywniona szynami i gipsem, obudziła się i zobaczyła uśmiechniętą, mięsistą twarz adwokata Wallisa Figga, pochylającego się nad jej szpitalnym łóżkiem. Miał na sobie niebieskawozielony fartuch, na szyi stetoskop i doskonale podszywał się pod lekarza. Wally podstępnie namówił ją do podpisania umowy, na której mocy ustanawiała go pełnomocnikiem procesowym, obiecał jej gruszki na wierzbie, wymknął się z sali równie cicho, jak się do niej zakradł, a potem przystąpił do partaczenia sprawy. Dostała czterdzieści tysięcy dolarów, które jej mąż przepił i przegrał w parę tygodni, co skończyło się rozwodem przeprowadzonym przez Oscara Finleya. On również zajął się jej bankructwem. Pani Gibson nie była zachwycona żadnym z dwóch adwokatów i zagroziła, że wytoczy im sprawę za zaniedbanie obowiązków i błędy. To przyciągnęło ich uwagę — mieli już podobne sprawy — dlatego bardzo starali się ją ułagodzić. Kiedy kłopoty pani Gibson zaczęły się mnożyć, zatrudnili ją na stałe, a z czasem cała trójka przyzwyczaiła się do siebie.

Kancelaria Finleya i Figga była dużym wyzwaniem dla sekretarki. Niska pensja, klienci w większości nieprzyjemni, inni prawnicy, którzy dzwonili i byli bardzo niegrzeczni, długie godziny pracy... ale najgorsze były kontakty z oboma wspólnikami. Oscar i Wally próbowali wcześniej zatrudniać dojrzałe kobiety, ale starsze panie nie wytrzymywały napięcia. Zdecydowali się na młodą osobę, jednak skończyło się procesem o molestowanie seksualne, bo Wally nie potrafił trzymać łap z dala od biuściastego stworzenia. (Ułożyli się z nią poza salą sądową i zapłacili pięćdziesiąt tysięcy dolarów, ale i tak ich nazwiska pojawiły się w gazetach). Rochelle Gibson znalazła się przypadkiem pewnego ranka w ich biurze, gdy pracująca wówczas sekretarka rzuciła pracę i jak burza wybiegła z kancelarii. Telefon dzwonił, wspólnicy wrzeszczeli na siebie, a pani Gibson podeszła po prostu do biurka i okiełznała chaos. A potem zaparzyła dzbanek kawy. Wróciła następnego dnia i kolejnego. Osiem lat później nadal trwała na stanowisku.

Jej dwaj synowie siedzieli w więzieniu. Wally był ich adwokatem, jednak prawdę mówiąc, nikt nie mógł im pomóc. Dwóch nastolatków dostarczało Wally'emu zajęcia, ponieważ co chwila ich aresztowano i oskarżano o najróżniejsze przestępstwa związane z narkotykami. Coraz bardziej angażowali się w dealerkę, a Wally ostrzegał ich, że zmierzają prostą drogą do więzienia albo w objęcia śmierci. To samo mówił pani Gibson, która nie miała żadnej kontroli nad chłopcami i często modliła się, żeby wreszcie trafili do więzienia. Kiedy wpadli z kokainą, dostali po dwadzieścia lat. Wally uzyskał zmniejszenie wyroków do dziesięciu lat, ale nie zaskarbił sobie tym wdzięczności chłopców. Pani Gibson natomiast podziękowała mu ze łzami w oczach. Mimo wszystkich problemów Wally nie wziął od niej za obronę synów ani centa.

Przez lata wiele łez błyszczało w oczach pani Gibson i często roniła je w gabinecie Wally'ego za zamkniętymi drzwiami. Doradzał jej i starał się pomagać, gdy było to możliwe, ale najważniejsze było to, że słuchał. Niemniej biorąc pod uwagę popaprane życie Wally'ego, role często się odwracały. Kiedy jego dwa ostatnie małżeństwa kończyły się fiaskiem, to pani Gibson słuchała i dodawała mu otuchy. Gdy zaczynał więcej pić, spostrzegała to i nie bała się mu o tym powiedzieć. I chociaż kłócili się codziennie, ich sprzeczki nie trwały długo i często wybuchały właściwie bez powodu, bo miały na celu dobro tej drugiej osoby.

Zdarzało się, że w kancelarii cała trójka warczała na siebie i się dąsała. Zazwyczaj powodem były pieniądze. Na rynku panował po prostu za duży tłok, a po ulicach wałęsało się zbyt wielu adwokatów.

A ostatnią rzeczą, jakiej potrzebowali, byli inni prawnicy.

Rozdział 2

David Zinc wysiadł z linii L na Quincy Station w śródmieściu Chicago i noga za nogą zszedł jakoś po schodach w dół na Wells Street, ale z jego stopami działo się coś złego. Stawały się coraz cięższe, szedł coraz wolniej. Przystanął na rogu Wells i Adams i zaczął uważnie przyglądać się butom, szukając jakiejś podpowiedzi. Nie dostrzegł jednak niczego poza zwykłymi sznurowanymi, czarnymi butami ze skóry, jakie nosili wszyscy prawnicy w jego firmie, a nawet kilka kobiet. Oddychał z trudem, mimo chłodu czuł, że poci się pod pachami. Miał trzydzieści jeden lat, więc na pewno był zbyt młody na atak serca, i choć przez ostatnie pięć lat ciągle czuł się wyczerpany, przyzwyczaił się do życia zmęczonego człowieka. Albo tak mu się wydawało. Skręcił za róg i spojrzał na Trust Tower, połyskujący falliczny monument wznoszący się trzysta metrów ku niebu w chmurach i mgle. Kiedy David zatrzymał się i popatrzył do góry, jego serce przyśpieszyło i poczuł mdłości. Potrącali go śpieszący się ludzie. Przeszedł na drugą stronę Adams razem z grupą pieszych i powlókł się dalej.

Atrium Trust Tower było budowlą wysoką i przestronną, wypełniało ją mnóstwo marmuru i szkła, a także przedziwna rzeźba, która miała inspirować i ocieplać atmosferę, ale była zimna i odpychająca, w każdym razie zdaniem Davida. Sześć wind rozlokowano naprzeciwko siebie. Zmęczeni wojownicy wjeżdżali nimi na górę do swoich boksów i gabinetów. David natężył się, ale nogi nie chciały zanieść go do wind. Zamiast iść, usiadł na obitej skórą ławie obok wysokiej sterty pomalowanych kamieni i próbował zrozumieć, co się z nim dzieje. Ludzie mijali go pośpiesznie, mieli ponure twarze i puste oczy, już bardzo zestresowani, choć dochodziło dopiero wpół do ósmej.

Nagle coś w nim pękło, choć z pewnością nie było to określenie medyczne. Lekarze używali bardziej wyrafinowanego języka, by opisać stan, gdy osoba przeżywająca trudności przekracza pewną granicę. Niemniej takie pęknięcie dzieje się naprawdę. Może do niego dojść w ułamku sekundy na skutek straszliwie traumatycznego wydarzenia. Może to być również kropla przepełniająca czarę, smutna kulminacja napięcia, które narasta, aż umysł i ciało muszą znaleźć dla niego ujście. W przypadku Davida Zinca pęknięcie dotyczyło właśnie ciała. Tego ranka po pięciu latach wściekłej harówki z kolegami, których nie cierpiał, coś się z nim stało, gdy siedział obok pomalowanych kamieni i patrzył na elegancko ubranych zombie jadących na górę, by spędzić kolejny dzień na bezsensownej pracy. Coś w nim pękło.

— Cześć, Dave. Jedziesz na górę? — spytał ktoś. To był Al z działu antymonopolowego.

David zdołał się uśmiechnąć, skinął głową i coś wymamrotał, a potem wstał i z jakiegoś powodu poszedł za Alem. Al wyprzedzał go o krok, gdy stanęli na ruchomych schodach, i opowiadał o wczorajszym meczu Blackhawks. David nie przestawał kiwać głową, gdy opuszczali atrium, zmierzając na górę. Pod nim i za nim podążały dziesiątki samotnych postaci w ciemnych płaszczach, kolejni prawnicy jechali schodami, milczący i ponurzy, przypominający grabarzy na pogrzebie w zimie. David i Al dołączyli do grupy przy ścianie z windami na pierwszym piętrze. Kiedy czekali, David słuchał gadki o hokeju, ale miał zawroty głowy i znów zbierało mu się na wymioty. Wcisnęli się do windy i stali ramię przy ramieniu otoczeni przez zbyt wielu ludzi. Cisza. Al zamilkł. Nikt nie odzywał się słowem. Nikt nie nawiązywał z nikim kontaktu wzrokowego.

David powiedział do siebie w duchu: To koniec, ostatni raz jadę tą windą. Przysięgam.

Winda dygotała lekko i mruczała, potem zatrzymała się na osiemdziesiątym piętrze, na terytorium Rogana Rothberga. Trzech prawników wysiadło, trzy twarze, które David widywał wcześniej, ale nie znał ich nazwisk, co nie było niczym niezwykłym, bo w firmie pracowało sześciuset adwokatów na piętrach od siedemdziesiątego do setnego. Dwa kolejne ciemne garnitury wysiadły na osiemdziesiątym czwartym. David zaczął się pocić i szybciej oddychać. Jego malutki pokój znajdował się na dziewięćdziesiątym trzecim piętrze. Im bardziej się do niego zbliżał, tym mocniej biło mu serce. Kilku ponuraków wysiadło na dziewięćdziesiątym pierwszym, a przy każdym postoju windy David czuł się coraz słabszy.

Tylko trzy osoby zostały na dziewięćdziesiątym trzecim piętrze — David, Al i wielka kobieta, na którą za jej plecami mówiono Skoczek. Winda zatrzymała się, zagrała przyjemna melodyjka, drzwi rozsunęły się bezszelestnie i Skoczek wysiadła. Al również. David natomiast nie chciał się ruszyć, prawdę powiedziawszy, nie był w stanie zrobić kroku. Mijały sekundy. Al obejrzał się przez ramię i powiedział:

— Hej, Davidzie, to nasze piętro. Chodź.

Żadnej reakcji ze strony Davida. Miał pusty wzrok kogoś przebywającego w innym świecie. Drzwi zaczęły się zamykać, lecz Al zablokował je teczką.

— Dobrze się czujesz, Davidzie? — zapytał.

— Jasne — wymamrotał David, zmuszając się, by ruszyć naprzód. Drzwi się otworzyły, zagrała melodyjka. Wysiadł z windy, rozejrzał się nerwowo, jakby nigdy wcześniej nie widział tego miejsca. W rzeczywistości wyszedł stamtąd zaledwie dziesięć godzin temu.

— Jesteś blady — stwierdził Al.

Davidowi kręciło się w głowie. Słyszał głos Ala, ale nie rozumiał, co mówi. Skoczek stała niecały metr dalej i wpatrywała się w niego zdumiona, jakby zobaczyła wypadek samochodowy. Winda zadźwięczała, ale tym razem inaczej, i drzwi powoli zaczęły się zasuwać. Al powiedział coś jeszcze, wyciągnął nawet rękę, żeby mu pomóc. Nagle David odwrócił się, a jego stopy z ołowiu ożyły. Rzucił się w kierunku windy i wskoczył do niej na chwilę przed zamknięciem drzwi. Ostatnie, co słyszał, to spanikowany głos Ala.

Kiedy winda ruszyła na dół, David Zinc zaczął się śmiać. Zawroty głowy i nudności zniknęły. Ucisk w piersi również. Zdobył się na to! Opuszcza „fabrykę" krwiopijcy Rogana Rothberga i żegna się z koszmarem. On, David Zinc, spośród tysięcy nieszczęsnych pracowników i młodszych wspólników, tyrających w wysokich biurowcach śródmieścia Chicago, on — i tylko on — miał dość ikry, żeby odejść w ten posępny poranek. Usiadł na podłodze pustej windy i patrząc z szerokim uśmiechem na zmniejszające się jaskrawoczerwone numery pięter, usiłował zapanować nad myślami. O ludziach: 1. O zaniedbywanej żonie, która marzyła o zajściu w ciążę, ale było to trudne, bo mąż był zbyt zmęczony na seks; 2. O ojcu, wybitnym sędzi, który praktycznie zmusił go do pójścia na prawo, i to nie byle gdzie, bo na Uniwersytet Harvarda, gdyż sam tam studiował; a także: 3. O dziadku tyranizującym rodzinę, który zbudował gigantyczną firmę, zaczynając od zera w Kansas City, i nadal pracował po dziesięć godzin dziennie mimo swoich osiemdziesięciu dwóch lat; i 4. O Royu Bartonie, jego współpracowniku i jednocześnie szefie, ciągle podenerwowanym maniaku, który wrzeszczał i przeklinał przez cały dzień, i był prawdopodobnie najnieszczęśliwszym człowiekiem, jakiego David Zinc znał. Kiedy o nim pomyślał, znowu się roześmiał.

Winda stanęła na osiemdziesiątym piętrze i zamierzały do niej wsiąść dwie sekretarki. Zatrzymały się na widok Davida siedzącego w rogu z teczką z boku, po czym ostrożnie przeszły nad jego nogami i czekały, aż drzwi się zamkną.

— Dobrze się pan czuje? — zapytała jedna z nich.

— Doskonale — odparł David. — A pani?

Nie usłyszał odpowiedzi. Sekretarki stały sztywno wyprostowane i milczące i po krótkiej jeździe wysiadły pośpiesznie na siedemdziesiątym siódmym piętrze. Kiedy David został sam, nagle zaczął się niepokoić. A jeśli będą go ścigali? Al bez wątpienia poszedł prosto do Roya Bartona i poinformował go, że Zinc się załamał. Co Barton może zrobić? O dziesiątej miało się odbyć bardzo ważne zebranie ze wściekłym klientem, grubą rybą, jakimś dyrektorem naczelnym. David dojdzie później do wniosku, że ta ostateczna rozgrywka była przysłowiową kroplą przepełniającą puchar goryczy, która spowodowała „pęknięcie". Roy Barton był nie tylko złośliwym fiutem, ale też tchórzem. Potrzebował Davida Zinca i innych, gdy dyrektor naczelny wkroczy z długą listą uzasadnionych zażaleń.

Roy może sobie wysyłać za nim ochroniarzy. Ochroniarzami byli zwykle podstarzali wartownicy po cywilnemu, choć istniał też krąg wewnętrznych szpiegów, którzy zmieniali szyfry zamków, nagrywali wszystko na wideo, poruszali się niezauważeni i robili potajemnie, co należało, by utrzymać pracowników w ryzach. David zerwał się na równe nogi, podniósł teczkę i wpatrywał się zniecierpliwiony w migające numery. Winda kołysała się lekko, jadąc w dół środkiem Trust Tower. Kiedy się zatrzymała, David wysiadł i rzucił się ku ruchomym schodom, nadal zatłoczonym przez smutnych ludzi jadących w milczeniu na górę. Schody jadące na dół stały nieruchomo, więc David zbiegł po jednym z ciągów. Ktoś krzyknął:

— Hej, Davidzie, a ty dokąd?

David uśmiechnął się i pomachał mniej więcej w kierunku, z którego dochodził głos, jakby wszystko było w najlepszym porządku. Przeszedł szybko obok pomalowanych kamieni i dziwacznej rzeźby, a potem wymknął się przez szklane drzwi. Był na dworze. Powietrze, które jeszcze tak niedawno wydawało mu się wilgotne i posępne, teraz pachniało obietnicą nowego początku.

Odetchnął głęboko i się rozejrzał. Należało iść. Zaczął więc maszerować LaSalle Street, szybko, bojąc się obejrzeć za siebie. Nie wyglądaj podejrzanie. Zachowaj spokój. To jeden z najważniejszych dni w twoim życiu, mówił do siebie, więc nie schrzań tego. Nie może pójść do domu, bo nie jest jeszcze gotowy na taką konfrontację. Nie może wałęsać się po ulicach, bo pewnie wpadnie na kogoś znajomego. Gdzie mógłby się ukryć na jakiś czas, przemyśleć sprawy, oczyścić umysł, coś zaplanować? Zerknął na zegarek — siódma pięćdziesiąt jeden, idealna pora na śniadanie. W głębi niewielkiej uliczki dostrzegł migający na czerwono i zielono neon „U Abnera", a kiedy podszedł bliżej, nie umiał określić, czy to kawiarnia, czy bar. Przy drzwiach spojrzał ponad ramieniem za siebie, upewnił się, że w zasięgu wzroku nie ma żadnego ochroniarza, i wszedł do ciepłego, mrocznego świata Abnera.

17

To był bar. Loże po prawej stronie świeciły pustkami. Na stołach stały krzesła ustawione do góry nogami, czekające, aż ktoś umyje podłogę. Abner tkwił za długim, wypolerowanym na błysk kontuarem, na twarzy miał uśmieszek, jakby chciał zapytać: „A ty co tu robisz?".

— Otwarte? — spytał David.

— A czy drzwi były zamknięte? — odpowiedział Abner.

Ubrany w biały fartuch, wycierał kufel. Przedramiona miał grube i owłosione, niemniej wbrew oschłemu obejściu jego twarz weterana barmańskiego fachu, który widział już wszystko, budziła zaufanie.

— Chyba nie. — David podszedł wolno do baru, rzucił okiem na prawo i w dalekim końcu dostrzegł mężczyznę, któremu najwyraźniej urwał się film, choć nadal trzymał w ręku drinka.

David zdjął płaszcz w kolorze grafitowym i powiesił go na oparciu stołka. Usiadł, przyjrzał się rzędom butelek stojących przed nim, obejrzał lustra i kurki do piwa oraz dziesiątki szklanek i kieliszków ustawionych przez Abnera w idealnym porządku, a kiedy się zdecydował, spytał:

— Co by mi pan polecał przed ósmą?

Abner spojrzał na faceta z głową opartą o bar i odpowiedział:

— Może być kawa?

— Kawę już piłem. Serwujecie śniadanie?

— Jasne, nazywa się Krwawa Mary.

— W takim razie poproszę jedną.

⋀ ⋀ ⋀

Rochelle Gibson zajmowała mieszkanie kwaterunkowe z matką, jedną z córek, dwójką wnuków i najróżniejszą kombinacją bratanic i bratanków, siostrzenic i siostrzeńców, a czasami z jakimś kuzynem, który akurat potrzebował dachu nad głową.

Żeby uciec od panującego tam chaosu, często zostawała dłużej w pracy, choć zdarzało się, że było tam gorzej niż w domu. Przyjeżdżała do biura codziennie mniej więcej o siódmej trzydzieści, otwierała je, zabierała gazety leżące na ganku, zapalała światła, nastawiała termostat, robiła kawę i upewniała się, że z AC, firmowym psem, wszystko jest w porządku. Przy tych rutynowych czynnościach nuciła pod nosem albo cicho śpiewała. Choć nigdy by się do tego nie przyznała żadnemu ze swoich szefów, była bardzo dumna z faktu, że jest sekretarką w kancelarii adwokackiej, nawet jeśli była to firma taka jak ta Finley i Figg. Kiedy pytano ją o zawód, zawsze odpowiadała szybko: „sekretarka w kancelarii adwokackiej". Nie jakaś tam sekretarka w byle biurze, ale w kancelarii adwokackiej. Niedostatki w wykształceniu nadrabiała doświadczeniem. Przez osiem lat w samym centrum praktyki przy ruchliwej ulicy dowiedziała się bardzo dużo o prawie, a jeszcze więcej o prawnikach.

AC był kundlem, który mieszkał w biurze, bo nikt nie chciał wziąć go do domu. Należał do ich trojga — Rochelle, Oscara i Wally'ego — chociaż w praktyce cała odpowiedzialność za opiekę nad nim spadała na Rochelle. Był uciekinierem, który kilka lat temu uznał siedzibę kancelarii Finleya i Figga za swój dom. Przez cały dzień spał na niewielkim posłaniu blisko Rochelle, a nocami wałęsał się po biurze, pilnując go. Mógł spokojnie uchodzić za psa obronnego, którego szczekanie odstraszało włamywaczy, wandali, a nawet temperowało niektórych niezadowolonych klientów.

Rochelle karmiła go i napełniała mu miskę wodą. Potem z niewielkiej lodówki w kuchni wyjmowała pojemnik z jogurtem truskawkowym. Kiedy kawa była gotowa, nalewała sobie kubek i zupełnie niepotrzebnie przestawiała to i owo na biurku, na którym panował idealny porządek. Zrobione ze szkła i chromu, solidne i imponujące, było pierwszą rzeczą, jaką widzieli klienci, wchodząc frontowymi drzwiami. Gabinet Oscara prezentował się na swój sposób schludnie, Wally'ego przypominał składowisko odpadków. Adwokaci jednak mogli schować się za zamkniętymi drzwiami, Rochelle zaś była na widoku. Otworzyła „Sun-Timesa" i zaczęła czytać pierwszą stronę. Czytała powoli, sączyła kawę, jadła jogurt i cicho nuciła, podczas gdy AC drzemał. Rochelle bardzo sobie ceniła te chwile ciszy wczesnym rankiem. Niedługo rozdzwoni się telefon, przyjdą jej pracodawcy, a potem, jeśli dopisze im szczęście, pojawią się klienci, niektórzy umówieni, inni przypadkowi.

Uciekając od żony, Oscar Finley wychodził z domu o siódmej, ale rzadko pojawiał się w kancelarii przed dziewiątą. Przez dwie godziny kręcił się po mieście, zaglądał do komisariatu, w którym jego kuzyn zajmował się zgłoszonymi wypadkami samochodowymi, witał się z ekipą odholowującą samochody i słuchał najświeższych plotek o ulicznych kraksach, pił kawę z facetem, który był właścicielem dwóch lichych zakładów pogrzebowych, zawoził pączki do remizy strażackiej i ucinał sobie pogawędkę z kierowcami karetek pogotowia, a od czasu do czasu objeżdżał ulubione szpitale, gdzie przemierzał zatłoczone korytarze, rejestrując wszystko okiem eksperta, w poszukiwaniu osób poszkodowanych przez zaniedbania innych ludzi.

Oscar przyjeżdżał więc o dziewiątej, natomiast jeśli chodzi o Wally'ego, którego życie było znacznie gorzej zorganizowane, nikt nie wiedział, kiedy się pojawi. Potrafił wpaść do kancelarii jak burza o siódmej trzydzieści, napompowany kofeiną i red bullem, gotów pozwać każdego, kto stanie mu na drodze, lub też przywlekał się o jedenastej z podpuchniętymi oczami, na kacu, i szybko chował się w gabinecie.

⋏ ⋏ ⋏

Tego akurat dnia, bardzo ważnego, Wally przyjechał kilka minut przed ósmą, szeroko uśmiechnięty, z jasnym spojrzeniem.

— Dzień dobry, pani Gibson — powiedział wesoło.

— Dzień dobry, panie Figg — odpowiedziała Rochelle podobnym tonem.

W kancelarii Finleya i Figga atmosfera zawsze był napięta, a awantura mogła wybuchnąć w każdej chwili. Słowa dobierano bardzo starannie i słuchano ich z nie mniejszą uwagą. Prozaiczne, codzienne powitania wczesnym rankiem traktowano z dużą ostrożnością, bo mogły stać się wstępem do ataku. Nawet takie słowa jak „pan" i „pani" bywały używane podstępnie i miały swoją historię. W dawnych czasach, kiedy Rochelle była jeszcze ich klientką, Wally popełnił błąd, zwracając się do niej „dziewczyno". Brzmiało to jak coś w rodzaju: „Posłuchaj, dziewczyno, robię, co mogę". Nie miał oczywiście niczego złego na myśli, a jej przesadna reakcja była nieuzasadniona, niemniej uparła się, żeby mówili do niej „pani Gibson".

Trochę się zirytowała, bo Wally zakłócił jej samotność. Powiedział coś do AC i pogłaskał go po łbie, a kiedy ruszył po kawę, zapytał:

— Coś ciekawego w gazecie?

— Nic — odpowiedziała, bo nie chciała rozmawiać o wiadomościach.

— Wcale mnie to nie dziwi — mruknął i był to pierwszy przytyk tego dnia. Ona czytała „Sun-Timesa", on „Tribune". Każde z nich uznawało preferencje gazetowe drugiej strony za dowód niewielkich wymagań.

Drugi strzał padł kilka sekund później, kiedy Wally znów się odezwał:

— Kto parzył kawę? — zapytał.

Zignorowała to.

— Jest trochę słaba, nie uważa pani?

Powoli przewróciła stronę i zjadła trochę jogurtu.

Wally siorbał głośno, cmoknął, zmarszczył czoło, jakby pił ocet, a potem wziął swoją gazetę i usiadł przy stole.

Zanim Oscar odzyskał ten budynek po procesie sądowym, ktoś wyburzył kilka ścian na dole blisko frontu i stworzył otwarte lobby. Biurko Rochelle ustawiono po jednej stronie blisko drzwi, a niedaleko stały krzesła dla klientów i długi stół, który kiedyś służył komuś za mebel w jadalni. Przez lata przemienił się w miejsce, gdzie tradycyjnie czytano gazety, pito kawę, a nawet przyjmowano oświadczenia. Wally lubił zabijać tam czas, bo w gabinecie miał chlew.

Zamaszystym gestem rozłożył „Tribune", starając się robić przy tym jak największy hałas. Rochelle zignorowała go i nuciła pod nosem.

Po kilku minutach rozległ się dzwonek telefonu. Pani Gibson zachowywała się tak, jakby go w ogóle nie usłyszała. Telefon zadzwonił jeszcze raz. Wally opuścił gazetę i powiedział:

— Odbierze pani, pani Gibson?

Telefon zadzwonił po raz czwarty.

— A dlaczego nie? — zapytał bardziej stanowczo.

Zignorowała go. Po piątym dzwonku Wally odrzucił gazetę, zerwał się na równe nogi i skierował do aparatu wiszącego na ścianie obok kserokopiarki.

— Nie odbierałabym na pana miejscu — powiedziała pani Gibson.

Przystanął.

— A dlaczego?

— Chodzi o niezapłacony rachunek.

— Skąd pani wie? — Wally wpatrywał się w telefon. Na wyświetlaczu widniał jedynie napis „prywatny".

— Po prostu wiem. Co tydzień dzwoni o tej porze.

Telefon umilkł, a Wally wrócił do stołu i gazety. Ukrył się

za nią, zastanawiając się, który z rachunków nie został zapłacony, który z dostawców jest na tyle zirytowany, że zdobył się na dzwonienie do kancelarii z zamiarem wywierania nacisku na prawników. Rochelle, rzecz jasna, to wiedziała, bo prowadziła księgowość, zresztą wiedziała prawie wszystko, ale on wolał nie pytać. Gdyby to zrobił, bardzo szybko zaczęliby się kłócić z powodu rachunków i niezapłaconych należności, i braku pieniędzy w ogóle, a to mogłoby łatwo przejść w zajadłą dyskusję o strategii firmy, jej przyszłości i wadach właścicieli. A żadne z nich tego nie chciało.

⁂

Abner był bardzo dumny ze swoich Krwawych Mary. Używał ściśle określonych ilości soku pomidorowego, wódki, chrzanu, limonki, cytryny, sosu Worcestershire, pieprzu, tabasco i soli. Zawsze dodawał też dwie oliwki, a dzieło wieńczył łodygą selera.

David dawno nie rozkoszował się tak pysznym śniadaniem. Po dwóch arcydziełach Abnera, wypitych bardzo szybko, uśmiechał się głupkowato, przepełniony dumą, że rzucił to wszystko. Pijak na końcu baru zaczął chrapać. Innych klientów nie było. Abner należał do ludzi dbających o swój interes, mył i wycierał szklanki do koktajli, zrobił inwentaryzację trunków i majstrował przy kurkach do piwa, wygłaszając jednocześnie komentarze dotyczące najróżniejszych tematów.

W końcu zadzwonił telefon Davida. To była jego sekretarka Lana.

— O rany — sapnął.

— Kto dzwoni? — zapytał Abner.

— Z biura.

— Człowiek ma prawo do śniadania, prawda?

David uśmiechnął się i rzucił:

— Cześć.

— Gdzie jesteś, Davidzie? Dochodzi wpół do dziewiątej.

— Mam zegarek, moja droga. Jem śniadanie.

— Dobrze się czujesz? Chodzą słuchy, że ostatni raz widziano cię, jak wskakiwałeś do windy, żeby zjechać na dół.

— To tylko plotki, moja droga, zwykłe plotki.

— Doskonale. O której przyjdziesz? Roy Barton już dzwonił.

— Dokończę śniadanie, w porządku?

— Jasne. Bądź w kontakcie.

David odłożył telefon, upił przez słomkę duży łyk, a potem oświadczył:

— Wypiję jeszcze jeden.

Abner zmarszczył czoło i powiedział:

— Może trochę zwolni pan tempo?

— Tempo mam idealne.

— W porządku. — Abner wziął czystą szklankę i zaczął mieszać koktajl. — Zakładam, że nie idzie pan dzisiaj do pracy.

— Nie idę. Rzuciłem ją. Odszedłem.

— Jaka to praca?

— Kancelaria prawnicza Rogana Rothberga. Zna ją pan może?

— Słyszałem o niej. Wielka firma, prawda?

— Sześciuset prawników tutaj, w kancelarii w Chicago. Parę tysięcy więcej na całym świecie. W tej chwili trzecia pod względem wielkości, piąta, jeśli chodzi o liczbę godzin przepracowanych przez adwokatów, czwarta pod względem wielkości zysku netto na jednego wspólnika, druga, gdy porównuje się wynagrodzenia pracowników, i bez wątpienia na pierwszym miejscu, gdy idzie o liczbę dupków na metr kwadratowy.

— Przepraszam, że pytałem.

David wziął do ręki telefon.

— Widzi pan tę komórkę?

— Przecież nie jestem ślepy, co nie?

— Przez ostatnie pięć lat ten przedmiot rządził moim życiem. Nie mogę się bez niego nigdzie ruszyć. Zasada firmy. Jest ze mną przez cały czas. Przerywa pyszne obiady w restauracjach. Wyciąga mnie spod prysznica. Budzi w środku nocy. Zdarzyło się, że przerwała mi seks z moją biedną zaniedbywaną żoną. Minionego lata byłem na meczu Cubs, wspaniała impreza, ja i dwóch kumpli ze studiów, środek drugiej rundy, a ona zaczęła wibrować. Dzwonił Roy Barton. Wspominałem panu o Royu Bartonie?

— Nie, jak do tej pory.

— Mój bezpośredni przełożony, złośliwy gnom. Ma czterdzieści lat, wypaczone ego i dany od Boga talent adwokacki. Zarabia jakiś milion dolarów rocznie, ale dla niego to za mało. Pracuje po piętnaście godzin dziennie przez siedem dni w tygodniu, bo u Rogana Rothberga wszyscy ważniacy pracują non stop. A Roy uważa się za prawdziwego ważniaka.

— Przyjemniaczek, co?

— Nienawidzę go. Mam nadzieję, że już nigdy nie będę oglądał jego gęby.

Abner przesunął trzecią Krwawą Mary po kontuarze i powiedział:

— Wygląda na to, że jest pan na dobrej drodze, kolego. Na zdrowie.

Rozdział 3

Telefon znów zadzwonił, ale tym razem Rochelle postanowiła odebrać.

— Kancelaria adwokacka Finleya i Figga — powiedziała tonem zawodowej sekretarki. Wally nie podniósł wzroku znad gazety. Słuchała przez chwilę, a potem odrzekła: — Żałuję, ale nie zajmujemy się transakcjami na rynku nieruchomości.

Kiedy osiem lat temu Rochelle zaczęła pracować w firmie, kancelaria bez problemu obsługiwała transakcje związane z nieruchomościami, jednak Rochelle szybko się przekonała, że takie sprawy przynoszą mizerne dochody, większość pracy spada na sekretarkę, a od adwokatów nie wymagają prawie żadnego wysiłku. Błyskawicznie rozeznała się w sytuacji i uznała, że nie lubi nieruchomości. A ponieważ to ona miała kontrolę nad telefonami i monitorowała wszystkie połączenia, dział nieruchomości w kancelarii Finleya i Figga obumarł. Oscar się wściekł i zagroził, że ją zwolni, ale zaraz się wycofał, gdy po raz kolejny wspomniała, że pozwie ich za błędy i postępowanie niezgodne z etyką zawodową. Wally wynegocjował zawieszenie broni, ale przez wiele tygodni napięcie między nimi było większe niż zazwyczaj.

Inne rodzaje spraw również zostały wyeliminowane pod jej drobiazgowym nadzorem. Procesy karne przeszły do historii, Rochelle ich nie trawiła, bo nie podobali jej się klienci z takimi problemami. Nie miała nic przeciwko pijanym kierowcom, bo było ich bardzo wielu, dobrze płacili i nie wymagali prawie żadnego udziału z jej strony. Bankructwa podzieliły los nieruchomości z tych samych powodów: nędzne wynagrodzenie i zbyt dużo roboty dla sekretariatu. Przez lata Rochelle udało się skanalizować praktykę kancelarii, co nadal było źródłem problemów. Zgodnie z teorią Oscara, przez którą od prawie trzydziestu lat był bez grosza, firma powinna zajmować się wszystkim, co wpadnie jej w ręce, zarzucać ogromną sieć i wyławiać drobiazgi w nadziei znalezienia dobrej sprawy o odszkodowanie za poniesione straty. Wally się z tym nie zgadzał. Chciał spraw dużego kalibru. Chociaż przełożony zmuszał go do wszelkiego rodzaju prozaicznych zadań prawniczych, marzył o zarobieniu ogromnej kasy.

— Dobra robota — pochwalił, kiedy Rochelle się rozłączyła. — Nigdy nie lubiłem nieruchomości.

Zignorowała go i wróciła do czytania gazety. AC zaczął cicho warczeć. Kiedy spojrzeli na niego, stał na posłaniu, nos trzymał uniesiony, ogon miał wyprostowany, a ślepia zwężone. Jego warczenie stało się głośniejsze, a potem, jak na dany znak, ich pełną namaszczenia poranną ciszę zakłóciła odległa syrena karetki pogotowia. Syreny nigdy nie przestały ekscytować Wally'ego, dlatego zamarł na sekundę czy dwie i analizował ją z ogromną wprawą. Policja, straż pożarna czy karetka? To nieodmiennie było pierwsze pytanie i Wally znajdował na nie odpowiedź w ułamku sekundy. Syreny wozów strażackich i policyjnych radiowozów nie miały znaczenia i je ignorował, ale wycie ambulansu sprawiało, że jego puls przyśpieszał.

— Karetka — powiedział, odłożył gazetę na stół, wstał i od niechcenia ruszył do frontowych drzwi. Rochelle również się podniosła i podeszła do okna. Uniosła żaluzje, żeby zerknąć na ulicę. AC ciągle warczał, a kiedy Wally otworzył drzwi i wyszedł na ganek, pies pobiegł za nim. Po drugiej stronie ulicy Vince Gholston opuszczał swój niewielki butik i spoglądał z nadzieją na skrzyżowanie Beech i Trzydziestej Ósmej. Kiedy spostrzegł Wally'ego, gwizdnął, a Wally szybko pozdrowił go w taki sam sposób.

Karetka na sygnale jechała Beech, lawirując między samochodami, trąbiąc ze złością i wywołując większe zamieszanie i zagrożenie niż to, co na nią czekało. Wally patrzył za nią, aż zniknęła mu z oczu, po czym wrócił do kancelarii.

Lektura prasy została wznowiona i nic już jej nie zakłócało — żadne syreny, telefony od potencjalnych klientów albo wierzycieli. O dziewiątej drzwi się otworzyły i wszedł starszy wspólnik. Jak zwykle Oscar miał na sobie długi ciemny płaszcz i niósł wypchaną skórzaną teczkę, jakby przez całą noc ciężko pracował. Trzymał też w ręku parasol, jak zawsze, niezależnie od pogody czy prognoz. Bardzo oddalił się od pierwszej ligi, ale przynajmniej mógł wyglądać jak szacowny adwokat. Ciemny płaszcz, ciemny garnitur, biała koszula, jedwabny krawat. Żona kupowała mu ubrania i nalegała, żeby tak właśnie się prezentował. Wally natomiast wkładał to, co udało mu się wyciągnąć ze sterty ubrań.

— Dzień dobry — rzucił Oscar trochę szorstko, stając przy biurku pani Gibson.

— Dzień dobry — odpowiedziała.

— Coś ciekawego w gazetach? — Oscara nie interesowały wiadomości sportowe, informacje o powodziach, rynku czy najnowsze wiadomości ze Środkowego Wschodu.

— Operator wózka widłowego miał wypadek w fabryce

w Palos Heights — szybko poinformowała pani Gibson. Było to częścią ich porannego rytuału. Jeśli nie udało jej się znaleźć jakiegoś wypadku, żeby poprawić mu poranne samopoczucie, jego skwaszony nastrój jeszcze się pogarszał.

— Brzmi dobrze — mruknął. — Nie żyje?

— Jeszcze żyje.

— To nawet lepiej. Mnóstwo bólu i cierpienia. Niech to pani zapisze. Później go sprawdzę.

Pani Gibson skinęła głową, jakby tamten biedak praktycznie dał już im pełnomocnictwo jako nowy klient. Rzecz jasna, nie był nim. Ani nie będzie. Kancelaria Finleya i Figga rzadko docierała pierwsza na miejsca wypadków. Istniało duże prawdopodobieństwo, że żona operatora wózka widłowego jest już ścigana przez bardziej rzutkich adwokatów, o których wiedziano, że oferują gotówkę albo inne korzyści, byle tylko złapać rodzinę na haczyk.

Podniesiony na duchu dobrymi wieściami Oscar podszedł do stołu i powiedział:

— Dzień dobry.

— Dzień dobry, Oscarze — odpowiedział Wally.

— Nazwisko żadnego z naszych klientów nie widnieje w nekrologach?

— Jeszcze nie dotarłem do tej części.

— Powinieneś zaczynać od nekrologów.

— Dzięki, Oscarze. Masz jeszcze jakieś rady dotyczące czytania gazety?

Oscar odszedł od stołu i oglądając się przez ramię, zapytał panią Gibson:

— Co mam na dzisiaj w terminarzu?

— To co zwykle. Rozwody i pijacy.

— Rozwody i pijacy — wymamrotał pod nosem, wchodząc do swojego gabinetu. — Przydałby mi się porządny wypadek samochodowy. — Powiesił płaszcz na drzwiach, położył parasol na półce obok biurka i zaczął rozpakowywać teczkę. Wkrótce Wally stał obok niego z gazetą w ręku.

— Czy nazwisko Chester Marino coś ci mówi? — zapytał. — Nekrolog. Pięćdziesiąt siedem lat, żona, dzieciaki, wnuki, nie podali powodu.

Oscar podrapał się po krótko ostrzyżonych siwych włosach i powiedział:

— Może. To był chyba testament, jakaś ostatnia wola.

— Chowa go Van Easel i Synowie. Dzisiaj jest wystawione ciało, pogrzeb jutro. Powęszę i sprawdzę, jak sprawy stoją. Jeśli to jeden z naszych, chcesz wysłać kwiaty?

— Nie, dopóki się nie dowiesz, jaki majątek zostawił.

— Słuszna uwaga. — Wally nadal trzymał gazetę. — Sprawa z paralizatorami wymyka się spod kontroli, wiesz? Gliniarze z Joliet są oskarżeni o porażenie siedemdziesięcioletniego dziadka, który poszedł do Walmartu, żeby kupić sudafed dla chorego wnuka. Aptekarz pomyślał, że stary używa tego towaru do nielegalnej produkcji amfy, więc jako dobry obywatel zadzwonił na policję. Tak się złożyło, że wszyscy gliniarze dostali akurat nowiusieńkie paralizatory. Pięciu z tych pajaców zatrzymało staruszka na parkingu i podpiekli mu tyłek. Stan krytyczny.

— Więc mamy wrócić do paralizatorów, Wally, czy tak?

— Jak jasna cholera, wracamy. To dobre sprawy, Oscarze. Powinniśmy załapać się na kilka.

Oscar usiadł i westchnął ciężko.

— Więc w tym tygodniu to paralizatory. W zeszłym chodziło o wysypkę wywołaną pieluchami... wielkie plany pozwania producenta pampersów, bo kilka tysięcy niemowląt dostało wysypki. A miesiąc temu chodziło o chińskie panele gipsowe.

— Zapłacili już cztery miliardy dolców z powództwa grupowego za te panele.

— Tak, ale my nie zobaczyliśmy z tego ani centa.

— O to mi właśnie chodzi, Oscarze. Musimy poważnie zająć się pozwami zbiorowymi, gdy chodzi o szkody na rzecz wielu osób. W tym właśnie są pieniądze. Milionowe honoraria płacone przez korporacje mające miliardowe zyski.

Drzwi się otworzyły. To Rochelle, która wsłuchiwała się w każde słowo, chociaż akurat ta rozmowa coraz bardziej przypominała zdartą płytę.

Wally zaczął mówić głośniej:

— Weźmy kilka takich spraw, a potem podczepimy się pod speców od pozwów zbiorowych, oddamy im kawałek tortu i pojedziemy na nich, aż załatwią sprawę, a my odejdziemy z górą kasy. To łatwy szmal, Oscarze.

— Wysypka od pieluch?

— No dobra, to nie wypaliło. Ale ta sprawa z paralizatorami to kopalnia złota.

— Kolejna kopalnia złota, Wally?

— Tak, i ci to udowodnię.

— Spróbuj, czekam.

⋏ ⋏ ⋏

Pijak na końcu baru doszedł jakoś do siebie. Uniósł głowę, oczy miał częściowo otwarte. Abner podał mu kawę i gawędził z nim, a wszystko po to, żeby przekonać faceta, by wreszcie sobie poszedł. Nastolatek zamiatał podłogę, ustawiał krzesła i stoły. Maleńki pub zaczynał wykazywać oznaki życia.

Mając mózg skąpany w wódce, David wpatrywał się w swoje odbicie w lustrze i na próżno starał się ocenić sytuację z odpowiedniej perspektywy. W jednej chwili był podniecony i dumny ze śmiałej ucieczki z marszu śmierci u Rogana

31

Rothberga. W następnym momencie zaczynał bać się żony, rodziny, przyszłości. Wódka jednak dodawała mu odwagi, więc postanowił pić dalej.

Zadzwonił jego telefon. Lana z biura.

— Halo — powiedział cicho.

— Gdzie jesteś, Davidzie?

— Właśnie kończę śniadanie, rozumiesz.

— Twój głos nie brzmi najlepiej, Davidzie. Dobrze się czujesz?

— Świetnie, świetnie.

Cisza, a potem:

— Czyżbyś pił?

— Oczywiście, że nie. Dopiero wpół do dziesiątej.

— No dobrze, skoro tak mówisz. Posłuchaj, Roy Barton wyszedł stąd przed chwilą i jest wściekły. Nigdy nie słyszałam jeszcze takiego języka. Wszelkie możliwe groźby.

— Przekaż Royowi, żeby pocałował mnie w dupę.

— Chyba się przesłyszałam.

— Nie przesłyszałaś się. Powiedz Royowi, żeby pocałował mnie w dupę.

— Tracisz pracę, Davidzie. Rozum ci odjęło. Wcale nie jestem zaskoczona. Przeczuwałam to od jakiegoś czasu. Wiedziałam.

— Nic mi nie jest.

— Nieprawda. Jesteś pijany i wariujesz.

— W porządku, może i jestem pijany...

— Chyba znowu słyszę Roya Bartona. Co mam mu powiedzieć?

— Żeby pocałował mnie w dupę.

— Dlaczego sam mu tego nie powiesz, Davidzie? Masz przecież telefon. Zadzwoń do pana Bartona. — I po tych słowach się rozłączyła.

Abner zbliżył się do niego powoli, ciekawy wyniku ostatniej rozmowy telefonicznej. Przecierał drewniany kontuar czwarty czy piąty raz, od kiedy David usadowił się przy barze.

— To z biura — powiedział David, Abner zaś zmarszczył czoło, jakby dla wszystkich była to zła wiadomość. — Wspomniany wcześniej Roy Barton mnie szuka i klnie jak diabli. Szkoda, że nie mogę być muchą na ścianie. Mam nadzieję, że dostanie zawału.

Abner podszedł bliżej.

— Chyba nadal nie wiem, jak się pan nazywa.

— David Zinc.

— Miło poznać. Posłuchaj, Davidzie, właśnie przyszła kucharka. Chcesz coś zjeść? Może coś bardzo tłustego? Frytki, krążki cebuli w cieście, grubego burgera?

— Poproszę podwójne krążki cebuli i wielką butelkę keczupu.

— Zuch chłopak.

Abner zniknął. David dopił ostatnią Krwawą Mary i wstał, żeby pójść do toalety. Kiedy wrócił, usiadł na swoim miejscu, zerknął na zegarek — dziewiąta dwadzieścia osiem — i czekał na krążki cebulowe. Czuł ich zapach, gdy gdzieś tam na zapleczu skwierczały na gorącym oleju. Pijak siedzący daleko po prawej pił łapczywie kawę i walczył, by nie zamknąć oczu. Nastolatek nadal zamiatał i przestawiał meble.

Telefon zawibrował na kontuarze. Dzwoniła jego żona. David nie poruszył się, żeby odebrać. Kiedy wibrowanie ustało, odczekał chwilę, a potem sprawdził pocztę głosową. Takiej właśnie wiadomości spodziewał się od Helen: „Dzwonili do mnie z twojego biura już dwa razy, Davidzie. Gdzie jesteś? Co ty wyrabiasz? Wszyscy się zamartwiają. Zadzwoń do mnie jak najszybciej".

Była na studiach doktoranckich na Northwestern, a kiedy

pocałował ją tego ranka na pożegnanie o szóstej czterdzieści pięć, nadal leżała w łóżku. Poprzedniego wieczoru, gdy wrócił do domu pięć po dziesiątej, zjedli resztki lasagne, siedząc przed telewizorem, a potem David zasnął na sofie. Helen była starsza od niego o dwa lata i chciała zajść w ciążę, co z czasem stawało się coraz mniej prawdopodobne, biorąc pod uwagę ciągłe wyczerpanie męża. Tymczasem robiła doktorat z historii sztuki, ale niezbyt się z tym śpieszyła.

Cichy sygnał, a potem wiadomość tekstowa od niej: „Gdzie jesteś? Nic ci nie jest? Proszę".

Wolał nie rozmawiać z nią jeszcze przez kilka godzin, zostałby bowiem zmuszony do przyznania, że zwariował, a ona upierałaby się, by poszukać mu profesjonalnej pomocy. Jej ojciec był psychoterapeutą, a matka psychologiem w poradni małżeńskiej, i cała rodzina wierzyła, że wszystkie problemy i tajemnice życia może rozwiązać kilkugodzinna terapia. Jednocześnie David nie mógł znieść myśli, że tak bardzo przejmuje się tym, czy nic mu nie jest.

Wysłał wiadomość: „Czuję się dobrze. Musiałem wyjść z biura na jakiś czas. Nic mi nie będzie. Proszę, nie martw się".

Odpowiedziała: „Gdzie jesteś?".

Zjawiły się krążki cebulowe, ogromny stos złotobrązowych kółek grubo pokrytych panierką i tłuszczem, gorących, prosto z patelni. Abner postawił je przed Davidem i powiedział:

— Takie są najlepsze. Co powiesz na szklankę wody?

— Zastanawiałem się nad kuflem piwa.

— Załatwione. — Abner wziął kufel i podszedł do kurka.

— Teraz szuka mnie żona — poinformował David. — Masz żonę?

— Nie pytaj.

— Przepraszam. To urocza dziewczyna, chce mieć rodzinę i tak dalej, ale najwyraźniej jakoś nie potrafimy się do tego zabrać. W zeszłym roku przepracowałem cztery tysiące godzin, dasz wiarę? Cztery tysiące godzin. Zwykle zaczynam o siódmej rano i kończę około dwudziestej drugiej. Tak wygląda mój typowy dzień, ale nierzadko zdarza mi się pracować jeszcze po północy. Więc kiedy wracam do domu, padam. Wydaje mi się, że uprawialiśmy seks w zeszłym miesiącu. Raz. Aż trudno w to uwierzyć. Mam trzydzieści jeden lat. Ona trzydzieści trzy. Oboje jesteśmy w najlepszym wieku i chcemy tej ciąży, ale ten tu obecny duży chłopczyk ciągle by tylko spał. — Otworzył butelkę z keczupem i wylał z niej jedną trzecią zawartości. Abner postawił przed nim piwo z pianą.

— Przynajmniej zarabiasz mnóstwo szmalu — powiedział.

David wziął jeden krążek, umoczył go w keczupie i włożył do ust.

— Och, jasne, płacą mi. Z jakiego innego powodu dawałbym się tak wykorzystywać, jeśliby mi za to nie płacili? — Rozejrzał się, bo chciał mieć pewność, że nikt go nie słyszy. Ale nikogo nie było. I tak jednak zniżył głos i powiedział, gryząc cebulę: — Jestem radcą prawnym z pięcioletnim stażem. W zeszłym roku dostałem na rękę trzysta tysiaków. To bardzo dużo pieniędzy, a ponieważ nie mam czasu, żeby je wydawać, leżą na koncie w banku i procentują. No i przyjrzyjmy się obliczeniom. Przepracowałem cztery tysiące godzin, ale zapłacili mi tylko za trzy tysiące. Trzy tysiące godzin, rekord w firmie. Resztę straciłem na inne sprawy służbowe i pracę pro bono. Nadążasz za mną, Abnerze? Wyglądasz na znudzonego.

— Słucham cię. Już wcześniej obsługiwałem prawników. Wiem, jacy są nudni.

David upił spory łyk piwa i oblizał usta.

— Doceniam twoją szczerość.

— Wykonuję tylko swoją robotę.

35

— Firma każe sobie płacić pięćset dolców za godzinę mojej pracy. Razy trzy tysiące. To daje półtora miliona dla drogiego, poczciwego Rogana Rothberga, a oni płacą mi nędzne trzysta tysięcy kawałków. Pomnóż to przez pięciuset radców prawnych, którzy w zasadzie robią to samo co ja, a wtedy zrozumiesz, dlaczego wydziały prawa pełne są młodych, bystrych studentów, którym się wydaje, że chcą pracować w dużej kancelarii prawniczej, zostać wspólnikami i dołączyć do grona bogaczy. Nudzę cię, Abnerze?

— To fascynujące.

— Chcesz krążek cebuli?

— Nie, dziękuję.

David wepchnął do ust kolejny wielki krążek i popił piwem. Na końcu baru rozległ się cichy stuk. Pijak, który tam siedział, poddał się i jego głowa znów leżała na kontuarze.

— Kim jest ten facet? — zapytał David.

— Nazywa się Eddie. Jego brat ma połowę tego miejsca, więc chla, ile wlezie, i nie płaci. Mam go po dziurki w nosie.

— Abner odszedł i powiedział coś do Eddiego, który nie zareagował. Abner zabrał filiżankę po kawie i przetarł kontuar wokół niego, a potem wolno wrócił do Davida.

— A więc rezygnujesz z trzystu kawałków — podsumował. — Jaki masz plan?

David się roześmiał, stanowczo za głośno.

— Plan? Tak daleko jeszcze nie dotarłem. Dwie godziny temu jak zwykle stawiłem się w pracy, a teraz tracę rozum. — Kolejny łyk piwa. — Tymczasem zamierzam, Abnerze, siedzieć tutaj bardzo długo i przeanalizować mój obłęd. Pomożesz mi?

— Na tym polega moja praca.

— Zapłacę za siebie i za Eddiego.

— Brzmi jak dobry interes.

— To jeszcze jedno piwo, proszę.

Rozdział 4

Po mniej więcej godzinie czytania prasy, jedzenia jogurtu i rozkoszowania się kawą Rochelle Gibson z niechęcią zabrała się do pracy. Jej pierwszym zadaniem miało być sprawdzenie kartoteki klienta Chestera Marino, leżącego teraz cicho w niedrogiej trumnie w zakładzie pogrzebowym Van Easel i Synowie. Oscar miał rację. Kancelaria spisała testament pana Marino sześć lat temu. Znalazła cienką kartonową teczkę w magazynku obok kuchni i zaniosła Wally'emu, który ciężko pracował wśród śmieci zalegających na biurku.

Gabinet Wallisa T. Figga, adwokata i radcy prawnego, w dawnym domu służył za sypialnię, ale przez lata ściany i drzwi poprzemieszczano i w jakiś sposób powiększono to miejsce. Na pewno nie sprawiało teraz wrażenia sypialni, ale nie kojarzyło się też specjalnie z gabinetem do pracy. Pokój zaczynał się przy drzwiach ścianami oddalonymi od siebie o nie więcej niż trzy i pół metra, zakręcał ostro w prawo ku ogromnej przestrzeni, gdzie Wally pracował przy biurku, stylizowanym niby to na nowoczesne w latach pięćdziesiątych

XX wieku, które wynalazł na jakiejś wyprzedaży po pożarze. Blat biurka pokrywały akta w szarych teczkach, bloczki na notatki i setki karteczek z wiadomościami zostawianymi przez telefon. U każdego, kto nie znał prawdy, w tym u potencjalnych klientów, biurko wywoływało złudzenie, że siedzący za nim człowiek jest wyjątkowo zajęty, a może nawet ważny.

Pani Gibson jak zwykle podeszła wolno do biurka, uważając, by nie potrącić stert grubych prawniczych książek i starych akt zalegających na podłodze. Podała mu teczkę i powiedziała:

— Zrobiliśmy testament dla pana Marino.

— Dzięki. Miał jakiś majątek?

— Nie zaglądałam — odpowiedziała, kierując się do drzwi.

Wyszła, nie dodając nic więcej.

Wally otworzył teczkę. Sześć lat temu pan Marino pracował jako audytor dla stanu Illinois, zarabiał siedemdziesiąt tysięcy dolarów rocznie, mieszkał z drugą żoną i jej dwójką nastoletnich dzieci, ciesząc się spokojnym życiem na przedmieściu. Właśnie spłacił kredyt za dom, który był ich jedynym znaczącym majątkiem. Małżonkowie mieli wspólne konto bankowe, fundusz emerytalny i kilka kart kredytowych. Ciekawostką był jednak zbiór trzystu kart z baseballistami, wyceniony przez pana Marino na dziewięćdziesiąt tysięcy dolarów. Na czwartej stronie zawartości teczki natknął się na kserokopię karty z 1916 roku z Shoeless Joem Jacksonem w stroju White Soxów, pod którą Oscar napisał: *75 tysięcy dolarów*. Oscar w ogóle nie interesował się sportem i nigdy nie wspomniał Wally'emu o tej przedziwnej rzeczy. Pan Marino podpisał zwyczajny testament, który mógł napisać sam za friko, ale zamiast tego wolał zapłacić za tę przysługę dwieście pięćdziesiąt dolarów kancelarii Finleya i Figga. Czytając jego ostatnią wolę, Wally uświadomił sobie, jaki cel przyświecał takiej decyzji: ponieważ cały pozostały majątek był wspólną własnością, pan Marino chciał mieć pewność, że jego pasierbowie nie położą ręki na kolekcji kart baseballowych. Zapisał ją swojemu synowi, Lyle'owi. Na stronie piątej Oscar nabazgrał: *Żona nie wie o tej kolekcji.* Wally oszacował wartość nieruchomości na mniej więcej pięćset tysięcy dolarów, więc za urzędowe potwierdzenie testamentu, zgodnie z obowiązującymi teraz stawkami, adwokat zajmujący się ostatnią wolą pana Marino powinien dostać około pięciu tysięcy dolarów. Chyba że dojdzie do walki o kolekcję kart, a Wally miał szczerą nadzieję, że tak właśnie się stanie. Wtedy uzyskanie postanowienia spadkowego będzie się wlokło w sądzie i zajmie około osiemnastu miesięcy. Gdyby spadkobiercy ze sobą walczyli, Wally dałby radę przeciągnąć proces do trzech lat i potroić swoje wynagrodzenie. Nie lubił zajmować się spadkami, ale i tak było to o wiele lepsze od rozwodów i opieki nad dziećmi. Postępowania spadkowe płaciły rachunki i czasami można było na nich dodatkowo zarobić.

Sam fakt, że kancelaria Finleya i Figga sporządziła testament, nie miał najmniejszego znaczenia przy jego sądowym uprawomocnieniu. Mógł to zrobić byle adwokat, a Wally wiedział z własnego, bardzo bogatego doświadczenia w mrocznym świecie zabiegania o klienta, że całe mnóstwo wygłodniałych adwokatów wczytuje się w nekrologi i kalkuluje honoraria. Warto było stracić czas na sprawdzenie Chestera, bo teraz mogli zgłosić gotowość uporządkowania jego spraw od strony prawnej. Na pewno warto zajrzeć do Van Easela i Synów, jednego z zakładów pogrzebowych, które Wally miał w swoim rewirze.

ᴧ   ᴧ   ᴧ

Prawo jazdy, odebrane za prowadzenie po pijaku, miało zostać zwrócone Wally'emu dopiero za trzy miesiące, ale on i tak siadał za kierownicą. Trzeba jednak przyznać, że jeździł ostrożnie i nie wypuszczał się zbyt daleko od domu i biura, bo znał tamtejszych gliniarzy. Kiedy udawał się do sądu w śródmieściu, korzystał z metra albo autobusu.

Dom pogrzebowy Van Easela i Synów znajdował się o kilka przecznic dalej, niż sięgała strefa bezpieczeństwa Wally'ego, niemniej postanowił zaryzykować. Jeśli go złapią, prawdopodobnie i tak wykaraska się jakoś z kłopotów. Jeśli nie uda mu się przekonać policjantów, zna sędziów. Na ile to było możliwe, jechał bocznymi drogami z dala od głównych ulic.

Pan Van Easel i jego trzej synowie nie żyli od wielu lat, a w miarę jak ich zakład pogrzebowy zmieniał właścicieli, interes chylił się ku upadkowi, pogorszyła się też jakość „stosownych i pełnych życzliwości usług", jak nadal je reklamowano. Wally zaparkował na tyłach na pustym placu i wszedł frontowymi drzwiami, jakby chciał pożegnać zmarłego. Dochodziła dziesiąta w środowy ranek i przez kilka sekund nikt się nie pojawiał. Wally zatrzymał się w lobby i zerknął na harmonogram uroczystości pogrzebowych. Chester znajdował się za drugimi drzwiami po prawej stronie, w drugiej z trzech sal, w których wystawiano trumny. Po lewej była niewielka kaplica. Wreszcie pojawił się mężczyzna o ziemistej cerze i brązowych zębach, ubrany w czarny garnitur, i powiedział:

— Dzień dobry. Mogę w czymś pomóc?

— Dzień dobry, panie Grayber.

— Och, to znowu pan.

— Cała przyjemność po mojej stronie. — Choć Wally uścisnął kiedyś dłoń pana Graybera, nie zdobył się na wysiłek, by zrobić to ponownie. Nie był pewny, ale podejrzewał, że facet jest jednym z właścicieli zakładu pogrzebowego. Nigdy nie zapomniał dotyku jego miękkiej zimnej dłoni. Pan Grayber z kolei również trzymał ręce przy sobie. Obaj nie lubili profesji, którą zajmował się ten drugi.

— Pan Marino był naszym klientem — wyjaśnił Wally bardzo poważnie.

— Jego trumna będzie wystawiona dopiero dzisiaj wieczorem — poinformował pan Grayber.

— Tak, już się zorientowałem. Ale dziś po południu wyjeżdżam z miasta.

— Cóż, skoro tak... — Pan Grayber wykonał coś w rodzaju zachęcającego gestu w kierunku sal, gdzie wystawiano trumny.

— Nie przypuszczam, żeby zaglądali tu inni adwokaci — powiedział Wally.

Grayber prychnął i przewrócił oczami.

— Kto to może wiedzieć? Nie nadążam za wami, ludzie. W zeszłym tygodniu mieliśmy pogrzeb nielegalnego emigranta z Meksyku. Wpadł pod spychacz. Skorzystaliśmy z kaplicy. — Wskazał głową drzwi niewielkiej kaplicy. — Było tu więcej adwokatów niż członków jego rodziny. Biedaczyna nigdy nie był tak kochany.

— To miłe — mruknął Wally. Był na tamtym pogrzebie, ale kancelaria Finleya i Figga nie dostała tej sprawy. — Dziękuję — dodał.

Minął pierwszą salę — z zamkniętą trumną, bez żałobników. Wszedł do drugiej. W słabo oświetlonym pomieszczeniu, sześć na sześć metrów, pod jedną ścianą stała trumna, a pod drugą rząd tanich krzesełek. Trumna z Chesterem była zamknięta, z czego Wally się ucieszył. Położył dłoń na jej wieku, jakby tłumił łzy. Tylko on i Chester, ostatni raz.

Rutynowe działanie polegało na postaniu tak przez kilka minut w nadziei, że pojawi się ktoś z rodziny albo przyjaciel. Jeśli nie, Wally miał zamiar wpisać się do księgi kondolencyjnej i zostawić Grayberowi wizytówkę ze szczegółową instrukcją, by przekazał ją rodzinie z informacją, że adwokat pana Marino zaszedł tu, by się z nim pożegnać. Firma wyśle kwiaty na

41

pogrzeb i list do wdowy, a po kilku dniach Wally do niej zadzwoni i będzie zachowywał się tak, jakby kobieta miała zobowiązania wobec kancelarii Finleya i Figga, bo tam właśnie sporządzono testament. W połowie przypadków zdawało to egzamin.

Wally właśnie wychodził, gdy do sali wszedł młody mężczyzna. Miał około trzydziestki, był przystojny, odpowiednio ubrany, w garnitur i krawat. Spojrzał na Wally'ego ze sporą dozą sceptycyzmu, tak samo jak bardzo wiele osób, które widziały go po raz pierwszy, tyle że teraz Wally w ogóle się tym nie przejmował. Kiedy dwóch zupełnie obcych ludzi spotyka się przy trumnie w pustej sali zakładu pogrzebowego, pierwsze słowa zawsze są niezręczne. Ostatecznie Wally zdołał się przedstawić, na co mężczyzna powiedział:

— Tak, cóż... och... to mój ojciec. Jestem Lyle Marino.

Ach, przyszły właściciel kolekcji kart baseballowych. Ale Wally nie mógł o tym wspomnieć.

— Pański ojciec był klientem naszej kancelarii — poinformował Wally. — Sporządziliśmy jego testament. Proszę przyjąć wyrazy współczucia.

— Dziękuję — odpowiedział Lyle, robiąc wrażenie, jakby poczuł ulgę. — Nie mogę w to uwierzyć. W zeszłą sobotę byliśmy na meczu Blackhawks. Wspaniale się bawiliśmy. A teraz już go nie ma.

— Bardzo panu współczuję. A więc to było nagłe?

— Atak serca. — Lyle pstryknął palcami i dodał: — Ot tak. W poniedziałek rano był w pracy, siedział przy biurku i niespodziewanie zaczął się pocić, z trudem oddychał, a potem upadł na podłogę. Już nie żył.

— Naprawdę współczuję, Lyle — powiedział Wally, jakby znał tego młodego mężczyznę od zawsze.

Lyle klepał wieko trumny i powtarzał:

— Po prostu nie mogę w to uwierzyć...

Wally musiał uzupełnić swoją wiedzę.

— Pańscy rodzice rozeszli się mniej więcej dziesięć lat temu, prawda?

— Coś koło tego.

— Czy pańska matka nadal mieszka w tym mieście?

— Tak. — Lyle otarł oczy wierzchem dłoni.

— A pańska macocha? Jesteście blisko?

— Nie. Nie rozmawiamy ze sobą. Rozwód był okropny.

Wally stłumił uśmiech. Członkowie rodziny walczący między sobą zapewnią mu większy zarobek.

— Przepraszam, ona się nazywa...

— Millie.

— Racja. Posłuchaj, Lyle, muszę lecieć. To moja wizytówka. — Wally zręcznie wyciągnął kartonik i podał mu. — Chester był wspaniałym facetem. Zadzwoń, gdybyś potrzebował pomocy.

Lyle wziął wizytówkę i wsunął ją do kieszeni spodni. Wpatrywał się w trumnę niewidzącymi oczami.

— Przepraszam, a jak pan się nazywa?

— Figg. Wally Figg.

— I jest pan adwokatem?

— Tak. Finley i Figg, niewielki butik, prowadzący za to bardzo wiele spraw we wszystkich co ważniejszych sądach.

— I znał pan mojego ojca?

— Och tak, i to bardzo dobrze. Uwielbiał zbierać karty z baseballistami.

Lyle zdjął rękę z trumny i spojrzał prosto w rozbiegane oczka Wally'ego Figga.

— Wie pan, co zabiło mojego ojca?

— Powiedział pan, że atak serca.

— To prawda. A wie pan, co wywołuje atak serca?

— Cóż, nie.

Lyle spojrzał na drzwi, upewniając się, że nadal są sami. Rozejrzał się po pokoju, jakby chciał się utwierdzić w przekonaniu, że nikt nie może ich słyszeć. Zbliżył się o krok. Jego buty niemal stykały się z butami Wally'ego, który spodziewał się usłyszeć, że poczciwy Chester został zamordowany w jakiś przebiegły sposób.

Lyle prawie szeptem zapytał:

— Słyszał pan o leku o nazwie krayoxx?

▲ ▲ ▲

Niedaleko zakładu pogrzebowego, w centrum handlowym, był McDonald. Wally kupił dwie kawy i usadowili się w boksie, jak najdalej od kas. Lyle miał stos papierów — artykułów ściągniętych z internetu — i było jasne, że bardzo chce z kimś porozmawiać. Od śmierci ojca przed czterdziestoma ośmioma godzinami zaczął mieć obsesję na punkcie krayoxxu.

Lek był na rynku od sześciu lat i jego sprzedaż gwałtownie rosła. W większości przypadków obniżał poziom cholesterolu u otyłych osób. Waga Chestera zmierzała powoli do stu trzydziestu kilogramów, co powodowało, że wzrosło mu ciśnienie i cholesterol, żeby wymienić tylko najbardziej oczywiste skutki. Lyle wściekał się na ojca z powodu jego tuszy, ale Chester nie potrafił powstrzymać się od podjadania nocami lodów. Jego sposobem na radzenie sobie ze stresem, jakim był paskudny rozwód, stało się przesiadywanie w ciemności i pochłanianie jednego po drugim półlitrowych pojemników z lodami. A kiedy przytył, nie mógł schudnąć. Po tym, jak lekarz rok wcześniej przepisał mu krayoxx, poziom cholesterolu dramatycznie się obniżył, lecz jednocześnie Chester zaczął się skarżyć na arytmię serca i płytki oddech. Zgłosił to lekarzowi, który twierdził, że nie dzieje się nic złego. Obniżenie poziomu cholesterolu było znacznie poważniejsze od efektów ubocznych.

Krayoxx produkowała Varrick Laboratories, firma z New Jersey, obecnie numer trzeci na liście dziesięciu największych wytwórców leków na świecie, z roczną sprzedażą na poziomie około dwudziestu pięciu miliardów dolarów i z długą, obrzydliwą historią ostrej walki z przepisami federalnymi i adwokatami dybiącymi na jakiekolwiek uchybienia.

— Varrick zarabia na krayoxxie sześć miliardów rocznie — powiedział Lyle, przekładając wyniki swoich poszukiwań, jeszcze gorące, prosto z drukarki. — Przy rocznym wzroście o dziesięć procent.

Wally zapomniał o kawie, gdy przeglądał sprawozdanie. Słuchał w milczeniu, choć miał taką gonitwę myśli, że kręciło mu się w głowie.

— A to najlepsza część — oznajmił Lyle, podnosząc kolejną kartkę. — Słyszał pan o kancelarii prawniczej Zella i Pottera?

Wally nie miał pojęcia o istnieniu krayoxxu, choć przy wadze dobrze ponad sto kilogramów i nieznacznie podniesionym poziomie cholesterolu był trochę zaskoczony, że jego lekarz nigdy nie wspomniał o tym specyfiku. Nie wiedział też nic o kancelarii Zella i Pottera, ale wyczuwając, że jest jednym z ważniejszych graczy w czymś bardzo dużym, za nic nie przyznałby się do swojej ignorancji.

— Myślę, że tak — odpowiedział, marszcząc czoło i myśląc intensywnie.

— Ogromna firma od pozwów zbiorowych z Fort Lauderdale.

— Aha.

— W zeszłym tygodniu wytoczyła firmie Varrick proces na Florydzie, ogromna sprawa z zarzutem powodowania śmierci przez krayoxx. Wszystko jest opisane w „Miami Heraldzie".

Wally przeczytał pobieżnie artykuł i jego tętno przyśpieszyło.

— Na pewno słyszał pan o tym procesie — powiedział Lyle.

Wally'ego ciągle zdumiewała naiwność przeciętnych ludzi. Każdego roku w Stanach Zjednoczonych wytacza się ponad dwa miliony spraw, a biednemu Lyle'owi wydawało się, że Wally zwrócił uwagę na jedną z nich, i to prowadzoną na Florydzie.

— Tak, śledzę tę sprawę — zapewnił.

— Czy pańska firma zajmuje się takimi procesami? — zapytał Lyle niewinnym tonem.

— To nasza specjalność — odrzekł Wally. — Zjedliśmy zęby na odszkodowaniach za spowodowanie uszkodzeń ciała i śmierć. Z przyjemnością dobrałbym się do Varrick Laboratories.

— Naprawdę? Czy już wcześniej wytaczał im pan proces?

— Nie, ale występowaliśmy przeciwko największym firmom farmaceutycznym w kraju.

— To wspaniale. Czy w takim razie weźmie pan sprawę mojego ojca?

Niech mnie diabli, pewnie, że wezmę, pomyślał Wally, jednak lata doświadczenia nauczyły go, że nie należy zbytnio się śpieszyć. A przynajmniej nie okazywać nadmiernego optymizmu.

— Powiedzmy na razie, że sprawa jest rozwojowa. Muszę naradzić się ze starszym wspólnikiem, dowiedzieć się tego i owego, pogadać z chłopakami od Zella i Pottera, słowem, odrobić pracę domową. Powództwa zbiorowe są bardzo skomplikowane.

I mogą być nieprzyzwoicie lukratywne — i o tym przede wszystkim myślał Wally w tamtej chwili.

— Dziękuję, panie Figg.

▲ ▲ ▲

Abner ożywił się z jakiegoś powodu za pięć jedenasta. Zaczął zerkać na drzwi, choć nie przerywał wycierania białą ściereczką kieliszków do martini. Eddie znów się obudził i sączył kawę, ale nadal przebywał na innej planecie. W końcu Abner powiedział:

— Wyświadczyłbyś mi przysługę, jak to mówią, Davidzie?

— Każdą.

— Mógłbyś się przesiąść o dwa stołki? Ten, na którym siedzisz, jest zarezerwowany o jedenastej każdego ranka.

David spojrzał w prawo — stało tam osiem pustych stołków między nim a Eddiem. Po lewej stronie miał siedem wolnych stołków między sobą a końcem baru.

— Żartujesz sobie ze mnie? — zapytał.

— Daj spokój. — Abner zabrał jego kufel, teraz prawie pusty, i przestawił na miejsce dwa stołki dalej.

David podniósł się powoli i ruszył za piwem.

— O co w tym chodzi? — zapytał.

— Sam zobaczysz — odpowiedział Abner, kiwając głową w stronę drzwi. W pubie nie było nikogo poza, rzecz jasna, Eddiem.

Po kilku minutach otworzyły się drzwi i pojawił się w nich starszawy Azjata. Miał na sobie elegancki uniform, muszkę i niewielką czapkę szofera. Asystował kobiecie znacznie starszej od niego, która pod czujnym okiem służącego weszła do środka, podpierając się laską, i oboje ruszyli noga za nogą w kierunku baru. David przyglądał im się zafascynowany — czy upił się tak, że ma przywidzenia, czy to wszystko dzieje się naprawdę? Abner przygotowywał drinka i też nie odrywał od nich oczu. Eddie mamrotał coś do siebie.

— Dzień dobry, pani Spence — powiedział Abner uprzejmie, prawie się przy tym kłaniając.

— Dzień dobry, Abnerze — odpowiedziała kobieta, ostrożnie sadowiąc się przy kontuarze. Kierowca asekurował ją obiema rękami, ale jej nie dotykał. Kiedy już usiadła, rzuciła: — To co zwykle.

Szofer kiwnął głową do Abnera, a potem wyszedł po cichu z baru.

Pani Spence miała długie do ziemi futro z norek, sznur dużych pereł wokół cienkiej szyi, grubą warstwę różu i tuszu do rzęs, która i tak nie była w stanie ukryć faktu, że na pewno przekroczyła dziewięćdziesiątkę. W Davidzie obudziła podziw od pierwszego wejrzenia. Jego babka ma dziewięćdziesiąt dwa lata i jest już przykuta do łóżka w domu opieki, nieobecna dla tego świata, a tu oto widzi wspaniałą, bardzo wiekową damę, chlającą wódę przed lunchem.

Ona jednak nie zwracała na niego uwagi. Abner skończył przygotowywanie drinka, przedziwną i zagadkową kombinację składników.

— Pearl Harbor dla pani — powiedział, stawiając przed nią szklankę.

Bardzo wolno uniosła szklankę do ust, upiła mały łyk, mając zamknięte oczy, smakowała alkohol przez krótką chwilę, przełknęła i posłała Abnerowi blady uśmiech. Wydawało się, że Abner odzyskuje zdolność oddychania.

David, jeszcze nie do końca znieczulony, choć na dobrej drodze, pochylił się i spytał:

— Często tu pani przychodzi?

Abner przełknął głośno ślinę i pokazał Davidowi rozłożone dłonie.

— Pani Spence jest naszą stałą klientką i woli pić w milczeniu — powiedział spanikowany.

Pani Spence upiła następny łyk, i tym razem z zamkniętymi oczami.

— Chce pić w milczeniu w barze? — David zapytał z niedowierzaniem.

— Tak! — trochę agresywnie rzucił Abner.

— W takim razie chyba wybrała odpowiedni bar — uznał David, wyciągając rękę i wskazując pusty lokal. — To wyludnione miejsce. Czy kiedykolwiek jest tu tłoczno?

— Bądź cicho — syknął Abner. Wyraz jego twarzy mówił: „Siedź przez chwilę spokojnie".

Ale David był w nastroju do rozmowy.

— Bo widzisz, przez cały ranek miałeś tylko dwóch gości, mnie i Eddiego, który tam siedzi, i wszyscy wiemy, że on nie płaci rachunków.

W tej samej chwili Eddie uniósł filiżankę z kawą mniej więcej w kierunku twarzy, ale miał problem z przytknięciem jej do ust. Najwyraźniej nie usłyszał słów Davida.

— Nie wtrącaj się — warknął Abner. — Albo będę musiał cię wyprosić.

— Przepraszam. — David zamilkł. Nie miał ochoty stąd wychodzić, bo zupełnie nie wiedział, dokąd mógłby pójść.

Trzeci łyk zrobił swoje i spowodował niewielkie odprężenie. Pani Spence otworzyła oczy i rozejrzała się. Powoli, głosem starym jak świat powiedziała:

— Tak, często tu przychodzę. Od poniedziałku do soboty. A pan?

— To moja pierwsza wizyta — odpowiedział David. — Ale na pewno nie ostatnia. Poczynając od dzisiaj, będę miał prawdopodobnie więcej czasu na drinka i więcej powodów, żeby pić. Na zdrowie. — Pochylił się, podnosząc kufel z resztką piwa, i bardzo delikatnie trącił nim jej szklankę.

— Na zdrowie — odpowiedziała. — A dlaczego pan tu jest, młody człowieku?

— To długa historia i staje się coraz dłuższa. A dlaczego pani tu przychodzi?

— Och, sama nie wiem. Chyba z przyzwyczajenia. Przez sześć dni w tygodniu. Od jak dawna, Abnerze?

— Co najmniej od dwudziestu lat.

Najwyraźniej nie miała ochoty słuchać długiej historii Davida. Upiła następny łyk i sprawiała wrażenie, jakby miała za chwilę zasnąć. David też nagle zrobił się senny.

Rozdział 5

Helen Zinc przyjechała do Trust Tower kilka minut po dwunastej. Jadąc do śródmieścia, próbowała dodzwonić się do męża, wysyłała mu wiadomości tekstowe, ale, jak na razie, bez powodzenia. O dziewiątej trzydzieści trzy przesłał jej SMS z prośbą, żeby się nie martwiła, a o dziesiątej czterdzieści dwie dostała drugą i ostatnią wiadomość: „Nie ma powodu do obaw. Wszystko jest okay. Nie martw się".

Helen zaparkowała na podziemnym parkingu, pobiegła ulicą i weszła do atrium budynku. Parę minut później wysiadła z windy na dziewięćdziesiątym trzecim piętrze. Recepcjonistka zaprowadziła ją do niewielkiej sali konferencyjnej, gdzie czekała w samotności. Choć była pora lunchu, zasady Rogana Rothberga nie przewidywały wychodzenia z budynku, żeby coś zjeść. Dobre jedzenie i świeże powietrze uchodziły niemal za tabu. Czasami jeden z najważniejszych wspólników zabierał klienta na długi i bardzo drogi lunch, za który ostatecznie i bez wątpienia płacił klient, dzięki sprytnie naliczanym stawkom godzinowym przy pracy nad sprawą i zawyżaniu honorariów, niemniej generalnie — choć było to niepisane prawo — pracownicy i wspólnicy niższego szczebla zadowalali się kanapkami z automatu. W typowy dzień David jadł śniadanie i lunch przy biurku, ale często zdarzało mu się jeść tam i obiad. Przechwalał się Helen przy jakiejś okazji, że zarobił na trzech różnych klientach, załatwiając ich kolejno co godzinę, gdy tymczasem pałaszował wędzonego tuńczyka z chipsami i popijał colą light. Miała nadzieję, że żartował.

Choć nie była pewna dokładnej wielkości, to od dnia ślubu David przytył co najmniej piętnaście kilogramów. Dawniej biegał w maratonie i pozbycie się nadwagi nie stanowiło dla niego problemu. Niemniej dieta złożona ze śmieciowego jedzenia przy niemal zupełnym braku ćwiczeń niepokoiła ich oboje. U Rogana Rothberga czas między dwunastą a trzynastą nie różnił się niczym od pozostałych godzin dnia czy nocy.

To była druga wizyta Helen w biurze męża w czasie pięciu lat. Żonom wolno było przychodzić, ale nikt ich nie zapraszał. Nie miała powodu, żeby tam bywać, a biorąc pod uwagę mnóstwo przerażających historii, jakie David opowiadał w domu, nie miała ochoty oglądać tego miejsca ani spędzać czasu z ludźmi, którzy tam pracowali. Dwa razy w roku ona i David wlekli się na beznadziejne spotkania integracyjne organizowane przez Rogana Rothberga, nędzne imprezy w jakichś knajpach, mające wzmacniać więzi łączące zmaltretowanych prawników i ich zaniedbywane żony. Wszyscy pili na nich bez opamiętania i zachowywali się tak żenująco, że nie można było tego zapomnieć. I nic dziwnego, bo jeśli zbierze się bandę skrajnie przepracowanych adwokatów, da im mnóstwo wódki, rzeczy zawsze przybiorą paskudny obrót.

Rok wcześniej na imprezie zorganizowanej na statku, półtora kilometra od brzegu na jeziorze Michigan, Roy Barton próbował ją obmacywać. Gdyby nie był tak bardzo pijany, może odniósłby sukces, a to wywołałoby poważne problemy. Przez tydzień Helen i David kłócili się, co z tym zrobić. David chciał konfrontacji, by potem zgłosić wszystko do firmowej komisji etyki. Helen powiedziała „nie", bo to tylko zaszkodziłoby karierze męża. Nie było żadnych świadków i w rzeczywistości Barton pewnie w ogóle nie pamiętał, co zrobił. Z czasem przestali rozmawiać o tym incydencie. Przez pięć lat nasłuchała się tylu historii o Royu Bartonie, że w końcu David nie chciał nawet wymieniać w domu jego nazwiska.

I nagle pojawił się właśnie on. Roy wszedł do małej sali konferencyjnej z twarzą wykrzywioną niezadowoleniem i rzucił:

— Helen, co się dzieje?

— To śmieszne, ale chciałam zapytać o to samo — odparowała. Pan Barton, bo tak właśnie chciał być tytułowany, zastraszał ludzi, najpierw na nich warcząc, a potem próbując ich zawstydzić. Ona nie miała zamiaru się na to nabrać.

— Gdzie on jest? — szczeknął.

— To ty mi powiedz, Roy.

Lana, sekretarka, Al i Skoczek pojawili się razem, jakby zostali wezwani na świadków w tej samej sprawie. Zamykając drzwi, Roy szybko ich poinstruował. Helen rozmawiała z Laną wiele razy przez telefon, ale nigdy nie poznała jej osobiście.

Roy spojrzał na Ala i Skoczka i powiedział:

— Wy dwoje opowiedzcie dokładnie, co się stało.

Wspólnymi siłami zrelacjonowali ostatnią jazdę windą Davida Zinca i bez żadnego koloryzowania przedstawili całkiem jasny obraz człowieka, który ma problemy i po prostu się załamał. Pocił się, ciężko oddychał, był blady i właściwie rzucił się głową naprzód do windy, upadł na podłogę, a w chwili gdy drzwi się zamykały, usłyszeli jego śmiech.

— Kiedy wychodził rano z domu, czuł się zupełnie dobrze — zapewniła Helen, jakby chciała podkreślić, że załamanie męża nastąpiło z winy firmy, a nie jej.

— Ty — powiedział Roy, zwracając się do Lany — ty z nim rozmawiałaś.

Lana była dobrze przygotowana. Rozmawiała z nim dwa razy, a potem przestał odbierać telefon.

— W czasie drugiej rozmowy — powiedziała — miałam wrażenie, że pił. Język trochę mu się plątał, mniej wyraźnie wymawiał sylaby.

Roy zerknął na Helen, jakby ona była temu winna.

— Dokąd mógł pójść? — zapytał.

— Och, pewnie tam, gdzie zwykle, Roy — odpowiedziała Helen. — Do tego samego miejsca, gdzie zawsze chodzi, kiedy przeżywa załamanie o wpół do ósmej rano i upija się do nieprzytomności.

W pokoju zapadło niezręczne milczenie. Najwyraźniej Helen Zinc mogła sobie pozwolić na pyskowanie Bartonowi, czego nie można było powiedzieć o pozostałych.

— Czy on za dużo pije? — zapytał Barton, zniżając głos.

— Nie ma czasu na picie, Roy. Wraca do domu o dwudziestej drugiej albo dwudziestej trzeciej, czasem naleje sobie kieliszek wina, a potem zasypia na sofie.

— Chodzi do psychoterapeuty?

— Z jakiego powodu? Dlatego że pracuje po sto godzin tygodniowo? Myślałam, że tutaj to norma. Moim zdaniem wy wszyscy potrzebujecie psychoterapeuty.

Kolejne długie milczenie. Roy czuł, że ktoś odpłaca mu pięknym za nadobne, i była to dla niego niezwykła sytuacja. Al i Skoczek wbili wzrok w blat stołu i bardzo starali się stłumić uśmiechy. Kandydatką na ofiarę była Lana.

— Więc nie masz pojęcia, gdzie on może teraz być? — spytał Roy.

— Nie, ale ty też nie masz żadnych informacji, które mogłyby mi pomóc, prawda, Roy? — odparła Helen.

Roy miał dość. Zmrużył oczy, zacisnął szczęki i zrobił się czerwony na twarzy. Spojrzał na Helen i powiedział:

— Na pewno się pojawi, wcześniej czy później. Złapie taksówkę i znajdzie drogę do domu. Wróci do ciebie na kolanach, a potem przyjdzie na kolanach do nas. Dostaje jeszcze jedną szansę, rozumiesz? Chcę go widzieć w moim gabinecie jutro punktualnie o ósmej rano. Trzeźwego i skruszonego.

Helen poczuła, że łzy napływają jej do oczu. Dotknęła policzków i łamiącym się głosem powiedziała:

— Chcę po prostu go znaleźć. Chcę wiedzieć, że nic mu się nie stało. Możecie mi pomóc?

— To zacznij szukać. W śródmieściu Chicago są tysiące barów. W końcu gdzieś się na niego natkniesz. — I z tymi słowami Roy Barton wyszedł z sali teatralnym krokiem, zatrzaskując za sobą drzwi.

Gdy zniknął, Al podszedł do Helen, dotknął jej ramienia i powiedział cicho:

— Posłuchaj, Roy to dupek, ale w jednym ma rację: David upija się teraz w jakimś barze. Ostatecznie jednak weźmie taksówkę i wróci do domu.

Skoczek również podeszła do Helen i próbowała ją pocieszyć.

— Helen, takie rzeczy już się tutaj zdarzały. Prawdę mówiąc, nie ma w tym niczego niezwykłego. Do jutra David się z tego otrząśnie.

— Firma ma psychoterapeutę na etacie, specjalistę, który zajmuje się takimi przypadkami — dodał Al.

— Przypadek? — prychnęła Helen. — To mój mąż jest w tej chwili przypadkiem?

Skoczek wzruszyła ramionami i powiedziała:

— Tak, ale wyjdzie z tego.

Al wzruszył ramionami i powiedział:

— David siedzi w barze. Bardzo chciałbym być tam teraz z nim.

▲ ▲ ▲

W czasie lunchu u Abnera wreszcie pojawił się tłum. Wszystkie boksy i stoliki były zajęte, przy barze brakowało miejsc, bo zajmowali je urzędnicy przepłukujący gardła piwem po zjedzeniu hamburgerów. David przesiadł się o jeden stołek w prawą stronę, tak że siedział teraz obok pani Spence, która kończyła trzeci i ostatni Pearl Harbor. David dopijał drugi. Kiedy zaproponowała mu kolejkę, w pierwszej chwili odmówił, tłumacząc się, że nie przepada za zbyt wymyślnymi koktajlami. Nalegała, Abner zaś szybko przyrządził drinka i go przed nim postawił. Chociaż zawartość szklanki wyglądała równie niegroźnie, jak syrop na kaszel, była śmiercionośną mieszaniną wódki, likieru melonowego i soku z ananasa.

Wspólnym gruntem okazał się dla nich Wrigley Field. Ojciec pani Spence zabrał ją tam jeszcze jako małą dziewczynkę, a ona przez całe życie kibicowała ukochanym Cubsom. Kupowała bilety na cały sezon rozgrywek od sześćdziesięciu dwóch lat, swoisty rekord, tego była pewna, i widziała na boisku wielkich: Rogersa Hornsby'ego, Erniego Banksa, Rona Santo, Billy'ego Williamsa, Fergiego Jenkinsa i Ryne'a Sandberga. I bardzo ubolewała nas losem drużyny razem z innymi fanami Cubsów. Ożywiła się, opowiadając o klątwie Billy'ego Goata. W jej oczach pojawiły się łzy, gdy wspominała ze szczegółami wielką przegraną z 1969 roku. Upiła duży łyk po zrelacjonowaniu niesławnej porażki z roku 1977. Wymknęło jej się, że zmarły mąż próbował kupić kiedyś ten klub, ale został wymanewrowany.

Po dwóch Pearl Harborach była zupełnie pijana. Trzeci zwalał ją z nóg. Nie interesowała jej sytuacja Davida, wolała mówić, a David, dla którego świat poruszał się w zwolnionym tempie, cieszył się, że może tak po prostu siedzieć i słuchać. Abner włączał się czasami do rozmowy, upewniając się, że starsza pani jest zadowolona.

Dokładnie o dwunastej piętnaście, w chwili gdy serwowanie lunchów sięgnęło szczytu, zjawił się szofer Azjata, by zabrać panią Spence. Opróżniła szklankę, pożegnała się z Abnerem, i nie zawracając sobie głowy płaceniem rachunku, podziękowała Davidowi za towarzystwo. Wyszła z baru, lewą ręką trzymając szofera pod ramię, a prawą opierając się na lasce. Szła powoli, ale wyprostowana i dumna. Ona tu jeszcze wróci.

— Kim ona jest? — David zapytał Abnera, pochylając się ku niemu.

— Powiem ci później. Zjesz lunch?

— Pewnie. Burgery wyglądają bardzo dobrze. Z podwójnym serem i frytkami.

— Załatwione.

▲   ▲   ▲

Taksówkarz nazywał się Bowie i był bardzo rozmowny. Kiedy odjechali sprzed trzeciego zakładu pogrzebowego, nie potrafił powściągnąć ciekawości.

— Muszę pana zapytać, kolego — zaćwierkał, zerkając przez ramię — o co chodzi z tymi zakładami pogrzebowymi?

Wally zasłał tylne siedzenie stronami gazet, na których drukowano nekrologi, planami miasta i notesami.

— Jedźmy teraz do Wooda i Fergusona przy Sto Trzeciej w pobliżu parku Beverly — powiedział, ignorując pytanie Bowiego. Przebywali razem od prawie dwóch godzin, na liczniku niewiele brakowało do stu osiemdziesięciu dolarów, co było niezłym zarobkiem dla taksówkarza, ale zaledwie znikomym ułamkiem w kontekście procesu sądowego związanego z krayoxxem. Zgodnie z tym, co napisano w artykułach, które dał Wally'emu Lyle Marino, prawnicy spekulowali, że odszkodowania za spowodowanie śmierci przez ten lek mogą potencjalnie sięgnąć od dwóch do czterech milionów dolarów. Adwokaci wzięliby z tego czterdzieści procent, a kancelaria Finleya i Figga musiałaby podzielić się honorarium z Zellem i Potterem albo inną firmą zajmującą się pozwami zbiorowymi, która prowadziłoby tę sprawę. Mimo wszystko nawet po podziale lek był kopalnią złota. Teraz należało jak najszybciej odszukać inne ofiary. Kiedy mknęli przez Chicago, Wally miał niezachwianą pewność, że jest jedynym prawnikiem spośród miliona pracujących w tym mieście, który w tej chwili jest na tyle sprytny, żeby przeczesywać ulice w poszukiwaniu ofiar krayoxxu.

W innym artykule napisano, że dopiero niedawno odkryto zagrożenie, jakie stanowił ten lek. W jeszcze innym, gdzie cytowano jakiegoś adwokata, stwierdzano, że ani środowisko lekarskie, ani opinia publiczna nie miały jeszcze pojęcia o „fiasku krayoxxu". Jednak Wally już o tym wiedział i nie przejmował się sumą, jaką zapłaci za taksówkę.

— Pytałem o te zakłady pogrzebowe — znów zaćwierkał Bowie. Nie miał zamiaru odpuścić i nie lubił być ignorowany.

— Już pierwsza — zauważył Wally. — Jadł pan lunch?

— Lunch? Jeżdżę z panem od dwóch godzin. Widział pan, żebym coś jadł?

— Jestem głodny. Tam, po prawej jest Taco Bell. Skorzystajmy z oferty na wynos.

— Pan płaci, tak?

— Tak.

— Uwielbiam Taco Bell.

Bowie zamówił dla siebie miękkie tacos i burrito supreme dla pasażera. Kiedy czekali, Bowie powiedział:

— Tak się właśnie zastanawiam: „Co ten facet robi w tych wszystkich zakładach pogrzebowych?". To nie moja sprawa, ale jeżdżę taryfą od osiemnastu lat i nigdy nie wiozłem nikogo, kto zaglądałby do zakładów pogrzebowych w całym mieście. Nigdy nie trafił mi się pasażer, który miałby tylu zmarłych bliskich, rozumie pan, co mam na myśli?

— Ma pan rację w jednej sprawie — odpowiedział Wally, odrywając wzrok od kolejnych wyników poszukiwań prowadzonych przez Lyle'a. — To nie pańska sprawa.

— O! Załatwił mnie pan bezpardonowo. A brałem pana za miłego gościa.

— Jestem prawnikiem.

— Z deszczu pod rynnę. Żartowałem, mój wujek jest adwokatem. Tyle że to drań.

Wally podał mu banknot dwudziestodolarowy. Bowie wziął jedzenie dla siebie, a drugą porcję podał pasażerowi. Gdy byli na ulicy, wepchnął taco do ust i przestał się odzywać.

Rozdział 6

Rochelle czytała ukradkiem romans, kiedy usłyszała kroki na frontowym ganku. Zręcznym ruchem wsunęła książkę do szuflady i zaczęła stukać w klawiaturę, dzięki czemu, gdy drzwi się otworzyły, wyglądała na osobę bardzo zajętą pracą. Kobieta i mężczyzna weszli niepewnie, strzelając oczami na wszystkie strony, jakby się bali. Nie było w tym nic niezwykłego. Rochelle widziała takich tysiące, przychodzących i odchodzących, którzy prawie zawsze uśmiechali się krzywo, a w oczach mieli podejrzliwość. Bo dlaczego nie? Nie byłoby ich tu, gdyby nie mieli problemów, i najczęściej po raz pierwszy w życiu przychodzili do kancelarii adwokackiej.

— Dzień dobry — odezwała się tonem profesjonalistki.

— Szukamy adwokata — odpowiedział mężczyzna.

— Adwokata od spraw rozwodowych — poprawiła go kobieta. Dla Rochelle natychmiast stało się jasne, że poprawia go tak już od jakiegoś czasu i prawdopodobnie facet ma już tego dość. Byli po sześćdziesiątce, więc trochę za starzy na rozwód.

Rochelle zdobyła się na uśmiech i powiedziała:

— Proszę usiąść. — Wskazała dwa najbliższe krzesła. — Będę potrzebowała kilku podstawowych informacji.

— Czy możemy zobaczyć się z adwokatem bez wcześniejszego umawiania się? — zapytał mężczyzna.

— Na pewno — odrzekła Rochelle. Usiedli, a chwilę potem odsunęli się z krzesłami od siebie. Sprawa może być paskudna, pomyślała Rochelle. Wyjęła formularz i znalazła długopis.

— Państwa nazwiska, poproszę.

— Calvin A. Flander — przedstawił się mężczyzna bardzo stanowczym tonem.

— Barbara Marie Scarbro Flander — powiedziała kobieta. — Scarbro to panieńskie nazwisko i chyba do niego wrócę, jeszcze nie postanowiłam, ale wszystko inne jest już przesądzone, podpisaliśmy nawet warunki podziału majątku, znalazłam formularz w internecie, więc pod tym względem to załatwione. — Trzymała w ręku dużą zaklejoną kopertę.

— Pani pytała cię tylko o nazwisko — syknął pan Flander.

— Zrozumiałam.

— Czy ona może wrócić do panieńskiego nazwiska? To znaczy, pani rozumie, nosi moje od czterdziestu dwóch lat i nikt nie będzie wiedział, kim jest, jeśli zacznie znowu być Scarbro.

— Jest tysiąc razy lepsze od Flander — odparowała Barbara. — Flander brzmi jak jakieś miejsce w Europie albo kojarzy się z flądrą lub czymś równie nieprzyjemnym. Nie uważa pani?

Oboje wpatrywali się w Rochelle, która zapytała spokojnie:

— Mają państwo dzieci poniżej osiemnastego roku życia? Oboje pokręcili głowami.

— Dwójkę dorosłych — odpowiedziała pani Flander. — I sześcioro wnucząt.

— Pani nie pytała o wnuki — wtrącił się pan Flander.

— Co z tego, i tak jej powiedziałam, prawda?

Rochelle udało się przebrnąć bez poważniejszych komplikacji przez daty urodzenia, adres, numery ubezpieczenia społecznego i historię zatrudnienia.

— Wspomnieli państwo, że są małżeństwem od czterdziestu dwóch lat?

Oboje energicznie pokiwali głowami.

Korciło ją, żeby zapytać, dlaczego chcą się rozwieść, co poszło nie tak i czy nie można byłoby jakoś ocalić ich związku, ale za dużo już wiedziała, żeby zaczynać taką rozmowę. Niech prawnicy się tym zajmą.

— Powiedziała pani o porozumieniu majątkowym. Zakładam, że chodzi państwu o rozwód bez orzekania o winie z powodu niezgodności charakterów.

— Właśnie — odrzekł pan Flander. — I im szybciej, tym lepiej.

— Tutaj jest wszystko. — Pani Flander zacisnęła dłoń na kopercie.

— Domy, samochody, konta bankowe, fundusze emerytalne, karty kredytowe, długi, a nawet meble i sprzęt gospodarstwa domowego? — upewniła się Rochelle.

— Wszystko — potwierdził mężczyzna.

— Tutaj jest wszystko — powtórzyła pani Flander.

— I oboje państwo są usatysfakcjonowani tym porozumieniem?

— O tak — zapewnił pan Flander. — Odwaliliśmy całą robotę i teraz potrzebujemy tylko adwokata, który wypełni wszystkie papierki i pójdzie z nami do sądu. Bez żadnego zamieszania.

— Tylko tak można to zrobić — dodała Rochelle tonem osoby z dużym doświadczeniem. — Poproszę jednego z naszych adwokatów, żeby się z państwem spotkał i zapoznał ze sprawą bardziej szczegółowo. Za przeprowadzenie rozwodu bez orzekania o winie nasza kancelaria bierze siedemset pięćdziesiąt dolarów i wymagamy zapłacenia zaliczki wysokości połowy tej sumy przy pierwszym spotkaniu. Drugą połowę należy wpłacić po wyjściu z sądu.

Flanderowie różnie na to zareagowali. Pani Flander z niedowierzania opadła szczęka, jakby Rochelle zażądała dziesięciu tysięcy gotówką. Pan Flander zmrużył oczy, po czym zmarszczył czoło, jakby spodziewał się dokładnie czegoś takiego — wyciągania forsy przez bandę obmierzłych adwokatów. Nie powiedzieli słowa, aż Rochelle zapytała:

— Czy coś nie tak?

— Co to jest, łapanie klientów na haczyk, a potem zmiana śpiewki? — prychnął pan Flander. — W ogłoszeniu tej kancelarii było napisane, że rozwód bez orzekania o winie kosztuje trzysta dziewięćdziesiąt dziewięć dolarów, a po przejściu progu okazuje się, że to dwa razy tyle.

Rochelle natychmiast spytała siebie w myślach, co tym razem Wally wykombinował? Reklamował firmę tak często, na tyle sposobów i w tylu miejscach, że nie sposób było za nim nadążyć.

Pan Flander wstał gwałtownie, wyciągnął coś z kieszeni i rzucił to na biurko Rochelle.

— Niech pani to obejrzy — powiedział. Był to kupon bingo z klubu weteranów wojennych, oddział 178, McKinley Park. Na dolnej krawędzi widniało jasnożółte ogłoszenie: *Finley i Figg, adwokaci, rozwody bez orzekania o winie łatwo i szybko, 399 dolarów, zadzwoń 773-718-ADWOKAT.*

Rochelle była już zaskakiwana tak wiele razy, że powinna się na to uodpornić. Ale kupony bingo? Patrzyła, jak potencjalni klienci przeszukują torby, torebki i kieszenie, żeby znaleźć biuletyn kościelny, program rozgrywek futbolowych, bilety na

63

loterie z klubu emeryta, talony i setki innych niewielkich świstków reklamowych, którymi adwokat Figg zaśmiecał Chicago w nieustającej krucjacie rozwinięcia interesu. I znowu to zrobił. Musiała przyznać, że teraz naprawdę ją zaskoczył.

Cennik kancelarii zmieniał się bez przerwy, koszty usług zależały wyłącznie od klienta i jego sytuacji materialnej. Elegancko ubrana para, która przyjechała nowym modelem samochodu, mogła usłyszeć o tysiącu dolarów za rozwód bez orzekania o winie od jednego prawnika, a godzinę później robociarz i jego wymizerowana żona mogli negocjować połowę tej ceny z drugim. Częścią codziennej harówki Rochelle było łagodzenie problemów z wysokością honorariów.

Kupony bingo? Łatwo i szybko za trzysta dziewięćdziesiąt dziewięć dolarów? Oscar chyba pęknie.

— W porządku — powiedziała spokojnie, jakby dawanie ogłoszeń na kuponach bingo było starą tradycją firmy. — Chciałabym obejrzeć państwa ugodę majątkową.

Pani Flander podała jej papier. Rochelle szybko przebiegła go wzrokiem i oddała.

— Sprawdzę tylko, czy pan Finley jest w gabinecie — powiedziała. Kupon bingo zabrała ze sobą.

Drzwi do gabinetu Oscara były jak zawsze zamknięte. W kancelarii bardzo restrykcyjnie przestrzegano polityki zamkniętych drzwi, które odgradzały adwokatów od siebie nawzajem, od odgłosów ruchu ulicznego i wszelkiej przypadkowej hołoty, która mogłaby się tam zapuścić. Ze swojej grzędy blisko wejścia Rochelle widziała wszystkie drzwi — do gabinetów Oscara, Wally'ego, do kuchni, ubikacji na dole, do pomieszczenia z kserokopiarką i niewielkiej rupieciarni używanej jako magazynek. Wiedziała również, że prawnicy mają skłonność do podsłuchiwania przez zamknięte drzwi, gdy urabiała potencjalnego klienta. W gabinecie Wally'ego były zapasowe drzwi, którymi uciekał przed osobami mogącymi przysporzyć kłopotów, ale Oscar takich nie miał. Teraz była pewna, że siedzi przy biurku, a ponieważ Wally objeżdżał zakłady pogrzebowe, nie mogła wybierać.

Zamknęła za sobą drzwi gabinetu i położyła przed Finleyem kupon bingo.

— Nie uwierzy pan — powiedziała.

— Co on znowu zmalował? — zapytał Oscar, patrząc na kupon. — Trzysta dziewięćdziesiąt dziewięć dolarów?

— Aha.

— Wydawało mi się, że ustaliliśmy pięćset jako minimum bez orzekania o winie?

— Nie, uzgodniliśmy siedemset pięćdziesiąt, potem sześćset, potem tysiąc, a później pięćset. Jestem pewna, że w przyszłym tygodniu ustalimy jeszcze coś innego.

— Nie będę zajmował się rozwodem za czterysta dolarów. Jestem adwokatem od trzydziestu lat i nie będę się prostytuował za takie marne grosze. Słyszy mnie pani, pani Gibson?

— Słyszałam to już wcześniej.

— Niech Figg się tym zajmie. To jego sprawa. Jego kupon bingo. Jestem zbyt zajęty.

— Racja, ale pana Figga nie ma, a pan tak naprawdę nie ma zbyt dużo do roboty.

— Gdzie on jest?

— Odwiedza umarłych, objeżdża zakłady pogrzebowe.

— Na jaki pomysł wpadł tym razem?

— Jeszcze nie wiem.

— Dziś rano chodziło o paralizatory.

Oscar położył kupon bingo na biurku i nie odrywał od niego wzorku. Pokręcił głową, wymamrotał coś pod nosem i powiedział na głos:

— Czyj porąbany umysł mógł wpaść na pomysł reklamowania czegokolwiek na kuponach bingo w klubie weteranów wojennych?

— Pana Figga — odpowiedziała Rochelle bez wahania.

— Mógłbym go udusić gołymi rękami.

— A ja bym go przytrzymywała.

— Niech pani rzuci to badziewie na jego biurko i umówi ich na spotkanie. Muszą przyjść później. Ludziom się wydaje, że mogą ot tak wejść z ulicy i zobaczyć się z adwokatem, nawet jeśli chodzi o Figga, bez umawiania się. To naprawdę wkurzające. Mam zamiar zachować resztki godności, dobrze?

— Dobrze, niech pan zachowuje godność. Ale proszę posłuchać, mają spory majątek i prawie żadnych długów. Są po sześćdziesiątce, ich dzieci już wyfrunęły w świat. Radziłabym ich rozwieść, ją zatrzymać i włączyć licznik.

⋏ ⋏ ⋏

O piętnastej u Abnera znów było pusto. Eddie zniknął z lunchowym tłumem. David Zinc został przy barze. Czterech facetów w średnim wieku upijało się w loży i snuło wybujałe plany łowienia albul w Meksyku.

Abner mył szklanki w niewielkim zlewie obok kurków z piwem. Mówił o pani Spence.

— Jej ostatnim mężem był Angus Spence. To nazwisko z czymś ci się kojarzy?

David pokręcił głową. W tej chwili nic mu się z niczym nie kojarzyło. Kontaktował, ale miał zupełny odlot.

— Angus był miliarderem, o którym nikt nic nie wiedział. Miał kilka składów potażu w Kanadzie i Australii. Umarł dziesięć lat temu, zostawiając jej kupę szmalu. Powinna znaleźć się na liście „Forbesa", ale nie potrafią ocenić jej majątku. Staruszek był na to za sprytny. Pani Spence mieszka w penthousie nad jeziorem, przychodzi codziennie o jedenastej, wypija na lunch trzy koktajle Pearl Harbor, wychodzi piętnaście po dwunastej, kiedy pojawia się tłum, i jak się domyślam, wraca do domu, żeby odespać koktajle.

— Moim zdaniem ona jest cudna.

— Ma dziewięćdziesiąt cztery lata.

— Nie zapłaciła rachunku.

— Ona nie płaci. Co miesiąc przysyła mi czek na tysiąc dolarów. Chce mieć zarezerwowany stołek i trzy drinki tylko dla siebie. Jeszcze nigdy nie widziałem, żeby z kimś rozmawiała. Możesz się uważać za szczęściarza.

— Chce mojego ciała.

— Cóż, wiesz, gdzie jej szukać.

David upił niewielki łyk guinnessa. Rogan Rothberg stał się odległym wspomnieniem. Nie był tego taki pewny w przypadku Helen, ale tak naprawdę wcale się tym nie przejmował. Postanowił upić się jak świnia i cieszyć chwilą. Jutrzejszy dzień powita go z całą brutalnością, więc dopiero wtedy ma zamiar się tym zająć. Nic, absolutnie nic nie może mu przeszkodzić w tym cudownym pogrążaniu się w niepamięci.

Abner posuwistym ruchem postawił przed nim kawę i powiedział:

— Właśnie zaparzyłem.

David ją zignorował.

— Więc w sumie pracujesz w systemie gotowości, co? Zupełnie jak w kancelarii prawniczej. Co mógłbym dostać za tysiąc dolców miesięcznie? — spytał.

— W tempie, w jakim pijesz, tysiąc nie wystarczyłby na długo. Zadzwoniłeś do żony, Davidzie?

— Posłuchaj, Abnerze, jesteś barmanem, a nie terapeutą w poradni małżeńskiej. To dla mnie wielki dzień, dzień, który odmieni moje życie. Jestem w samym środku poważnego załamania nerwowego albo rozpadania się na kawałki, cokol-

67

wiek to jest. Moje życie już nie będzie takie samo, dlatego pozwól mi nacieszyć się tym momentem.

— Wezwę ci taksówkę, kiedy będziesz chciał.

— Nigdzie się nie wybieram.

⋏ ⋏ ⋏

Na pierwsze spotkanie Oscar zawsze wkładał ciemną marynarkę i poprawiał krawat. Ważne było ustalenie tonu, a prawnik w ciemnym garniturze kojarzył się z władzą, wiedzą i autorytetem. Oscar wierzył głęboko, że taki wizerunek niesie również wiadomość, iż nie pracuje za psie pieniądze, choć zwykle tak właśnie było.

Studiował porozumienie majątkowe i marszczył czoło, jakby zostało spisane przez parę idiotów. Flanderowie siedzieli po drugiej stronie jego biurka. Od czasu do czasu rozglądali się po pokoju, zwracając uwagę na „wystawę ego", kolekcję oprawionych zdjęć, na których Finley uśmiechał się i ściskał dłonie nieznanych nikomu celebrytów, i również oprawione najróżniejsze dyplomy mające dowodzić, że Finley jest bardzo wykształcony i zdolny, oraz kilka plakietek świadczących o tym, że przez lata doceniano jego pracę. Pozostałe ściany zakrywały półki z grubymi, poważnymi podręcznikami prawa i traktatami, będące kolejnym świadectwem, że Finley zna się na swojej robocie.

— Jaka jest wartość domu? — zapytał, nie odrywając oczu od dokumentu.

— Około dwustu pięćdziesięciu tysięcy — odpowiedział pan Flander.

— Moim zdaniem więcej — dodała pani Flander.

— To nie jest dobry moment na sprzedaż domu — stwierdził Oscar rzeczowo, choć każdy właściciel domu w Ameryce wiedział, że rynek kiepsko wygląda. Zapadła cisza, gdy mędrzec analizował wyniki ich pracy.

Opuścił dokument i ponad okularami kupionymi w drogerii popatrzył na panią Flander.

— Pani bierze pralkę i suszarkę razem z mikrofalówką, urządzeniem do ćwiczeń i telewizorem płaskoekranowym?

— No cóż, tak.

— W rzeczywistości zabiera też pani prawdopodobnie osiemdziesiąt procent mebli, mam rację?

— Chyba tak. A co w tym złego?

— Nic, poza tym, że mąż bierze większość gotówki.

— Uważam, że to sprawiedliwe — odezwał się pan Flander.

— W to nie wątpię.

— A czy pańskim zdaniem to sprawiedliwe? — zapytała kobieta.

Oscar wzruszył ramionami, jakby to nie była jego sprawa.

— Powiedziałbym, że to typowe. Ale gotówka jest ważniejsza od używanych mebli. Prawdopodobnie wprowadzi się pani do mieszkania w kamienicy, znacznie mniejszego, i nie będzie pani miała miejsca na to wszystko. Z drugiej strony mąż będzie miał pieniądze w banku.

Pani Flander posłała przyszłemu byłemu mężowi wymowne spojrzenie. Oscar nadal kuł żelazo, póki było gorące.

— Pani samochód jest o trzy lata starszy, więc zabiera pani ze sobą stare meble i stary samochód.

— To był jego pomysł — powiedziała.

— Nieprawda. Uzgodniliśmy to oboje.

— Chciałeś konto w banku, konto emerytalne i nowszy samochód.

— Bo to zawsze był mój samochód.

— Bo zawsze miałeś lepszy samochód.

— To nieprawda, Barbaro. Przestań wszystko jak zwykle wyolbrzymiać, dobrze?

— Przestań kłamać przy adwokacie, Cal. — Barbara podniosła głos. — Uzgodniliśmy, że przyjdziemy tutaj, powiemy prawdę i nie będziemy się kłócili przy prawniku. Zgadza się?

— Och, jasne, ale jak mogę siedzieć spokojnie i słuchać, że zawsze miałem lepszy samochód? Zapomniałaś o toyocie camry?

— Dobry Boże, Cal, to było dwadzieścia lat temu.

— Fakt pozostaje faktem.

— Cóż, dobrze, pamiętam, i pamiętam też dzień, kiedy ją rozbiłeś.

Rochelle, słysząc ich rozmowę, uśmiechnęła się. Przewróciła stronę romansu. AC, który spał obok, nagle się podniósł i zaczął warczeć. Rochelle spojrzała na niego, a potem wstała i wolno podeszła do okna. Poprawiła żaluzje, żeby mieć lepszy widok, i wtedy to usłyszała: odległe wycie syreny. Nasilało się, warczenie AC również stało się głośniejsze.

Oscar też stał przy oknie i od niechcenia patrzył na skrzyżowanie, mając nadzieję, że zobaczy karetkę. Był to nawyk zbyt silny, by go przewalczyć, choć wcale nie miał zamiaru tego robić. On, tak jak Wally i Rochelle, a także prawdopodobnie tysiąc innych adwokatów w mieście, nie potrafił stłumić adrenaliny, która zaczynała krążyć w jego żyłach na dźwięk syreny zbliżającej się karetki. A widok mknącego ulicą ambulansu zawsze wywoływał uśmiech na jego ustach.

Flanderowie jednak się nie uśmiechali. Milczeli ponuro i wpatrywali się w niego, ziając nienawiścią. Kiedy wycie syreny ucichło, Oscar wrócił do biurka i powiedział:

— Proszę posłuchać, jeśli będą państwo ze sobą walczyli, nie mogę reprezentować was obojga.

Oboje mieli ochotę zerwać się na równe nogi i wyjść. Już na ulicy mogliby pójść w różne strony i poszukać lepszego adwokata, ale przez sekundę czy dwie nie bardzo wiedzieli, co robić. Pan Flander jako pierwszy zamrugał, podniósł się energicznie i ruszył do drzwi.

— Niech pan sobie nie zaprząta mną głowy, Finley. Znajdę prawdziwego adwokata. — Otworzył drzwi, zatrzasnął je za sobą i głośno tupiąc, przeszedł obok Rochelle i psa wracających na swoje miejsca. Otworzył frontowe drzwi, nimi również trzasnął i zadowolony opuścił na zawsze progi kancelarii Finleya i Figga.

Rozdział 7

Happy hours trwały od siedemnastej do dziewiętnastej. Abner doszedł do wniosku, że jego nowy najlepszy przyjaciel powinien wyjść, zanim się rozpoczną. Zadzwonił po taksówkę, przeszedł potem na drugą stronę baru i lekko go szturchnął.

— Obudź się, Davidzie, już prawie siedemnasta, kolego.

David spał od godziny. Abner, podobnie jak wszyscy dobrzy barmani, nie chciał, żeby tłum, który zachodził tu po pracy, widział pijaka chrapiącego z głową na barze. Dotknął jego twarzy ścierką i powiedział:

— No dalej, ważniaku. Impreza się skończyła.

David nagle oprzytomniał. Błyskawicznie otworzył oczy i usta i gapił się na Abnera.

— Co, co, co? — wymamrotał.

— Już prawie siedemnasta. Czas wracać do domu, Davidzie. Taksówka czeka.

— Siedemnasta! — wykrzyknął David oszołomiony tą nowiną. W barze było sześciu innych gości i wszyscy patrzyli na niego ze współczuciem. Jutro to mogą być oni. David zszedł ze stołka i z pomocą Abnera włożył płaszcz i znalazł teczkę. — Jak długo tu byłem? — zapytał, rozglądając się ze zdziwieniem, jakby pierwszy raz widział to miejsce.

— Bardzo długo — odpowiedział Abner. Wsunął mu wizytówkę do kieszeni i dodał: — Zadzwoń do mnie jutro, to się dogadamy w sprawie rachunku.

Ramię w ramię dotarli chwiejnie do drzwi i wyszli na dwór. Taksówka czekała przy krawężniku. Abner otworzył tylne drzwiczki, z trudem usadowił Davida i powiedział do kierowcy:

— Jest cały twój.

David patrzył, jak zniknął w barze. Spojrzał na kierowcę i zapytał:

— Jak panu na imię?

Kierowca powiedział coś niezrozumiałego, a David odburknął:

— Nie umie pan mówić po angielsku?

— Dokąd jedziemy, proszę pana? — spytał kierowca.

— O, to jest dobre pytanie. Zna pan jakieś dobre bary w tej okolicy?

Taksówkarz pokręcił głową.

— Jeszcze nie jestem gotowy, żeby jechać do domu, bo ona tam jest i, o rany... — Wnętrze taksówki zaczęło wirować. Z tyłu rozległ się głośny klakson. Taksówkarz włączył się do ruchu ulicznego. — Nie tak szybko — poprosił David z zamkniętymi oczami. Jechali niecałe dwadzieścia kilometrów na godzinę. — Niech pan skręci na północ — polecił.

— Potrzebny mi dokładny adres — powiedział taksówkarz, wjeżdżając w South Dearborn. Ruch był już spory i samochody sunęły bardzo wolno.

— Chyba mi niedobrze — wymamrotał David, z trudem przełykając ślinę. Bał się otworzyć oczy.

— Błagam, nie w moim wozie.

Zatrzymali się, a potem ruszyli, mijając dwie przecznice. David jakoś wziął się w karby.

— Dokąd jedziemy, proszę pana? — zapytał znowu taksówkarz.

David otworzył lewe oko i spojrzał w okno. Obok taksówki stał czekający na światłach autobus wypełniony robotnikami, z rury wydechowej buchały spaliny. Na jego boku widniała reklama, metr na trzydzieści centymetrów, informująca o usługach kancelarii adwokackiej Finleya i Figga: *Prowadziłeś po pijanemu? Zadzwoń do ekspertów. 773-718-ADWOKAT.* Adres napisano małym drukiem. David otworzył prawe oko i w jednej chwili zobaczył uśmiechniętą twarz Wally'ego Figga. Skupił wzrok na słowie „pijanemu" i zastanawiał się, czy i jemu mogliby jakoś pomóc. Czy widział wcześniej takie reklamy? Czy słyszał o tych facetach? Nie był pewny. Niczego nie był pewny, nic nie miało sensu. Taksówka znów zawirowała i przyśpieszyła.

— Preston Avenue czterysta osiemnaście — powiedział do kierowcy i zapadł w sen.

ᴧ ᴧ ᴧ

Rochelle nigdy nie śpieszyła się z wyjściem, bo nie lubiła wracać do domu. Napięcie, jakie zwykle panowało w kancelarii, było niczym w porównaniu z tym, co czekało ją w zatłoczonym i pełnym chaosu mieszkaniu.

Choć rozwód Flanderów miał kiepski start, dzięki umiejętnej manipulacji Oscara sprawa trafiła w jego ręce. Pani Flander wynajęła kancelarię i zapłaciła zaliczkę na poczet siedmiuset pięćdziesięciu dolarów. Ostatecznie proces skończy się rozwodem bez orzekania o winie, ale przedtem Oscar oskubie ją z paru tysiączków. Mimo to złościł się z powodu kuponów do bingo i czekał z tym na powrót wspólnika.

Wally wkroczył do biura o siedemnastej trzydzieści po wyczerpującym dniu poszukiwań ofiar krayoxxu. Jedyną nadal był tylko Chester Marino, ale Wally się nie zniechęcał. Był na tropie czegoś wielkiego. Klienci gdzieś tam czekają i wystarczy tylko ich znaleźć.

— Oscar rozmawia przez telefon — powiedziała Rochelle. — Jest niezadowolony.

— A o co chodzi? — zapytał Wally.

— Wypłynął kupon bingo z ceną trzysta dziewięćdziesiąt dziewięć dolarów.

— Bardzo sprytne posunięcie, co nie? Mój wujek gra w bingo w klubie weterana.

— Genialne. — Przedstawiła mu w skrócie sprawę Flanderów.

— No jasne! Sprawdziło się! — powiedział Wally z dumą. — Tu ich mamy, pani Gibson, zawsze to powtarzałem. Trzysta dziewięćdziesiąt dziewięć dolarów to przynęta, potem zmienia się front. Oscar doskonale sobie z tym poradził.

— A co z nieuczciwą reklamą?

— Większość tego, co robimy, to nieuczciwa reklama. Słyszała pani o krayoxxie? Leku na cholesterol?

— Może. Dlaczego pan pyta?

— Bo zabija ludzi, rozumie pani, a z nas zrobi bogaczy.

— Chyba już to słyszałam. Oscar skończył rozmawiać przez telefon.

Wally poszedł prosto do drzwi gabinetu Oscara, stuknął w nie, zanim energicznie je otworzył, i powiedział:

— Więc podobały ci się moje kupony bingo, jak słyszałem.

Oscar stał przy biurku, krawat miał poluzowany, był zmęczony i miał ochotę się napić. Dwie godziny wcześniej szykował się do walki, teraz marzył tylko, żeby stąd wyjść.

— Daj spokój, Wally, kupony bingo?

— Właśnie, jesteśmy pierwszą kancelarią w Chicago, która wykorzystuje kupony bingo.

— Byliśmy już w czymś pierwsi ładnych parę razy i nadal jesteśmy bankrutami.

— Te czasy się skończyły, przyjacielu — oznajmił Wally i sięgnął do teczki. — Słyszałeś kiedyś o leku na cholesterol o nazwie krayoxx?

— Pewnie, moja żona go bierze.

— No cóż, Oscarze, on zabija ludzi.

Oscar się uśmiechnął, po czym zakasłał.

— Skąd o tym wiesz?

Wally położył na biurku stos kartek z wynikami poszukiwań.

— To twoja praca domowa. Wszystko o krayoxxie. Wielka kancelaria od pozwów zbiorowych z Fort Lauderdale wytoczyła w zeszłym tygodniu proces Varrick Laboratories. Powód? Krayoxx. Klasyczna akcja. Twierdzą, że lek ogromnie zwiększa ryzyko ataku serca i udaru, i mają biegłych, którzy to potwierdzą. Varrick rzucają na rynek więcej badziewia niż jakakolwiek wielka firma farmaceutyczna i płacą duże odszkodowania. Miliardy. Wygląda na to, że krayoxx jest ich ostatnim bezsensownym pomysłem. Chłopcy od pozwów zbiorowych dopiero się budzą. To się dzieje w tej chwili, Oscarze, i jeśli znajdziemy mniej więcej tuzin ofiar tego leku, będziemy bogaci.

— Już to słyszałem, Wally.

⋏   ⋏   ⋏

Kiedy taksówka stanęła, David się obudził, choć nie do końca miał świadomość, co się dzieje. Z niejakim wysiłkiem udało mu się rzucić dwa dwudziestodolarowe banknoty na przednie siedzenie i z jeszcze większym trudem wygramolić z taksówki. Patrzył, jak odjeżdża, a potem zwymiotował do ścieku.

I poczuł się znacznie lepiej.

Rochelle porządkowała biurko i słuchała kłótni wspólników, gdy usłyszała na ganku ciężkie kroki. Coś uderzyło w drzwi, które zaraz potem otworzyły się na oścież. Na progu stał młody człowiek o błędnym wzroku i czerwonej twarzy, nieco się chwiejący, ale elegancko ubrany.

— W czym mogę pomóc? — spytała Rochelle podejrzliwie.

David patrzył na nią, ale jej nie widział. Rozejrzał się po pokoju, zakołysał się i zmrużył oczy, próbując się skupić.

— Proszę pana?

— Uwielbiam to miejsce — wybełkotał. — Naprawdę strasznie mi się tu podoba.

— To miłe. Czy mogę...

— Szukam pracy i właśnie tutaj chciałbym pracować.

AC wyczuwał kłopoty, więc wyszedł zza biurka.

— Jak cudnie! — powiedział David głośno i zachichotał. — Pies. Jak się wabi?

— AC.

— AC. W porządku. Niech mi pani pomoże. AC to skrót, ale od czego?

— Ambulansowa Czujka.

— Podoba mi się. Naprawdę bardzo, bardzo mi się podoba. Gryzie?

— Niech go pan nie dotyka.

Bardzo szybko pojawili się obaj wspólnicy. Stali w drzwiach gabinetu Oscara. Rochelle zerknęła na nich nerwowo.

— To właśnie tutaj chciałbym pracować — powtórzył David. — Potrzebuję pracy.

— Jest pan prawnikiem? — zapytał Wally.

— A pan to Figg czy Finley?

— Jestem Figg. On to Finley. Jest pan prawnikiem?

— Tak myślę. Jeszcze o ósmej rano byłem zatrudniony

u Rogana Rothberga jako jeden z sześciuset jego pracowników. Ale rzuciłem to, oszalałem, załamałem się i poszedłem do baru. To był długi dzień. — David oparł się o ścianę, żeby utrzymać równowagę.

— Na jakiej podstawie sądzi pan, że szukamy współpracownika? — zapytał Oscar.

— Współpracownika? Myślałem raczej o dołączeniu od razu jako wspólnik — odpowiedział David, a potem zgiął się wpół ze śmiechu. Nikt inny się nie śmiał. Nie bardzo wiedzieli, co robić, choć Wally przyznał się później, że miał ochotę zadzwonić na policję.

David przestał się śmiać, wyprostował się i powtórzył:

— Uwielbiam to miejsce.

— Dlaczego odszedł pan z dużej kancelarii? — chciał wiedzieć Wally.

— Och, było mnóstwo powodów. Powiedzmy, że nienawidziłem tej pracy, nienawidziłem ludzi, z którymi pracowałem, i nienawidziłem klientów.

— Będzie pan tu pasował — orzekła Rochelle.

— Nikogo nie zatrudniamy — zastrzegł Oscar.

— Och, niech pan da spokój. Skończyłem prawo na Harvardzie. Będę pracował na część etatu, pięćdziesiąt godzin tygodniowo, czyli połowę tego, co zwykle. Rozumie pan? Na część etatu. — Znów się roześmiał, ale nikt mu nie zawtórował.

— Współczuję panu — powiedział Wally lekceważąco.

Gdzieś w pobliżu rozległ się klakson samochodu, długi rozgorączkowany dźwięk, który musiał się źle skończyć. Inny kierowca wdepnął gwałtownie hamulce. Pisk opon. Następny klakson, kolejne hamowanie. Na całą długą sekundę wszyscy w kancelarii Finleya i Figga wstrzymali oddech. Zderzenie, które potem nastąpiło, miało siłę grzmotu. Rzadko który wypadek robił aż takie wrażenie. Było jasne, że doszło do kolizji kilku samochodów na skrzyżowaniu Preston, Beech i Trzydziestej Ósmej. Oscar złapał płaszcz. Rochelle sięgnęła po sweter. Wyszli za Wallym na ulicę, zostawiając pijaka własnemu losowi.

Inne kancelarie przy Preston pustoszały, adwokaci, urzędnicy i asystenci adwokaccy biegli, żeby zobaczyć kraksę i zaoferować pomoc prawną ofiarom.

Zderzyły się co najmniej cztery samochody, wszystkie były poważnie uszkodzone. Jeden leżał na dachu, lecz koła nadal się kręciły. Przez wycie zbliżających się syren przebiły się krzyki. Wally podbiegł do paskudnie powgniatanego forda. Przednie drzwi od strony pasażera zostały urwane, nastoletnia dziewczyna usiłowała wysiąść. Była oszołomiona i cała we krwi. Wziął ją pod rękę i odciągnął od wraku. Rochelle pomagała mu posadzić dziewczynę na pobliskiej ławce przystanku autobusowego. Wally wrócił na miejsce jatki w poszukiwaniu następnych klientów. Oscar znalazł już naocznego świadka, kogoś, kto miał pomóc w ustaleniu winy, bo to przyciągało klientów. Kancelaria Finleya i Figga wiedziała, jak się zabierać do pracy przy wypadkach samochodowych.

Matka nastolatki siedziała na tylnym fotelu, Wally pomógł i jej. Odprowadził ją na ławkę na przystanku prosto w ramiona Rochelle. Pojawił się Vince Gholston, ich konkurent z naprzeciwka.

— Trzymaj się z daleka, Gholston — warknął Wally. — To nasi klienci.

— Nie ma mowy, Figg. Niczego jeszcze nie podpisali.

— Zjeżdżaj stąd, palancie.

Tłum był coraz większy. Ruch na ulicach stanął. Niektórzy kierowcy wysiadali z wozów, żeby popatrzeć. Ktoś wrzasnął: „Śmierdzi benzyną!", co natychmiast spotęgowało panikę. Toyota leżała na dachu, a jej pasażerowie rozpaczliwie usiłowali się z niej wydostać. Ogromny mężczyzna w butach z cholewami kopnął w okno, ale nie zdołał wybić szyby. Ludzie w środku krzyczeli, szamotali się. Syreny wyły coraz bliżej. Wally okrążał buicka, którego kierowca stracił przytomność, Oscar wręczał wszystkim wizytówki.

Pośrodku tego pandemonium ponad cały zamęt wybił się głos młodego mężczyzny:

— Wara od naszych klientów! — krzyknął i wszyscy na niego spojrzeli. Widok był niesamowity. David Zinc stał obok ławki na przystanku autobusowym, trzymał w ręku wielki kawał metalu pochodzący z jednego z wraków i machał nim przed twarzą przerażonego Vince'a Gholstona, który cofał się powoli. — To nasi klienci! — powiedział David ze złością. Wyglądał na szaleńca i nie ulegało wątpliwości, że jeśli zajdzie potrzeba, użyje broni, którą wymachuje.

Oscar podszedł do Wally'ego i powiedział:

— Może, mimo wszystko, ten mały ma jakiś potencjał.

Wally parzył na Davida z podziwem.

— Zatrudnijmy go.

Rozdział 8

Kiedy Helen Zinc wjechała na podjazd budynku przy Preston 418, nie zwróciła uwagi na podniszczoną fasadę kancelarii adwokackiej Finleya i Figga, bo jej wzrok przykuł pobłyskujący neon mieszczącego się obok salonu masażu. Wyłączyła światła, zgasiła silnik i siedziała przez chwilę, zbierając myśli. Jej mąż żyje i nic mu się nie stało, wypił po prostu „kilka głębszych", jak powiedział Wally Figg, na swój sposób miły mężczyzna, który zadzwonił do niej przed godziną. Pan Figg „siedział z jej mężem", cokolwiek to znaczyło. Na cyfrowym zegarze na desce rozdzielczej widać było godzinę dwudziestą dwadzieścia, minęło więc prawie dwanaście godzin, od kiedy zaczęła zamartwiać się o męża, o to, gdzie się podziewa i co się z nim dzieje. Teraz, gdy wiedziała, że jest bezpieczny, wymyślała sposoby zamordowania go.

Rozejrzała się, chłonąc wzrokiem otoczenie i nie akceptując niczego, co widzi, po czym wysiadła z bmw i powoli ruszyła do drzwi. Wcześniej zapytała pana Figga, w jaki dokładnie sposób jej mąż trafił z biurowca w śródmieściu Chicago do robotniczej dzielnicy i na Preston Avenue. Pan Figg odpowiedział jej, że nie zna wszystkich szczegółów i najlepiej będzie, jeśli porozmawiają o tym później.

Otworzyła drzwi. Rozległ się cichy dzwonek. Jakiś pies zaczął na nią warczeć, ale nie próbował jej atakować.

Rochelle Gibson i Oscara Finleya już nie było. Wally siedział przy stole i wycinał nekrologi ze starych gazet, posilając się chipsami z torebki i popijając je dietetycznym napojem. Wstał szybko, wytarł dłonie o spodnie i posłał jej szeroki uśmiech.

— Pani musi być Helen — powiedział.

— Tak, to ja — odpowiedziała, niemal się wzdrygając, gdy wyciągnął do niej rękę na powitanie.

— Jestem Wally Figg.

Od razu mu się spodobała. Ładne opakowanie. Miała metr siedemdziesiąt, krótkie, ciemnorude włosy, piwne oczy za eleganckimi, drogimi oprawkami, była szczupła i dobrze ubrana. Odwrócił się i wskazał zaśmiecony stół. Za nim stała pod ścianą stara skórzana kanapa, a na niej siedział David Zinc, martwy dla świata, znów pogrążony w pijackiej drzemce. Prawa nogawka jego spodni była rozdarta — widać było niewielką ranę po zamieszaniu z wypadkiem samochodowym i jego skutkami — poza tym wyglądało na to, że jest cały.

Helen podeszła bliżej i mu się przyjrzała.

— Jest pan pewny, że on żyje? — zapytała.

— Och tak, i to bardzo. Wdał się w niewielką awanturę przy wypadku samochodowym i rozdarł spodnie.

— Awanturę?

— No tak, z facetem o nazwisku Gholston. To gnida z przeciwka, który próbował podprowadzić nam klientów po sporym wypadku, a ten oto David odpędził go kawałkiem metalu. I w jakiś sposób rozdarł spodnie.

Helen, która miała dość przeżyć jak na jeden dzień, pokręciła głową.

— Może napije się pani czegoś? Kawy, wody, szkockiej?

— Nie piję alkoholu.

Wally popatrzył na nią, potem na Davida i znowu na nią. To musi być przedziwne małżeństwo, pomyślał.

— Ja również — powiedział z dumą. — Jest świeża kawa. Zaparzyłem ją dla Davida. Wypił dwa kubki, zanim się zdrzemnął.

— Tak, poproszę — powiedziała.

Pili kawę i rozmawiali cicho przy stole.

— Wiem tylko — mówił Wally — że kiedy szedł do pracy, wskoczył do windy jadącej na dół. Przeżył coś w rodzaju załamania, wyszedł z budynku i wylądował w barze, gdzie pił przez cały dzień.

— Tego się domyśliłam. Ale jakim cudem trafił tutaj?

— Tak daleko nie dotarłem, ale muszę pani coś powiedzieć, Helen. David twierdzi, że tam nie wróci, mówi, że chce zostać tutaj i tu pracować.

Helen nie potrafiła powstrzymać się od rozejrzenia po wielkim, zagraconym pokoju. Trudno było wyobrazić sobie miejsce, które dosadniej świadczyłoby o tym, jak kiepskie interesy się tu robi.

— To pański pies? — zapytała.

— To AC, pies firmowy. Mieszka tutaj.

— Ilu prawników zatrudnia pańska firma?

— Tylko dwóch. To taki adwokacki butik. Jestem młodszym wspólnikiem. Oscar Finley jest starszym.

— A czym David miałby się tutaj zajmować?

— Specjalizujemy się w odszkodowaniach za uszkodzenie ciała i spowodowanie śmierci.

— Jak ci wszyscy faceci reklamujący się w telewizji?

— Nas nie ma w telewizji — powiedział Wally z udawanym zadowoleniem. Gdyby tylko znała prawdę! Przez cały czas pracował nad scenariuszami. Kłócił się z Oscarem o wydawanie pieniędzy. Patrzył z zawiścią, jak inni adwokaci zapełniają eter reklamami, które jego zdaniem prawie zawsze były bardzo kiepskie. Najbardziej jednak bolało go, gdy wyobrażał sobie wszystkie stracone honoraria, sprawy, które przechodziły im koło nosa, bo jacyś mniej zdolni prawnicy podejmowali ryzyko i wydawali forsę na reklamę w telewizji.

David wydał gulgoczący dźwięk, zaraz potem zachrapał głośno i choć trochę hałasował, nic nie świadczyło o tym, że odzyskuje przytomność.

— Czy pańskim zdaniem rano będzie coś z tego pamiętał? — zapytała Helen, marszcząc czoło i patrząc na męża.

— Trudno powiedzieć — odrzekł Wally. Jego romans z alkoholem był długi i paskudny, spędził wiele poranków, usiłując sobie przypomnieć, co się działo wcześniej. Upił łyk kawy. — Proszę posłuchać, to naprawdę nie moja sprawa i tak dalej, ale czy on często robi coś takiego? Upierał się, że chce tutaj pracować, więc tak na wszelki wypadek chciałbym wiedzieć, czy ma problem z piciem?

— Generalnie pije bardzo niewiele. I nigdy nie pił. Czasami, na jakimś przyjęciu, ale on za ciężko pracuje, żeby dużo pić. A ponieważ ja nie tykam alkoholu, nie mamy go w domu.

— Byłem po prostu ciekawy. Sam miałem z tym problemy.

— Współczuję.

— Nie ma sprawy. Jestem trzeźwy od sześćdziesięciu dni.

To nie tyle zrobiło wrażenie na Helen, ile ją zaniepokoiło. Wally nadal zmagał się z alkoholizmem, a do zwycięstwa było jeszcze bardzo daleko. Nagle ta rozmowa zaczęła ją męczyć.

— Chyba powinnam zabrać go do domu.

— Tak, chyba tak. Może też zostać tu na noc z psem.

— Na to właśnie zasługuje, moim zdaniem. Powinien obudzić się rano na tej kanapie, nadal w ubraniu, z bólem głowy, mdłościami i obłożonym językiem, nie mając pojęcia, gdzie jest. To by mu dobrze zrobiło, prawda?

— Prawda, ale nie chciałbym znowu po nim sprzątać.

— On już...

— Dwa razy. Raz na ganku i raz w ubikacji.

— Przepraszam za niego.

— Nie ma o czym mówić. Lepiej jednak byłoby mu w domu.

— Wiem. Podnieśmy go.

⋀ ⋀ ⋀

Kiedy David się obudził, zaczął gawędzić przyjaźnie z żoną, jakby nic się nie stało. Bez niczyjej pomocy wyszedł z kancelarii, zszedł po schodach i wsiadł do samochodu. Długo i głośno żegnał się z Wallym, dziękując mu wylewnie, i nawet zaofiarował się, że poprowadzi samochód, jednak Helen się na to nie zgodziła. Wyjechali z Preston i skierowali się na północ.

Przez pięć minut panowało milczenie. Potem Helen zaczęła jakby od niechcenia:

— Posłuchaj, chyba wiem już o wszystkich najważniejszych rzeczach, ale kilka szczegółów bardzo by mi pomogło. Gdzie był ten bar?

— U Abnera. Kilka przecznic od biura. — David siedział zgarbiony, postawił kołnierz płaszcza, zakrywając nim uszy.

— Byłeś tam wcześniej?

— Nie. Ale to świetne miejsce. Zabiorę cię tam kiedyś.

— Jasne. Dlaczego nie jutro? O której godzinie zaszedłeś do tego Abnera?

— Między siódmą trzydzieści a ósmą. Uciekłem z biura, przebiegłem kilka przecznic i trafiłem do Abnera.

— I zacząłeś pić?

— O tak.

— Pamiętasz, co w siebie wlałeś?

— Poczekaj, zastanówmy się... — Próbował sobie przypomnieć. — Na śniadanie były cztery Krwawe Mary, które są specjalnością Abnera. Naprawdę dobre. Potem zjadłem talerz krążków cebulowych i popiłem je kilkoma piwami. Zjawiła się pani Spence i wypiłem dwa koktajle Pearl Harbor. Już nigdy nie wezmę tego do ust.

— Pani Spence?

— Aha. Przychodzi każdego dnia, zajmuje ten sam stołek, pije to samo i wszystko robi tak samo.

— Polubiłeś ją?

— Uwielbiam ją. Bardzo milutka, gorący towar.

— Rozumiem. Jest mężatką?

— Nie, wdową. Ma dziewięćdziesiąt cztery lata i kilka miliardów na koncie.

— Jakieś inne kobiety?

— Och nie, tylko pani Spence. Wyszła mniej więcej w południe i, hm... pomyślmy... Zjadłem burgera z frytkami na lunch, potem wróciłem do piwa, a potem w którymś momencie się zdrzemnąłem.

— Film ci się urwał?

— Jak zwał, tak zwał.

Zapadło milczenie, gdy Helen prowadziła, a David wpatrywał się w przednią szybę.

— A jak trafiłeś z baru do tamtej kancelarii adwokackiej?

— Taksówką. Zapłaciłem gościowi czterdzieści dolców.

— Gdzie wsiadłeś do tej taksówki?

Cisza.

— Nie pamiętam.

— Więc mamy jakiś postęp. Najważniejsze pytanie brzmi jednak: jak znalazłeś kancelarię Finleya i Figga?

David zaczął kręcić głową, gdy się nad tym zastanawiał. Wreszcie wyznał:

— Nie mam pojęcia.

Tyle jeszcze należało omówić. Picie — czy to może stać się problemem? Mimo tego, co powiedziała Wally'emu. Rogan Rothberg — czy David tam wróci? Czy powinna powiedzieć mu o ultimatum Roya Bartona? Finley i Figg — myśli o tym poważnie? Helen miała dużo do przemyślenia, dużo do powiedzenia, długą listę skarg, ale jednocześnie nie potrafiła stłumić rozbawienia. Nigdy jeszcze nie widziała męża tak nawalonego, a fakt, że uciekł z biurowca w śródmieściu i wylądował gdzieś na wygwizdowie, niedługo stanie się rodzinną anegdotą, a nawet legendą. Jest bezpieczny, a to najważniejsze. I prawdopodobnie nie zwariował. Z załamaniem można sobie poradzić.

— Mam jedno pytanie — odezwał się, przymykając oczy, bo powieki miał coraz cięższe.

— Ja mam mnóstwo pytań — mruknęła Helen.

— Tego jestem pewny, ale nie chcę teraz o tym rozmawiać. Zostawmy to sobie na jutro, kiedy wytrzeźwieję, dobrze? Szarpanie mnie teraz, kiedy jestem pijany, byłoby nie fair.

— Na to mogę się zgodzić. Jak brzmi twoje pytanie?

— Czy jakimś zbiegiem okoliczności twoi rodzice są teraz u nas w domu?

— Tak. Są u nas od jakiegoś czasu. Bardzo się martwią.

— Jakie to miłe. Nie wejdę do domu, dopóki będą tam twoi rodzice, chwytasz? Nie chcę, żeby widzieli mnie w takim stanie. Jasne?

— Oni cię kochają, Davidzie. Wszystkich nas wystraszyłeś.

— Dlaczego wszyscy tak się boją? Dwa razy wysłałem ci wiadomość i powiadomiłem, że nic mi nie jest. Wiedziałaś, że żyję. Z jakiego powodu cała ta panika?

— Nie zaczynaj ze mną.

— No więc miałem zły dzień, co w tym takiego dziwnego?

— Zły dzień?

— Właściwie to był bardzo dobry dzień, kiedy teraz o tym pomyślę.

— Może pokłócimy się jutro, Davidzie? Czy nie o to właśnie prosiłeś?

— Tak, ale nie wysiądę z samochodu, dopóki oni nie wyjdą. Proszę.

Jechali autostradą Stevenson, ruch się nasilił. Przez resztę drogi milczeli. David bardzo starał się nie usnąć. Helen wzięła w końcu telefon i zadzwoniła do rodziców.

Rozdział 9

Mniej więcej raz w miesiącu, gdy Rochelle Gibson przyjeżdżała do pracy, spodziewając się, że jak zwykle będzie miała godzinę spokoju, zastawała kancelarię otwartą, kawę zaparzoną, nakarmionego psa i Figga miotającego się po biurze, podnieconego nowym pomysłem pozyskiwania klientów w sprawach o odszkodowanie. Bardzo ją to irytowało. Nie dość, że rujnowało jej chwile ciszy przed rozpoczęciem hałaśliwego dnia, to oznaczało jeszcze więcej pracy.

Ledwo przekroczyła próg, Wally przyszpilił ją serdecznym:

— O, pani Gibson, dzień dobry. — Jakby był zaskoczony, że przyszła do pracy w czwartek o siódmej trzydzieści rano.

— Dzień dobry, panie Figg — odpowiedziała ze znacznie mniejszym entuzjazmem. I o mało nie dodała: „A co pana sprowadza tak wcześnie?", ale w porę ugryzła się w język. Wkrótce i tak się dowie o jego nowym pomyśle.

Usadowiła się przy biurku, z kawą, jogurtem i gazetą, i próbowała go ignorować.

— Wczoraj wieczorem poznałem żonę Davida — powiedział

89

Wally siedzący przy stole w drugim końcu pokoju. — Bardzo ładna i przyjemna. Od niej wiem, że on nie pije dużo, no, może okazjonalnie daje sobie w dzióbek, i tyle. Moim zdaniem czasami nie wytrzymuje napięcia. Znam to. Zawsze to napięcie.

Kiedy Wally pił, nie potrzebował wymówki. Chlał ostro po ciężkim dniu, a kiedy nie było zbyt dużo pracy, pił wino już do lunchu. Pił, kiedy dopadał go stres, i pił na polu golfowym. Rochelle widziała i słyszała to wszystko już wcześniej. I ona również skrupulatnie liczyła: sześćdziesiąt jeden dni bez alkoholu. To była historia życia Wally'ego — rachowanie postępów. Dni bez picia. Dni, jakie zostały do odzyskania prawa jazdy. Dni do zakończenia aktualnego rozwodu. I, co smutne, dni dzielące go od chwili, gdy uwolni się od organizacji Anonimowych Alkoholików.

— O której go odebrała? — zapytała Rochelle, nie podnosząc wzroku znad gazety.

— Po ósmej. Wyszedł na własnych nogach i nawet spytał, czy może prowadzić. Nie zgodziła się.

— Była zdenerwowana?

— Zachowywała się spokojnie. Przede wszystkim chyba jej ulżyło. Najważniejsze pytanie brzmi jednak, czy on będzie cokolwiek z tego pamiętał? A jeśli tak, to czy nas znajdzie? Czy naprawdę odszedł z dużej kancelarii i zostawił duże pieniądze? Mam wątpliwości.

Rochelle również miała wątpliwości, ale nie chciała o tym rozmawiać. Kancelaria Finleya i Figga nie była miejscem dla typowego gościa z dużej firmy z dyplomem Harvardu i szczerze mówiąc, nie chciała, żeby następny prawnik komplikował jej życie. Już przy tych dwóch miała ręce pełne roboty.

— Jednak mógłby mi się przydać — ciągnął Wally, a Rochelle wiedziała, że jego najnowszy pomysł dojrzał do realizacji. — Słyszała pani o leku, który nazywa się krayoxx, na zbijanie cholesterolu?

— Już mnie pan o to pytał.

— Powoduje ataki serca i udary, a prawda o tym dopiero wychodzi na jaw. Pierwsza fala pozwów trafiła już do sądu, ale zanim się to skończy, w grę mogą wchodzić dziesiątki tysięcy przypadków. Prawnicy od pozwów zbiorowych już się tym zajęli. Rozmawiałem wczoraj z dużą kancelarią z Fort Lauderdale. Założyli sprawę i czekają na więcej ofiar tego lekarstwa.

Rochelle przewróciła stronę gazety, jakby niczego nie słyszała.

— W każdym razie przez następne kilka dni mam zamiar szukać ofiar krayoxxu i na pewno przyda mi się pomoc. Czy pani mnie słucha, pani Gibson?

— Oczywiście.

— Ile nazwisk klientów mamy w bazie danych, zarówno czynnych, jak i przeniesionych do archiwum?

Zjadła łyżkę jogurtu i wyglądała na poirytowaną.

— Mamy około dwustu aktywnych wpisów — odpowiedziała.

Jednak w kancelarii Finleya i Figga to, że akta były uznawane za aktualne, nie musiało oznaczać, że ktoś się nimi zajmował. Częściej niż rzadziej były to po prostu zaniedbane teczki, których nikt nie kwapił się przenieść do archiwum. Wally zwykle zajmował się trzydziestoma sprawami tygodniowo — rozwodami, testamentami, nieruchomościami, uszkodzeniami ciała, prowadzeniem pod wpływem alkoholu, niewielkimi sporami przy umowach cywilno-prawnych — kolejnych mniej więcej pięćdziesięciu skrupulatnie unikał. Oscar, który chętniej brał nowych klientów i był trochę lepiej zorganizowany niż młodszy wspólnik, prowadził około stu spraw. Wliczając w to kilka, które przegrali, gdzieś schowali albo przestali na nie liczyć, suma zawsze była bliska dwóm setkom.

— A zarchiwizowane?

Łyk kawy, kolejne prychnięcie.

— Kiedy sprawdzałam ostatnim razem, komputer pokazał trzy tysiące wpisów od roku tysiąc dziewięćset dziewięćdziesiątego pierwszego. Nie wiem, co jest na górze.

„Góra" była ostatecznym miejscem przeznaczenia wszystkiego — nieaktualnych podręczników prawniczych, przestarzałych komputerów, niepotrzebnego sprzętu biurowego i dziesiątek pudeł z aktami, które Oscar tam wyniósł, zanim jeszcze przyjął Wally'ego na wspólnika.

— Trzy tysiące — powiedział Wally z uśmiechem satysfakcji, jakby tak wielka liczba była dowodem na długą i pełną sukcesów karierę zawodową. — Plan jest taki, pani Gibson. Chciałbym, żeby przepisała pani list, który naszkicowałem, i wydrukowała go na papierze firmowym. Powinien dotrzeć do wszystkich naszych klientów, obecnych i byłych, czynnych i zarchiwizowanych. Do każdego nazwiska z naszej bazy danych.

Rochelle pomyślała o niezadowolonych ludziach, którzy przewinęli się przez kancelarię Finleya i Figga. O niezapłaconych honorariach, napastliwych listach, groźbach pozwania do sądu za zaniedbania i błędy w prowadzeniu spraw. Założyła nawet teczkę pod tytułem „Groźby". Przez lata mniej więcej pół tuzina byłych rozczarowanych klientów było na tyle złych, że przelewali swoje uczucia na papier. Kilku straszyło zasadzkami i pobiciem. Jeden wspomniał o karabinie snajperskim.

Dlaczego nie zostawić tych biednych ludzi w spokoju? Wycierpieli wystarczająco dużo, zadając się z ich kancelarią po raz pierwszy.

Nagle Wally zerwał się na równe nogi i podszedł do niej z listem. Nie miała wyboru, musiała go wziąć i przeczytać.

Szanowni Państwo,

radzimy strzec się krayoxxu! Udowodniono, że ten lek na obniżenie poziomu cholesterolu, produkowany przez Varrick Laboratories, powoduje ataki serca i udary. Choć jest na rynku od sześciu lat, dopiero teraz badania naukowe wykryły śmiertelnie niebezpieczne efekty uboczne mogące wystąpić po zażyciu tego lekarstwa. Jeśli biorą Państwo krayoxx, prosimy natychmiast go odstawić.

Kancelaria adwokacka Finleya i Figga zamierza wytoczyć proces producentowi krayoxxu. Wkrótce dołączymy do ogólnokrajowego pozwu zbiorowego w bardzo skomplikowanym procesie, który postawi Varrick przed sądem.

Potrzebne nam Państwa zaangażowanie! Jeśli Państwo lub ktokolwiek Państwu znany miał do czynienia z krayoxxem, być może są Państwo stroną w tej sprawie. Co ważniejsze, jeżeli znają Państwo przypadek osoby, która brała krayoxx i przeszła atak serca lub udar, prosimy niezwłocznie do nas zadzwonić. Adwokat z firmy Finleya i Figga zjawi się u Państwa w ciągu godziny.

Niech się Państwo nie wahają. Prosimy dzwonić. Przewidujemy ogromne odszkodowania.

Z poważaniem
Wallis T. Figg

— Czy Oscar to widział? — zapytała Rochelle.
— Jeszcze nie. Całkiem zręczne, prawda?
— To na poważnie?
— Och, bardzo na poważnie, pani Gibson. To wielka chwila.
— Kolejna kopalnia złota?

— Coś więcej niż kopalnia złota.

— I chce pan wysłać trzy tysiące listów?

— No pewnie. Pani je wydrukuje, ja podpiszę, razem zapakujemy je do kopert i jeszcze dzisiaj nadamy.

— To ponad tysiąc dolarów za same znaczki.

— Pani Gibson, każda sprawa dotycząca krayoxxu przyniesie średnio około dwustu tysięcy dolarów honorarium dla adwokata, i to szacując bardzo skromnie. Można pewnie wyciągnąć i czterysta tysięcy za jedną sprawę. Jeśli znajdziemy dziesięć ofiar tego leku, resztę łatwo policzyć.

Rochelle policzyła i jej niechęć zaczęła powoli słabnąć. Dała się ponieść marzeniom. Pamiętała o wszystkich czasopismach prawniczych i wiadomościach, które trafiały na jej biurko, czytała o tysiącu spraw, w których zapadały bezprecedensowe wyroki, a odszkodowania były ogromne. Adwokaci dostawali milionowe honoraria.

— Na pewno dostanie pani ładną premię.

— W porządku — powiedziała, odkładając gazetę.

▲ ▲ ▲

Wkrótce Oscar i Wally pokłócili się o krayoxx po raz drugi. Kiedy Oscar przyjechał o dziewiątej, od razu zauważył krzątaninę przy biurku recepcji. Rochelle pracowała na komputerze. Drukarka chodziła na wysokich obrotach. Wally podpisywał jakieś pisma. Nawet AC się ożywił i wszystkiemu przyglądał.

— Co się tu dzieje? — zapytał Oscar stanowczym tonem.

— To odgłosy kapitalizmu przy pracy — wesoło odpowiedział Wally.

— A niby co, do cholery, to ma znaczyć?

— Dbamy o prawa poszkodowanych. Służymy naszym klientom. Oczyszczamy rynek z niebezpiecznych produktów.

94

Stawiamy przed obliczem sprawiedliwości szubrawców z dużych korporacji.

— Uganiamy się za karetkami pogotowia — dodała Rochelle.

Oscar wyglądał na zniesmaczonego. Przeszedł do swojego gabinetu i trzasnął drzwiami. Nim zdjął płaszcz i odstawił parasol, Wally sterczał już przy jego biurku, jadł babeczkę i machał jakąś kartką.

— Musisz to przeczytać, Oscarze — powiedział. — To genialne.

Oscar przeczytał, a zmarszczki na jego czole pogłębiały się przy każdym akapicie. Kiedy skończył, prychnął:

— Daj spokój, Wally, znowu to samo. Ile takich listów chcesz wysłać?

— Trzy tysiące. Do wszystkich z naszej bazy danych.

— Co? Pomyśl o znaczkach. Pomyśl o zmarnowanym czasie. I tak w kółko. Przez następny miesiąc będziesz biegał i świergotał, że krayoxx to, krayoxx tamto, i stracisz setki godzin, uganiając się za sprawą, która nie jest tego warta, i tak dalej, i tak dalej. Już to przerabialiśmy, Wally, odpuść sobie. Zrób coś produktywnego.

— Na przykład co?

— Na przykład posiedź w jakimś szpitalu na ostrym dyżurze i poczekaj na prawdziwą sprawę. Nie muszę ci mówić, jak się znajduje dobrych klientów.

— Mam dosyć tego gówna, Oscarze. Chcę wreszcie zarobić pieniądze. Zajmijmy się dla odmiany dużym procesem.

— Moja żona bierze ten lek od dwóch lat i jest nim zachwycona.

— Powiedziałeś jej, żeby przestała, bo on zabija ludzi?

— Oczywiście, że nie.

Mówili coraz głośniej, więc Rochelle podeszła i po cichu

zamknęła drzwi gabinetu. Wracała do biurka, kiedy nagle otworzyły się frontowe drzwi i stanął w nich David Zinc, rześki i trzeźwy, z szerokim uśmiechem, w idealnym garniturze, kaszmirowym płaszczu, z dwoma bardzo wypchanymi teczkami.

— Proszę, proszę, czy to nie pan Harvard? — powitała go.

— Wróciłem.

— Dziwię się, że w ogóle pan nas znalazł.

— Nie było łatwo. Gdzie jest mój gabinet?

— Chwileczkę, zastanówmy się, dobrze? Chyba nie mamy żadnego wolnego pokoju. Może powinniśmy zapytać o to obu szefów? — Wskazała głową drzwi, za którymi słychać było podniesione głosy.

— A więc tu są?

— Tak, zwykle zaczynają dzień od małej sprzeczki.

— Rozumiem.

— Niech pan posłucha, Harvardzie, jest pan pewny, że wie, co robi? To inny świat. Spada pan bardzo nisko, zostawia wygodne życie w korporacji dla trzeciej ligi. Tu może sobie pan poparzyć palce i na pewno nie zarobi pan dużych pieniędzy.

— Pracę w wielkiej firmie już zaliczyłem, pani Gibson, i prędzej skoczę z mostu, niż tam wrócę. Niech mi pani wskaże trochę miejsca, gdzie będę mógł rozłożyć swoje klamoty, a jakoś się w tym połapię.

Nagle drzwi gabinetu Oscara się otworzyły i obaj wspólnicy zamarli na widok Davida stojącego przed biurkiem Rochelle. Wally uśmiechnął się i powiedział:

— Dzień dobry, Davidzie. Wyglądasz zaskakująco zdrowo.

— Dziękuję. Chciałbym przeprosić za moje wczorajsze zachowanie. — Gdy mówił, skinął głową całej trójce. — Spotkaliście mnie w chwili, gdy kończyłem pewien smutny epizod, niemniej był to bardzo ważny dzień w moim życiu. Rzuciłem etat w dużej firmie i oto jestem, gotowy do pracy.

— Jaką pracę ma pan na myśli? — zainteresował się Oscar.

David wzruszył lekko ramionami, jakby nie miał pojęcia, o co Oscarowi chodzi.

— Przez ostatnie pięć lat tyrałem w lochu, zajmując się ubezpieczeniami i papierami wartościowymi, z naciskiem na księgi rachunkowe firm, które były drugie albo trzecie w łańcuchu odsprzedaży części zamiennych do samochodów, głównie w ramach zagranicznych wielonarodowych korporacji, które nie chcą płacić podatków. Jeśli nie macie pojęcia, o czym mówię, nie przejmujcie się. Nikt tego nie wie. Oznacza to, że nasza niewielka grupa idiotów, harujących po piętnaście godzin dziennie w pokojach bez okien, odwalała papierkową robotę, i tylko papierkową robotę. Nigdy nie byłem na sali sądowej, szczerze mówiąc, nawet nie widziałem budynku sądu od środka, nigdy nie spotkałem sędziego w todze, nigdy też nie zaproponowałem pomocy osobie, która potrzebowała adwokata z prawdziwego zdarzenia. Odpowiadając na pańskie pytanie, panie Finley, jestem tu, żeby coś robić. Niech mnie pan traktuje jak nowicjusza tuż po studiach prawniczych, który nie potrafi odróżnić jajka od kury. Ale szybko się uczę.

Wynagrodzenie powinno być kolejnym tematem, ale obaj wspólnicy żywili ogromną niechęć do rozmawiania o pieniądzach przy Rochelle. Stała ona bowiem na stanowisku, że ktokolwiek, kto zostanie przyjęty do firmy, prawnik czy nie, powinien zarabiać mniej od niej.

— Mamy trochę miejsca na górze — powiedział Wally.

— Może być na górze.

— To rupieciarnia — ostrzegł Oscar.

— Mnie to nie przeszkadza. — David wziął obie teczki, gotowy natychmiast się wprowadzić.

— Nie byłam tam od lat — wtrąciła Rochelle, przewracając oczami, niezadowolona z powiększenia się kancelarii.

Wąskie drzwi obok kuchni prowadziły do schodów. David ruszył za Wallym, a pochód zamykał Oscar. Wally był bardzo podekscytowany tym, że będzie miał kogoś do pomocy przy sprawie krayoxxu. Oscar myślał tylko o pensji, potrąceniach od podatku, odliczeniach z tytułu walki z bezrobociem i, niech Bóg broni, ubezpieczeniu zdrowotnym. Kancelaria Finleya i Figga oferowała niewiele, jeśli chodzi o indywidualne ubezpieczenie emerytalne, emerytalny plan 401(k), żadnej renty i na pewno żadnego ubezpieczenia zdrowotnego lub dentystycznego. Rochelle biadoliła od lat, że została zmuszona do wykupienia prywatnej polisy, którą musieli zresztą wykupić również obaj wspólnicy. Jeśli jednak David oczekuje ubezpieczenia zdrowotnego, to co wtedy?

Wchodząc po schodach, Oscar czuł na barkach ciężar zwiększenia kosztów. Więcej wydatków na kancelarię oznaczało mniejszą pensję dla niego. Odejście na emeryturę wydało mu się jeszcze bardziej odległą mrzonką.

Rupieciarnia zasługiwała na to określenie: była ciemna, zakurzona, pełna pajęczyn, starych mebli i pudeł z aktami.

— Podoba mi się tutaj — powiedział David, kiedy Wally zapalił światło.

Musi być obłąkany, pomyślał Oscar.

Stało tam tylko biurko i kilka krzeseł. David widział jednak potencjał. I były tam dwa okna. Słoneczne światło stałoby się miłym dodatkiem do jego życia. Kiedy zapadnie zmrok, będzie przecież w domu razem z Helen, zajmując się prokreacją.

Oscar usunął wielką pajęczynę i powiedział:

— Niech pan posłucha, Davidzie, możemy zaproponować panu niewielką pensję, ale swoje honoraria będzie pan musiał wypracowywać sam. To nie będzie łatwe, przynajmniej na początku.

Na początku? Oscar szamotał się od trzydziestu lat, żeby zapracować na liche pieniądze.

— Jakie są warunki? — zapytał David.

Oscar popatrzył na Wally'ego, a Wally przeniósł wzrok na ścianę. Nie zatrudniali nowego pracownika od piętnastu lat ani nawet nie brali pod uwagę takiej możliwości. Pojawienie się Davida było dla nich sporym zaskoczeniem.

Jako starszy wspólnik Oscar czuł się zmuszony do przejęcia inicjatywy.

— Możemy płacić panu tysiąc dolarów miesięcznie i zatrzyma pan połowę wypracowanych honorariów. Po sześciu miesiącach renegocjujemy umowę.

— Na początku będzie ciężko, mamy dużą konkurencję w tej okolicy — dodał Wally.

— Możemy przekazać panu kilka spaw — rzekł Oscar.

— Dostanie pan sprawę pozwu dotyczącego krayoxxu — sprecyzował Wally takim tonem, jakby już wzięli za to ogromne honorarium.

— Pozwu w sprawie czego? — zapytał David.

— Nieważne — mruknął Oscar, marszcząc czoło.

— Posłuchajcie, panowie. — David się uśmiechnął. Był o wiele bardziej wyluzowany niż oni. — Przez ostatnie pięć lat miałem bardzo dobrą pensję. Sporo wydawałem, ale całkiem dużo zostało w banku. Nie martwcie się mną. Zgadzam się na te warunki. — Wyciągnął rękę i wymienił uścisk dłoni najpierw z Oscarem, a potem z Wallym.

Rozdział 10

Przez następną godzinę David zajmował się porządkami. Wytarł kurz z biurka i krzeseł. Znalazł w kuchni stary odkurzacz i odkurzył drewnianą podłogę. Zapełnił śmieciami trzy worki, które wystawił na małą werandę z tyłu domu. Od czasu do czasu przystawał i podziwiał okna i światło słoneczne, czego nie mógł robić u Rogana Rothberga. Bo prawdę mówiąc, w ładny dzień widok na jezioro Michigan zapierał dech w piersi, ale już w pierwszym roku pracy w firmie nauczył się, że czas spędzony na gapieniu się z Trust Tower był czasem, za który nie płacono. Nowo zatrudnieni absolwenci zajmowali boksy podobne do bunkrów, gdzie tkwili godzinami, z upływem dni zapominając o słońcu i marzeniach na jawie. Teraz David nie mógł odejść od okien. Widok, co musiał przyznać, nie przykuwał wzroku. Patrząc w dół, dostrzegał salon masażu, a dalej było skrzyżowanie Preston, Beech i Trzydziestej Ósmej, miejsce, gdzie wziął kawał blachy, żeby przepędzić Gholstona. Za skrzyżowaniem znajdowało się osiedle domów mieszkalnych przerobionych na biura, sklepy i warsztaty.

Nie było za bardzo na co patrzeć, ale Davidowi i tak się podobało. To, co widział, stanowiło dowód na to, że w jego życiu zaszła zmiana, że podjął nowe wyzwanie. Oznaczało wolność.

Wally zaglądał do niego co kilka minut, żeby sprawdzić, jak mu idzie, i wkrótce stało się jasne, że coś zaprząta jego myśli. Wreszcie po godzinie zagaił:

— Słuchaj, Davidzie, za godzinę powinienem być w sądzie. Sprawa rozwodowa. Wątpię, czy kiedykolwiek uczestniczyłeś w czymś takim, więc pomyślałem, że może wezmę cię ze sobą i przedstawię sędziemu.

Sprzątanie stało się monotonnym zajęciem, więc David odpowiedział:

— To chodźmy.

Kiedy wychodzili tylnymi drzwiami, Wally spytał:

— Czy to twój audi SUV?

— Mój.

— Możemy nim pojechać. Poprowadzisz, a ja będę mówił.

— Jasne.

Kiedy wjeżdżali na Preston, Wally zaczął:

— Posłuchaj, Davidzie, muszę ci się przyznać, że rok temu zabrali mi prawko za jazdę po pijanemu. Boże, powiedziałem to. Wierzę w uczciwość.

— W porządku. Ty widziałeś mnie bardzo pijanego.

— W rzeczy samej. Ale wiem od twojej ślicznej żony, że niewiele pijesz. Ja natomiast mam nieciekawe doświadczenia. Jestem trzeźwy od sześćdziesięciu dwóch dni. I każdy dzień to wyzwanie. Zgłosiłem się do Anonimowych Alkoholików i kilka razy byłem na odwyku. Co jeszcze chcesz wiedzieć?

— Nie ja poruszyłem ten temat.

— Oscar każdego wieczoru sporo wypija. Możesz mi wierzyć, że mając taką żonę, bardzo tego potrzebuje, ale ma nad tym kontrolę. Niektórzy ludzie już tacy są, rozumiesz. Mogą poprzestać na dwóch czy trzech, nie pić przez kilka dni, nawet tygodni, i nie mają z tym problemu. Inni nie mogą przestać, dopóki nie padną na twarz, tak jak ty wczoraj.

— Dzięki, Wally. A tak przy okazji, dokąd jedziemy?

— Daley Center w śródmieściu, West Washington numer pięćdziesiąt. Od pewnego czasu jakoś sobie radzę. Rzucałem już cztery czy pięć razy, wiesz?

— Skąd miałbym wiedzieć?

— W każdym razie wystarczy tego chlania.

— Co jest nie tak z żoną Oscara?

Wally gwizdnął i zapatrzył się w boczne okno.

— To twarda sztuka, człowieku. Jedna z tych, które wychowały się w ładniejszej dzielnicy miasta. Jej ojciec ubierał się do pracy w garnitur i krawat, a nie w kombinezon robociarza, więc dorastała w przekonaniu, że jest lepsza od większości ludzi. Okropny babsztyl. Największy błąd popełniła, wychodząc za Oscara, bo wydawało jej się, że on jest adwokatem, rozumiesz? A adwokaci zarabiają mnóstwo kasy, prawda? Niezupełnie. Oscar nigdy nie zarobił tyle, żeby ją usatysfakcjonować, więc ona tłucze go jak worek treningowy, domagając się więcej pieniędzy. Brzydzę się tą babą. Nie spotkasz jej, bo nie chce przychodzić do naszej kancelarii, co z kolei bardzo mi odpowiada.

— Dlaczego się nie rozwiodą?

— Pytam go o to od lat. Ja nie mam żadnych problemów z rozwodami. Przechodziłem przez to już cztery razy.

— Cztery razy?

— Aha, i za każdym razem warto było zadać sobie ten trud. Jak to mówią: rozwód z rozsądku jest taki drogi, bo jest wart tych pieniędzy. — Wally roześmiał się z tego starego jak świat powiedzenia.

— A teraz jesteś żonaty? — zapytał David.

— Nie, znowu szukam — odpowiedział Wally i uśmiechnął się zadowolony z siebie, jakby teraz żadna kobieta nie była bezpieczna. David zaś nie potrafił wyobrazić sobie mniej atrakcyjnego mężczyzny podrywającego kobiety w barach i na imprezach. Tak więc w niecały kwadrans dowiedział się, że Wally jest alkoholikiem, który odstawił picie, miał cztery żony, kilka razy trafił na odwyk i przynajmniej raz zabrano mu prawo jazdy za prowadzenie po pijaku. David postanowił nie zadawać mu więcej pytań.

Jedząc śniadanie z Helen, pobuszował trochę w internecie i dowiedział się, że: 1. Dziesięć lat temu kancelaria Finleya i Figga miała proces wytoczony przez byłą sekretarkę za molestowanie seksualne; 2. Przy jakiejś okazji stanowa izba adwokacka udzieliła Oscarowi nagany za żądanie zbyt dużego wynagrodzenia od klienta za sprawę rozwodową; 3. Przy dwóch wcześniejszych okazjach ta sama stanowa izba adwokacka udzieliła Wally'emu nagany za „rażące nagabywanie" klientów, którzy byli ofiarami wypadków samochodowych, włączając w to paskudną aferę, kiedy Wally ubrany w fartuch lekarski zakradł się do sali szpitalnej do rannej nastolatki, która zmarła cztery godziny później; 4. Co najmniej czterech byłych klientów pozwało kancelarię za niedopełnienie obowiązków i błędy, choć nie było jasne, czy dostali jakieś odszkodowania; i 5. Firmę wymieniono w zgryźliwym artykule napisanym przez jakiegoś profesora od etyki prawa, który brzydził się reklamami adwokatów. I to wszystko tylko podczas śniadania.

Helen była zaniepokojona, ale David przyjął twardą, cyniczną postawę i dowodził, że takie budzące wątpliwości zachowania nie są obce rzezimieszkom, za jakich uznawał doskonałych prawników od Rogana Rothberga. Wystarczyło, że wspomniał o sprawie rzeki Strick, żeby przyjęła jego argumenty. Strick w Wisconsin została zatruta przez okrytą złą sławą firmę chemiczną, reprezentowaną przez Rogana Rothberga, i po dekadach brutalnych pozwów i sztuczek prawniczych trucie nadal trwało.

Wally zaczął szukać czegoś w teczce.

David spojrzał na wysokie majestatyczne budynki, stłoczone w śródmieściu Chicago. Trust Tower stała między nimi pośrodku.

— Byłbym tam teraz — powiedział cicho, jakby do siebie.

Wally podniósł wzrok, zobaczył wieżowce i zrozumiał, co David miał na myśli.

— Który to? — zapytał.

— Trust Tower.

— Przez jedno lato pracowałem w Sears Tower jako pomocnik, po drugim roku prawa. U Martina i Wheelera. Wydawało mi się wtedy, że tego właśnie chcę.

— I co się stało?

— Nie zdałem egzaminów adwokackich.

David dodał to do wydłużającej się listy jego wad.

— Nie będziesz za tym tęsknił, prawda? — spytał Wally.

— Nie. Na sam widok oblewa mnie zimny pot. Nie mam ochoty nawet zbliżać się do tego miejsca.

— Skręć w lewo na Washington. Jesteśmy prawie na miejscu.

⋏ ⋏ ⋏

W Richard J. Daley Center przeszli przez bramkę kontroli i wjechali windą na szesnaste piętro. Miejsce aż kipiało od stłoczonych tam adwokatów i uczestników procesów, gliniarzy i urzędników, którzy albo się dokądś śpieszyli, albo stali w grupach, pogrążeni w poważnych rozmowach. Sprawiedliwość kładła się cieniem na wszystkim i wszyscy najwyraźniej się jej obawiali.

David nie miał pojęcia, dokąd idą ani co ma robić, dlatego trzymał się blisko Wally'ego, który najwyraźniej czuł się tu jak u siebie. David niósł teczkę, w której miał tylko notes. Mijali sale sądowe, jedną po drugiej.

— Naprawdę nigdy nie byłeś w sali sądowej? — zapytał Wally, gdy ich buty stukały miarowo na wyślizganej marmurowej posadzce.

— Nie, od czasu skończenia studiów.

— Niewiarygodne. Co w takim razie robiłeś przez ostatnie pięć lat?

— Nie chcesz tego wiedzieć.

— W tym przypadku masz rację. Jesteśmy na miejscu — oznajmił Wally, wskazując ciężkie podwójne drzwi sali sądowej. Tabliczka na nich głosiła: „Sąd Okręgu Cook — Wydział Rozwodów. Sędzia Charles Bradbury".

— Kim jest Bradbury? — chciał wiedzieć David.

— Zaraz go poznasz.

Wally otworzył drzwi i weszli do środka. W rzędach ławek siedziało tu i tam kilku gapiów. Adwokaci zajęli miejsca z przodu i czekali znudzeni. Ławka dla świadków była pusta, nie prowadzono żadnych przesłuchań. Sędzia Bradbury czytał spokojnie jakiś dokument. David i Wally usiedli w drugim rzędzie. Wally omiótł salę spojrzeniem, spostrzegł swoją klientkę, uśmiechnął się do niej i skinął głową.

— To się nazywa dzień otwarty, w odróżnieniu od dnia procesowego — szepnął do Davida. — Mówiąc ogólnie, można teraz nadać bieg sprawie, zyskać potwierdzenie dokumentów i podobne bzdety. Ta kobieta, o tam, w krótkiej żółtej sukience, to nasza ukochana klientka DeeAnna Nuxhall. Jest przekonana, że dostanie kolejny rozwód.

— Kolejny? — zapytał David, zerkając na nią. DeeAnna

puściła do niego oko. Farbowana blondynka o ogromnym biuście i nogach jak do nieba.

— Jeden już załatwiłem. To będzie mój drugi. Moim zdaniem ma spore szanse.

— Wygląda jak striptizerka.

— Nic mnie już nie zaskoczy.

Sędzia Bradbury podpisał jakieś dokumenty. Adwokaci podeszli do stołu sędziowskiego, pogadali z nim, dostali to, czego chcieli, i wyszli. Minęło piętnaście minut. Wally zaczynał się niepokoić.

— Panie Figg — odezwał się sędzia.

Wally i David przeszli obok barierki, minęli ławki i zbliżyli się do stołu sędziowskiego, który był na tyle niski, że adwokaci mieli oczy niemal na wysokości oczu sędziego. Bradbury odsunął mikrofon, żeby mogli rozmawiać niesłyszani przez innych.

— O co chodzi? — zapytał.

— Mamy nowego współpracownika, Wysoki Sądzie — odpowiedział Wally z dumą. — Przedstawiam: David Zinc.

David wyciągnął rękę i wymienił uścisk dłoni z sędzią.

— Witam na mojej sali sądowej — powiedział sędzia ciepło.

— David pracował do tej pory w dużej kancelarii w śródmieściu. Teraz chce poznać prawdziwe oblicze sprawiedliwości — wyjaśnił Wally.

— Od Figga dużo się pan nie nauczy. — Bradbury zachichotał.

— Skończył prawo na Harvardzie — dodał Wally z jeszcze większą dumą.

— To co w takim razie pan tu robi? — spytał sędzia, nagle śmiertelnie poważny.

— Mam dość dużej kancelarii — odpowiedział David.

Wally podał sędziemu plik papierów.

— Mamy tu niewielki problem, Wysoki Sądzie. Moją klientką jest urocza DeeAnna Nuxhall, czwarty rząd po lewej stronie, żółta sukienka.

Bradbury prawie niezauważalnie spojrzał w tamtą stronę ponad okularami i stwierdził:

— Wygląda znajomo.

— Nic dziwnego, była tu mniej więcej rok temu, drugi albo trzeci rozwód.

— Chyba nawet w tej samej sukience.

— Tak, mnie też się tak wydaje. Ta sama sukienka, ale cycki ma nowe.

— Dobrałeś się do nich?

— Jeszcze nie.

Davidowi zrobiło się słabo. Sędzia i adwokat rozmawiali na sali sądowej o seksie z klientką i nie było ważne, że nikt ich nie słyszał.

— Na czym polega problem? — zapytał Bradbury.

— Nie dostałem honorarium. Jest mi winna trzysta dolców i nie mogę ich z niej wycisnąć.

— A na które części naciskałeś?

— Ha, ha! Nie chce zapłacić, Wysoki Sądzie.

— Muszę się jej bliżej przyjrzeć.

Wally odwrócił się i gestem zachęcił panią Nuxhall, żeby podeszła do stołu sędziowskiego. Kobieta wstała i przecisnęła się między ławkami. Prawnicy milczeli. Dwóch komorników się obudziło. Inni mężczyźni gapili się na nią. Kiedy szła, sukienka wydawała się jeszcze krótsza. Kobieta miała na nogach buty na koturnach, które wywołałyby rumieniec nawet u prostytutki. David odsunął się na tyle, na ile było to możliwe, kiedy dołączyła do nich przy stole sędziowskim.

Bradbury udawał, że jej nie widzi, bardzo zajęty zawartością akt sądowych.

— To rozwód bez orzekania o winie, czy tak, panie Figg? —
zapytał wreszcie.

— Tak, Wysoki Sądzie — rzekł Wally tonem zawodowca.

— Wszystko jest w porządku?

— Tak, poza drobiazgiem w postaci mojego honorarium.

— Właśnie to zauważyłem. — Bradbury ściągnął brwi. —
Wygląda na to, że powinna być jeszcze dopłata wysokości
trzystu dolarów, nie mylę się?

— Właśnie tak, Wysoki Sądzie.

Bradbury spojrzał na kobietę ponad okularami do czytania.
Najpierw przyjrzał się jej piersiom, a potem popatrzył
w oczy.

— Czy jest pani przygotowana do zapłacenia tego honorarium, pani Nuxhall?

— Tak, Wysoki Sądzie — odpowiedziała piskliwym głosem. — Ale będę musiała z tym zaczekać do przyszłego
tygodnia. Niech Wysoki Sąd zrozumie, w tę sobotę wychodzę
za mąż, no i po prostu w tej chwili nie mam tyle kasy.

Wędrując wzrokiem od jej piersi do oczu i z powrotem,
sędzia powiedział:

— Z mojego doświadczenia, pani Nuxhall, wynika, że gdy
jest już po rozwodzie, honorarium nigdy nie jest płacone.
Muszę dbać o to, żeby prawnikom nie działa się krzywda, żeby
im płacono, zanim podpiszę ostateczny wyrok. Ile w sumie
wynosi to honorarium, panie Figg?

— Sześćset dolarów. Zapłaciła połowę.

— Sześćset dolarów? — Bradbury udał niedowierzanie. —
To niezbyt wysoka opłata, pani Nuxhall. Dlaczego nie zapłaciła
pani adwokatowi?

W oczach kobiety błysnęły łzy.

Inni prawnicy i widzowie nie mogli słyszeć rozmowy, ale
nie odrywali wzroku od DeeAnny, szczególnie od jej długich

nóg i butów. David odsunął się jeszcze trochę, zaszokowany takim sposobem wymuszania pieniędzy na sali sądowej.

Bradbury przystąpił do zadania ostatecznego ciosu. Lekko podniesionym głosem oznajmił:

— Nie wydam dzisiaj postanowienia w sprawie rozwodu, pani Nuxhall. Zapłaci pani adwokatowi, a wtedy podpiszę odpowiednie dokumenty. Czy mnie pani zrozumiała?

Ocierając łzy, DeeAnna jęknęła:

— Błagam.

— Bardzo mi przykro, ale w tych sprawach jestem nieugięty. Należy spłacać zobowiązania: alimenty, honoraria, opłaty skarbowe. To tylko trzysta dolarów. Niech je pani pożyczy od przyjaciółki.

— Próbowałam, Wysoki Sądzie, ale...

— Proszę! Ciągle to słyszę. Może pani odejść.

Kobieta obróciła się i odeszła, a Wysoki Sąd obserwował każdy jej krok. Wally także patrzył, kręcił głową zachwycony, niemal gotowy się na nią rzucić. Kiedy drzwi się zamknęły, obecni na sali znowu zaczęli oddychać. Sędzia Bradbury napił się wody i zapytał:

— Coś jeszcze?

— Tylko jedno, Wysoki Sądzie. Joannie Brenner. Bez orzekania o winie, pełna ugoda majątkowa, żadnych dzieci i, co najważniejsze, moje honorarium zostało wpłacone w całości.

— Niech ją pan tu poprosi.

⋏ ⋏ ⋏

— Nie jestem pewny, czy nadaję się na adwokata od rozwodów — wyznał David.

Byli na ulicy i posuwali się metr po metrze w korku, zostawiając za sobą Richard J. Daley Center.

— Doskonale. Byłeś w sądzie pierwszy raz, spędziłeś tam

niecałą godzinę i już wiesz, w czym nie będziesz się specjalizował — prychnął Wally.

— Czy większość sędziów robi to, co właśnie zrobił Bradbury?

— Co? Masz na myśli dbanie o interesy adwokatów? Nie, większość sędziów zapomniała, jak to jest, kiedy walczy się w okopach. W chwili gdy wkładają czarną togę, zapominają. Bradbury jest inny. Pamięta, że jesteśmy tylko bandą szumowin.

— I co teraz będzie? DeeAnna dostanie rozwód?

— Wpadnie do kancelarii dzisiaj po południu z pieniędzmi i w piątek załatwimy jej rozwód. Wyjdzie za mąż w sobotę, a za pół roku znowu przyjdzie, bo znowu będzie chciała się rozwieść.

— Poddaję się. Nie jestem stworzony do pracy przy rozwodach.

— Och, to do dupy robota. Zresztą dziewięćdziesiąt procent tego, co robimy, jest do dupy. Uganiamy się za groszowymi sprawami, żeby mieć na opędzenie kosztów, i marzymy o wielkim procesie. Ale wczoraj wieczorem, Davidzie, nie marzyłem, i powiem ci dlaczego. Słyszałeś o krayoxxie? To lek na obniżenie poziomu cholesterolu.

— Nie.

— No to usłyszysz. Zabija ludzi w całym kraju, nie ma wątpliwości, że będzie fala pozwów zbiorowych o odszkodowania, i musimy szybko się do tego włączyć. Dokąd jedziesz?

— Muszę coś pilnie załatwić, bo akurat jesteśmy w śródmieściu. To zajmie sekundę.

Minutę później zaparkował nieprawidłowo przed barem Abnera.

— Byłeś tu kiedyś? — zapytał Wally'ego.

— Och, jasne. Nie ma wielu barów, których bym nie znał, Davidzie. Choć dawno tu nie zaglądałem.

— To właśnie tutaj spędziłem wczorajszy dzień i muszę zapłacić rachunek.

— Dlaczego wczoraj nie zapłaciłeś?

— Bo nie wiedziałem, co się wokół mnie dzieje, pamiętasz?

— Zaczekam w samochodzie — powiedział Wally, a potem patrzył długo i tęsknie na drzwi baru.

Pani Spence siedziała na swoim tronie, oczy miała szkliste, policzki zarumienione, przebywała w innym świecie. Abner krzątał się przy barze, mieszał koktajle, nalewał piwo, przesuwał talerze z burgerami. David podszedł do niego, gdy Abner znalazł się przy kasie, i powiedział:

— Cześć, wróciłem.

Abner uśmiechnął się i stwierdził:

— Mimo wszystko przeżyłeś.

— Och, jasne. Właśnie wyszedłem z sądu. Masz pod ręką mój rachunek?

Abner zajrzał do szuflady i wyjął niewielką kartkę.

— Umówmy się, że to sto trzydzieści dolców.

— Tylko tyle? — David wręczył mu dwa banknoty studolarowe i dodał: — Reszta dla ciebie.

— Twoja panienka tam siedzi. — Abner wskazał głową panią Spence, która zamknęła na chwilę oczy.

— Dzisiaj nie jest już taka śliczna — westchnął David.

— Mam kumpla, który robi w finansach, był tu zeszłego wieczoru. Twierdzi, że jest warta osiem miliardów.

— Z drugiej strony, jeśli się nad tym zastanowić...

— Myślę, że cię polubiła, ale musisz się śpieszyć.

— Lepiej będzie, jak zostawię ją w spokoju. Dzięki za opiekę nade mną.

— Nie ma sprawy. Zajrzyj tu od czasu do czasu.

Bardzo mało prawdopodobne, pomyślał David, gdy wymieniał z Abnerem szybki uścisk dłoni.

Rozdział 11

Jak na kierowcę bez prawa jazdy, Wally okazał się doskonałym nawigatorem. Niedaleko lotniska Midway pokazał Davidowi kilka skrętów w krótkie uliczki, wyprowadzał ich z niewiarygodnych ślepych zaułków, upierał się, żeby jechać pod prąd przez dwie przecznice, cały czas prowadząc monolog, w którym powtarzało się zdanie: „Znam to miejsce jak własną kieszeń". Zaparkowali przy krawężniku przed rozpadającym się bliźniakiem, którego okna zasłaniała folia aluminiowa, z grillem na werandzie i ogromnym rudym kotem pilnującym frontowych drzwi.

— Kto tu mieszka? — zapytał David, przyglądając się podupadłej okolicy. Dwóch kościstych nastolatków po drugiej stronie ulicy wydawało się zafascynowanych widokiem jego lśniącego audi.

— Mieszka tu urocza kobieta, Iris Klopeck, wdowa po Percym Klopecku, który zmarł we śnie mniej więcej półtora roku temu, w wieku czterdziestu ośmiu lat. Bardzo smutne. Przyszli do mnie, bo chcieli się rozwieść, ale potem się rozmyślili. Jak sobie przypominam, on był raczej otyły, ale nie tak wielki, jak ona.

David i Wally siedzieli w samochodzie, jakby nie mieli ochoty wysiąść. Bardziej podejrzanie mogłoby wyglądać tylko dwóch agentów FBI w czarnych garniturach w czarnym sedanie.

— Więc po co tu przyjechaliśmy? — zapytał David.

— Z powodu krayoxxu, przyjacielu, krayoxxu. Chcę pogadać z Iris i dowiedzieć się, czy Percy przypadkiem brał ten lek, zanim umarł. Jeśli tak, to *voilà!* Mamy następną ofiarę tego leku, wartą od dwóch do czterech milionów. Jakieś pytania?

Och, David miał mnóstwo pytań. Myślał gorączkowo, gdy zdał sobie sprawę, że mają cynicznie odwiedzić panią Klopeck, żeby wypytywać ją o zmarłego męża.

— Czy ona się nas spodziewa? — zapytał.

— Ja do niej nie dzwoniłem, a ty?

— Nie, na pewno nie.

Wally jednym pchnięciem otworzył drzwiczki auta i wysiadł. David niechętnie zrobił to samo i zdołał nawet zmarszczyć czoło, patrząc na wyrostków podziwiających jego wóz. Rudy kot nie chciał zejść z wycieraczki. Nie było słychać dzwonka, dlatego Wally po chwili zdecydował się zapukać. Pukał coraz głośniej, podczas gdy David zerkał nerwowo na ulicę. Wreszcie usłyszeli brzęk łańcucha i zgrzyt.

— Kto tam? — zapytała kobieta.

— Adwokat Wally Figg. Szukam pani Iris Klopeck.

Otworzyły się wewnętrzne drzwi, a przez szybę drzwi frontowych widać było Iris Klopeck w całej okazałości. Była tak wielka, jak mówił Wally. Miała na sobie coś, co przypominało beżowe prześcieradło z dziurami na głowę i ramiona.

— Kim jesteście? — zapytała.

— Wally Figg, Iris. Poznałem ciebie i Percy'ego, kiedy

mieliście zamiar się rozwieść. Mniej więcej trzy lata temu. Przyszliście do mojej kancelarii przy Preston.

— Percy nie żyje.

— Tak, wiem. Wyrazy współczucia. Właśnie dlatego tu jestem. Chcemy porozmawiać o jego śmierci. Interesuje mnie, jakie leki brał przed śmiercią.

— A dlaczego miałoby to mieć znaczenie?

— Ponieważ wytacza się teraz mnóstwo procesów z powodu leków obniżających cholesterol, środków przeciwbólowych i antydepresantów. Niektóre z tych specyfików przyczyniły się do śmierci tysięcy ludzi. Może chodzić o mnóstwo pieniędzy.

Pani Klopeck patrzyła na nich w milczeniu.

— Dom jest w ruinie — powiedziała wreszcie.

W ogóle bym się tego nie domyślił, pomyślał David. Weszli za nią do wąskiej brudnej kuchni i usiedli przy stole. Zaparzyła rozpuszczalną kawę w trzech kuflach do piwa z różnych kompletów, a potem usiadła naprzeciwko prawników. Krzesło Davida okazało się lichym drewnianym meblem, sprawiającym wrażenie, że może się w każdej chwili złamać. Jej należało chyba do tej samej rodziny. Wyprawa do drzwi, potem powrót do kuchni i przygotowanie kawy wyraźnie ją zmęczyły. Na jej gąbczastym czole błyszczały krople potu.

Wally zdołał wreszcie dojść do głosu i przedstawił Davida pani Klopeck:

— David skończył prawo na Harvardzie i właśnie dołączył do naszego zespołu.

Kobieta nie wyciągnęła ręki, podobnie zresztą jak pan Harvard. Guzik ją obchodziło, gdzie David, Wally czy kto inny kończył prawo lub studiował. Oddech miała głośny jak stara lokomotywa. W domu śmierdziało kocimi sikami i zatęchłym papierosowym dymem.

Wally ponownie złożył jej fałszywe wyrazy współczucia

z powodu odejścia tak miłego człowieka jak Percy, a potem szybko przeszedł do rzeczy:

— Najważniejszy lek, o który mi chodzi, nazywa się krayoxx. To specyfik na zbicie cholesterolu. Czy Percy zażywał go przed śmiercią?

— Tak. Brał go od lat. Ja też kiedyś go łykałam, ale przestałam — odrzekła bez wahania pani Klopeck.

Wally'ego bardzo podekscytowało to, że Percy przyjmował lek, ale rozczarowała go Iris, która go odstawiła.

— Coś jest nie tak z tym krayoxxem? — zapytała.

— Och, tak, i to bardzo. — Wally zatarł ręce. Opowiedział o sprawie, która miała stać się ogromnie ważna, choć jeszcze nie była do końca sprecyzowana, przeciwko Varrick Laboratories jako producentowi krayoxxu. Przedstawił wybrane fakty i liczby ze wstępnych analiz, dokonanych przez adwokatów zajmujących się pozwami zbiorowymi. Cytował przede wszystkim pozew złożony w Fort Lauderdale. Przekonywał z zapałem, że czas ma istotne znaczenie i że Iris powinna natychmiast uczynić kancelarię Finleya i Figga swoim przedstawicielem procesowym.

— Ile będzie mnie to kosztowało? — chciała wiedzieć.

— Ani centa — odrzekł pośpiesznie Wally. — Pokrywamy koszty pozwu i bierzemy czterdzieści procent z odszkodowania.

Kawa smakowała jak pomyje. David miał ochotę wypluć pierwszy łyk, lecz Iris najwyraźniej się nią delektowała. Upiła długi łyk, przepłukała nim usta i dopiero wtedy połknęła.

— Czterdzieści procent to bardzo dużo — zauważyła.

— To niezwykle skomplikowany proces, Iris, przeciwko korporacji, która ma miliardy dolarów i tysiące prawników. Popatrz na to w ten sposób: teraz masz sześćdziesiąt procent niczego. Za rok lub dwa, jeśli wynajmiesz naszą firmę, możesz mieć sześćdziesiąt procent czegoś dużego.

— Jak dużego?

— To trudne pytanie, Iris, ale właśnie sobie przypomniałem, że ty zawsze zadajesz trudne pytania. I zawsze mi się to w tobie podobało. Trudne pytanie i, szczerze mówiąc, nie umiem na nie odpowiedzieć, bo nikomu nie udało się jeszcze przewidzieć, co zdecyduje ława przysięgłych. Sąd może dostrzec prawdę o krayoxxie, wystawi mandat producentowi i da ci milion dolców. Albo ława przysięgłych uwierzy w kłamstwa wciskane przez Varrick i ich prawników szubrawców, a wtedy nie dostaniesz nic. Ja ze swej strony skłaniam się ku myśleniu, że ta sprawa będzie dotyczyła mniej więcej miliona dolców, Iris, ale musisz zrozumieć, że niczego ci nie obiecuję. — Spojrzał na Davida i dodał: — Mam rację, Davidzie? Nie możemy składać żadnych obietnic w sprawie takiej jak ta. Niczego nie gwarantujemy.

— Masz rację — powiedział David z przekonaniem, jako nowy specjalista od wytaczania procesów.

Kobieta wlała w siebie jeszcze więcej pomyj i wpatrywała się w Wally'ego.

— Jakaś pomoc na pewno by mi nie zaszkodziła — powiedziała. — Jestem sama z Clintem, a on ostatnio pracuje tylko dorywczo. — Wally i David robili notatki i kiwali głowami, jakby wiedzieli, kim jest Clint. Iris nie wchodziła w szczegóły. — Żyję za tysiąc dwieście dolarów miesięcznie z opieki społecznej, więc wszystko, co uda się dostać, będzie jak z nieba.

— Coś dla ciebie wyrwiemy, Iris. Czuję to — zapewnił Wally.

— Kiedy to się może stać?

— Kolejne trudne pytanie, Iris. Zgodnie z jedną teorią, Varrick dostaną tak mocny cios od ofiar krayoxxu, że firma się podda i będzie negocjowała ogromne odszkodowania. Większość adwokatów, i ja również, spodziewa się, że coś takiego nastąpi w ciągu dwudziestu czterech miesięcy. Inna teoria mówi, że Varrick będą się procesowały z kilkoma pozywającymi, żeby wybadać grunt w całym kraju, przekonać się, co przysięgli myślą o tym leku. Jeśli tak się stanie, uzyskanie odszkodowania może potrwać dłużej.

Nawet David, mający dyplom prawnika doskonałej uczelni i pięcioletnie doświadczenie, zaczynał wierzyć, że Wally wie, co mówi. Młodszy wspólnik ciągnął:

— Jeśli dojdzie do ugody, a my głęboko wierzymy, że tak się stanie, przypadki śmierci będą negocjowane jako pierwsze. Potem ludzie z Varrick będą rozpaczliwie chcieli dogadać się jakoś z żyjącymi ofiarami, ludźmi takimi jak ty.

— Ja jestem żyjącą ofiarą? — zapytała pani Klopeck, zbita z tropu.

— Tymczasem. Wyniki badań naukowych nie są jeszcze znane, ale istnieje spora szansa na udowodnienie, że krayoxx jest odpowiedzialny za uszkodzenie serca u bardzo wielu osób, które przedtem były zupełnie zdrowe.

Jak ktokolwiek mógł spojrzeć na Iris Klopeck i pomyśleć, że jest zdrowa, stanowiło zagadkę, przynajmniej dla Davida.

— Litości — jęknęła Iris i jej oczy zaszły łzami. — Brakuje mi jeszcze tylko problemów z sercem.

— Tym proszę się teraz nie martwić — rzekł Wally bez cienia przekonania. — Twoim przypadkiem zajmiemy się później. Najważniejsze jest umieszczenie Percy'ego na liście. Jesteś wdową po nim i jego główną spadkobierczynią, dlatego powinnaś wynająć mnie jako adwokata i działać w jego imieniu. — Z pomiętej marynarki wyjął kartkę i rozłożył ją przed Iris. — To pełnomocnictwo procesowe. Już kiedyś takie podpisywałaś w związku z rozwodem, gdy razem z Percym przyszliście do mojej kancelarii.

— Nie przypominam sobie, żebym coś podpisywała — obruszyła się Iris.

— Mamy je w kartotece. Musisz podpisać nowe, zanim będę mógł wystąpić z twoimi roszczeniami wobec Varrick Laboratories.

— Jesteś pewny, że to zgodne z prawem i tak dalej? — zapytała z wahaniem.

Davida uderzyło to, że potencjalny klient pyta adwokata, czy dokument jest „zgodny z prawem". Z drugiej strony Wally nie sprawiał wrażenia człowieka ściśle przestrzegającego etyki zawodowej. Jej pytanie w ogóle nie zbiło go z tropu.

— Wszyscy nasi klienci w sprawie krayoxxu podpisują coś takiego — skłamał Wally, bo Iris była pierwszą taką klientką. Mieli na widoku jeszcze inne osoby, ale żadna z nich właściwie niczego jeszcze nie podpisała.

Iris przeczytała upoważnienie i złożyła podpis.

Kiedy Wally wepchnął kartkę do kieszeni, powiedział:

— A teraz posłuchaj, Iris. Potrzebna mi twoja pomoc. Chciałbym, żebyś rozejrzała się za ofiarami krayoxxu. Wśród przyjaciół, członków rodziny, sąsiadów, bo każdy mógł doznać uszczerbku na zdrowiu z powodu tego leku. Nasza kancelaria oferuje nagrodę za wskazanie takiej osoby. Pięćset dolarów za przypadek śmierci i dwieście za przypadek utraty zdrowia. W gotówce.

Oczy Iris nagle stały się suche. Zwęziły się, a potem w kącikach jej ust pojawił się niewyraźny uśmiech. Już myślała o innych.

Davidowi udało się profesjonalnie zmarszczyć czoło, gdy zapisywał jakieś brednie w notesie i próbował objąć rozumem wszystko, co właśnie usłyszał. Czy to etyczne? Łapówka w gotówce za więcej spraw?

— Czy wiesz może przypadkiem o kimś innym, kto brał krayoxx i zmarł? — zapytał Wally.

Iris już chciała coś powiedzieć, ale ugryzła się w język. Było jasne, że zna takiego kogoś.

118

— Pięćset dolców, co? — upewniła się, przenosząc spojrzenie z Wally'ego na Davida i z powrotem.

— Umowa stoi. Kto to?

— Dwie przecznice dalej, jeden facet. Grał z Percym w pokera, wykitował w zeszłym roku pod prysznicem, dwa miesiące po tym, jak umarł mój Percy. Wiem na pewno, że brał krayoxx.

Wally wpatrywał się w nią oszołomiony.

— Jak się nazywał?

— Powiedziałeś, że gotówką, prawda? Pięć stów. Chciałabym je najpierw zobaczyć, panie Figg, zanim powiem, kto był następną ofiarą. Naprawdę potrzebuję pieniędzy.

Wally zaniemówił na chwilę, ale szybko wymyślił przekonujące kłamstwo.

— Cóż, zwykle musimy najpierw podjąć pieniądze z konta, na którym trzymamy fundusze na dany proces, żeby księgowa się nie czepiała, rozumiesz?

Iris skrzyżowała potężne ramiona na piersi, wyprostowała plecy, zmrużyła oczy i powiedziała:

— W porządku. Idź, podejmij pieniądze z konta i mi je przynieś. Wtedy podam ci nazwisko.

Wally sięgnął do portfela.

— Nie jestem pewny, czy mam tyle gotówki przy sobie. Davidzie, ile masz kasy?

David odruchowo wyjął portfel. Iris przyglądała się podejrzliwie, jak dwaj prawnicy szukają pieniędzy. Wally miał trzy banknoty dwudziestodolarowe, jeden pięciodolarowy i patrzył z nadzieją na Davida, który znalazł dwieście dolarów w różnych nominałach. Gdyby nie zatrzymał się w barze Abnera, żeby zapłacić rachunek, do pełnej nagrody dla Iris za wskazanie ofiary leku brakowałoby im tylko piętnastu dolarów.

— Zawsze myślałam, że adwokaci mają mnóstwo pieniędzy — prychnęła Iris.

— Trzymamy je w banku — wyjaśnił Wally, nie chcąc pogodzić się z porażką. — Wygląda na to, że mamy dwieście osiemdziesiąt pięć dolarów. Resztę przywiozę ci jutro.

Iris pokręciła głową.

— Daj spokój, Iris — przekonywał Wally. — Jesteś teraz naszą klientką. Gramy w jednej drużynie. Mówimy tu o ogromnym odszkodowaniu, a ty nie ufasz nam w sprawie dwustu dolarów?

— Zgodzę się na skrypt dłużny — powiedziała.

W tym momencie David wolałby nie ustępować, okazać resztki dumy, zabrać gotówkę ze stołu i wyjść. Ale Davidowi brakowało doświadczenia w takich sprawach, wiedział tylko, że nie powinien się wtrącać. Wally był przecież starym wyjadaczem. Szybko napisał rewers na kartce wyrwanej z notesu, podpisał go i przesunął po stole. Iris przeczytała dokument, nie spodobał jej się, więc oddała go Davidowi.

— Ty też podpisz — rzuciła.

Po raz pierwszy od chwili wielkiej ucieczki David Zinc zwątpił w swoją mądrość życiową. Mniej więcej czterdzieści osiem godzin temu pracował nad skomplikowaną zmianą kwalifikacji prawnej wysoko oprocentowanych obligacji sprzedawanych przez rząd Indii, interes opiewał na mniej więcej piętnaście miliardów dolarów, a teraz, w nowym życiu „ulicznego" adwokata pozwalał się terroryzować dwustukilowej babie, która domagała się jego podpisu na bezwartościowym kawałku papieru.

Zawahał się, wciągnął głęboko powietrze, rzucił Wally'emu bezgranicznie zdumione spojrzenie i napisał swoje nazwisko.

⅄ ⅄ ⅄

Nieciekawa okolica prezentowała się zdecydowanie gorzej, im bardziej się w nią zagłębiali. „Dwie przecznice dalej", o których wspomniała Iris, w rzeczywistości okazało się co najmniej pięcioma przecznicami, a w chwili gdy znaleźli dom i przed nim zaparkowali, David poważnie niepokoił się o ich bezpieczeństwo.

Maleńki dom wdowy Cozart przypominał fortecę — nieduży budynek z cegły na wąskiej działce, ogrodzony dwuipółmetrowym płotem z drucianej siatki. Od Iris dowiedzieli się, że Herb Cozart prowadził wojnę z czarnymi nastoletnimi łobuzami włóczącymi się po okolicy. Po całych dniach przesiadywał na werandzie od frontu ze strzelbą w rękach, rzucał gniewne spojrzenia i wyzywał chuliganów, jeśli za bardzo się zbliżyli. Kiedy umarł, ktoś przywiązał balony na całej długości płotu, ktoś inny wrzucił sznur petard na trawnik przed domem i odpalił go w środku nocy. Zgodnie z tym, co mówiła Iris, pani Cozart zamierzała się przeprowadzić.

David zgasił silnik, spojrzał na ulicę i sapnął:

— O rany.

Wally zamarł, popatrzył w tym samym kierunku i stwierdził:

— To może być interesujące.

Pięciu czarnych nastolatków, wszyscy ubrani w odpowiednie raperskie łachy, zauważyło już lśniące audi i przyglądało mu się z odległości niecałych pięćdziesięciu metrów.

— Chyba zostanę w wozie — powiedział David. — Przecież sobie poradzisz.

— Dobry pomysł. Szybko się z tym uwinę. — Wally wyskoczył z teczką z samochodu. Iris uprzedziła telefonicznie o jego wizycie, dlatego pani Cozart stała już na werandzie.

Gang zbliżał się powoli do audi. David zamknął drzwiczki i pomyślał, że fajnie byłoby mieć jakiś pistolet, po prostu dla ochrony. Coś, czym mógłby przekonać chłopaków, żeby poszli bawić się gdzie indziej. Jednak uzbrojony był tylko w telefon komórkowy, więc przytknął go do ucha i udawał, że jest pogrążony w rozmowie, gdy młodzieńcy podchodzili coraz bliżej. Otoczyli samochód, gadając bez przerwy, choć David nie rozumiał z tego ani słowa. Mijały minuty, a on w każdej chwili spodziewał się cegły, która rozbije szybę. Przegrupowali się przed zderzakiem z przodu i oparli od niechcenia o maskę, jakby wóz należał do nich i wykorzystywali go jako miejsce odpoczynku. Kołysali nim delikatnie, uważając, by go nie zarysować i nie uszkodzić. Potem jeden z nich zapalił skręta i puścił go w obieg.

David pomyślał, że mógłby zapuścić silnik i odjechać, ale to przysporzyłoby mu problemów, z których jednym byłoby zostawienie Wally'ego własnemu losowi. Pomyślał o opuszczeniu szyby i wciągnięciu chłopaków w przyjacielską pogawędkę, ale nie wyglądali na nastawionych szczególnie przyjacielsko.

Kątem oka spostrzegł, że drzwi domu pani Cozart otworzyły się i Wally wypadł przez nie jak burza. Sięgnął do teczki, wyjął z niej wielki czarny rewolwer i krzyknął:

— FBI! Won od tego pieprzonego samochodu!

Chłopcy chyba się wystraszyli, bo zamarli, być może bojąc się, że nie będą dość szybcy, dlatego Wally wycelował w niebo i wystrzelił, co zabrzmiało jak salwa z armaty. Cała piątka natychmiast, rozproszyła się i zniknęła.

Wally schował broń do teczki i zatrzasnął drzwi auta.

— Spadajmy stąd — rzucił.

David już wciskał pedał gazu.

— Łobuzy — wściekał się Wally.

— Zawsze nosisz przy sobie broń? — zapytał David.

— Mam pozwolenie. Tak, zawsze mam przy sobie broń. W tym interesie może się okazać przydatna.

— Czy większość adwokatów ma broń?

— Nie obchodzi mnie, co robi większość adwokatów, jasne? Moja praca nie polega na ochranianiu większości adwokatów.

122

Dwa razy napadnięto mnie w tym mieście, więc nie chcę, żeby znów mnie to spotkało.

David skręcił i przyśpieszył, gdy mknęli przez osiedle.

Wally ciągnął:

— Ta wariatka chciała pieniędzy. Iris rzecz jasna zadzwoniła do niej i uprzedziła, że przyjedziemy, i oczywiście powiedziała pani Cozart o nagrodzie za wskazanie nazwiska, ale ponieważ ta stara baba jest kompletnie stuknięta, usłyszała tylko o pięciuset dolarach.

— Podpisała plenipotencję?

— Nie. Domagała się gotówki, co było głupotą, bo Iris powinna wiedzieć, że ogołociła nas z pieniędzy.

— Dokąd jedziemy teraz?

— Do kancelarii. Nie powiedziała mi nawet, jak nazywał się jej mąż, więc będziemy musieli trochę poszperać, żeby się tego dowiedzieć. Może byś się tym zajął, gdy dotrzemy do biura?

— Ale on nie jest naszym klientem.

— Nie, on nie żyje. A ponieważ jego żona to wariatka, naprawdę, mówię ci, tej kobiecie pomieszało się w głowie, moglibyśmy załatwić sądowne przydzielenie jej opiekuna, który zgodziłby się na wszczęcie procesu w sprawie jej męża. Jak nie kijem go, to pałką, Davidzie. Nauczysz się.

— Och, już się uczę. Czy strzelanie z broni w granicach miasta nie jest łamaniem prawa?

— Proszę, proszę, więc jednak czegoś cię na tym Harvardzie nauczyli. Tak, to prawda, podobnie jak wpakowanie drugiej osobie kulki w głowę. To się nazywa morderstwo i w Chicago dochodzi do czegoś takiego na pewno raz dziennie. A ponieważ popełnianych jest tak dużo morderstw, policja jest przepracowana i nie ma czasu na zajmowanie się strzałami w powietrze. Chciałbyś na mnie donieść czy coś w tym rodzaju?

— Nie, jestem po prostu ciekawy. Czy Oscar też nosi broń?

— Raczej wątpię, ale trzyma rewolwer w szufladzie biurka. Pewnego razu ktoś bardzo wzburzony, a trzeba ci wiedzieć, że przeprowadzał jego rozwód, napadł na niego w kancelarii. Chodziło o prosty rozwód bez orzekania o winie, żadnych problemów, ale Oscar z jakiegoś powodu przegrał tę sprawę.

— Jak można przegrać sprawę, która spełnia wszystkie wymogi formalne?

— Nie wiem, ale nie pytaj o to Oscara, dobrze? To nadal drażliwy temat. W każdym razie powiedział, że będą musieli wypełnić od nowa wszystkie papiery i przejść przez cały proces jeszcze raz, a wtedy ten ktoś się wściekł i stłukł Oscara na kwaśne jabłko.

— Oscar wygląda na faceta, który nie da sobie w kaszę dmuchać. Klient musiał być niezłym drabem.

— A kto powiedział, że to był mężczyzna?

— Kobieta?

— Aha. Wielka i bardzo rozzłoszczona kobieta, niemniej kobieta. Rzuciła w niego kubkiem z kawą, ceramicznym, nie papierowym, i trafiła go między oczy. Potem złapała jego parasol i zaczęła go okładać. Czternaście szwów. Nazywała się Vallie Pennebaker. Nigdy jej nie zapomnę.

— Kto to przerwał?

— Weszła Rochelle... Oscar przysięga, że się nie śpieszyła... odciągnęła Vallie i ją uspokoiła. Potem wezwała gliniarzy, którzy zabrali Vallie. Postawiono jej zarzut napaści przy użyciu niebezpiecznego narzędzia. Odpowiedziała procesem za niedopełnienie obowiązków i błędy w prowadzeniu sprawy. Zajęło to dwa lata i prawdopodobnie potrzebne było pięć tysięcy dolców, żeby wszystko jakoś załatwić. Więc teraz Oscar trzyma w biurku gnata.

Co powiedzieliby na to u Rogana Rothberga? Prawnicy noszący broń. Prawnicy podający się za agentów FBI i strzelający w powietrze. Prawnicy pobici do krwi przez niezadowolonych klientów.

Niewiele brakowało, a David zapytałby Wally'ego, czy jego też zaatakował jakiś klient, ale ugryzł się w język. Wydawało mu się, że zna odpowiedź.

Rozdział 12

Do bezpiecznej przystani kancelarii dotarli o wpół do piątej. Drukarka wypluwała kolejne kartki, a Rochelle sortowała i układała na stole sterty listów.

— Co pan zrobił DeeAnnie Nuxhall? — warknęła na Wally'ego.

— Powiedzmy, że jej rozwód został odłożony do chwili, aż znajdzie sposób, żeby zapłacić adwokatowi. Dlaczego pani pyta?

— Dzwoniła już trzy razy, płakała i w kółko powtarzała to samo. Chciała wiedzieć, kiedy pan wróci. Bardzo chce się z panem zobaczyć.

— To dobrze. To znaczy, że zdobyła pieniądze.

Wally wziął ze stołu jeden z listów. Podał go Davidowi, który zaczął go czytać. Jego uwagę natychmiast przyciągnął nagłówek: *Strzeż się krayoxxu!*

— Zabierajmy się do roboty — powiedział Wally. — Chcę, żeby to zostało nadane jeszcze dziś. A zegar tyka.

Listy wydrukowano na papierze firmowym kancelarii Finleya

i Figga, a nadawcą był Wallis T. Figg, adwokat i radca prawny. Po słowach „Z poważaniem" było miejsce na jeden podpis.

— Co ja mam z tym robić? — zapytał David.

— Zacznij się za mnie podpisywać — odpowiedział Wally.

— Nie rozumiem.

— Zacznij się za mnie podpisywać. Myślisz, że sam zdołam podpisać trzy tysiące listów?

— Więc będę fałszował twój podpis?

— Nie. Upoważniam cię niniejszym do podpisywania tych listów moim nazwiskiem — powiedział Wally powoli, jakby przemawiał do idioty. Potem spojrzał na Rochelle i dodał: — Panią też.

— Podpisałam już około setki — powiedziała i podała Davidowi inny list. — Niech pan spojrzy na ten podpis. Pierwszoklasista lepiej by to zrobił.

Miała rację. Podpisem był prosty bazgroł zaczynający się jakby falą, która prawdopodobnie oznaczała W, potem wznosił się ostro, udając T albo F. David wziął jedno z pism, które Wally właśnie podpisał, i porównał jego podpis z podróbką w wydaniu Rochelle. Były do siebie trochę podobne: oba nieczytelne i nie do odcyfrowania.

— Tak, jest beznadziejny — przyznał David.

— To, co nabazgrzemy na dole, nie ma znaczenia, bo nikt nie będzie tego czytał — dodała.

— Moim zdaniem jest bardzo charakterystyczny — odezwał się Wally, nie przerywając podpisywania. — Czy teraz wszyscy możemy się tym zająć?

David usiadł i zaczął eksperymentować z bazgrołem. Rochelle przystąpiła do składania kartek, umieszczania ich w kopertach i przyklejania znaczków. Po kilku minutach David zapytał:

— Kim są ci ludzie?

— Nasi klienci z bazy danych — odpowiedział Wally bardzo poważnym tonem. — Ponad trzy tysiące nazwisk.

— Jak głęboko sięgając w przeszłość?

— Około dwudziestu lat — odpowiedziała Rochelle.

— Zatem od bardzo dawna nie ma żadnych nowych informacji o tych ludziach, prawda?

— Prawda. Niektórzy prawdopodobnie nie żyją, inni się przeprowadzili. Bardzo wielu z nich nie ucieszy się specjalnie na widok listu od kancelarii Finleya i Figga.

— Jeśli nie żyją, to miejmy nadzieję, że załatwił ich krayoxx — wtrącił Wally i głośno się roześmiał.

Ani David, ani Rochelle nie widzieli w tym niczego śmiesznego. Przez kilka minut żadne z nich nie powiedziało słowa. David myślał o przydzielonym mu pokoju na górze i pracy, jakiej wymagał. Rochelle spoglądała na zegar i czekała, aż wybije siedemnasta. Wally był zadowolony z tego, że zarzucił sieć na nowych klientów.

— Jakiej reakcji oczekujesz? — zapytał David.

Rochelle przewróciła oczami, jakby chciała powiedzieć: „Zerowej".

Wally przerwał na kilka sekund i rozmasował rękę, która zaczęła sztywnieć od podpisywania.

— Doskonałe pytanie — przyznał, potarł brodę i zapatrzył się w sufit, jakby tylko on potrafił wyjaśnić tak skomplikowaną kwestię. — Załóżmy, że jeden procent populacji dorosłych w tym kraju bierze krayoxx. Teraz...

— Skąd wziąłeś ten jeden procent? — David wszedł mu w słowo.

— Z wyników badań. Są w aktach. Weź je wieczorem do domu i poznaj fakty. A więc, jak mówiłem, jeden procent z naszej puli to około trzydziestu osób. Jeśli dwadzieścia procent z nich miało ataki serca albo udary, to oznacza około... powiedz-

128

my... pięciu, sześciu spraw. Może siedem albo osiem, kto wie? A jeśli uwierzymy, a ja wierzę, że każda sprawa, zwłaszcza w przypadku śmierci, jest warta kilka milionów, to czeka nas bardzo przyjemny dzień wypłaty. Wyczuwam, że nikt w tym pokoju mi nie wierzy, ale nie będę się kłócił.

— Nie odezwałam się słowem — zastrzegła Rochelle.

— Byłem tylko ciekawy. To wszystko — mruknął David. Minęło kilka minut, nim zadał kolejne pytanie: — Więc kiedy wytoczymy jakiś duży proces?

Wally odchrząknął, przygotowując się do miniwykładu.

— Bardzo szybko. Mamy umowę z Iris Klopeck, więc gdybyśmy chcieli, moglibyśmy złożyć pozew już jutro. Zamierzam wciągnąć na pokład wdowę po Chesterze Marino, gdy tylko odbędzie się pogrzeb. Te listy wyjdą dzisiaj, a za dzień, dwa rozdzwoni się telefon. Przy odrobinie szczęścia już po tygodniu możemy mieć pół tuzina klientów, a wtedy złożymy pozew. Jutro zacznę pisać powództwo. W przypadku pozwów zbiorowych dobrze jest szybko wnieść sprawę. Pierwszą bombę zrzucimy tutaj, w Chicago. Znajdziemy się na pierwszych stronach gazet, a wszyscy, którzy biorą krayoxx, wyrzucą lek i do nas zadzwonią.

— O rany — westchnęła Rochelle.

— „O rany" jest jak najbardziej na miejscu — odrzekł Wally. — Poczekajmy, aż dotrzemy do ugody, a wtedy pokażę wam kolejne „o rany".

— Sąd stanowy czy federalny? — zapytał David, starając się zażegnać awanturę.

— Dobre pytanie. Chciałbym, żebyś się nad tym zastanowił. Jeśli pójdziemy do sądu stanowego, moglibyśmy pozwać też lekarzy, którzy zapisywali krayoxx naszym klientom. To więcej pozwanych, ale też więcej doskonale przygotowanych obrońców przysparzających kłopotów. Szczerze mówiąc, w Varrick Laboratories jest dość forsy, żeby uszczęśliwić nas wszystkich, dlatego wolałbym nie mieszać do tego lekarzy. W sądzie federalnym, ponieważ proces będzie obejmował cały kraj, możemy podłączyć się do pozwu zbiorowego i na nim pojechać. Nikt tak naprawdę nie spodziewa się, że te sprawy trafią do sądu, a kiedy zaczną się negocjacje, musimy być podpięci pod wielkoludów.

Wally mówił tak przekonująco, że David chciał mu wierzyć. Ale był już wystarczająco długo w kancelarii, by wiedzieć, że Wally nigdy nie prowadził żadnej sprawy w ramach pozwu zbiorowego. Podobnie jak Oscar, który wyszedł ze swojego gabinetu jak zawsze ze zmarszczonym czołem. Wyglądał na zmęczonego.

— Co tu się, do cholery, dzieje? — odezwał się miłym, jak na niego, głosem. Nikt nie zareagował. Podszedł do stołu i wziął jeden z listów. Miał zamiar powiedzieć coś jeszcze, ale drzwi wejściowe otworzyły się z hukiem i do biura wpadł wysoki, krępy, krzepki, wytatuowany facet.

— Który to Figg?! — wrzasnął.

Bez chwili wahania Oscar i David, a nawet Rochelle wskazali Wally'ego, który zamarł w bezruchu, a oczy miał jak spodki. Za intruzem weszła wymalowana niewiasta w żółtej sukience, DeeAnna Nuxhall, która również wrzeszczała:

— To on, Trip, ten niski i gruby!

Trip od razu natarł na Wally'ego, jakby miał zamiar go zabić. Reszta pracowników firmy odsunęła się od stołu, uznając, że Wally sam powinien się bronić. Trip zacisnął pięści, pochylił się nad Wallym i wysyczał:

— Posłuchaj, Figg, ty gnojku! Pobieramy się w sobotę, dlatego moja dziewczyna musi jutro dostać rozwód. Masz z tym jakiś problem?

Wally, nadal siedzący przy stole i kulący się w oczekiwaniu na cios, wyjąkał:

— Chciałbym, żeby mi najpierw zapłacono.

— Obiecała przecież, że zapłaci ci później.

— No pewnie — odezwała się DeeAnna, tym razem uprzejmie.

— Jeśli mnie tkniesz, każę cię aresztować — zagroził Wally. — A w więzieniu nie dadzą wam ślubu.

— Mówiłam ci, że to cwaniaczek — pisnęła DeeAnna.

Ponieważ Trip musiał w coś walnąć, ale nie był jeszcze gotowy, żeby przyłożyć Wally'emu, uderzył wierzchem dłoni w stertę listów w sprawie krayoxxu, wyrzucając je w powietrze.

— Załatw ten rozwód, Figg, dobra? Przyjdę jutro do sądu i jeśli moja dziewczyna nie dostanie rozwodu, skopię ci ten gruby tyłek na sali sądowej.

— Niech pani dzwoni na policję — warknął Oscar do Rochelle. Za bardzo się bał, żeby wykonać jakiś ruch.

Trip potrzebował jeszcze bardziej dramatycznego efektu, dlatego wziął ze stołu gruby podręcznik prawa i cisnął nim w okno. Szkło z brzękiem rozsypało się po ganku. AC zaszczekał, ale cofnął się pod biurko Rochelle.

Trip miał szklisty wzrok.

— Skręcę ci kark, Figg. Zrozumiałeś?

— Dołóż mu, Trip — podjudzała narzeczonego DeeAnna.

David zerknął na kanapę i spostrzegł teczkę Wally'ego. Przesunął się w jej stronę.

— Będziemy jutro w sądzie, Figg. Też tam będziesz? — Trip zrobił krok w stronę Wally'ego. Rochelle ruszyła do biurka, co zaniepokoiło Tripa. — Nie ruszaj się! Nie wezwiesz glin!

— Niech pani dzwoni na policję — warknął znowu Oscar, ale i tym razem nie zdobył się na wysiłek, żeby zrobić to samemu. David przesuwał się centymetr po centymetrze w stronę teczki.

— No, powiedz coś, Figg — syknął Trip.

— Narobił mi wstydu na sali sądowej — jęknęła DeeAnna. Było jasne, że chce rozlewu krwi.

— Jesteś gnidą, Figg, wiesz o tym?

Wally miał zamiar odpowiedzieć coś mądrego, ale Trip w tej samej chwili pchnął go, raczej łagodnie, jeśli weźmie się pod uwagę jego wcześniejsze zachowanie, niemniej była to napaść.

— Hej, uważaj! — krzyknął Wally, uderzając Tripa w ramię.

David szybko otworzył teczkę i wyciągnął czarnego kolta magnum kaliber .44. Nie przypominał sobie, by kiedykolwiek trzymał w ręku rewolwer, i nie był pewny, czy sobie z nim poradzi, nie odstrzeliwując sobie dłoni, ale miał dość zdrowego rozsądku, by nie dotykać cyngla.

— Trzymaj, Wally — powiedział i położył broń na stole. Wally chwycił ją, zerwał się z krzesła i w tej samej chwili układ sił zasadniczo się zmienił.

— Pies to jebał! — wyjąkał Trip i zrobił duży krok do tyłu. DeeAnna chowała się za nim, skowycząc. Rochelle i Oscar, podobnie jak Trip, byli zaskoczeni widokiem rewolweru. Wally nie celował w nikogo, ale trzymał broń w sposób świadczący o tym, że bez wątpienia potrafi wystrzelić.

— Po pierwsze, należą mi się przeprosiny — wycedził, zbliżając się do Tripa, który stracił cały animusz. — Masz tupet, żeby tu przychodzić i wysuwać żądania, podczas gdy twoja dziewczyna nie płaci rachunków.

Trip, który bez wątpienia miał już do czynienia z bronią, wpatrywał się w kolta, mówiąc potulnie:

— Tak, jasne, masz rację, człowieku.

— Niech pani wezwie policję, pani Gibson — polecił Wally.

Rochelle wybrała numer 911. AC wystawił łeb i zaczął warczeć na Tripa.

— Chcę trzysta dolarów za rozwód i dwieście za okno — oznajmił Wally. Trip cały czas się cofał z DeeAnną za plecami.

— Tylko spokojnie, człowieku — powiedział, rozkładając ręce.

— Och, jestem bardzo spokojny — zapewnił Wally.

— Zrób coś, kotku — pisnęła DeeAnna.

— A niby co? Chyba sama widzisz, że to duża rzecz.

— Nie możemy po prostu sobie stąd pójść? — zapytała.

— Nie — odpowiedział Wally. — Dopóki nie przyjadą gliny. — Uniósł broń o kilka centymetrów, uważając, żeby nie celować w Tripa.

Rochelle poszła do kuchni.

— Tylko spokojnie, człowieku — błagał Trip. — Już sobie idziemy.

— Nigdzie nie idziecie.

▲   ▲   ▲

Policja zjawiła się po kilku minutach. Tripa skuto i umieszczono na tylnym siedzeniu radiowozu. DeeAnna coś krzyczała, ale na próżno, potem spróbowała flirtować z policjantami — i to okazało się odrobinę skuteczniejsze. Trip jednak został zabrany, miał stanąć przed sądem pod zarzutem napaści i wandalizmu.

Kiedy awantura się skończyła, Rochelle i Oscar poszli do domu, zostawiając Wally'emu i Davidowi pozamiatanie szkła i dokończenie podpisywania listów. Pracowali przez godzinę, bezmyślnie składając podpisy i zastanawiając się, co zrobić z wybitym oknem. Nie można było wstawić nowej szyby aż do następnego dnia, a kancelaria bez okna nie przetrwałaby nocy. Preston trudno byłoby nazwać niebezpieczną okolicą, ale też nikt nie zostawiał tu kluczyków w samochodach czy niezamkniętych drzwi. Wally właśnie postanowił, że będzie spał w biurze na kanapie obok stołu, mając w pobliżu AC i kolta w zasięgu ręki, gdy drzwi otworzyły się cicho i po raz drugi pojawiła się w nich urocza DeeAnna.

— Co ty tu robisz? — ostro zapytał Wally.

— Musimy porozmawiać, Wally — powiedziała niepewnie i znacznie łagodniej niż wcześniej. Usiadła na krześle obok biurka Rochelle i założyła nogę na nogę w taki sposób, by widać było jak najwięcej ciała. Miała bardzo ładne nogi i włożyła te same buty dziwki, w których stawiła się tego ranka w sądzie.

— O la la — mruknął Wally i dodał: — A o czym chciałabyś porozmawiać?

— Moim zdaniem ona jest pijana — wyszeptał David, nie przerywając podpisywania.

— Nie jestem pewna, czy powinnam wychodzić za Tripa — oznajmiła.

— To brutal, prawdziwy drań, DeeAnno. Stać cię na kogoś lepszego.

— Ale naprawdę zależy mi na rozwodzie, Wally, nie mógłbyś mi z tym pomóc?

— To mi zapłać.

— Nie zdobędę tej forsy przed jutrzejszą rozprawą. Przysięgam, że to prawda.

— To fatalnie.

David pomyślał, że gdyby to on prowadził tę sprawę, zrobiłby wszystko, co trzeba, byle tylko DeeAnna i Trip przeszli do historii. Dodatkowe trzysta dolarów nie było warte całego tego zamieszania.

DeeAnna poruszyła nogami, a jej spódniczka uniosła się jeszcze wyżej.

— Tak sobie pomyślałam, Wally, że może dogadalibyśmy się w inny sposób. No wiesz, tylko ty i ja.

Wally westchnął, spojrzał na jej nogi, pomyślał przez sekundę i powiedział:

— Nie mogę tego zrobić. Muszę zostać tutaj na noc, bo jakiś pojeb wybił okno.

— To ja też tu zostanę. — DeeAnna oblizała jaskrawoczerwone usta.

Wally nigdy nie miał tyle silnej woli, by uciekać przed podobnymi sytuacjami, co nie znaczy, że często mu się przytrafiały. Rzadko kiedy klientka bywała tak otwarta i chętna. Prawdę mówiąc, nie potrafił przypomnieć sobie żadnej w tym przejmującym dreszczem momencie, która okazałaby się tak łatwa.

— Może dojdziemy do porozumienia — mruknął, spoglądając na nią pożądliwie.

— Wychodzę. — David wstał i wziął teczkę.

— Możesz pokręcić się w pobliżu — rzuciła DeeAnna.

Nagle David zobaczył oczami wyobraźni, jak baraszkuje w łóżku ze śliczną dziwką, która ma za sobą tyle samo rozwodów, co jej pucołowaty i myślący o jednym adwokat. To był ohydny widok. David wybiegł z biura i zatrzasnął energicznie drzwi.

⋏ ⋏ ⋏

Ich ulubione bistro otwarte do późnej nocy znajdowało się w odległości spaceru od domu w Lincoln Park. Często spotykali się tam na szybkiej kolacji tuż przed zamknięciem kuchni o dwudziestej trzeciej, gdy David przywlekał się do domu po kolejnym ciężkim dniu w pracy. Tego wieczoru jednak przyszli przed dwudziestą pierwszą i przekonali się, że knajpa tętni życiem. Ich stolik stał w rogu.

W którymś momencie, mniej więcej w połowie pięcioletniej kariery u Rogana Rothberga, David postanowił, że nigdy nie będzie rozmawiał o pracy ani przynosił jej do domu. Było to na tyle nieprzyjemne, niesmaczne i nudne jak flaki z olejem, że nie mógł zadręczać tym Helen. Ona zgodziła się z nim w tej sprawie, dlatego najczęściej rozmawiali o jej studiach albo o tym, co porabiają ich przyjaciele. Nagle jednak wszystko się zmieniło. Duża kancelaria zniknęła, podobnie jak pozbawieni twarzy klienci i ich nudne akta. Teraz David pracował z prawdziwymi ludźmi, robiącymi niesamowite rzeczy, o których musiał opowiedzieć, nie pomijając najdrobniejszych szczegółów. Weźmy na przykład dwie rozróby z bronią w wykonaniu Wally'ego. W pierwszej chwili Helen nie chciała uwierzyć, że Wally naprawdę wystrzelił w powietrze, żeby wystraszyć chuliganów, ale w końcu zaczęła się uspokajać, gdy słuchała dalszego ciągu opowieści Davida. Nie od razu uwierzyła też w historię z Tripem. Była tak samo sceptyczna, gdy usłyszała o wymuszaniu pieniędzy od DeeAnny przez Wally'ego i sędziego Bradbury'ego. Z niedowierzaniem przyjęła fakt, że jej mąż oddał wszystkie pieniądze, jakie miał przy sobie, Iris Klopeck, a potem podpisał skrypt dłużny na kolejną sumę. To, że na Oscara napadła rozwścieczona klientka, brzmiało trochę bardziej prawdopodobnie.

Zachowując najlepsze na koniec, David spointował opowieść o swoim niezapomnianym pierwszym dniu w kancelarii Finleya i Figga słowami:

— A gdy tak sobie rozmawiamy, kochanie, Wally i DeeAnna leżą nago na kanapie i baraszkują przy otwartym oknie, pies na nich patrzy, a jednocześnie w jakże efektowny sposób uiszczane jest zaległe honorarium.

— Kłamiesz.

— Chciałbym. Trzysta dolarów zostanie zapomniane, a Dee-Anna rozwiedzie się jutro do południa.

— Co za kanalia.

— Które z nich?

— Co powiesz na oboje? Czy większość waszych klientów płaci w ten sposób?

— Wątpię. Wspomniałem o Iris Klopeck. Podejrzewam, że

właśnie ktoś taki jak ona jest typowym klientem firmy. Kanapa by nie wytrzymała przy płaceniu przez nią honorarium w naturze.

— Nie możesz pracować dla tych ludzi, Davidzie. Daj spokój. Rzuć Rogana, jeśli chcesz, ale znajdźmy dla ciebie coś innego. Tych dwóch klaunów to wariaci. Mają jakąś etykę?

— Wątpię, żeby tracili czas na dyskutowanie o etyce.

— Dlaczego nie poszukasz kancelarii średniej wielkości, z miłymi ludźmi, którzy nie noszą broni, nie uganiają się za karetkami pogotowia i nie każą płacić sobie seksem?

— W czym się specjalizuję, Helen?

— W czymś, co jest związane z obligacjami.

— Właśnie. Wiem bardzo dużo o wysokooprocentowanych i długoterminowych obligacjach emitowanych przez zagraniczne rządy i korporacje. Wiem tylko tyle, bo tylko tym się zajmowałem przez ostatnie pięć lat. Jeśli wpiszę to do CV, zadzwoni do mnie garstka jajogłowych z innych wielkich firm, podobnych do Rogana, które mogą akurat potrzebować kogoś takiego jak ja.

— Możesz się przecież uczyć.

— Oczywiście, że mogę, ale nikt nie zatrudni prawnika z pięcioletnim stażem i nie da mu ładnej pensyjki, żeby posłać go do przedszkola. Wymagają doświadczenia, a ja go nie mam.

— Więc kancelaria Finleya i Figga to jedyne miejsce, w którym możesz pracować?

— Albo inne tego rodzaju. Potraktuję to jak seminarium przez rok albo dwa, a potem może sam otworzę taki interes.

— Wspaniale. Jesteś po pierwszym dniu w pracy i już myślisz o odejściu.

— Nie do końca. Uwielbiam to miejsce.

— Rozum ci odebrało.

— Tak, i to bardzo wyzwalające uczucie.

Rozdział 13

Masowa wysyłka listów Wally'ego okazała się porażką. Połowa z nich wróciła z najróżniejszych powodów. W następnym tygodniu telefon dzwonił trochę częściej, choć w większości byli to dawni klienci, domagający się usunięcia ich adresów z bazy danych kancelarii Finleya i Figga. Niezrażony tym Wally wniósł do sądu federalnego dla Okręgu Północnego Illinois w imieniu Iris Klopeck i Millie Marino oraz „innych, którzy zostaną wymienieni w późniejszym terminie" pozew, twierdząc, że bliscy obu kobiet zostali zabici przez lek o nazwie krayoxx, produkowany przez Varrick Laboratories. Idąc na całość, Wally zażądał stu milionów dolarów odszkodowania za poniesione straty i domagał się procesu sądowego.

Pozew nie był aż tak wstrząsający, jak by sobie tego życzył. Rozpaczliwie usiłował zainteresować media procesem, do którego się przygotowywał, lecz bez powodzenia. Zamiast wypełnić powództwo przez internet, obaj z Davidem, ubrani w najlepsze ciemne garnitury, pojechali do siedziby sądu imienia

Everetta M. Dirksena w śródmieściu Chicago i złożyli w biurze podawczym dwudziestostronicowy pozew. Nie było przy tym żadnych dziennikarzy ani fotoreporterów, co bardzo zmartwiło Wally'ego. Prawiąc kazanie, zmusił jakiegoś urzędnika do zrobienia zdjęcia dwóm uśmiechniętym krzywo adwokatom składającym pozew. Gdy wrócił do kancelarii, wysłał e-mailem kopię pozwu i zdjęcie do redakcji „Tribune", „Sun-Timesa", „Wall Street Journal", „Newsweeka" i mnóstwa innych gazet.

David modlił się, żeby nikt nie zwrócił uwagi na tę fotografię, ale Wally'emu dopisało szczęście. Do kancelarii zadzwonił dziennikarz z „Tribune" i został natychmiast połączony z entuzjastycznie nastawionym adwokatem Figgiem. Zaczęła się lawina publikacji.

Następnego ranka na pierwszej stronie części B nagłówek głosił: *Chicagowski adwokat atakuje Varrick Laboratories z powodu krayoxxu*. W artykule streszczono informacje zawarte w pozwie, a o adwokacie Wallym Figgu napisano, że *jest, jak sam twierdzi, specjalistą od pozwów zbiorowych*. Kancelarię Finleya i Figga przedstawiono jako „firmę-butik" z długą historią walki z wielkimi producentami leków. Dziennikarz zadał sobie jednak pewien trud i zacytował wypowiedzi dwóch znanych prawników, od których dowiedział się, że nigdy nie słyszeli o tych facetach. Nie było też żadnego śladu po podobnych pozwach wniesionych jakoby przez kancelarię Finleya i Figga w ostatnich dziesięciu latach. Odpowiedź Varrick na pozew polegała na agresywnej obronie ich produktu i zapowiedzi „głęboko zaangażowanego udziału w sprawiedliwy proces, który oczyści nasze dobre imię". Zdjęcie zreprodukowano w całkiem sporym formacie. To podbechtało Wally'ego i krępowało Davida. Bo też stanowili niezłą parę: Wally był łysiejący, pucołowaty i źle ubrany, David wyższy, szczupły i wyglądający na znacznie młodszego.

Historia nabrała rozmachu w internecie, telefon dzwonił bez przerwy. Czasami Rochelle była tak zmęczona, że David jej pomagał. Dzwonili dziennikarze, inni adwokaci węszący za informacjami, ale najczęściej ludzie zażywający krayoxx, przerażeni i zdezorientowani. David nie bardzo wiedział, co mówić. Strategia firmy, jeśli można to tak nazwać, polegała na dokonywaniu odsiewu i wybieraniu przypadków śmierci, by potem, w bliżej niesprecyzowanym momencie, zająć się również żyjącymi ofiarami i zawrzeć wszystko w pozwie zbiorowym. Trudno było wytłumaczyć to przez telefon, bo David sam nie do końca rozumiał, o co chodzi.

Gdy telefony dzwoniły, a podniecenie rosło, nawet Oscar wyszedł ze swojego gabinetu i okazał pewne zainteresowanie. W jego małej firmie nigdy nie było takiego ruchu i może rzeczywiście nadeszła właśnie ich wielka chwila. Może wreszcie Wally w jakiejś sprawie ma rację. Może, ale tylko może, przyniesie im to prawdziwe pieniądze, co oznaczałoby rozwód, którego rozpaczliwie pragnął, po czym natychmiast przeszedłby na emeryturę.

Trzech adwokatów spotkało się późnym popołudniem przy stole, żeby porównać notatki. Wally był podminowany, pocił się. Machając notesem, powiedział:

— Mamy tu cztery przypadki śmierci, zupełnie nowe, i trzeba natychmiast podpisać z nimi papiery. Wchodzisz w to, Oscarze?

— Jasne, jeden wezmę na siebie — odpowiedział Oscar, starając się zachować tak typową dla niego powściągliwość.

— Dzięki. A teraz, pani Gibson, jest pewna czarna dama, która mieszka przy Siedemdziesiątej, niedaleko od pani. To Bassitt Towers numer trzy. Mówi, że jest tam bezpiecznie.

— Nie pójdę do Bassitt Towers — oświadczyła Rochelle. — Ze swojego mieszkania praktycznie słyszę, jak tam strzelają.

— Ale to trochę dalej przy pani ulicy. Mogłaby pani tam zajrzeć w drodze do domu.

— Nie ma mowy.

Wally rzucił notes na stół.

— Czy pani nie widzi, co się tu dzieje, do jasnej cholery? Ci ludzie błagają nas, żebyśmy wzięli ich sprawy, sprawy warte miliony dolarów. Może już po roku będą ogromne odszkodowania. Jesteśmy o krok od czegoś wielkiego, a panią, jak zwykle, nic to nie obchodzi.

— Nie będę ryzykowała głowy dla tej firmy.

— Świetnie. A kiedy Varrick pójdzie na ugodę i popłynie gotówka, nie weźmie pani premii. To chciała pani powiedzieć?

— Jakiej premii?

Wally zaczął chodzić od stołu do drzwi i z powrotem.

— Proszę, proszę, jak szybko zapominamy. Pamięta pani sprawę Shermana z zeszłego roku, pani Gibson? Ładniutki wypadek samochodowy, stłuczka od tyłu. Firma ubezpieczeniowa wypłaciła sześćdziesiąt tysięcy. Wzięliśmy z tego jedną trzecią. Okrąglutkie honorarium wysokości dwudziesty tysięcy dla poczciwej kancelarii Finleya i Figga. Zapłaciliśmy parę rachunków. Ja wziąłem siedem kawałków, Oscar wziął siedem i daliśmy pani pod stołem tysiąc dolarów. Prawda, Oscarze?

— Tak, i robiliśmy to już wcześniej — potwierdził Oscar.

Wally mówił, a Rochelle dokonywała obliczeń. Szkoda byłoby stracić taki los na loterię. A jeśli Wally ma dla odmiany rację? Zamknął się wreszcie, na chwilę zapadła pełna napięcia cisza, atmosfera się oczyszczała. AC zaczął warczeć. Mijały sekundy, po czym usłyszeli odległą syrenę karetki. Stawała się coraz głośniejsza, ale, co dziwne, żadne z nich nie podeszło ani do okna, ani do drzwi prowadzących na ganek.

Czyżby nie chcieli już zarabiać na życie? A może mała kancelaria nagle stanęła ponad wypadkami samochodowymi i przeniosła swoje zainteresowanie na bardziej dochodowy grunt?

— Jak wysoka premia? — spytała Rochelle.

— Niech pani da spokój — odrzekł Wally zmęczonym tonem. — Nie mam pojęcia.

— Co miałabym powiedzieć tej kobiecinie?

Wally wziął notes.

— Rozmawiałem z nią godzinę temu, nazywa się Pauline Sutton, ma sześćdziesiąt dwa lata. Jej czterdziestoletni syn Jermaine zmarł na atak serca siedem miesięcy temu. Powiedziała, że był trochę otyły i brał krayoxx od czterech lat, żeby obniżyć poziom cholesterolu. Urocza osoba, ale też pogrążona w żałobie matka. Niech pani weźmie nasz nowiutki formularz umowy na pełnomocnictwo procesowe do sprawy krayoxxu, wytłumaczy jej wszystko i załatwi podpis. Bułka z masłem.

— A jeśli będzie miała pytania dotyczące pozwu i ugody?

— Niech ją pani umówi na spotkanie w kancelarii. Odpowiem na jej pytania. Ważne jest, żeby podpisała. Wsadziliśmy tu, w Chicago, kij w mrowisko. Każdy kretyn uganiający się za karetkami pogotowia w tym interesie biega teraz po ulicach i szuka ofiar krayoxxu. Czas jest tu najważniejszy. Może pani to zrobić, pani Gibson?

— Myślę, że tak.

— Bardzo pani dziękuję. A teraz proponuję, żebyśmy ruszyli do boju.

▲   ▲   ▲

Najpierw zatrzymali się niedaleko kancelarii, koło pizzerii, gdzie za stałą cenę można było jeść bez ograniczeń. Restauracja należała do jakiejś sieci, niecieszącej się zbyt dobrą opinią, którą prasa atakowała bezlitośnie z powodu menu. Najważniejszy magazyn poświęcony zdrowiu zbadał serwowane tam jedzenie i ogłosił, że jest niebezpieczne i nie nadaje się dla ludzi. Wszystko było tam nasiąknięte smalcem, olejem i konserwantami i nie czyniono najmniejszego wysiłku, by gotować zdrowo. Potrawy serwowano w formie bufetu, za który pobierano śmiesznie małe pieniądze. Sieć kojarzyła się z hordami pochłaniających wszystko, patologicznie otyłych ludzi. Wizja zysku stawała się dla Wally'ego całkiem realna.

Zastępcą kierownika był pulchny młody człowiek nazywający się Adam Grand, który poprosił, żeby zaczekali dziesięć minut, zanim będzie mógł zrobić sobie przerwę. David i Wally znaleźli przestronną lożę najdalej od bufetu, choć odległość nie była zbyt duża. David zwrócił uwagę, że wszystko tu było jakby w większym rozmiarze — talerze, szklanki, serwetki, stoły, krzesła, łoże. Wally rozmawiał przez komórkę, podekscytowany umawiał się na kolejne spotkanie z potencjalnym klientem. David nie mógł się powstrzymać i patrzył na ogromnych ludzi pochłaniających stosy grubych pizz. Prawie im współczuł.

Wreszcie Adam Grand wsunął się na siedzisko obok Davida i powiedział:

— Macie pięć minut. Szef zaraz wezwie mnie z powrotem.

Wally nie marnował czasu.

— Powiedział mi pan przez telefon, że pańska matka pół roku temu zmarła na atak serca. Miała sześćdziesiąt sześć lat i od kilku lat zażywała krayoxx. Co z pańskim ojcem?

— Umarł trzy lata wcześniej.

— Współczuję. Może z powodu krayoxxu?

— Nie, na raka okrężnicy.

— Bracia, siostry?

— Jeden brat mieszka w Peru. Nie da się w to wciągnąć.

David i Wally notowali. David miał wrażenie, że powinien powiedzieć coś ważnego, ale nic nie przychodziło mu do głowy.

Właściwie robił za kierowcę. Wally szykował się, by zadać następne pytanie, kiedy Adam powiedział:

— Właśnie rozmawiałem z innym adwokatem.

Wally wyprostował się jak struna, a jego oczy zrobiły się większe.

— Och, naprawdę? Jak się nazywał?

— Powiedział, że jest ekspertem od krayoxxu i bez trudu może dla nas wywalczyć milion dolców. To prawda?

Wally był gotowy do walki.

— Kłamał. Jeśli obiecywał panu milion dolców, był idiotą. W sprawie pieniędzy nie możemy panu niczego obiecać. Możemy zagwarantować panu jedynie najlepszą reprezentację prawną, jaka istnieje.

— Pewnie, pewnie, ale bardziej podoba mi się adwokat, który mówi, ile mogę dostać, rozumiecie mnie, panowie?

— Możemy zyskać dla pana znacznie więcej niż milion dolarów.

— Teraz mówi pan do rzeczy. Jak długo to potrwa?

— Rok, może dwa. — Wally znów składał obietnice. Przesunął po stole umowę. — Niech pan rzuci na to okiem. To umowa pomiędzy naszą kancelarią i panem, jako prawnym spadkobiercą matki.

Adam szybko ją przejrzał.

— Żadnej zaliczki, prawda?

— Och nie, pokrywamy też koszty pozwu.

— Czterdzieści procent dla was, panowie, to bardzo dużo.

Wally pokręcił głową.

— Taka jest średnia w tej branży. Wszystko zgodnie ze standardami. Każdy adwokat zajmujący się pozwem zbiorowym, który jest wart swojego potu, dostaje czterdzieści procent. Niektórzy chcą pięćdziesięciu, ale nie my. Moim zdaniem pięćdziesiąt procent jest nieetyczne. — Spojrzał na Davida, szukając u niego potwierdzenia, więc David skinął głową i zmarszczył czoło na samą myśl o podejrzanych adwokatach, których etykę zawodową można zakwestionować.

— Też tak myślę — powiedział Adam i złożył podpis.

Wally wziął umowę.

— Wspaniale, panie Adamie, doskonałe posunięcie i witam na pokładzie. Dodamy pana sprawę do pozwu i nadamy jej szybszy bieg. Jakieś pytania?

— Tak. Co mam powiedzieć tamtemu adwokatowi?

— Niech mu pan powie, że zatrudnił pan najlepszych ludzi z kancelarii Finleya i Figga.

— Jest pan w dobrych rękach, Adamie — odezwał się David bardzo poważnie i natychmiast zdał sobie sprawę, że zabrzmiało to jak tekst z kiepskiej reklamy. Wally rzucił mu spojrzenie, mówiące: „Naprawdę?".

— To chyba dopiero się okaże, prawda? — odrzekł Adam Grand. — Będziemy wiedzieli, kiedy przyjdzie czek na dużą sumę. Obiecał pan więcej niż milion, panie Figg, a ja trzymam pana za słowo.

— Nie będzie pan żałował.

— Do zobaczenia — rzucił Adam i odszedł.

Wally włożył notes do teczki.

— To było łatwe — stwierdził.

— Właśnie zagwarantowałeś temu gościowi ponad milion — zauważył David. — Ale czy mądre?

— Nie. Ale jeśli taka jest cena, nie ma innego wyjścia. Na takich zasadach to funkcjonuje, młody Davidzie. Masz ich podpisy, wciągasz ich na pokład, sprawiasz, że są zadowoleni, a kiedy pieniądze pojawią się na stole, zapomną o wszystkim, co im powiedziałeś na początku. Załóżmy na przykład, że za rok od dzisiaj w Varrick będą mieli dosyć bałaganu z krayoxxem i rzucą ręcznik. Powiedzmy, że nasz nowy kolega Adam dostanie mniej niż milion, niech to będzie, strzelajmy, siedemset pięćdziesiąt tysięcy. Naprawdę uważasz, że taki pętak wzgardzi taką kasą?

— Prawdopodobnie nie.

— Otóż to. Będzie szczęśliwym chłopczykiem i zapomni o wszystkim, co dzisiaj powiedzieliśmy. Tak to wygląda. — Wally rzucił w stronę bufetu przeciągłe spojrzenie wygłodniałego człowieka. — Masz jakieś plany na obiad? Ja umieram z głodu.

David nie miał żadnych planów, ale za nic nie chciałby tu jeść.

— Tak, żona czeka z późnym obiadem — odpowiedział.

Wally znów spojrzał na koryto i żerujący przy nim tłum ludzi. Zastygł w bezruchu na sekundę, a potem się uśmiechnął.

— Doskonały pomysł — powiedział, komplementując samego siebie. — Popatrz tylko na tych ludzi. Jaką mają średnią wagę?

— Nie mam pojęcia.

— Ani ja. Ale jeśli ja jestem trochę otyły przy wadze stu ośmiu kilogramów, to oni są bliscy dwóch setek.

— Trochę się pogubiłem, Wally.

— Popatrz na oczywistości. To miejsce jest napakowane osobami z ogromną nadwagą i pewnie połowa z nich zażywa krayoxx. Założę się, że gdybym teraz wstał i krzyknął: „Kto bierze krayoxx?", ponad połowa tych biednych drani podniosłaby rękę.

— Nie rób tego.

— Nie zrobię, ale rozumiesz, o co mi chodzi?

— Chcesz zacząć rozdawać im wizytówki?

— Nie, cwaniaczku, ale musi być jakiś sposób wyłonienia spośród nich osób, które biorą krayoxx.

— Przecież oni jeszcze nie umarli.

— To nie potrwa długo. Spójrz, moglibyśmy wciągnąć ich w drugi pozew dotyczący żyjących.

— Czegoś nie chwytam, Wally. Pomóż mi. Czy nie będziemy musieli w którymś momencie udowodnić, że ten lek naprawdę przyczynia się do pogorszenia stanu zdrowia?

— No pewnie, i udowodnimy to później, kiedy wynajmiemy biegłych. W tej chwili ważne jest, żeby wszyscy podpisali umowy. To wyścig, Davidzie. Musimy znaleźć jakiś sposób dokonania odsiewu wśród tych ludzi i namówienia ich do podpisania umowy.

Zbliżała się osiemnasta i w restauracji był tłok. Tylko w loży Davida i Wally'ego nikt nie jadł. Zbliżyła się do nich czteroosobowa rodzina wielkoludów, z których każdy trzymał dwa talerze z pizzą. Przystanęli i groźnie popatrywali na adwokatów. Sprawa była naprawdę poważna.

⋏ ⋏ ⋏

Następnym przystankiem był bliźniak w okolicy lotniska Midway. David zaparkował przy krawężniku za starym jak świat volkswagenem garbusem stojącym na cegłach.

— Frank Schmidt, miał pięćdziesiąt dwa lata, kiedy w zeszłym roku doznał rozległego wylewu krwi do mózgu. Rozmawiałem z wdową po nim, Agnes — poinformował Wally.

Ale David słuchał go jednym uchem. Próbował przekonać sam siebie, że naprawdę to robi: szwenda się po zapyziałych okolicach południowo-zachodniego Chicago z nowym szefem, który nie może prowadzić samochodu z powodu problemów z alkoholem, po zmroku, ulicami, gdzie pełno jest łobuzów, puka do drzwi obcych ludzi w zapuszczonych domach, nie wiedząc, co czeka go w środku, a wszystko po to, żeby zdobyć klientów, zanim pojawi się inny adwokat. Co pomyśleliby o tym jego przyjaciele z wydziału prawa na Harvardzie? Jak głośno by się śmiali? David postanowił jednak, że nie będzie się tym przejmował. Każda sprawa w kancelarii jest lepsza od

147

poprzedniego zajęcia, a większość jego znajomych z wydziału prawa wiedzie teraz godny pożałowania żywot. Jednak on przecież się wyzwolił.

Agnes Schmidt albo się ukrywała, albo nie było jej w domu. Nikt nie otworzył drzwi, więc szybko stamtąd odeszli. W samochodzie David powiedział:

— Posłuchaj, Wally, naprawdę chciałbym wrócić do domu i zobaczyć się z żoną. Przez ostatnie pięć lat prawie jej nie widywałem. Czas to nadrobić.

— Jest bardzo ładna. Wcale ci się nie dziwię.

Rozdział 14

Po tygodniu od złożenia pozwu kancelaria miała w sumie osiem przypadków śmierci, liczbę godną szacunku, taką, która z pewnością zapewni fortunę. Ponieważ Wally powtarzał to bardzo często, wszyscy uwierzyli, że każda sprawa oznacza około pół miliona dolarów netto dla firmy Finleya i Figga. Jego obliczenia były niepewne i oparte na domysłach, bazowały na założeniach, które niewiele miały wspólnego z rzeczywistością, przynajmniej na wstępnym etapie postępowania prawnego, ale trzech adwokatów i Rochelle zaczęło myśleć o takich właśnie pieniądzach. O krayoxxie zaczęło być głośno w całym kraju, nie szczędzono mu złych słów, a jego przyszłość z punktu widzenia Varrick Laboratories wyglądała bardzo źle.

W kancelarii tak ciężko pracowano nad zdobyciem klientów, że szokiem dla wszystkich była wiadomość, iż jednego tracą. Pewnego ranka zjawiła się Millie Marino. Była w fatalnym nastroju i zażądała widzenia z Figgiem. Wynajęła go do sprawy spadkowej po mężu, a potem niechętnie zgodziła się obwinić o jego śmierć krayoxx i złożyć pozew. W pokoju Wally'ego, za zamkniętymi drzwiami, wyjaśniła, jak bardzo trudno jest jej pogodzić się z faktem, że jeden adwokat z tej kancelarii (Oscar) przygotował testament, zgodnie z którym znaczny majątek (kolekcja kart baseballowych) znalazł się poza jej zasięgiem, a teraz drugi adwokat (Wally) prowadzi sprawę o przejęcie przez nią spadku. W jej oczach była to rażąca sprzeczność interesów, sprawa podejrzana od początku do końca. Była zdenerwowana, zaczęła płakać.

Wally starał się jej wytłumaczyć, że adwokaci są zobowiązani do przestrzegania tajemnicy zawodowej. Kiedy Oscar sporządzał testament, musiał napisać to, czego chciał Chester, a ponieważ Chester pragnął ukryć istnienie kolekcji kart baseballowych, ponieważ zamierzał przekazać ją synowi, trzeba się z tym pogodzić. Z etycznego punktu widzenia Oscar nie mógł zdradzić nikomu żadnej informacji o Chesterze i jego testamencie.

Millie widziała to inaczej. Jako żona miała prawo wiedzieć o całym majątku męża, zwłaszcza o czymś tak cennym jak kolekcja kart. Rozmawiała już z handlarzem i dowiedziała się, że sama karta z Shoeless Joem jest warta co najmniej sto tysięcy dolarów. Cały zbiór może być więc wart nawet sto pięćdziesiąt tysięcy.

Wally'ego guzik obchodziła ta kolekcja i cały spadek. Honorarium wysokości pięciu tysięcy dolarów, jakiego wcześniej się spodziewał, teraz przestało się liczyć. Miał w ręku sprawę ofiary krayoxxu, więc gotów był zrobić albo powiedzieć wszystko, byle tylko ją zatrzymać.

— Szczerze mówiąc — odezwał się bardzo poważnie, patrząc na drzwi — tak między nami, sam załatwiłbym to inaczej, ale Finley to stara szkoła.

— To znaczy?

— To szowinista. Mąż jest głową domu, to on zarządza majątkiem, tylko on podejmuje decyzje, zna pani ten typ. Skoro mężczyzna postanawia, że ukryje coś przed żoną, nie ma w tym nic złego. Ja z kolei jestem bardziej liberalny. — Roześmiał się nerwowo, co spotęgowało jeszcze niezręczność sytuacji.

— Za późno — prychnęła Millie. — Testament spisano. Teraz zostanie potwierdzony w sądzie.

— To prawda, Millie, wszystko jednak jakoś się ułoży. Mąż zostawił kolekcję synowi, a pani piękny proces.

— Piękne co?

— No wie pani, ta sprawa z krayoxxem.

— Och, to. Tak, z tego powodu też nie jestem szczęśliwa. Rozmawiałam z innym adwokatem, który twierdzi, że chyba na głowę pan upadł i nigdy nie prowadził pan podobnej sprawy.

Wally nabrał powietrza i zdołał zapytać piskliwym głosem:

— Dlaczego rozmawiała pani z innym prawnikiem?

— Bo zadzwonił do mnie któregoś wieczoru. Sprawdziłam go w internecie. Pracuje w dużej kancelarii, która ma filie w całym kraju, zajmują się wyłącznie pozywaniem firm farmaceutycznych. Zastanawiam się nad wynajęciem go.

— Niech pani tego nie robi, Millie. Wszyscy wiedzą, że ci faceci podpisują umowy z tysiącami klientów, a potem mają ich w dupie. Nigdy więcej z nim nie rozmawiaj, Millie, to pewnie jakiś asystent z zaplecza, łachudra, przysięgam. Zawsze może pani zadzwonić do mnie.

— Nie chcę rozmawiać z panem przez telefon ani osobiście.

Wstała i wzięła torebkę.

— Proszę, Millie.

— Pomyślę o tym, Figg, ale nie jestem zadowolona.

Dziesięć minut po jej wyjściu zadzwoniła Iris Klopeck i chciała pożyczyć pięć tysięcy dolarów pod zastaw przyszłego odszkodowania od Varrick. Wally siedział przy biurku z głową opartą na dłoniach i zastanawiał się, co jeszcze ich czeka.

⋏ ⋏ ⋏

Pozew Wally'ego został przydzielony sędziemu Harry'emu Seawrightowi, powołanemu jeszcze przez Reagana, pracującemu w sądzie federalnym od trzydziestu lat. Osiemdziesięcio-jednoletni, czekający na emeryturę sędzia niezbyt ekscytował się procesem, który mógł potrwać kilka lat i wypełnić resztę jego zawodowego życia. Ale był ciekawy. Jego ulubiony siostrzeniec zażywał krayoxx od kilku lat z doskonałym skutkiem i bez żadnych efektów ubocznych. Nie było też nic dziwnego w tym, że sędzia Seawright nigdy nie słyszał o kancelarii adwokackiej Finleya i Figga. Polecił jednemu z urzędników sprawdzenie tej firmy i w e-mailu od niego przeczytał:

2 osoby, prozaiczne sprawy, przy Preston w południowo-zachodnim Chicago; w ogłoszeniach podają szybkie rozwody, jazdę pod wpływem alkoholu, zwykłe przestępstwa, sprawy rodzinne, odszkodowania za uszkodzenie ciała; żadnych śladów składania pozwów w sądzie federalnym w ciągu ostatnich dziesięciu lat; żadnych śladów procesów w sądzie stanowym w ciągu ostatnich dwudziestu lat; żadnej aktywności w izbie adwokackiej; sporadycznie pojawiają się w sądzie — Figg miał dwa lub trzy razy zawieszone prawo jazdy za prowadzenie pod wpływem alkoholu w ciągu ostatnich dwunastu lat; firmę raz pozwano za molestowanie seksualne, skończyło się ugodą.

Seawright nie wierzył własnym oczom. Napisał do urzędnika: Ci faceci nie mają żadnego doświadczenia procesowego, a mimo to pozywają na 100 milionów dolarów trzecią największą firmę farmaceutyczną na świecie?

Urzędnik odpisał: Właśnie tak.

Sędzia Seawright: Obłęd! Co się za tym kryje?

Urzędnik: Krayoxx wywołał panikę. To budzący ogromne emocje, najnowszy niebezpieczny lek w kraju. Firmy od pozwów zbiorowych szaleją. Finley i Figg mają prawdopodobnie nadzieję, że podczepią się pod którąś na całej drodze aż do ugody.

Sędzia Seawright: Niech pan szuka dalej.

Znacznie później urzędnik napisał: Pozew jest podpisany przez Finleya i Figga, ale również przez trzeciego adwokata — Davida E. Zinca, byłego pracownika Rogana Rothberga. Zadzwoniłem do pracującego tam przyjaciela — powiedział, że Zinc przeszedł załamanie nerwowe, rzucił pracę dziesięć dni temu i wylądował u F i F; nie ma żadnego doświadczenia procesowego; chyba trafił we właściwe miejsce.

Sędzia Seawright: Przyjrzyjmy się bliżej tej sprawie.

Urzędnik: Jak zawsze.

▲ ▲ ▲

Siedziba Varrick Laboratories mieściła się w ciągu zaskakujących wyglądem budynków ze szkła i stali w lesie niedaleko Montville w stanie New Jersey. Kompleks był dziełem znanego kiedyś architekta, który potem odciął się od swego dokonania. Sporadycznie chwalono budowlę jako śmiałą i futurystyczną, częściej jednak określano ją jako bezbarwną, szkaradną, podobną do bunkra, radziecką w stylu, żeby wymienić tylko kilka przymiotników. Przypominała fortecę otoczoną drzewami, stojącą z dala od ruchu ulicznego i tłumów, dobrze chronioną. Ponieważ Varrick pozywano bardzo często, taka siedziba wydawała się jak najbardziej odpowiednia. Zakłady przycupnęły w leśnej głuszy, gotowe na odparcie kolejnego ataku.

Prezesem zarządu był Reuben Massey, oddany firmie człowiek, który zarządzał nią od wielu lat, w trudnych czasach, i zawsze osiągał znaczące zyski. Varrick prowadziły ciągłą wojnę z adwokatami wytaczającymi procesy, ale podczas gdy inni producenci farmaceutyczni uginali się lub zwijali działalność pod falą pozwów, Masseyowi udawało się utrzymać zadowolenie udziałowców. Wiedział, kiedy walczyć, kiedy iść na ugodę, jak tanio się z niej wywinąć i jak postępować z chciwymi prawnikami, oszczędzając przy tym mnóstwo pieniędzy. W czasie jego rządów Varrick przetrwały: 1. Czterysta milionów dolarów wypłaconych odszkodowań za krem do protez dentystycznych wywołujący zatrucie cynkiem; 2. Czterysta pięćdziesiąt milionów dolarów wypłaconych odszkodowań za środek na przeczyszczenie, który działał odwrotnie — wywoływał zaparcia; 3. Siedemset milionów dolarów wypłaconych odszkodowań za środek na rozrzedzenie krwi, który ugotował sporo wątrób; 4. Miliard dwieście milionów dolarów wypłaconych odszkodowań za środek na migrenę, który rzekomo podnosił ciśnienie krwi; 5. Dwa miliardy dwieście milionów dolarów wypłaconych odszkodowań za pigułki na obniżenie ciśnienia, które rzekomo wywoływały migreny; 6. Dwa miliardy trzysta milionów dolarów wypłaconych odszkodowań za lek przeciwbólowy, który natychmiast uzależniał; i najgorsze ze wszystkiego: 7. Trzy miliardy dolarów wypłaconych odszkodowań za pigułki na schudnięcie powodujące ślepotę.

Była to długa i smutna lista i Varrick Laboratories dużo za nią zapłaciły w oczach opinii publicznej. Z drugiej strony Reuben Massey bez przerwy przypominał pracownikom oddziałów o setkach innowacyjnych i skutecznych leków, jakie tworzyli i sprzedawali światu. Nie mówił jednak słowem, poza salą posiedzeń zarządu, że Varrick zarabiają na każdym leku, który pozywający je adwokaci biorą na cel. Jak dotąd firma wygrywała tę wojnę, nawet wziąwszy pod uwagę ogromne odszkodowania.

Jednak w przypadku krayoxxu mogło być inaczej. Wytoczono już cztery procesy: pierwszy w Fort Lauderdale, drugi w Chicago, a teraz pojawiły się dwa nowe, w Teksasie i Brooklynie. Massey skrupulatnie przyglądał się pracy i układom pozywających go adwokatów. Każdego dnia spędzał trochę czasu z prawnikami, zapoznawał się z przebiegiem procesów, czytał fachowe czasopisma prawnicze i blogi, rozmawiał z radcami prawnymi dużych firm w całym kraju. Jednym z najbardziej spektakularnych sygnałów ostrzegających przed zbliżającą się wojną były reklamy telewizyjne. Kiedy adwokaci zaczynali bombardować eter podejrzanymi spotami w stylu „szybko się wzbogać, przyjdź do nas", Massey wiedział, że Varrick czeka kolejna kosztowna awantura.

Reklamy krayoxxu były wszędzie. Zaczęło się szaleństwo.

Wcześniej Massey miał powody do niepokoju z powodu kilku innych produktów Varrick. Proszki na migrenę okazały się strasznym blamażem i nadal wyrzucał sobie, że sam przepychał je przez badania i zdobywał odpowiednie zezwolenia. Przez lek na rozrzedzenie krwi o mało nie stracił posady. Nigdy jednak nie wątpił w krayoxx. Na opracowanie tego leku Varrick wydały cztery miliardy dolarów. Specyfik przez cały czas poddawano testom klinicznym w krajach Trzeciego Świata, a wyniki były doskonałe. Przebadano go bardzo dokładnie i szczegółowo. Rodowód miał bez skazy. Krayoxx wywoływał ataki serca i wylewy w takim samym stopniu, jak łykane codziennie witaminy, i w Varrick mieli góry materiałów, żeby to udowodnić.

ʌ ʌ ʌ

Codzienne zebranie z prawnikami odbywało się w sali posiedzeń zarządu dokładnie o dziewiątej trzydzieści na piątym piętrze budynku przypominającego silos do pszenicy w Kansas. Reuben Massey był bardzo skrupulatny, jeśli chodzi o punktualność, dlatego o dziewiątej piętnaście prawnicy firmy siedzieli już na swoich miejscach. Na czele zespołu stał Nicholas Walker, były prawnik rządowy, były adwokat z Wall Street specjalizujący się w składaniu pozwów, a obecnie mózg stojący za każdą sprawą sądową, nad jaką pracowano w Varrick. Kiedy pozwy zaczęły spadać niczym bomby rozpryskowe, Nicholas Walker i Reuben Massey spędzali razem całe godziny, z zimną krwią analizując, opracowując taktykę i kierując kontratakami, kiedy było to konieczne.

Massey wszedł do sali o dziewiątej dwadzieścia pięć, wziął plan spotkania i zapytał:

— Jakie są najświeższe nowiny?

— Krayoxx czy faladin? — spytał Walker.

— Jezu, zupełnie zapomniałem o faladinie. Na razie trzymajmy się krayoxxu.

Faladin był kremem przeciwzmarszczkowym, który — jak twierdziło kilku adwokatów o niewyparzonych gębach z Zachodniego Wybrzeża — pogłębiał zmarszczki. Proces musiał jednak nabrać rozpędu, bo jak na razie adwokatom trudno było znaleźć sposób mierzenia zmarszczek przed kuracją i po niej.

— Cóż, brama jest otwarta — ciągnął Walker. — Śnieżna kula zaczęła się już toczyć. Wybierz porównanie, które ci lepiej pasuje. No i rozpętało się piekło. Gadałem wczoraj z Alisandrosem od Zella i Pottera. Mają istny zalew nowych przypadków. Zamierza mocno naciskać, żeby rozpocząć na Florydzie proces wielookręgowy, i trzyma rękę na pulsie.

— Alisandros. Dlaczego każdego rabunku dokonują ci sami złodzieje? — westchnął Massey. — Nie zapłaciliśmy im wystarczająco dużo przez ostatnie dwadzieścia lat?

— Najwyraźniej nie. Zbudował pole golfowe tylko dla

pracowników kancelarii Zella i Pottera i kilku wybranych przyjaciół. Zaprosił mnie, żebym przyjechał i zagrał. Osiemnaście dołków.

— Jedź tam, Nick. Powinniśmy wiedzieć, czy ci dranie mądrze inwestują nasze pieniądze.

— Pojadę. Wczoraj późnym popołudniem dzwoniła Amanda Petrocelli z Reno. Powiedziała, że złowiła kilku klientów ze śmiertelnym zejściem, przygotowuje pozew zbiorowy i złoży go dziś albo jutro. Powiedziałem jej, że dla nas tak naprawdę nie ma znaczenia, czy nas pozwie. W tym i następnym tygodniu możemy się spodziewać kolejnych pozwów.

— Krayoxx nie powoduje ataków serca ani wylewów — zapewnił Massey. — Wierzę w ten lek.

Ośmiu prawników pokiwało głowami. Reuben Massey nie należał do ludzi idących w zaparte albo trzymających się nieprawdy. Miał wątpliwości dotyczące faladinu i Varrick Laboratories zapłacą pewnie w końcu kilka milionów odszkodowania na długo przed procesem.

Numerem drugim w zespole prawników była Judy Beck, kolejna weteranka wojny na froncie pozwów zbiorowych.

— Wszyscy myślimy tak samo, Reubenie — powiedziała. — Nasze badania są lepsze od ich badań, jeśli w ogóle jakieś robili. Mamy lepszych biegłych. Nasze dowody są lepsze. Nasi adwokaci będą lepsi. Może pora na kontratak i rzucenie przeciwko wrogowi wszystkiego, co mamy?

— Czytasz mi w myślach, Judy — odrzekł Massey. — Macie jakąś strategię, koledzy?

— Sprawa się rozwija, ale tymczasem przechodzi te same fazy, wywołuje takie same komentarze — odezwał się Nicholas Walker. — Poczekajmy i przekonajmy się, kto nas pozywa, za co i gdzie. Przyglądamy się pozwom, mamy pod lupą sędziów i przepisy. W odpowiednim momencie wybierzemy dogodne miejsce. Kiedy gwiazdy ustawią się w rzędzie: właściwy powód, właściwe miasto, właściwy sędzia, wtedy wynajmiemy najlepszego rewolwerowca w mieście i będziemy stanowczo dążyli do procesu.

— To może się odbić rykoszetem — ostrzegł Massey. — Nie zapominaj o klervexie. Kosztował nas dwa miliardy.

Ich cudowny specyfik obniżający ciśnienie krwi zapowiadał się doskonale, dopóki tysiące zażywających go ludzi nie zaczęło cierpieć na straszliwe migreny. Massey i prawnicy wierzyli w ten lek i zaryzykowali pierwszy proces, który spodziewali się wygrać w jakiejś zapyziałej dziurze. Przytłaczające zwycięstwo zgasiłoby entuzjazm pozywających firmę adwokatów i oszczędziło Varrick mnóstwo forsy. Sędzia jednak był innego zdania i zasądził na rzecz powoda dwadzieścia milionów.

— To nie jest klervex — zauważył Walker. — Krayoxx jest znacznie lepszym lekiem, a pozwy są dużo słabsze.

— Zgadzam się — powiedział Massey. — Podoba mi się twój plan.

Rozdział 15

Co najmniej dwa razy w roku albo częściej, jeśli było to możliwe, sędzia Anderson Zinc i jego urocza żona Caroline jechali z domu w St. Paul do Chicago, żeby odwiedzić jedynego syna i jego uroczą żonę Helen. Sędzia Zinc był przewodniczącym Sądu Najwyższego Minnesoty, którą to zaszczytną funkcję piastował od czternastu lat. Caroline Zinc uczyła plastyki i fotografii w prywatnej szkole w St. Paul. Ich dwie młodsze córki nadal studiowały.

Ojcem sędziego Zinca, dziadkiem Davida, był owiany legendą Woodrow Zinc, w wieku osiemdziesięciu dwóch lat nadal ciężko pracujący w dwustuosobowej kancelarii prawniczej, którą założył pięćdziesiąt lat temu w Kansas City. Korzenie Zinców sięgały głęboko, ale widać dla Andersona Zinca niewystarczająco głęboko, by powstrzymać jego i jego syna przed ucieczką od trudów pracy dla starego Woodrowa. Nie chcieli mieć do czynienia z jego kancelarią i zwiali z Kansas City, co doprowadziło do rozdźwięku, o którym zapomniano dopiero niedawno.

Na horyzoncie pojawił się jednak kolejny rozdźwięk. Sędzia Zinc nie rozumiał nagłego zwrotu w karierze syna i chciał poznać wszystkie szczegóły tej sprawy. Przyjechali z Caroline w porze późnego lunchu w sobotnie popołudnie i byli mile zaskoczeni widokiem syna w domu. Zwykle o tej porze przesiadywał w pracy, w śródmieściu, w jednym z wieżowców. Podczas wizyty w poprzednim roku praktycznie się z nim nie spotkali. David wrócił do domu po północy i wyszedł do pracy pięć godzin później.

Tego dnia jednak stał na drabinie i czyścił rynny. Zeskoczył z niej i podbiegł, żeby się z nimi przywitać.

— Doskonale wyglądasz, mamo — powiedział, podnosząc ją i kręcąc się w kółko.

— Postaw mnie — poprosiła.

David uścisnął rękę ojcu, ale się nie objęli, bo mężczyźni z rodziny Zinców tego nie robili. Od strony garażu nadeszła Helen i przywitała się z teściami. Ona i David z jakiegoś powodu szczerzyli zęby w głupawych uśmiechach. Wreszcie powiedział:

— Mamy wspaniałą nowinę.

— Jestem w ciąży! — oznajmiła Helen.

— A zatem, moi staruszkowie, będziecie dziadkami — dodał David.

Sędzia i pani Zinc dobrze przyjęli tę wiadomość. Oboje dobiegali sześćdziesiątki i wielu z ich przyjaciół było już dziadkami. Helen miała trzydzieści trzy lata, dwa lata więcej niż David, i cóż, to na pewno najwyższy czas, prawda? Trawili przez chwilę tę zadziwiającą informację, jednak szybko doszli do siebie, zaczęli im gratulować i domagali się szczegółów. Helen wszystko im opowiadała, podczas gdy David zajął się wyjmowaniem bagaży z auta, po czym razem weszli do domu.

Przy lunchu rozmowa o dziecku się skończyła i sędzia Zinc mógł nareszcie przejść do powodu tej wizyty.

— Opowiedz nam o nowej firmie, Davidzie — zwrócił się do syna.

David wiedział, że ojciec grzebał, gdzie się dało, i dowiedział się wszystkiego, choć było tego niewiele, o kancelarii Finleya i Figga.

— Och, Andy, nie zaczynaj tego — odezwała się Caroline, jakby „to" było drażliwym tematem, którego nie należy poruszać. Caroline zgadzała się z mężem i uważała, że David popełnił poważny błąd, ale wiadomość o ciąży Helen wszystko zmieniła, przynajmniej dla przyszłej babci.

— Mówiłem ci przez telefon — odpowiedział David szybko, denerwując się na samą myśl o tej rozmowie i chcąc, by jak najszybciej się skończyła. Przygotowywał się jednocześnie do obrony i do walki, jeśli zaszłaby taka konieczność. Ojciec wybrał karierę, która nie była po myśli starego Woodrowa, teraz David zrobił dokładnie to samo.

— To mała dwuosobowa kancelaria, zajmująca się ogólną praktyką. Pięćdziesiąt godzin tygodniowo, dzięki czemu mam czas na zabawianie się z żoną i zachowywanie ciągłości rodu. Powinieneś być ze mnie dumny.

— Bardzo się cieszę, że Helen jest w ciąży, ale chyba nie do końca rozumiem twoją decyzję. Kancelaria Rogana Rothberga jest jedną z najbardziej prestiżowych firm prawniczych na świecie. Dużo się tam nauczyli przyszli sędziowie, teoretycy prawa, dyplomaci, wiodące postacie rządu i biznesu. Jak mogłeś tak po prostu stamtąd odejść?

— Nie odszedłem, tato, tylko pędem uciekłem. I nie wrócę. Na samo wspomnienie Rogana Rothberga robi mi się niedobrze, a czuję się jeszcze gorzej, gdy pomyślę o ludziach stamtąd.

Rozmawiali podczas jedzenia. Atmosfera była serdeczna. Andy obiecał wcześniej Caroline, że postara się nie wywołać awantury. David natomiast obiecał Helen, że nie da się sprowokować.

— Więc ta nowa firma ma dwóch wspólników? — zapytał sędzia.

— Dwóch wspólników i teraz trzech adwokatów. Plus Rochelle, sekretarka, recepcjonistka, kierowniczka biura i osoba pełniąca wiele innych funkcji.

— Personel pomocniczy? Urzędnicy, asystenci, stażyści?

— Rochelle zajmuje się wszystkim. To mała firma, sami wszystko piszemy i szukamy potrzebnych informacji.

— Warto zwrócić uwagę, że David przychodzi do domu na obiad — dodała Helen. — Nigdy jeszcze nie był taki szczęśliwy.

— Doskonale wyglądasz — zauważyła Caroline. — Oboje doskonale wyglądacie.

Sędzia nie był przyzwyczajony do przewagi liczebnej drugiej strony albo oskrzydlenia.

— Tych dwóch wspólników to adwokaci czynni w sądzie? — chciał wiedzieć.

— Tak twierdzą, ale mam pewne wątpliwości. Właściwie to dwójka uganiająca się za karetkami pogotowia, dająca wszędzie ogłoszenia i utrzymująca się z wypadków samochodowych.

— Dlaczego w takim razie ich wybrałeś?

David zerknął na Helen, która z uśmiechem odwróciła wzrok.

— Tato, to długa historia, którą nie będę cię zanudzał.

— Och, na pewno nie jest nudna — wtrąciła Helen, z trudem tłumiąc śmiech.

— Jakie pieniądze zarabiają? — drążył sędzia.

— Jestem tam dopiero od trzech tygodni. Nie pokazali mi

ksiąg rachunkowych, ale nie zbijają fortuny. Jestem pewny, że chciałbyś wiedzieć, ile mi płacą. Ta sama odpowiedź: nie mam pojęcia. Dostaję trochę z tego, co zyskam dla firmy, ale nie wiem, co zdarzy się jutro.

— I właśnie powiększasz rodzinę?

— Tak, i będę w domu w porze obiadu, żeby zjeść go z moją rodziną. Będziemy się uczyli grać w baseball, chodzili na szkolne przedstawienia i zbiórki zuchów i robili wszystkie inne cudowne rzeczy, które rodzice powinni robić wspólnie z dziećmi.

— Znam to z doświadczenia, Davidzie, niewiele z tego straciłem.

— Tak, to prawda, ale nigdy nie pracowałeś w kombinacie podobnym do kancelarii Rogana Rothberga.

Zapadła cisza, wszyscy głośno zaczerpnęli powietrza.

— Mamy spore oszczędności — powiedział wreszcie David. — Przeżyjemy bez problemów. Sami się przekonacie.

— Jestem tego pewna — powiedziała matka, zmieniając front, teraz po stronie syna, przeciwko mężowi.

— Nie zajęłam się jeszcze pokojem dziecinnym — zwróciła się Helen do Caroline. — Jeśli chcesz, możemy iść do wspaniałego sklepu tuż za rogiem i pooglądać tapety.

— Doskonale.

Sędzia wytarł serwetką kąciki ust i powiedział:

— Taki obóz szkoleniowy dla młodego prawnika to w dzisiejszych czasach norma. Należy przetrwać, potem zostać wspólnikiem i życie będzie piękne.

— Nie chciałem wstępować do komandosów, tato, a życie nigdy nie jest piękne w firmie prawniczej podobnej do tej Rogana Rothberga, bo tam żaden wspólnik nigdy nie ma dość pieniędzy. Znam tych wspólników. Widziałem ich. W większości to wspaniali prawnicy i godni pożałowania ludzie. Rzuciłem tę pracę. Nie wrócę. Zostawmy to. — Był to pierwszy przejaw irytacji podczas lunchu. David był sobą rozczarowany. Napił się wody mineralnej i zjadł trochę sałatki z kurczaka.

Ojciec uśmiechnął się, włożył do ust kolejny kęs i żuł bardzo długo. Helen zapytała o dwie siostry Davida, a Caroline ochoczo rzuciła się na szansę zmiany tematu.

Przy deserze ojciec zapytał miłym głosem:

— Jaki rodzaj pracy wykonujesz?

— Robię mnóstwo fajnych rzeczy. W tym tygodniu przygotowałem testament dla pewnej pani, która ukrywa majątek przed dziećmi. One z kolei podejrzewają, że odziedziczyła jakieś pieniądze po trzecim mężu, co rzeczywiście się stało, ale najwyraźniej nie mogą ich znaleźć. Ona zaś chce zostawić wszystko ulubionemu kurierowi z FedExu. Reprezentuję też parę gejów, którzy chcą adoptować dziecko z Korei. Mam dwie sprawy o deportację dotyczące nielegalnie przebywających w Stanach Meksykanów przyłapanych na handlu narkotykami. Reprezentuję rodzinę czternastoletniej dziewczyny, która od dwóch lat jest nałogową kokainistką i nie ma takiego miejsca, gdzie można byłoby ją zamknąć na odwyk. I dwóch klientów złapanych na prowadzeniu po pijanemu.

— Brzmi jak praca z bandą hołoty.

— Nie, szczerze mówiąc, to prawdziwi ludzie z prawdziwymi problemami, którzy potrzebują pomocy. W tym tkwi piękno praktyki „na ulicy": staje się z klientem twarzą w twarz, poznaje się go i jeśli wszystko pójdzie dobrze, można zrobić dla niego coś dobrego.

— Pod warunkiem, że nie będziesz głodował.

— Nie mam zamiaru głodować, tato, obiecuję. Poza tym ci faceci od czasu do czasu rozbijają bank.

— Wiem, wiem. Widziałem takich, kiedy praktykowałem, a teraz oglądam ich sprawy apelacyjne. W zeszłym tygodniu podtrzymaliśmy wyrok sądu na dziewięć milionów w okropnym procesie dotyczącym uszkodzenia mózgu u dziecka zatrutego ołowiem z jakiejś zabawki. Adwokat był wolnym strzelcem, który wcześniej prowadził sprawę jazdy po pijaku matki tego dzieciaka. Załapał się na ten proces, wziął do pomocy prawdziwych zawodowców i teraz dzielą między siebie czterdzieści procent z dziewięciu milionów.

Te liczby dźwięczały między nimi przez kilka minut.

— Czy ktoś ma ochotę na kawę? — zapytała Helen.

Wszyscy odmówili i przenieśli się do salonu. Niedługo potem Helen i Caroline poszły obejrzeć pokój gościnny, który miał zostać przerobiony na sypialnię dziecka.

Kiedy wyszły, sędzia przypuścił ostateczny atak:

— Jeden z moich współpracowników natknął się na pozew dotyczący krayoxxu. Widziałem twoje zdjęcie w internecie na stronie „Tribune", z panem Figgiem. Czy to poważny człowiek?

— Niezupełnie — przyznał David.

— Bo też nie wygląda na takiego.

— Powiedzmy, że Wally jest skomplikowany.

— Nie jestem pewny, czy pomożesz swojej karierze, jeśli będziesz się trzymał podobnych facetów.

— Może masz rację, tato, ale jak na razie wspaniale się bawię. Nie mogę się doczekać, kiedy znowu pójdę do kancelarii. Lubię swoich klientów, choć mam ich niewielu, i nawet nie wiesz, jaka to ulga zerwać z niewolnictwem. Odpręż się trochę, dobrze? Jeśli to okaże się niewypałem, spróbuję znaleźć coś innego.

— Jakim cudem dałeś się wciągnąć w tę sprawę z krayoxxem?

— Znaleźliśmy kilka przypadków. — David uśmiechnął się na myśl o reakcji ojca, gdyby powiedział mu prawdę o sposobach pozyskiwania klientów. O Wallym i jego magnum 44. O Wallym przekupującym klientów, byle tylko podpisali umowę. O Wallym objeżdżającym zakłady pogrzebowe. Nie, o niektórych rzeczach sędzia nie powinien wiedzieć.

— Dowiedziałeś się już wszystkiego o krayoxxie? — zapytał sędzia.

— Jestem w trakcie. A ty?

— Prawdę mówiąc, tak. W Minnesocie leci w telewizji jego reklama. Lek przyciąga sporo uwagi. Dla mnie wygląda to na kolejny szwindel z pozwem zbiorowym. Mnożyć pozwy, aż producent stanie przed groźbą bankructwa, potem ugoda poza sądem i gigantyczne odszkodowania, dzięki którym adwokaci się bogacą, a producent zostaje na rynku. Zapomina się jednak o uczciwości, nie wspominając o tym, co jest najlepsze dla klienta.

— To całkiem sprawiedliwe podsumowanie — przyznał David.

— Więc jeszcze nie zaprzedałeś się tej sprawie do końca?

— Jeszcze nie. Przekopałem się przez tysiące stron i nadal szukam dymiącego pistoletu, badań dowodzących, że lek szkodzi. Nie mam pewności, czy rzeczywiście tak jest.

— Dlaczego w takim razie zgodziłeś się podpisać pozew?

David odetchnął głęboko i zastanawiał się przez chwilę.

— Wally mnie poprosił, a ponieważ jestem nowy w firmie, czułem, że powinienem przyłączyć się do zabawy. Posłuchaj, tato, kilku bardzo znanych prawników złożyło pozwy w tej samej sprawie, bo wierzą, że to zły lek. Wally nie wzbudza zbytniego zaufania, ale inni adwokaci owszem.

— Więc będziesz się podczepiał pod ich wózek?

— I kurczowo trzymał, żeby przeżyć.

— Nie zrób sobie krzywdy.

Helen i Caroline wróciły i zaczęły przygotowywać się do

wyprawy na zakupy. David zerwał się na równe nogi i zapewnił, że po prostu uwielbia oglądać tapety. Sędzia niechętnie powlókł się z nimi.

⋏ ⋏ ⋏

David prawie zasypiał, kiedy Helen przewróciła się na bok i zapytała:

— Śpisz?

— Teraz już nie. Dlaczego pytasz?

— Twoi rodzice są zabawni.

— Tak, i już czas, żeby wrócili do siebie.

— Sprawa sądowa, o której wspomniał ojciec, dotycząca małego chłopca zatrutego ołowiem...

— Helen, jest pięć minut po północy.

— Ołów pochodził z zabawki i spowodował uszkodzenie mózgu, prawda?

— O ile pamiętam, to tak. Do czego zmierzasz, kochanie?

— W jednej z moich grup jest kobieta, Toni, i w zeszłym tygodniu jadłyśmy razem kanapki w zrzeszeniu studentów. Jest o kilka lat starsza, ma dzieci w liceum i gosposię z Birmy.

— To fascynujące. Możemy już spać?

— Posłuchaj tylko. Gosposia ma wnuka, małego chłopca, który właśnie teraz leży w szpitalu z powodu uszkodzenia mózgu. Jest w śpiączce, w strasznym stanie, jest podłączony do respiratora. Lekarze podejrzewają zatrucie ołowiem i prosili tę gosposię, żeby wszędzie szukała ołowiu. Jednym ze źródeł mogła być zabawka.

David usiadł i zapalił lampę.

Rozdział 16

Rochelle siedziała przy biurku i wczytywała się uważnie w szczegóły wyprzedaży pościeli w pobliskim dyskoncie, kiedy zadzwonił telefon. Niejaki pan Jerry Alisandros z Fort Lauderdale chciał rozmawiać z panem Wallym Figgiem, który siedział w swoim gabinecie. Przełączyła telefon i wróciła do internetu.

Po chwili Wally wyszedł dostojnym krokiem z gabinetu bardzo z siebie zadowolony.

— Czy mogłaby pani sprawdzić loty do Las Vegas w ten weekend? Wylot w piątek około południa.

— Chyba tak. Kto leci do Las Vegas?

— Cóż, czy ktoś inny również pytał panią o wyjazd do Vegas? Ja, ja lecę. W ten weekend odbędzie się tam w MGM Grand nieoficjalne spotkanie adwokatów zaangażowanych w krayoxx. Dzwonił Jerry Alisandros. Może chodzić o największy pozew zbiorowy w kraju. Powiedział, że powinienem tam być. Oscar jest u siebie?

— Tak. Myślę, że już się obudził.

Wally zapukał do drzwi, otworzył je jednym pchnięciem i szybko je za sobą zamknął.

— Wchodź śmiało — powiedział Oscar, odrywając się od papierkowej roboty zalegającej na jego biurku.

Wally klapnął na wielki skórzany fotel.

— Właśnie miałem telefon od Zella i Pottera z Fort Lauderdale. Chcą, żebym wziął udział w spotkaniu w Vegas, bo będą się tam zastanawiali nad strategią prowadzenia sprawy krayoxxu. Nieoficjalnie. Przyjadą wszyscy ważniacy, żeby zaplanować atak. To bardzo ważne. Przedyskutują wielookręgowy proces, które pozwy pójdą najpierw i, co najważniejsze, warunki ugody. Jerry uważa, że Varrick Laboratories może w tym przypadku zależeć na szybkim zakończeniu sprawy. — Wally zatarł ręce.

— Jerry?

— Alisandros, legendarny adwokat specjalizujący się w odpowiedzialności deliktowej. Sama jego firma zarobiła miliard na aferze z fenfluraminą.

— Więc chcesz lecieć do Las Vegas?

Wally wzruszył ramionami, jakby było mu wszystko jedno.

— Nie zależy mi na tym wyjeździe, Oscarze, ale uważam, że ktoś z naszej firmy powinien się tam pokazać. Mogą zacząć mówić o pieniądzach, ugodzie, o wielkich sumach. To może być bliżej, niż nam się wydaje.

— I chcesz, żeby firma zapłaciła za twój przelot?

— Jasne. To uzasadnione wydatki procesowe.

Oscar przeszukał stos papierów i znalazł to, o co mu chodziło. Uniósł kartkę i pomachał nią przed młodszym wspólnikiem.

— Widziałeś notkę Davida? Dostałem ją wczoraj wieczorem. To przewidywane koszty naszego procesu z Varrick.

— Nie, nie wiedziałem, że on...

— Facet jest bardzo bystry, Wally. Odrobił pracę domową, którą ty powinieneś się zająć. Musisz na to popatrzeć, bo można od tego dostać zawału. Potrzebnych nam będzie co najmniej trzech biegłych ekspertów, i to teraz, nie w przyszłym tygodniu. Prawdę mówiąc, powinniśmy ich mieć, zanim jeszcze złożyłeś pozew. Pierwszy biegły to kardiolog, który będzie mógł wyjaśnić przyczynę śmierci każdego z naszych ukochanych klientów. Szacowany koszt jego wynajęcia to dwadzieścia tysięcy dolarów, i to tylko za wstępną diagnozę. Jeśli kardiolog miałby zeznawać na procesie, trzeba dodać kolejne dwadzieścia tysięcy.

— Nie będzie żadnego procesu.

— Bez przerwy to powtarzasz. Drugi to farmakolog, który wyjaśni sądowi w szczegółach, w jaki sposób lek zabił naszych klientów. Jaki miał wpływ na pracę ich serca. Ten gość jest jeszcze droższy: dwadzieścia pięć tysięcy na początek i tyle samo za zeznawanie w sądzie.

— To dużo forsy.

— I tak samo jest w każdym przypadku. Numer trzy to naukowiec, który będzie w stanie przedstawić sądowi wyniki badań potwierdzających, że statystycznie rzecz ujmując, osoba biorąca krayoxx jest bardziej narażona na atak serca niż ktoś biorący inny lek na obniżenie poziomu cholesterolu.

— Znam takiego faceta.

— Czy to pan McFadden?

— Właśnie on.

— Doskonale. To on napisał raport, od którego zaczęło się całe to szaleństwo, ale teraz niechętnie odnosi się do udziału w procesie. Niemniej jeśli jakaś kancelaria prawnicza wyłoży na początek zaliczkę wysokości pięćdziesięciu tysięcy dolarów, może wyświadczyć grzeczność tak miłej firmie.

— To oburzające.

— To wszystko jest oburzające. Przyjrzyj się, proszę, notatce Davida, Wally. Podał też źródła dość gwałtownych sprzeciwów dotyczących McFaddena i jego wyników. Istnieją naprawdę poważne wątpliwości, czy ten lek rzeczywiście szkodzi ludziom.

— Co David może wiedzieć o drodze procesowej?

— A co my o niej wiemy, Wally? Rozmawiasz ze mną, swoim długoletnim wspólnikiem, a nie potencjalnym klientem. Szczekamy o postawieniu złoczyńców przed sądem, ale znasz prawdę, zawsze idziemy na ugodę.

— I teraz też będzie ugoda, Oscarze. Wierz mi. Będę wiedział znacznie więcej po powrocie z Las Vegas.

— Ile to będzie kosztowało?

— Tyle co nic, biorąc pod uwagę przyszłość.

— To nas przerasta, Wally.

— Wcale nie. Podczepimy się pod grube ryby i zarobimy fortunę.

▲ ▲ ▲

Rochelle znalazła stosunkowo tani pokój w motelu Spirit of Rio. Na zdjęciach zamieszczonych na stronie internetowej roztaczał się stamtąd zapierający dech w piersiach widok na główny deptak Vegas, Strip, i można było odnieść wrażenie, że jego goście są w samym centrum atrakcji. Ale to nie miało nic wspólnego z prawdą, z czego Wally zdał sobie sprawę w chwili, gdy mikrobus jadący z lotniska wreszcie się zatrzymał. Widać było wysokie, smukłe kasyna-hotele, ale dzieliło go od nich piętnaście minut jazdy. Wally sklął Rochelle, gdy czekał w lobby przypominającym saunę, żeby się zameldować. Typowy pokój w MGM Grand kosztował czterysta dolarów za noc, w tej norze sto dwadzieścia pięć dolarów. Oszczędność na dwóch nocach pokryła niemal koszty samolotu. Zaciskanie pasa w oczekiwaniu na prawdziwy majątek, pomyślał Wally, wchodząc po schodach na drugie piętro do niewielkiego pokoju. Nie mógł wynająć samochodu, nie miał prawa jazdy. Popytał i dowiedział się, że co pół godziny ze Spirit of Rio na Strip jeździ wahadłowy autobus. Zagrał w jednodolarowym automacie w lobby i wygrał sto dolarów. Może w ten weekend dopisze mu szczęście.

Mikrobus był zapchany emerytami z nadwagą. Wally nie mógł znaleźć miejsca siedzącego, więc stał, trzymając się kurczowo poręczy, kołysał się i ocierał o spoconych ludzi. Patrzył na nich i zastanawiał się, jak wielu spośród nich jest ofiarami krayoxxu. Wysoki poziom cholesterolu był tu aż nazbyt widoczny. Jak zawsze miał w kieszeni wizytówki, ale tym razem sobie odpuścił.

Przez chwilę kręcił się po kasynie, uważnie obserwując zdumiewającą różnorodność ludzi grających w blackjacka, ruletkę i w craps, gry, które nigdy go nie pociągały i teraz też nie miał ochoty ich próbować. Jakiś czas tkwił przed automatem i dwa razy odmówił ładniutkiej kelnerce roznoszącej koktajle. Wally zaczynał sobie uświadamiać, że kasyno to wredne miejsce dla kogoś, kto rzucił picie. O dziewiętnastej znalazł drogę do sali bankietowej na półpiętrze. Drzwi pilnowało dwóch ochroniarzy, ale wpuścili go, gdy znaleźli jego nazwisko na liście. W środku było już mniej więcej dwadzieścia parę elegancko ubranych osób, w większości mężczyzn, ale również trzy kobiety, zajętych towarzyską rozmową przy drinku. Pod odległą ścianą stał bufet obiadowy. Niektórzy prawnicy się znali, lecz Wally nie był jedynym debiutantem w tej grupie. Wszyscy najwyraźniej słyszeli już jego nazwisko i wiedzieli o pozwie. Nie minęło wiele czasu i poczuł się jak wśród swoich. Wypatrzył go Jerry Alisandros. Wymienili uścisk dłoni jak starzy przyjaciele. Inni chodzili po sali. Tu i tam prowadzono pogawędki w niewielkich grupkach. Rozmawiano o procesach, polityce, najnowszych prywatnych odrzutowcach, domach na Karaibach i o tym, kto się rozwodzi, a kto znowu żeni. Wally miał niewiele do powiedzenia, ale trzymał się dzielnie i był dobrym słuchaczem. Adwokaci czynni w sądzie lubią mówić i zdarzały się chwile, gdy wszyscy gadali jednocześnie. Wally zadowalał się uśmiechaniem, słuchaniem i sączeniem wody sodowej. Po szybkim obiedzie głos zabrał Alisandros. Na dziewiątą następnego dnia zaplanowano spotkanie robocze w tej samej sali. Do południa powinni skończyć. Rozmawiał kilka razy z Nicholasem Walkerem z Varrick i wszystko wskazywało na to, że w firmie panuje nerwica frontowa. W jej długiej i barwnej historii procesów sądowych nigdy jeszcze nie zaatakowano jej tak szybko i mocno tak wieloma pozwami. Nie do końca poznano szkodliwe skutki leku, ale według opinii ekspertów wynajętych przez Alisandrosa, potencjalna liczba osób, które zapadły na zdrowiu lub zmarły, może sięgać pół miliona.

Ta wiadomość — o cierpieniu i nieszczęściu — została bardzo dobrze przyjęta przez wszystkich obecnych.

Szacunkowy koszt dla Varrick, według innego eksperta wynajętego przez Alisandrosa, to co najmniej pięć miliardów. Wally był pewny, że nie jest jedyną osobą w tym gronie, która dokonała szybkich obliczeń: czterdzieści procent od pięciu miliardów. Z drugiej strony pozostali sprawiali wrażenie, jakby chodziło o coś oczywistego. Kolejny lek, kolejna wojna z wielką firmą farmaceutyczną, kolejne olbrzymie odszkodowania po ugodzie, dzięki którym staną się jeszcze bogatsi. Będą mogli kupić jeszcze jeden odrzutowiec, więcej domów, więcej wspaniałych żon — majątek, na jakim Wally'emu w ogóle nie zależało. Chciał tylko tłustego konta w banku, wystarczająco dużo gotówki, żeby życie stało się przyjemniejsze i wolne od codziennej harówy.

W sali pełnej wybujałych ego niewiele trzeba było czasu, by ktoś inny zabrał głos. Dudley Brill z Lubbock, nadziany forsą i tak dalej, opowiedział o rozmowie, którą odbył w Houston z cieszącym się doskonałą opinią obrońcą Varrick, twardo upierającym się, że firma zamierza iść na ugodę, dopóki nie udowodni, że lek jest nieszkodliwy i skuteczny, przed kilkoma składami sędziowskimi. I dlatego, na postawie analizy tej rozmowy, o której nie wiedział nikt inny, Brill doszedł do oczywistego wniosku, że pierwszy proces powinien poprowadzić Dudley Brill z Teksasu, i to w swoim rodzinnym mieście, gdzie sędziowie udowodnili nieraz, że go uwielbiają i przyznają wysokie odszkodowanie, jeśli ich o to poprosi. Brill był pijany, podobnie jak wszyscy inni poza Wallym, nic więc dziwnego, że ta analiza, służąca wyłącznie jego interesom, wywołała zaciekłą sprzeczkę przy stole. Wkrótce wybuchły inne kłótnie, temperatura spotkania rosła, zaczęto się wzajemnie obrażać.

Jerry'emu Alisandrosowi udało się jednak przywrócić porządek.

— Miałem nadzieję, że zostawimy sobie takie atrakcje na jutro — powiedział dyplomatycznie. — Rozejdźmy się teraz, przejdźmy do oddzielnych narożników, żebyśmy jutro wrócili trzeźwi i wypoczęci.

᠕   ᠕   ᠕

Nazajutrz rano, sądząc po wyglądzie niektórych adwokatów, nie wszyscy wrócili do swoich pokoi i położyli się do łóżek. Opuchnięte powieki, zaczerwienione oczy, ręce łapiące szklanki z zimną wodą i filiżanki kawy — to mówiło samo za siebie. Kac był powszechny. Wielu prawników jeszcze nie przyszło, Wally zdawał sobie sprawę, że bardzo dużo interesów załatwiono przy drinkach poprzedniej nocy. Zawarto układy, stworzono sojusze, wbito noże w plecy. Wally zastanawiał się, jaka jest jego pozycja.

Dwóch ekspertów mówiło o krayoxxie i najnowszych wynikach badań. Każdy z adwokatów lub adwokatek opowiadał o własnym pozwie — liczbie klientów, stosunku liczbowym utraty zdrowia i przypadków śmierci, sędziach, obrońcach przeciwnika i trendach w wyrokach sądowych. Wally gładko improwizował i powiedział tak mało, jak to było możliwe.

Potwornie nudny biegły przeanalizował płynność finansową Varrick Laboratories i oświadczył, że firma spokojnie wytrzyma straty spowodowane odszkodowaniami za krayoxx. Słowa „odszkodowanie" i „ugoda" powtarzano bardzo często, bez przerwy rozbrzmiewały w uszach Wally'ego. Ten sam ekspert stał się jeszcze bardziej nudny, gdy analizował najróżniejsze formy ubezpieczeń zakładów Varrick.

Po dwóch godzinach Wally marzył o przerwie. Wymknął się i poszedł poszukać łazienki. Kiedy wrócił, Jerry Alisandros czekał przy drzwiach.

— Kiedy wracasz do Chicago? — zapytał.

— Rano.

— Lecisz rejsowym?

Oczywiście, pomyślał Wally. Nie mam własnego odrzutowca, więc podobnie jak większość biednych Amerykanów muszę płacić za bilet na odrzutowiec, który należy do kogoś innego.

— Jasne — odpowiedział z uśmiechem.

— Posłuchaj, Wally, dziś po południu wybieram się do Nowego Jorku. Może się ze mną zabierzesz? Moja firma kupiła właśnie nowiuteńkiego gulfstreama G sześćset pięćdziesiąt. Zjemy lunch w samolocie i podrzucę cię do Chicago.

Na pewno była za to ustalona cena, jakiś układ do zawarcia, ale Wally i tak szukał podobnego rozwiązania. Czytał wcześniej o bogatych adwokatach i ich prywatnych odrzutowcach, ale nigdy nie przyszło mu do głowy, że sam znajdzie się kiedyś w takiej maszynie.

— To bardzo wspaniałomyślne — powiedział. — Jasne.

— Spotkajmy się w lobby o trzynastej, dobrze?

— Załatwione.

★ ★ ★

Pięć lub sześć prywatnych odrzutowców stało w rzędzie na płycie lotniska McCarran Field. Kiedy Wally je mijał, idąc za swoim nowym kumplem Jerrym, zastanawiał się, ile z nich należy do chłopców od pozwów zbiorowych. Gdy dotarli do samolotu Jerry'ego, wspiął się po schodkach, nabrał powietrza i wszedł do kabiny lśniącego G650. Uderzająco śliczna Azjatka wzięła od niego płaszcz i spytała, czego ma ochotę się napić. Poprosił o wodę sodową.

Jerry Alisandros miał ze sobą niewielką świtę — współpracownika, dwóch asystentów i kogoś w rodzaju sekretarki — która szybko usadowiła się z tyłu, podczas gdy Wally, zajmując elegancki skórzany fotel, myślał o Iris Klopeck, Millie Marino i wszystkich tych cudownych wdowach, których zmarli mężowie wprowadzali Wally'ego do wspaniałego świata pozwów zbiorowych. Stewardesa podała mu menu. W przedniej części kabiny widział szefa kuchni czekającego w gotowości. Kiedy kołowali, Jerry usiadł naprzeciwko Wally'ego.

— I co o tym myślisz? — zapytał, unosząc rękę, by wskazać gestem swoją najnowszą zabawkę.

— Znacznie lepiej niż w rejsowym — odpowiedział Wally.

Jerry wybuchnął śmiechem — bez wątpienia była to najśmieszniejsza rzecz, jaką w życiu słyszał.

Anonimowy głos oznajmił, że startują, więc wszyscy zapięli pasy. Odrzutowiec wznosił się w powietrze, a Wally zamknął oczy i próbował rozkoszować się tą chwilą. Coś takiego może się już nigdy nie powtórzyć.

Gdy wyrównali pułap, Jerry odzyskał wigor. Przesunął rygielek i rozłożył składany mahoniowy stolik.

— Porozmawiajmy o interesach — zaproponował.

To twój samolot, pomyślał Wally.

— Jasne.

— Z iloma powodami spodziewasz się, realistycznie oceniając, podpisać umowy?

— Możemy mieć dziesięć przypadków śmierci, teraz mamy osiem. Jeśli chodzi o żyjących, nie jestem pewny. Mamy dane kilku setek potencjalnych spraw, ale jeszcze ich nie prześwietliliśmy.

Jerry zmarszczył czoło, jakby to było za mało, by tracić czas. Wally zastanawiał się, czy może kazać pilotowi zawrócić albo otworzyć jakąś klapę.

— Myślałeś o połączeniu sił z jakąś większą kancelarią? — zapytał Jerry. — Wiem, że wy, koledzy, nie macie zbyt dużo pracy z pozwami zbiorowymi.

— Jasne, jestem otwarty na rozmowę o tym. — Wally starał się ukryć podniecenie. Taki miał plan od samego początku. — Moje umowy gwarantują czterdzieści procent z odszkodowania. Ile ty bierzesz?

— W typowej sprawie pokrywamy wydatki, a to nie są tanie procesy. Szukamy lekarzy, ekspertów, naukowców, kogokolwiek, a oni kosztują majątek. Bierzemy połowę takiego honorarium, dwadzieścia procent, ale koszty są nam zwracane, zanim nastąpi podział wynagrodzenia.

— Brzmi sprawiedliwie. Jaka byłaby nasza rola?

— Prosta. Znajdźcie więcej przypadków, zmarłych i żyjących. Zbierzcie ich do kupy. W poniedziałek wyślę ci szkic porozumienia. Próbuję zebrać razem tyle przypadków, ile się da. Następnym krokiem będzie doprowadzenie do rozprawy wielookręgowej. Sąd wyznaczy spośród przedstawicieli powodów członków komisji procesowej, zwykle to pięciu lub sześciu doświadczonych adwokatów, którzy będą kontrolowali proces.

Ta grupa ma prawo do dodatkowego honorarium, zwykle około sześciu procent, a to jest wypłacane z części należnej adwokatom.

Wally kiwał głową. Sprawdził to i owo i miał pojęcie o większości dodatkowych kosztów.

— Będziesz wśród tych członków komisji procesowej? — zapytał.

— Prawdopodobnie. Zwykle jestem.

Stewardesa podała napoje. Jerry napił się wina i podjął:

— Zanim zacznie się przedstawianie dowodów, wyślemy kogoś, kto pomoże przy zeznaniach twoich klientów. Proste jak drut. Rutynowa praca przy procesie. Pamiętaj, Wally, że kancelarie obrońców też widzą w tym żyłę złota, dlatego bardzo się przykładają do tych spraw. Znajdę w Chicago godnego zaufania kardiologa, takiego, który sprawdzi, jakich szkód ten lek narobił u twoich klientów. Zapłacimy mu z funduszu procesowego. Jakieś pytania?

— Jeszcze nie — odrzekł Wally. Nie był zadowolony, że będzie musiał oddać połowę honorarium, ale cieszył się, że zaczął współpracę z doświadczoną i bogatą kancelarią. Nadal zostanie mnóstwo forsy dla firmy Finleya i Figga. Pomyślał o Oscarze i nie mógł się doczekać, kiedy opowie mu o G650.

— Kiedy twoim zdaniem można spodziewać się pieniędzy? — spytał.

Długi, satysfakcjonujący łyk wina i:

— Bazując na moim doświadczeniu, a jak wiesz, Wally, jest ono spore, sądzę, że osiągniemy ugodę w dwanaście miesięcy i od razu zaczniemy rozdzielać pieniądze. Kto wie, Wally, za rok lub coś koło tego może będziesz miał własny samolot.

Rozdział 17

Jednym z firmowych odrzutowców, Gulsftreamem G650, równie nowym jak ten, który wywarł takie wrażenie na Wallym, Nicholas Walker poleciał z Judy Beck i dwoma innymi prawnikami Varrick do Chicago. Celem podróży było odprawienie starej kancelarii prawniczej i wynajęcie nowej. Walker i jego szef, Reuben Massey, opracowali w szczegółach ogólny plan poradzenia sobie z bałaganem wokół krayoxxu. Pierwszą ważną bitwę chcieli stoczyć w Chicago. Najpierw jednak musieli pozyskać na miejscu odpowiednich ludzi.

W firmie, która reprezentowała Varrick Laboratories od dziesięciu lat, pracowali bowiem nieodpowiedni ludzie, choć ich praca zawsze była uważana za doskonałą. Teraz jednak ujawniły się braki w kwalifikacjach, zresztą nie z ich winy. Zgodnie z wynikami wyczerpujących poszukiwań przeprowadzonych przez Walkera i jego ludzi, istniała inna kancelaria, mająca znacznie lepsze powiązania z sędzią Harrym Seawrightem. I ta kancelaria przypadkiem zatrudniała jako wspólnika najlepszą adwokat w mieście.

Nazywała się Nadine Karros, miała czterdzieści cztery lata i od dekady nie przegrała żadnego procesu. Im więcej ich wygrywała, tym trudniejsze sprawy jej się trafiały i tym bardziej spektakularne były jej zwycięstwa. Po rozmowach z pół tuzinem prokuratorów, którzy stanęli naprzeciwko niej w sądzie i przegrali, Nick Walker i Reuben Massey postanowili, że pani Karros będzie prowadziła obronę krayoxxu. I nie przejmowali się, jak dużo za to zapłacą.

Najpierw jednak trzeba było ją do tego przekonać. W czasie długiej telekonferencji sprawiała wrażenie niezdecydowanej, czy podejmie się dużej sprawy, która z dnia na dzień stawała się coraz bardziej skomplikowana. Nic dziwnego, bo na jej biurku leżało mnóstwo akt innych spraw, a terminarz procesowy miała zapełniony. Nigdy nie brała udziału w procesie z pozwem zbiorowym, ale dla takiej rasowej prawniczki jak ona to nie mogło być przeszkodą. Walker i Massey wiedzieli, że pasmo jej zwycięstw w sądzie obejmuje najróżniejsze procesy — zatrucie wód gruntowych, zaniedbania w szpitalu, zderzenie w powietrzu dwóch samolotów pasażerskich. Jako członkini adwokackiej elity sądowej Nadine Karros mogła poprowadzić każdą sprawę.

Była wspólnikiem w dziale spraw sądowych u Rogana Rothberga, na osiemdziesiątym piątym piętrze Trust Tower, miała gabinet w narożniku budynku, z widokiem na jezioro, choć rzadko się nim cieszyła. Spotkała się z ludźmi z Varrick w ogromnej sali konferencyjnej na osiemdziesiątym szóstym piętrze i kiedy wszyscy już rzucili okiem na jezioro Michigan, zasiedli do — jak się spodziewali — co najmniej dwugodzinnego spotkania. Po swojej stronie stołu pani Karros miała typową grupę młodych współpracowników i asystentów, prawdziwą świtę wiecznie uśmiechniętych pachołków, gotowych zapytać: „Z jakiej wysokości?", gdyby poleciła: „Skacz!". Po prawej stronie siedział jej kolega z działu spraw sądowych, mężczyzna o nazwisku Hotchkin, jej prawa ręka.

⚊ ⚊ ⚊

Później, podczas rozmowy telefonicznej z Reubenem Masseyem, Nicholas Walker relacjonował:

— Jest bardzo atrakcyjna, Reubenie, długie ciemne włosy, mocno zarysowana broda, piękne piwne oczy, które są takie ciepłe i przyjazne, że zaczynasz myśleć: tak, tę kobietę chcę zabrać do domu i przedstawić mamie. Bardzo miła osobowość, chętnie i ślicznie się uśmiecha. Głęboki głos, jakiego można by się spodziewać po śpiewaczce operowej. Łatwo się domyślić, dlaczego wywiera takie wrażenie na sędziach. Ale jest twarda, co do tego nie ma wątpliwości. Przejmuje dowodzenie i wydaje polecenia, a otaczający ją ludzie są najwyraźniej bardzo lojalni. Nie chciałbym spotkać się z tą kobietą w sądzie.

— Więc to odpowiednia osoba? — upewnił się Reuben.

— Bez wątpienia. Powiem szczerze, że nie mogę się doczekać procesu tylko dlatego, żeby zobaczyć ją w akcji.

— Nogi?

— O tak. Super. Szczupła, ubrana jak z żurnala. Powinieneś jak najszybciej ją poznać.

⚊ ⚊ ⚊

To był jej grunt, więc Karros szybko przejęła kontrolę nad spotkaniem. Skinęła głową do Hotchkina i powiedziała:

— Razem z panem Hotchkinem przedstawiliśmy państwa propozycję naszemu działowi honorariów. Moja stawka to tysiąc dolarów za godzinę poza sądem, dwa tysiące w sądzie, z zaliczką na poczet honorarium wysokości pięciu milionów dolarów, bezzwrotną, rzecz jasna.

181

Nicholas Walker od dwudziestu lat negocjował honoraria z elitą prawników, więc nic nie mogło go zaszokować.

— A ile dla pozostałych wspólników? — zapytał rzeczowo, jakby jego firma mogła sobie pozwolić na każdą wymienioną przez nią sumę, bo tak było.

— Osiemset za godzinę. Pięćset dla współpracowników — rzekła.

— Zgoda — powiedział. Wszyscy w sali wiedzieli, że koszty obrony to miliony dolarów. Prawdę mówiąc, Walker i jego zespół opracowali wstępny kosztorys na dwadzieścia pięć—trzydzieści milionów. To pestka, jeśli ktoś spodziewa się procesów o miliardowe odszkodowania.

Po omówieniu najbardziej nieprzyjemnej kwestii przeszli do następnej ważnej sprawy. Głos zabrał Nicholas Walker.

— Nasza strategia jest prosta i skomplikowana zarazem — zaczął. — Prosta dlatego, że wybierzemy jeden pozew z milionów, jakie składane są przeciwko nam, pojedynczy przypadek, nie pozew zbiorowy, i będziemy ostro domagali się procesu. Chcemy procesu. Nie boimy się go, bo wierzymy w nasz lek. Wierzymy i możemy udowodnić, że badania, na których opierają się chłopcy od szukania dziury w całym, są bardzo niedokładne. Jesteśmy przekonani, że krayoxx działa tak, jak powinien działać, i nie zwiększa ryzyka ataku serca czy wylewu. Tego jesteśmy pewni, tak pewni, że chcemy procesu, jednego tutaj, w Chicago, żeby przedstawić nasze racje, i to szybko. Jesteśmy spokojni o to, że sąd nam uwierzy, a kiedy przysięgli odeprą ataki na krayoxx, kiedy sędzia wyda wyrok na naszą korzyść, układ sił ulegnie dramatycznej zmianie. Szczerze mówiąc, naszym zdaniem adwokaciny od pozwów zbiorowych rozpierzchną się jak liście na wietrze. Pochowają się w mysich norach. Może dojść do następnego procesu, kolejnego zwycięstwa, ale wątpię w to, pani Karros, bo uderzymy w nich mocno i szybko procesem sądowym, a gdy wygramy, wrócą do domu.

Słuchała, niczego nie notując. Kiedy skończył, powiedziała:

— W rzeczy samej to proste i mało oryginalne. Dlaczego Chicago?

— Sędzia. Harry Seawright. Sprawdziliśmy wszystkich sędziów, którzy będą się zajmowali sprawą krayoxxu, wszystkimi pozwami złożonymi do tej pory, i uważamy, że Seawright to nasz człowiek. Nie ma cierpliwości do pozwów zbiorowych. Gardzi niepoważnym traktowaniem procesu i niedbałym wypełnieniem pozwów. Błyskawicznie przeprowadza rozpoznanie dowodów i zaczyna proces. Nie dopuszcza, żeby sprawy pokrył kurz. Jego ulubiony siostrzeniec zażywa krayoxx. I co najważniejsze, jego bliskim przyjacielem jest były senator Paxson, który, jak mniemam, zajmuje teraz gabinet na osiemdziesiątym trzecim piętrze tu, u Rogana Rothberga.

— Sugeruje pan, że moglibyśmy wywrzeć jakiś wpływ na sędziego federalnego? — zapytała Nadine Karros, unosząc lewą brew.

— Oczywiście, że nie — odpowiedział Walker z nieprzyjemnym uśmiechem.

— A jak się przedstawia skomplikowana część waszego planu?

— Zmyłka. Będziemy sprawiali wrażenie, że w sprawach krayoxxu mamy zamiar iść na ugodę. Przerabialiśmy to już, proszę mi wierzyć, więc sporo wiemy o ugodach przy pozwach zbiorowych. Mamy świadomość, jak chciwi są adwokaci powodów, ich pazerność przechodzi wszelkie pojęcie. Gdy uwierzą, że na stole znajdą się miliardy, ich obłęd jeszcze się pogłębi. Przy ugodzie majaczącej na horyzoncie, przygotowania do samego procesu uznają za mniej ważne. Po co zawracać sobie głowę przygotowaniami, kiedy sprawa i tak zmierza ku ugodzie? Natomiast my... i pani... dobrze przygotujemy się do procesu. Zgodnie z naszym planem, sędzia Seawright trzaśnie z bicza i sprawa szybko się potoczy. W idealnym dla nas momencie negocjacje dotyczące ugody się załamią, adwokaci prowadzący pozwy zbiorowe wpadną w panikę, a my będziemy dążyli do ustalenia daty rozprawy, której sędzia Seawright nie będzie chciał zmienić.

Nadine Karros kiwała głową i się uśmiechała. Taki scenariusz jej się podobał.

— Jestem pewna, że mają już państwo wybraną sprawę.

— O tak. Tu, w Chicago, adwokat zajmujący się głównie rozwodami, Wally Figg, złożył pierwszy pozew w sprawie krayoxxu. Kiepski z niego prawnik, trzyosobowa kancelaria, harują za grosze w południowo-zachodniej części miasta. Prawie żadnego doświadczenia procesowego, a już zupełnie żadnego w prowadzeniu pozwów zbiorowych. Podpiął się ostatnio pod adwokata z Fort Lauderdale, Jerry'ego Alisandrosa, który od dawna uważa się za nemezis i ma w życiu jeden cel: przynajmniej raz w roku pozwać Varrick. Alisandros to siła.

— Może się włączyć do tej sprawy? — zapytała Nadine, już myśląc o procesie.

— Jego kancelaria to Zell i Potter. Mają paru kompetentnych prawników z doświadczeniem procesowym, ale rzadko bywają na sali sądowej. Wyspecjalizowali się w zmuszaniu firm do zawierania ugody i biorą gigantyczne honoraria. W tym momencie nie mamy pojęcia, kto może się pokazać i kto zajmie się procesem. Równie dobrze może to być jakiś miejscowy adwokat.

Siedząca po lewej stronie Walkera Judy Beck odchrząknęła i zaczęła mówić, trochę nerwowo:

— Alisandros złożył już wniosek o skonsolidowanie wszystkich pozwów dotyczących krayoxxu w procesie wielookręgowym, czyli...

— Wiemy, co to proces wielookręgowy — Hotchkin wszedł jej ostro w słowo.

— Oczywiście. Alisandros ma ulubionego sędziego federalnego na południu Florydy i jego głównym celem jest proces wielookręgowy, dostanie się do komisji procesowej powodów, a potem przejęcie kontroli nad rozprawą. Liczy, rzecz jasna, na dodatkowe wynagrodzenie za udział w tej komisji.

Pałeczkę przejął Nick Walker:

— Początkowo będziemy sprzeciwiali się wszystkim wysiłkom zmierzającym do skonsolidowania poszczególnych spraw. Zamierzamy wybrać jednego z klientów pana Figga i przekonać sędziego Seawrighta do procesu w jego stylu, czyli szybko i sprawnie.

— A jeżeli sędzia z Florydy nakaże skonsolidowanie wszystkich przypadków i będzie chciał mieć je u siebie? — zapytał Hotchkin.

— Seawright jest sędzią federalnym — przypomniał Walker. — Pozew został złożony w jego sądzie. Jeśli będzie chciał rozpatrywać go tutaj, nikt, nawet Sąd Najwyższy, nie może mu nakazać, żeby postąpił inaczej.

Nadine Karros przeglądała podsumowanie, które zespół z Varrick puścił w obieg przy stole.

— Zatem, jeśli dobrze zrozumiałam, wybierzemy jednego z klientów pana Figga i przekonamy sędziego Seawrigtha, by wyłączył tę sprawę z pozwu zbiorowego. Potem, zakładając, że sędzia tak zrobi, nasza reakcja na pozwy będzie spokojna, do niczego się nie przyznamy, złożymy jakąś odpowiedź na pozew, sprawnie przejdziemy przez przedstawianie dowodów, bo nie chcemy niczego spowalniać, odbierzemy kilka zeznań, damy wszystkie dokumenty, jakich zażądają, i będziemy ich prowadzili ścieżką usłaną różami, dopóki się nie obudzą i nie zorientują, że mają przed sobą prawdziwy proces. Tymczasem państwo uśpią ich czujność tworzeniem fałszywego poczucia bezpieczeństwa za pomocą iluzji kolejnego rozbicia banku.

— Właśnie tak — potwierdził Nick Walker. — O to chodzi.

⋏ ⋏ ⋏

Przez prawie godzinę dyskutowali o zmarłych klientach pana Figga — Chesterze Marino, Percym Klopecku, Wandzie Grand i Franku Schmidcie oraz czterech innych. W chwili gdy pozew zostanie rozpatrzony prawidłowo, Karros i jej ludzie wysłuchają zeznań osób reprezentujących rodziny ośmiu zmarłych. Kiedy będą mieli sposobność przyjrzenia się im, podejmą decyzję, którą sprawę wyizolować i przepychać w sądzie.

Problem młodego Davida Zinca został szybko załatwiony. Choć pracował u Rogana Rothberga przez pięć lat, nie był już na jego liście płac. Nie zachodził żaden konflikt interesów, bo w tamtym czasie kancelaria nie reprezentowała Varrick, a Zinc nie reprezentował zmarłych klientów. Nadine Karros nigdy go nie poznała, właściwie tylko jeden z jej współpracowników potrafił sobie go przypomnieć. Zinc pracował w dziale finansów międzynarodowych, o całe światy oddalonym od spraw sądowych.

⋏ ⋏ ⋏

David pracował teraz w świecie prawa ulicy i był szczęśliwy, że jest tak daleko od międzynarodowych finansów. Ostatnio dużą uwagę poświęcał gosposi z Birmy i jej zatrutemu ołowiem wnukowi. Miał jej nazwisko, numer telefonu i adres, ale nawiązanie kontaktu okazało się trudne. Toni, przyjaciółka Helen, zasugerowała babci, żeby rodzina poradziła się jakiegoś prawnika, ale to tylko przeraziło biedną kobiecinę. Była wypalona emocjonalnie, zdezorientowana i w tej chwili niedostępna. Jej wnuk leżał podłączony do aparatury podtrzymującej życie.

186

Zastanawiał się, czy tę sprawę mogliby poprowadzić jego wspólnicy, ale szybko wpadł na lepszy pomysł. Wally wparowałby pewnie na oddział szpitalny i wystraszył kogoś na śmierć. Oscar z kolei mógłby upierać się, że będzie prowadził tę sprawę, a potem, gdyby doszło do ugody, żądać dodatkowego wynagrodzenia. Jak David zdążył się już zorientować, jego dwaj wspólnicy nie dzielili się równo pieniędzmi i, jak twierdziła Rochelle, walczyli przy każdym honorarium. Dodatkowe punkty zbierał adwokat, który pierwszy nawiązał kontakt, więcej należało się z kolei temu, który pracował nad sprawą, i tak dalej. Zgodnie z tym, co mówiła Rochelle, przy niemal każdym porządnym wypadku samochodowym Oscar i Wally kłócili się przy podziale pieniędzy.

David siedział przy biurku i pisał testament dla nowego klienta — sam wklepywał go do komputera, bo Rochelle poinformowała go przed kilkoma tygodniami, że trzech prawników to stanowczo za dużo dla jednej sekretarki — kiedy sygnał dźwiękowy dał mu znać, że przyszedł nowy e-mail. Był to list od urzędnika z sądu federalnego. Otworzył e-mail i przekonał się, że to odpowiedź na złożony przez nich pozew. Od razu spojrzał na nazwisko adwokata, od razu zobaczył też, że to Nadine Karros od Rogana Rothberga, i o mało nie zemdlał.

David nigdy jej nie poznał, ale rzecz jasna dobrze wiedział, jaką cieszy się sławą. Była znana w całym chicagowskim środowisku adwokackim. Prowadziła i wygrywała najtrudniejsze sprawy, on zaś nigdy nie wydukał w sądzie nawet jednego słowa. Patrzył jednak na nazwisko wymienione obok jego nazwiska, jakby byli sobie równi. W imieniu powoda: Wallis T. Figg, B. Oscar Finley i David E. Zinc z kancelarii Finleya i Figga razem z S. Jerrym Alisandrosem z kancelarii Zella i Pottera. W imieniu Varrick Laboratories: Nadine L.

Karros i R. Luther Hotchkin z kancelarii Rogana Rothberga. Na papierze wyglądało to tak, jakby David należał do ich grona. Powoli przeczytał odpowiedź. Potwierdzano w niej oczywiste fakty, zaprzeczano wszystkim zarzutom. W sumie była to prosta, niemal ugrzeczniona reakcja dotycząca procesu o sto milionów dolarów, a czegoś takiego się nie spodziewali. Wally twierdził, że pierwsze, czego można oczekiwać po prawnikach Varrick, to napastliwy wniosek o wycofanie pozwu, z dołączonym opasłym streszczeniem sprawy przygotowanym przez prawników po najlepszych uczelniach w kraju, którzy nie marnowali czasu w dziale badawczym firmy. Wniosek o wycofanie pozwu miał wywołać sporą awanturę, ale i tak ich byłoby na wierzchu, bo takie wnioski, zdaniem Wally'ego, rzadko przechodzą.

Obrona dołączyła do odpowiedzi zestaw pytań o podstawowe informacje, takie jak dane każdego z ośmiu zmarłych klientów i ich rodzin, nazwiska i streszczenie opinii biegłych powoływanych na świadków. O ile David wiedział, nie wynajęli jeszcze żadnego eksperta, chociaż Jerry Alisandros miał się podobno tym zająć. Pani Karros chciała również jak najszybciej dostać osiem kompletów zeznań powodów.

Urzędnik sądowy napisał, że papierowe egzemplarze odpowiedzi i innych dokumentów zostały wysłane pocztą.

David usłyszał ciężkie kroki na schodach. To Wally. Przyczłapał do niego na górę i zapytał, dysząc:

— Widziałeś, co wysmażyli?

— Właśnie skończyłem czytać. Wygląda na raczej spokojną reakcję, nie uważasz?

— A co ty wiesz o prowadzeniu sprawy w sądzie?

— Ach...

— Przepraszam. Coś knują. Muszę zadzwonić do Alisandrosa i jakoś to rozgryźć.

— To tylko zwykła odpowiedź i prośba o podanie informacji. Nie ma powodu do paniki.

— A kto panikuje? Znasz tę kobietę? Czy ona nie jest z twojej starej firmy?

— Nie poznałem jej, ale jest podobno niesamowita na sali sądowej.

— Tak, cóż, podobnie jak Alisandros, ale my nie pójdziemy do sądu. — Wally powiedział to bez przekonania. Wyszedł z gabinetu Davida, coś mamrocząc, i zszedł po schodach, głośno tupiąc. Od momentu złożenia pozwu minął miesiąc, a teraz marzenia Wally'ego o szybkim dopływie dużej gotówki powoli się rozwiewały. Wyglądało na to, że zanim rozpoczną się rozmowy o ugodzie, będą musieli zrobić to i owo.

Dziesięć minut później David dostał e-mail od młodszego wspólnika:

Możesz zająć się pytaniami od nich? Muszę pojechać do zakładu pogrzebowego.

Jasne, Wally. Z przyjemnością.

Rozdział 18

W gruncie rzeczy pozbawione znaczenia zarzuty wobec Tripa oddalono z powodu znikomej szkodliwości, niemniej sąd zobowiązał go do podpisania oświadczenia, że będzie się trzymał z dala od kancelarii Finleya i Figga i jej pracowników. Trip zniknął, ale jego była dziewczyna nie.

DeeAnna zjawiła się kilka minut przed siedemnastą, jak zwykle. Tego dnia była przebrana za kowbojkę: dopasowane dżinsy, buty z cholewkami o wydłużonych noskach oraz czerwona obcisła bluzka, przy której „zapomniała" zapiąć trzy górne guziki.

— Jest Wally? — zagruchała do Rochelle, która jej nie znosiła. Otaczająca ją chmura perfum wypełniła pokój, sprawiając, że AC zaczął węszyć, warknął, a potem schował się jeszcze głębiej pod biurkiem.

— Jest — mruknęła niechętnie Rochelle.

— Dzięki, kotku — powiedziała DeeAnna, próbując jak najbardziej zirytować Rochelle. Ruszyła dumnym krokiem do gabinetu Wally'ego i weszła bez pukania. Tydzień wcześniej

Rochelle kazała jej usiąść i zaczekać, jak wszystkim innym klientom. Z czasem stało się jasne, że DeeAnna ma znacznie większe przywileje niż pozostali klienci, przynajmniej jeśli chodzi o Wally'ego.

DeeAnna padła w ramiona prawnika i po długim całusie połączonym z przytulaniem i obowiązkowych pieszczotach Wally powiedział:

— Wspaniale wyglądasz, kochanie.

— Wszystko dla ciebie, kochanie.

Wally upewnił się, czy drzwi są dobrze zamknięte, a potem wrócił na obrotowy fotel przy biurku.

— Muszę wykonać jeszcze dwa telefony, a potem stąd spadamy — powiedział, prawie się śliniąc.

— Jak chcesz, kochanie. — DeeAnna usiadła i wzięła plotkarski magazyn o celebrytach. Nie czytała nic innego i była głupia jak but, ale Wally'emu to nie przeszkadzało. Nie chciał jej oceniać. Miała czterech mężów. On miał cztery żony. Kimże jest, by wydawać sądy? Na tym etapie byli w trakcie prób zamordowania się nawzajem w łóżku, a Wally jeszcze nigdy nie był tak szczęśliwy.

Tymczasem Rochelle sprzątała biurko, chcąc wyjść jak najszybciej, bo „ta dziwka" siedzi w gabinecie pana Figga i jeden Bóg wie, co tam wyrabiają. Ze swojego gabinetu wyszedł Oscar, trzymając w ręku jakieś dokumenty.

— Gdzie jest Figg? — zapytał, patrząc na zamknięte drzwi pokoju Wally'ego.

— W środku z klientką — odpowiedziała Rochelle. — Drzwi są zamknięte na klucz.

— Tylko niech mi pani nie mówi...

— Aha. Trzeci dzień z rzędu.

— Nadal negocjują jego honorarium?

— Nie wiem. Musiał je chyba podnieść.

Chociaż honorarium było niewielkie — typowe dla rozwodu bez orzekania o winie — Oscarowi należała się jego część, lecz nie miał pojęcia, jak dokonać podziału, bo połowa została wypłacona na kanapie. Wpatrywał się w drzwi Wally'ego, jakby czekał na odgłosy namiętności, i niczego nie słysząc, odwrócił się do Rochelle i machnął papierami.

— Czytała to pani?

— A co to?

— To umowa z Jerrym Alisandrosem i kancelarią Zella i Pottera. Osiem stron, mnóstwo drobnego druczku. Podpisał ją mój wspólnik, ale najwyraźniej nie przeczytał zbyt dokładnie. Mówi się w niej, że musimy wnieść dwadzieścia pięć tysięcy dolarów na poczet kosztów związanych z procesem. Figg nigdy mi o tym nie wspominał.

Rochelle wzruszyła ramionami. To sprawa prawników, nie jej.

— Dalej jest napisane, że należy nam się honorarium wysokości czterdziestu procent od każdego przypadku, z czego połowa idzie do Zella i Pottera — irytował się Oscar. — Ale drobnym drukiem dodają, że sześć procent honorarium musi być zapłacone komisji procesowej powodów, maleńka premia dla tych ważniaków za ciężką pracę. Te sześć procent jest obliczane od maksymalnej sumy odszkodowania i pochodzi z naszej części. Zatem, jak obliczyłem, tracimy sześć procent z honorarium, co daje nam trzydzieści cztery procent, którymi musimy podzielić się z Alisandrosem, który z kolei dostanie oczywiście lwią część z tych sześciu procent. Czy widzi w tym pani jakiś sens?

— Nie.

— No to jest nas dwoje. Dajemy się dymać na lewo i prawo, a teraz jeszcze musimy wyłożyć dwadzieścia pięć tysięcy na koszty procesu. — Oscar miał czerwone policzki i nie przestawał zerkać na drzwi Wally'ego, ale Wally siedział bezpiecznie w środku.

David zszedł na dół i wpadł w sam środek rozmowy.

— Czytałeś to? — zapytał Oscar ze złością, wymachując umową.

— Co to jest?

— Nasza umowa z kancelarią Zella i Pottera.

— Rzuciłem na nią okiem. Nie jest zbyt skomplikowana.

— Och, naprawdę? Czytałeś część o dwudziestu pięciu tysiącach dolarów na poczet kosztów związanych z procesem?

— Tak, i nawet spytałem o to Wally'ego. Odpowiedział, że najprawdopodobniej pójdziemy po prostu do banku, uruchomimy linię kredytową firmy, a kiedy dojdzie do ugody, zwrócimy pożyczkę.

Oscar popatrzył na Rochelle, która odpowiedziała mu spojrzeniem. Oboje myśleli: jaka znowu linia kredytowa?

Oscar zaczął coś mówić, ale zaraz obrócił się na pięcie i poszedł do swojego gabinetu, zatrzaskując drzwi.

— O co mu chodziło? — zapytał David.

— Nie mamy żadnej linii kredytowej — wyjaśniła Rochelle. — Pan Finley boi się, że sprawa krayoxxu odbije się rykoszetem i załatwi nas finansowo. To nie byłby pierwszy raz, kiedy pomysły pana Figga paskudnie by się dla nas kończyły, ale na pewno najfatalniejszy.

David rozejrzał się i podszedł do Rochelle.

— Mogę panią o coś zapytać?

— Nie wiem — mruknęła, cofając się ostrożnie o krok.

— Oni obaj siedzą w tym interesie od bardzo dawna. Oscar ponad trzydzieści lat, Wally ponad dwadzieścia. Czy mają odłożone pieniądze? Ponieważ nie widać ich w biurze, pomyślałem, że gdzieś je schowali.

Rochelle również się rozejrzała, a potem powiedziała:

— Nie wiem, co się dzieje z pieniędzmi, kiedy już stąd wyjdą. Wątpię, by Oscar miał choć centa, bo jego żona wszystko wydaje. Ona ma się za kogoś lepszego i trzyma się tej roli. Wally? Kto to wie? Przypuszczam, że jest tak samo spłukany jak ja. Ale na pewno są właścicielami tego budynku.

David nie potrafił się powstrzymać i spojrzał na pęknięcia w tynku na suficie. Zostawmy to, powiedział do siebie w duchu.

— Byłem po prostu ciekawy — powiedział.

Z pokoju Figga dobiegł piskliwy śmiech.

— Wychodzę — oznajmił David, biorąc płaszcz.

— Ja też — powiedziała Rochelle.

⋏ ⋏ ⋏

Kiedy Wally i DeeAnna wyszli z pokoju, w biurze nie było już nikogo. Szybko pogasili światła, zamknęli drzwi i wsiedli do jej samochodu. Wally był zachwycony nie tylko tym, że ma nową ukochaną, ale i tym, że chętnie prowadzi samochód. Do odwieszenia prawa jazdy zostało jeszcze sześć tygodni, a przy palącej sprawie krayoxxu musiał być w ciągłym ruchu. DeeAnna rzuciła się na szansę zgarnięcia nagrody — pięciuset dolarów za przypadek śmierci i dwustu dolarów za żyjącą ofiarę — ale tak naprawdę czuła dreszcz emocji, gdy słuchała opowieści Wally'ego o przyszpileniu Varrick Laboratories i zbiorowych odszkodowaniach, które zapewnią mu ogromne honorarium (a może i ona będzie coś z tego miała, choć głośno o tym nie wspominali). Często ich rozmowy przed zaśnięciem schodziły na sprawę krayoxxu i wszystkiego, co się z nią łączyło. Trzeci mąż zabrał DeeAnnę na Maui, gdzie bardzo podobała jej się plaża. Wally zdążył już obiecać jej wakacje w tym raju.

Na tym etapie znajomości Wally był gotów obiecać jej wszystko.

— Dokąd, kochanie? — zapytała, startując z piskiem opon

spod kancelarii. Była niebezpiecznym kierowcą w małej maździe kabriolecie i Wally wiedział, że gdyby doszło do wypadku, miałby niewielkie szanse przeżycia.

— Wolniej — poprosił, zapinając pas. — Jedźmy na północ w kierunku Evanston.

— Ludzie się odzywają? — zapytała.

— O tak. Mam mnóstwo telefonów. — Wally nie kłamał. Jego komórka dzwoniła bez przerwy. Ludzie, którym wpadła w ręce niewielka broszura *Strzeż się krayoxxu!* jego autorstwa, mieli mnóstwo pytań. Kazał wydrukować dziesięć tysięcy egzemplarzy i zarzucił nią całe Chicago. Przypinał ją do tablic ogłoszeniowych w pokojach spotkań poradni dla odchudzających się, zostawiał w oddziałach związku weteranów wojennych, salonach bingo, poczekalniach szpitali i toaletach restauracji typu fast food — wszędzie, gdzie zdaniem Wally'ego mogli się zbierać ludzie walczący ze zbyt wysokim cholesterolem.

— Więc ile mamy spraw? — chciała wiedzieć DeeAnna.

Uwagi Wally'ego nie uszła liczba mnoga w tym pytaniu. Nie miał zamiaru mówić jej prawdy.

— Osiem przypadków śmierci i kilka setek żyjących, ale najpierw trzeba ich przebadać. Nie jestem pewny, czy każdy żyjący to sprawa dla nas. Trzeba znaleźć jakieś uszkodzenia serca, zanim zajmiemy się takim przypadkiem.

— Jak to robicie? — Mknęli Stevenson, ryzykownie wymijając samochody, których większości, jak się wydawało, DeeAnna nie zauważała. Wally kulił się za każdym razem, gdy prawie na kogoś wpadali.

— Powoli, DeeAnno, nigdzie się nie spieszymy — jęknął.

— Zawsze narzekasz na to, jak prowadzę. — Posłała mu długie smutne spojrzenie.

— Patrz na drogę. I zwolnij.

Przestała wciskać pedał gazu i dąsała się przez kilka minut.

— Wracając do naszej rozmowy, skąd wiesz, że ci ludzie mają coś uszkodzone?

— Wynajmiemy lekarza, który ich przebada. Krayoxx osłabia serce. Istnieją badania, dzięki którym wiadomo, że klient doznał przez ten lek uszczerbku na zdrowiu.

— Ile takie badania kosztują?

Wally zauważył, że DeeAnnę coraz bardziej interesuje finansowa strona procesu, i było to trochę irytujące.

— Około tysiąca dolców za określoną grupę — odpowiedział, choć w rzeczywistości nie miał pojęcia. Jerry Alisandros zapewnił go, że kancelaria Zella i Pottera korzystała już z pomocy kilku lekarzy, którzy badali potencjalnych klientów. W najbliższej przyszłości miał udostępnić ich usługi firmie Finleya i Figga, a kiedy badania się zaczną, grupa żyjących klientów na pewno bardzo się powiększy. Alisandros codziennie latał odrzutowcem po całym kraju, spotykał się z adwokatami takimi jak Wally, tu i tam zbierał materiały do wielkich procesów, wynajmował biegłych, obmyślał strategie postępowania i, co najważniejsze, pracował bez przerwy nad Varrick Laboratories i ich prawnikami. Wally czuł się naprawdę zaszczycony, że bierze udział w grze o tak wielką stawkę.

— To mnóstwo pieniędzy — stwierdziła DeeAnna.

— Dlaczego tak bardzo interesujesz się pieniędzmi? — rzucił Wally, zerkając na dekolt kowbojskiej bluzki.

— Przepraszam, Wally. Wiesz, że jestem wścibska. To takie podniecające i w ogóle, choróbcia, to będzie straszny odlot, kiedy ważniacy z Varrick zaczną wypisywać czeki na wielkie sumy.

— Na to możemy jeszcze długo czekać. Tymczasem skupmy się na zdobywaniu klientów.

▲ ▲ ▲

W domu Finleya Oscar i jego żona Paula oglądali powtórkę *M*A*S*H* na kablówce, gdy nagle usłyszeli piskliwy głos i zobaczyli zaniepokojoną twarz prawnika o nazwisku Bosch, który często gościł w reklamach kablówki na rynku chicagowskim. Bosch przez całe lata szukał klientów wśród ofiar wypadków samochodowych i poszkodowanych z powodu zetknięcia się z azbestem i innymi produktami, a teraz najwyraźniej stał się ekspertem od krayoxxu. Grzmiał o niebezpieczeństwie, jakie stanowi ten lek, mówił brzydkie rzeczy o Varrick Laboratories, a na dole ekranu przez całe trzydzieści sekund pulsował numer jego telefonu.

Oscar patrzył na to z ogromnym zaciekawieniem, ale nic nie powiedział.

— Zastanawiałeś się nad reklamą w telewizji, Oscarze? — odezwała się Paula. — Wszystko wskazuje na to, że twoja firma musi coś zrobić, żeby interesy szły lepiej.

Nie był to zaskakujący temat rozmowy między nimi. Przez trzydzieści lat Paula nieproszona udzielała rad, jak prowadzić kancelarię adwokacką, miejsce, gdzie nikt nie jest w stanie osiągnąć zysków, które by ją satysfakcjonowały.

— Jest bardzo droga — odpowiedział Oscar. — Figg chce w to wejść. Ja jestem sceptyczny.

— Cóż, na pewno nie pokazałbyś Figga w telewizji, prawda? Odstraszyłby wszystkich potencjalnych klientów w promieniu setek kilometrów. Sama nie wiem, ale te reklamy wyglądają na bardzo nieprofesjonalne.

Cała Paula. Z jednej strony reklama w telewizji mogłaby powiększyć grono klientów, z drugiej była nieprofesjonalna. Czy jest za, czy przeciw? Jedna z tych możliwości czy obie? Oscar nie wiedział i przestał się tym przejmować już wiele lat temu.

— Czy Figg ma jakieś przypadki krayoxxu? — zapytała.

— Tak, kilka — wymamrotał Oscar. Paula nie wiedziała, że on i David podpisali pozew i są odpowiedzialni za wszczęcie postępowania. Nie wiedziała, że kancelaria ma przekazać pieniądze na koszty prowadzenia procesu. Paula interesowała się tylko nędznymi groszami, które Oscar co miesiąc przynosił do domu.

— Cóż, rozmawiałam o tym z moim lekarzem i on twierdzi, że ten lek jest dobry. Dzięki niemu mój poziom cholesterolu jest poniżej dwustu. Nie mam zamiaru go odstawiać.

— To nie odstawiaj. — Jeśli krayoxx naprawdę zabija ludzi, Oscar chciał, żeby Paula brała pełną przepisaną dzienną dawkę.

— Ale wszędzie wytaczają procesy, Oscarze. Nadal nie jestem przekonana. A ty?

Jest wierna temu lekowi, ale zamartwia się z jego powodu.

— Figg twierdzi, że ten lek uszkadza organizm — odpowiedział Oscar. — Wiele dużych kancelarii się z tym zgadza i pozywają Varrick. Ogólna opinia jest taka, że producent pójdzie na ugodę, zanim zacznie się procesować. Zbyt dużo by ryzykował.

— Więc jeśli dojdzie do ugody, co się stanie z klientami Figga?

— Jak dotąd to wszystko sprawy ludzi nieżyjących. Osiem osób. Jeśli osiągną ugodę, dostaniemy całkiem ładne wynagrodzenie.

— Jak ładne?

— Nie da się określić. — Oscar robił już plany. Jeśli i kiedy rozmowy o ugodzie staną się poważne, chciał się wyprowadzić, złożyć pozew rozwodowy i trzymać Paulę jak najdalej od pieniędzy za krayoxx. — Jednak bardzo wątpię, czy dojdzie do ugody — dodał.

— Dlaczego? Bosch mówił, że mogą być ogromne odszkodowania.

— Bosch to idiota i codziennie to udowadnia. Wielkie firmy farmaceutyczne zwykle ryzykują kilka procesów, żeby wybadać grunt. Jeśli sąd da im po głowach, przystępują do rozmów o ugodzie. Jeśli wygrają, nie przestają się procesować, aż adwokaci powodów odstąpią. To może potrwać lata.

Ale nie trać nadziei, mój drogi.

▲ ▲ ▲

Miłość między Davidem i Helen Zincami kwitła niemal tak samo jak między Wallym i DeeAnną. Ponieważ David pracował krócej i rozpierała ich energia, potrzebowali mniej niż tygodnia, żeby Helen zaszła w ciążę. Teraz, kiedy David wracał do domu o przyzwoitej porze, nadrabiali stracony czas. Właśnie skończyli, leżeli w łóżku i mimo późnej pory oglądali telewizję, gdy na ekranie pojawił się Bosch.

Kiedy zniknął, Helen powiedziała:

— Wygląda na prawdziwy szał.

— O tak. Wally jest teraz gdzieś tam i zaśmieca ulice broszurami. Prościej byłoby ogłaszać się w telewizji, ale nas na to nie stać.

— I Bogu dzięki. Naprawdę nie chciałabym oglądać cię na ekranie, bo musiałbyś konkurować z kimś takim jak Benny Bosch.

— Moim zdaniem w telewizji wypadłbym bardzo naturalnie. „Czy zostałeś ranny?". „Będziemy walczyli o twoją sprawę". „Firmy ubezpieczeniowe drżą przed nami". I co myślisz?

— Myślę, że twoi przyjaciele od Rogana Rothberga pękaliby ze śmiechu.

— Nie mam tam przyjaciół. Zostały mi tylko złe wspomnienia.

— Odszedłeś... jak dawno, miesiąc temu?

— Sześć tygodni i dwa dni, i nawet przez chwilę nie chciałem tam wrócić.

— A ile zarobiłeś w nowej firmie?

— Sześćset dwadzieścia dolarów i licznik nadal bije.

— Tak, ale czekają nas wydatki. Zastanawiałeś się nad przyszłymi zarobkami czy coś w tym rodzaju? Zrezygnowałeś z trzystu tysięcy rocznie, świetnie. Ale nie utrzymamy się za sześćset dolarów miesięcznie.

— Wątpisz we mnie?

— Nie, ale trochę otuchy dobrze by mi zrobiło.

— W porządku. Obiecuję, że zarobię wystarczająco dużo, żebyśmy żyli w szczęściu i zdrowiu. Wszyscy troje. Albo czworo, albo pięcioro, albo ile nas będzie.

— A jak masz zamiar to zrobić?

— Użyję telewizji. Pojawię się na ekranie, żeby szukać ofiar krayoxxu — powiedział David, śmiejąc się. — Ja i Bosch. Co o tym sądzisz?

— Moim zdaniem zwariowałeś.

Roześmiali się oboje, a potem znów zaczęli się kochać.

Rozdział 19

Oficjalnie nazywało się to etapem przygotowaw-
czym, ale było to zwykłe spotkanie prawników w obecności
sędziego, mające na celu przedyskutowanie wstępnych założeń
procesu. Niczego nie protokołowano, tylko urzędnik sądowy
robił luźne notatki. Często, a zwłaszcza na sali sądowej Harry'ego Seawrighta, sędzia nie bywał na takich spotkaniach
i prosił urzędnika sądowego, żeby go zastępował.

Tego dnia jednak sędzia Seawright przewodniczył zebraniu.
Jako starszy sędzia Okręgu Północnego Illinois miał ogromną
salę, przestronną i okazałą, na trzydziestym trzecim piętrze
federalnego gmachu Everetta M. Dirksena przy Dearborn Street
w śródmieściu Chicago. W sali wyłożonej ciemną dębową
boazerią stało mnóstwo solidnych skórzanych foteli dla uczestników sporu. Po prawej stronie, a lewej sędziego, siedział
zespół reprezentujący powodów, złożony z Wally'ego Figga
i Davida Zinca. Po lewej zebrała się licząca mniej więcej tuzin
grupa prawników od Rogana Rothberga, występujących w imieniu Varrick Laboratories. Przewodziła im, rzecz jasna, Nadine

Karros, jedyna kobieta wśród obecnych, ubrana na tę okazję w klasyczną granatową garsonkę od Armaniego, ze spódnicą nad kolana. Miała gołe nogi i markowe czółenka na koturnach z dziewięciocentymetrowymi obcasami. Wally nie mógł oderwać oczu od jej butów, spódniczki i całej postaci.

— Może powinniśmy częściej przychodzić do sądu federalnego — wyszeptał do Davida, który jednak nie był w nastroju do żartów. Prawdę mówiąc, Wally też nie. Dla nich obu była to pierwsza wizyta w sali sądu federalnego. Wally twierdził, że przez cały czas prowadzi sprawy w sądzie federalnym, ale David nie do końca mu wierzył. Oscar, starszy wspólnik, który miał tu z nimi być i stawić czoło dwóm Goliatom, Roganowi Rothbergowi i Varrick Laboratories, zadzwonił i powiedział, że jest chory.

Oscar nie był zresztą jedynym nieobecnym. Wielki Jerry Alisandros i jego zespół światowej klasy adwokatów zaprawionych w bojach sądowych mieli przybyć do Chicago, żeby przedstawić prawdziwy pokaz siły, ale w ostatniej chwili okazało się, że jakieś nagłe przesłuchanie w Bostonie jest ważniejsze. Wally'ego ze strachu oblał zimny pot, kiedy odebrał telefon od jednego z pomagierów Alisandrosa.

— To tylko etap przygotowawczy — uspokoił go młody człowiek.

W drodze do sądu Wally wyraził swój sceptycyzm dotyczący kancelarii Zella i Pottera.

Dla Davida ta chwila była wyjątkowo krępująca. Pierwszy raz siedział na sali sądowej i wiedział, że nie odezwie się słowem, bo nie przychodziło mu do głowy nic, co mógłby powiedzieć, a za przeciwników miał grupę doskonale ubranych i bardzo utalentowanych prawników z firmy, wobec której był kiedyś lojalny, firmy, która go zatrudniła, wyszkoliła, płaciła mu bardzo wysoką pensję i obiecywała dalszą karierę, firmy, którą on porzucił raz na zawsze. Wolał... kancelarię Finleya i Figga? Niemal słyszał ich chichot skrywany pod maską opanowania. David ze swoim pochodzeniem i dyplomem Harvardu należał do nich, do ludzi, którym płacono za godzinę, a nie do grupy reprezentującej powodów, szlifującą bruk w poszukiwaniu klientów. David nie chciał być tu, gdzie się znalazł. Podobnie jak Wally.

Sędzia Seawright usadowił się wygodnie i nie marnował czasu.

— Gdzie jest pan Alisandros? — warknął do Wally'ego i Davida.

Wally zerwał się na równe nogi, uśmiechnął przymilnie i odpowiedział:

— Jest w Bostonie, Wysoki Sądzie.

— Więc dzisiaj go tu nie będzie?

— Właśnie tak, Wysoki Sądzie. Był już w drodze, ale okazało się, że musiał pojechać do Bostonu w związku z jakąś nagłą sytuacją.

— Rozumiem. Jest pełnomocnikiem procesowym powodów w tej sprawie. Proszę mu przekazać, żeby tu był, gdy zbierzemy się następnym razem. Za nieobecność nałożę na niego grzywnę, tysiąc dolarów.

— Tak, Wysoki Sądzie.

— Pan Figg?

— To ja, Wysoki Sądzie, a to mój współpracownik David Zinc.

David próbował się uśmiechnąć. Niemal widział, jak wszyscy z zespołu Rogana Rothberga wyciągają szyje, żeby mu się przyjrzeć.

— Witam w sądzie federalnym. — W głosie sędziego słychać było sarkazm. Spojrzał na obronę i powiedział: — Jak przypuszczam, pani Karros?

Nadine wstała i oczy wszystkich obecnych zwróciły się na nią.

— Tak, Wysoki Sądzie, a to mój partner w tej sprawie, Luther Hotchkin.

— Kim są pozostałe osoby?

— To zespół obrony, Wysoki Sądzie.

— Naprawdę potrzebujecie aż tylu osób do zwykłego etapu przygotowawczego?

Zrób im piekło na ziemi, pomyślał Wally, ciągle wpatrzony w spódnicę Karros.

— Potrzebujemy, Wysoki Sądzie. To duża i skomplikowana sprawa.

— Tak słyszałem. Możecie wszyscy zostać na dalszą część tego przesłuchania. — Sędzia Seawright wziął notatki i poprawił okulary do czytania. — Rozmawiałem z dwoma kolegami z Florydy i nie jesteśmy pewni, czy te procesy nie zostaną zakwalifikowane do rozprawy wielookręgowej. Wygląda na to, że pełnomocnicy powodów mają problem ze zorganizowaniem się. Wielu, jak sądzę, chce jak największego kawałka tortu, co mnie nie zaskakuje. W każdym razie nie mamy innego wyjścia i musimy prowadzić przygotowania do tej sprawy. Kim są pańscy biegli, panie Figg?

Figg nie miał żadnych ekspertów i nie wiedział, kiedy ich pozyska. Polegał na Jerrym Alisandrosie, coraz bardziej zawodnym w szukaniu biegłych, choć obiecał, że ich znajdzie. Wally wstał powoli, wiedząc, że takie wahanie źle wygląda.

— Będziemy ich mieli w przyszłym tygodniu, Wysoki Sądzie. Jak pan wie, przygotowujemy tę sprawę wspólnie z kancelarią Zella i Pottera, dobrze znaną i specjalizującą się w pozwach zbiorowych, a wobec ożywionej aktywności w całym kraju niełatwo jest zatrudnić najlepszych ekspertów. Ale zdecydowanie robimy postępy.

— To miło. Proszę usiąść. Wynika z tego, że złożyli państwo pozew bez uprzedniej konsultacji z ekspertami?

— Cóż, tak, Wysoki Sądzie, ale to przecież nic niezwykłego.

Sędzia Seawright wątpił, czy pan Figg wie, co jest zwykłe albo niezwykłe, ale postanowił nie zawstydzać prawnika na samym początku tej rozgrywki. Wziął do ręki długopis i oznajmił:

— Ma pan dziesięć dni na wskazanie biegłych, po tym terminie obrona będzie mogła ich przesłuchać, bez żadnych opóźnień.

— Tak, Wysoki Sądzie — powiedział Wally, opadając na fotel.

— Dziękuję. A więc mamy osiem przypadków śmierci, czyli chodzi o osiem rodzin. Zaczniemy od tego, że chcę mieć zeznania członków wszystkich rodzin, którzy występują w ich imieniu. Panie Figg, kiedy ci ludzie mogą być dostępni?

— Choćby jutro — odpowiedział Wally.

Sędzia zwrócił się do Nadine Karros:

— Wystarczająco szybko?

Karros uśmiechnęła się i odpowiedziała:

— Wolelibyśmy z większym wyprzedzeniem, Wysoki Sądzie.

— Jestem przekonany, że ma pani zapełniony terminarz rozpraw, pani Karros.

— Jak zwykle.

— Ma pani także nieograniczone możliwości. Policzyłem, że w tej chwili notatki robi jedenastu prawników, i jestem pewny, że setki zajmują się tą sprawą w kancelarii. To zwykłe przygotowania do rozprawy, nic skomplikowanego, dlatego w przyszłą środę przesłuchamy czworo z powodów, a w czwartek pozostałą czwórkę. Maksymalnie dwie godziny na powoda. Jeśli będą państwo potrzebowali więcej czasu, zajmiemy się tym później. Jeśli nie może być pani obecna, pani Karros, proszę wyznaczyć pięć, sześć osób ze swojej drużyny. Jestem pewny, że poradzą sobie z zeznaniami.

— Będę obecna, Wysoki Sądzie — odpowiedziała chłodno.

— Panie Figg?

— Będziemy obecni.

— Poproszę jednego z urzędników, żeby zgrał to czasowo, rozpisał harmonogram, dopracował w szczegółach. Wyślemy to państwu jutro pocztą elektroniczną. Potem, gdy tylko pan Figg wskaże biegłych, ustalimy terminy ich przesłuchania. Pani Karros, kiedy pani eksperci będą gotowi, proszę o dostarczenie niezbędnych informacji i od tego zaczniemy. Chcę zakończyć to wstępne przygotowanie w ciągu sześćdziesięciu dni. Jakieś pytania?

Nie było żadnych.

— Więc tak, przejrzałem trzy inne powództwa dotyczące pozwanej firmy i jej produktów i szczerze mówiąc, nie jestem pod wrażeniem uczciwości działań Varrick i chęci podporządkowania się zasadom na etapie przygotowań — ciągnął sędzia. — Firma, jak wszystko wskazuje, ma ogromne problemy z udostępnianiem dokumentów drugiej stronie. Została przyłapana na ich ukrywaniu. Była karana przez sędziów stanowych i federalnych. Stawiano ją w kłopotliwej sytuacji przed ławą przysięgłych i płaciła za to surowymi wyrokami, a mimo to nadal ukrywa dokumenty. Co najmniej trzy razy członkom jej zarządu zarzucono krzywoprzysięstwo. Pani Karros, czy może mnie pani zapewnić, że pani klient będzie tym razem trzymał się zasad?

Nadine spojrzała na sędziego, milczała przez chwilę, wpatrując mu się w oczy, po czym powiedziała:

— Nie byłam adwokatem Varrick Laboratories przy tamtych sprawach, Wysoki Sądzie, i nie wiem, co się działo. Nie mogę ponosić odpowiedzialności za procesy, z którymi nie miałam nic wspólnego. Doskonale znam zasady, a moi klienci zawsze postępują zgodnie z nimi.

— Zobaczymy. Proszę ostrzec swojego klienta, że będę miał na niego oko. Przy pierwszej próbie złamania zasad wezwę do tej sali prezesa zarządu i poleje się krew. Czy pani mnie zrozumiała, pani Karros?

— Tak, Wysoki Sądzie.

— Panie Figg, nie wystąpił pan jeszcze z żądaniem jakiejkolwiek dokumentacji. Kiedy można się tego spodziewać?

— Właśnie nad tym pracujemy, Wysoki Sądzie — odpowiedział Wally, siląc się na pewność siebie. — Powinniśmy być z tym gotowi za parę tygodni. — Alisandros obiecał mu wyczerpującą listę dokumentów, jakich należy zażądać od Varrick, ale jeszcze jej nie dostarczył.

— Czekam w takim razie. To pański proces. Pan go wszczął. A teraz do pracy.

— Tak, Wysoki Sądzie — powiedział Wally, trochę zaniepokojony.

— Coś jeszcze? — zapytał sędzia.

Większość prawników pokręciła głowami. Wydawało się, że sędzia trochę się odprężył, gdy gryzł końcówkę długopisu.

— Myślę, że ta sprawa może być rozpatrywana w ramach Lokalnej Reguły osiemdziesiąt trzy-dziewiętnaście. Czy zastanawiał się pan nad taką możliwością, panie Figg?

Figg się nie zastanawiał, bo Figg nie miał pojęcia, że istnieje coś takiego jak Lokalna Reguła 83:19. Otworzył usta, ale nic się z nich nie wydobyło. David szybko przejął pałeczkę i wypowiedział swoje pierwsze słowa w sądzie:

— Myśleliśmy o tym, Wysoki Sądzie, ale nie omówiliśmy tego jeszcze z panem Alisandrosem. W ciągu tygodnia podejmiemy decyzję.

Seawright spojrzał na Nadine Karros i zapytał:

— Co pani powie?

— Jesteśmy obroną, Wysoki Sądzie, i nigdy chętnie nie dążymy do procesu.

Jej szczerość rozbawiła sędziego.

— Co to, do cholery, za Reguła osiemdziesiąt trzy-dziewiętnaście? — wyszeptał Wally do Davida.

— Szast-prast i po wszystkim. U niego nic nie pokrywa się kurzem. Karty na stół — odrzekł David, również szeptem.

— Nie chcemy czegoś takiego, prawda? — syknął Wally.

— Nie. Chcemy ugody i gotówki.

— Nie ma potrzeby zgłaszania wniosku, panie Figg — powiedział sędzia. — Sprawa będzie prowadzona w trybie Reguły osiemdziesiąt trzy-dziewiętnaście. To pas szybkiego ruchu. Zabierajmy się do roboty, panie Figg.

— Tak, Wysoki Sądzie — zdołał wymamrotać Wally.

Sędzia Seawright stuknął młotkiem i dodał:

— Spotykamy się za sześć dni i spodziewam się obecności pana Alisandrosa. Sprawa odroczona.

▲   ▲   ▲

Kiedy Wally i David upychali akta i notesy do teczek, chcąc jak najszybciej wyjść, Nadine Karros podeszła do nich wolnym krokiem, żeby się przywitać.

— Miło panów poznać, panie Figg, panie Zinc — powiedziała z uśmiechem, na którego widok serce Wally'ego na chwilę zamarło.

— Cała przyjemność po naszej stronie — wybąkał.

David odwzajemnił jej uśmiech, gdy podała mu rękę.

— Zapowiada się długa i bolesna walka — powiedziała. — Stawką jest dużo pieniędzy. Będę się starała utrzymać wszystko na profesjonalnym poziomie i ograniczyć złe emocje. Jestem przekonana, że panów kancelaria podchodzi do tego w taki sam sposób.

— O tak — wydyszał Wally i niewiele brakowało, a zapytałby, czy pójdzie z nim na drinka.

David nie dawał się tak łatwo zmanipulować. Uważał, że Karros to ładna i miła osoba, ale za tą fasadą widział bezwzględną weterankę, która rozkoszuje się przelewaniem krwi na sali sądowej.

— W takim razie do zobaczenia w przyszłą środę — rzuciła.

— Jeśli nie wcześniej — wyrwało się Wally'emu w kiepskiej próbie żartu.

Gdy odeszła, David złapał Wally'ego za ramię i powiedział:

— Chodźmy stąd.

Rozdział 20

Teraz, gdy Helen była przy nadziei i jej przyszłość miało wypełnić dziecko, studia na Northwestern stały się mniej ważne. Zrezygnowała z jednego przedmiotu z powodu porannych nudności, a w przypadku innych zajęć zmagała się z brakiem motywacji. David delikatnie na nią naciskał, żeby kontynuowała, ale jej potrzebna była przerwa. Niedługo kończyła trzydzieści cztery lata, bardzo przejmowała się perspektywą zostania matką i szybko traciła zainteresowanie doktoratem z historii sztuki.

W mroźny marcowy dzień jedli lunch w kafejce blisko kampusu, gdy przypadkiem zajrzała Toni Vance, przyjaciółka Helen z grupy. David widział ją tylko raz. Była o dziesięć lat starsza, miała dwoje nastoletnich dzieci i męża, który zajmował się czymś związanym z transportem kontenerowym. Ona właśnie miała birmańską gosposię z wnukiem, który żył, ale jego mózg został prawdopodobnie uszkodzony. David namawiał Helen, żeby przekonała Toni do zaaranżowania spotkania, ale gosposia odmawiała. Węsząc, bez łamania prawa i naruszania czyjejkolwiek prywatności, David dowiedział się, że chłopczyk ma pięć lat i od dwóch miesięcy leży na oddziale intensywnej opieki medycznej w szpitalu dziecięcym Lakeshore w północnej części Chicago. Nazywa się Thuya Khaing, urodził się w Sacramento, jest więc obywatelem Stanów Zjednoczonych. Davidowi nie udało się jednak ustalić, jaki status imigracyjny mają jego rodzice. Zaw, gosposia, najprawdopodobniej miała zieloną kartę.

— Moim zdaniem Zaw z tobą pogada — powiedziała Toni, sącząc espresso.

— Gdzie i kiedy? — zapytał David.

Toni zerknęła na zegarek.

— Kończę zajęcia o czternastej i jadę do domu. Może po prostu do mnie wpadniecie?

O czternastej trzydzieści Helen i David zaparkowali za jaguarem na podjeździe przed uderzająco nowoczesnym domem w Oak Park. Cokolwiek robił pan Vance z transportem kontenerowym, doskonale sobie radził. Dom miał wykusze po bokach, na górze i na dole, mnóstwo szkła i marmuru, jakby zbudowano go bez żadnego projektu. Rozpaczliwie starano się za to, by był oryginalny, i to się udało aż za dobrze. Znaleźli wreszcie frontowe drzwi, przy których Toni już na nich czekała, zdążyła też się przebrać i nie próbowała już wyglądać na dwudziestoletnią studentkę. Wprowadziła ich do pokoju z przeszklonym sufitem, z widokiem na niebo i chmury, a po chwili weszła Zaw, niosąca tacę z kawą. Toni ich sobie przedstawiła.

David nigdy wcześniej nie widział Birmanki, ale oszacował jej wiek na mniej więcej sześćdziesiąt lat. Była malutka, w fartuszku pokojówki, miała siwiejące krótkie włosy i twarz, która robiła wrażenie zastygłej w wiecznym uśmiechu.

— Bardzo dobrze zna angielski — powiedziała Toni. — Dołącz do nas, Zaw.

Zaw usiadła trochę zawstydzona na krześle obok swojej chlebodawczyni.

— Od jak dawna jest pani w Stanach Zjednoczonych? — zapytał David.

— Od dwudziestu.

— Ma pani tu rodzinę?

— Męża, pracuje u Searsa. Syn też tu jest. Pracuje w firmie ogrodniczej.

— I jest ojcem pani wnuka, który trafił do szpitala?

Powoli pokiwała głową. Jej uśmiech zniknął w chwili, gdy David wspomniał o chłopcu.

— Tak.

— Czy chłopczyk ma jakieś rodzeństwo?

Uniosła dwa palce i odpowiedziała:

— Dwie siostry.

— Czy one też zachorowały?

— Nie.

— W porządku, może mi pani opowiedzieć, co się stało, kiedy chłopiec zachorował?

Zaw spojrzała na Toni, która odezwała się do niej:

— Spokojnie, Zaw, tym ludziom możesz zaufać. Pan Zinc powinien usłyszeć tę historię.

Zaw skinęła głową i zaczęła opowiadać ze wzrokiem wbitym w podłogę.

— Przez cały czas był zmęczony, bardzo dużo spał, a potem rozbolało go tutaj. — Wskazała swój brzuch. — Bardzo głośno płakał z bólu. Później zaczął wymiotować i tracić na wadze, zrobił się chudziutki. Zabrali go do szpitala i on tam śpi. — Dotknęła głowy. — Ich zdaniem ma jakiś problem z mózgiem.

— Czy lekarz powiedział, że chodzi o zatrucie ołowiem?

Pokiwała głową. Nie wahała się ani przez chwilę.

— Tak.

David również skinął głową, przyjmując to do wiadomości.

— Czy wnuczek mieszkał z panią?

— W sąsiedztwie.

David spojrzał na Toni i zapytał:

— Wiesz, gdzie ona mieszka?

— To Rogers Park. Stare osiedle domów komunalnych. Mam wrażenie, że wszyscy mieszkańcy pochodzą z Birmy.

— Pani Zaw, czy mógłbym obejrzeć miejsce, w którym chłopiec mieszkał?

Pokiwała głową.

— Tak.

— Po co chcesz oglądać to mieszkanie? — zdziwiła się Toni.

— Żeby znaleźć źródło pochodzenia ołowiu. Może być w farbie na ścianach albo w jakiejś zabawce. Może chodzić o wodę. Powinienem to sprawdzić.

Zaw podniosła się cicho ze stołka i powiedziała:

— Przepraszam na chwilę. — Wróciła kilka sekund później z niewielką plastikową torebką, z której wyjęła różowe plastikowe szczęki o dwóch dużych wampirzych kłach.

— Bardzo je lubił — wyjaśniła. — Straszył siostry i wydawał śmieszne dźwięki.

David wziął do ręki tanią zabawkę. Plastik okazał się twardy, w niektórych miejscach zabarwienie albo farba zniknęły.

— Widziała pani, jak się tym bawił?

— Tak, wiele razy.

— Kiedy to dostał?

— W zeszłym roku, na Halloween — odpowiedziała, nie wymawiając „h". — Nie wiem, czy przez to się rozchorował, ale bawił się tym przez cały czas. Różowymi, zielonymi, czarnymi, niebieskimi, dużo kolorów.

— A więc jest cały zestaw?

— Tak.

— Gdzie jest reszta?

— W domu.

⋏ ⋏ ⋏

Padał gęsty śnieg, gdy David i Helen już po zmroku dotarli na osiedle. Budynki miały sznyt domów z lat sześćdziesiątych XX wieku, zbudowano je ze sklejki i smołowanego papieru, schody były z kilku cegieł, tu i tam rosło parę krzaków. Wszystkie były jednopiętrowe, w niektórych okna zabito deskami, co wskazywało na to, że są opuszczone. Zobaczyli też kilka pojazdów, starych jak świat, importowanych z Japonii. Łatwo było odnieść wrażenie, że to miejsce dawno zrównano by z ziemią buldożerami, gdyby nie heroiczne wysiłki imigrantów z Birmy.

Zaw czekała przy numerze 14B i zaprowadziła ich po kilku schodach do 14C. Rodzice Thui wyglądali na dwudziestolatków, ale w rzeczywistości bliżej im było do czterdziestki. Byli zmęczeni, mieli smutne oczy i widać było po nich, że są przerażeni, jak wszyscy rodzice, którzy znaleźliby się na ich miejscu. Doceniali fakt, że przyszedł do nich prawdziwy adwokat, ale system prawny napawał ich lękiem i nic z niego nie rozumieli. Matka, Lwin, odeszła pośpiesznie, żeby zaparzyć herbatę. Ojciec, syn Zaw, nazywał się Soe i jako głowa domu mówił najwięcej. Dobrze znał angielski, znacznie lepiej niż jego żona. Tak jak powiedziała Zaw, pracuje w firmie zajmującej się wszystkim, co dotyczy drzew. Jego żona sprząta biura w śródmieściu. Dla Davida i Helen było jasne, że przed ich przyjazdem odbyła się tu poważna dyskusja.

W mieszkaniu znajdowało się niewiele mebli, było jednak czysto i schludnie. Jedyną ozdobę stanowiło zdjęcie Aung San Suu Kyi, laureatki Pokojowej Nagrody Nobla w 1991 roku, słynnej birmańskiej dysydentki. Coś piekło się w piekarniku, bo dochodził stamtąd intensywny zapach cebuli. Jeszcze w samochodzie Zincowie przyrzekli sobie, że nie zostaną na obiedzie, gdyby ich zaproszono, co było raczej mało prawdopodobne. Dwóch sióstr Thui nie było widać ani słychać.

Żółtawą herbatę podano w maleńkich czarkach. Po jednym, dwóch łykach, Soe powiedział:

— Dlaczego chce pan z nami rozmawiać?

David upił pierwszy łyk, modląc się w duchu, by nie musiał pić więcej, i odpowiedział:

— Bo jeśli pański syn rzeczywiście zatruł się ołowiem i jeśli ten ołów pochodził z jakiejś zabawki lub z czegoś w tym mieszkaniu, to mogą państwo... kładę nacisk na słowo „mogą"... wytoczyć proces producentowi niebezpiecznego produktu. Chciałbym zbadać tę sprawę, ale niczego nie obiecuję.

— To znaczy, że moglibyśmy dostać pieniądze?

— Niewykluczone. Taki jest cel pozwu, procesu, ale najpierw musimy pokopać trochę głębiej.

— Ile pieniędzy?

W tym momencie Wally, rzecz jasna, obiecałby im wszystko. David słyszał, jak obiecywał — albo nawet gwarantował — milion lub więcej kilku klientom ze sprawy krayoxxu.

— Na to pytanie nie potrafię odpowiedzieć. Jest za wcześnie. Chciałbym przeprowadzić rodzaj dochodzenia, przekonać się, czy można z tego zrobić sprawę, ale krok po kroku.

Helen patrzyła na męża z podziwem. Wykonywał dobrą robotę, choć nie miał pojęcia o takich sprawach i brakowało mu doświadczenia. U Rogana Rothberga nigdy nie zetknął się z procesem sądowym.

— W porządku. I co teraz? — spytał Soe.

— Dwie sprawy. Po pierwsze, chciałbym obejrzeć rzeczy państwa synka: zabawki, książki, łóżko, wszystko, co mogłoby zawierać ołów. Po drugie, muszą państwo podpisać kilka papierów, które umożliwią mi zbieranie wyników badań lekarskich syna.

Soe skinął na Lwin, która sięgnęła do niewielkiego pudełka i wyjęła plastikową torebkę zamykaną na suwak. Otworzyła ją i na niewielkim stoliku położyła pięć par sztucznych zębów z wielkimi kłami — niebieskie, czarne, zielone, fioletowe i czerwone. Zaw dodała różowe, które pokazywała po południu. Mieli cały komplet.

— Nazywają się „Paskudne zęby" — wyjaśnił Soe.

David wpatrywał się w rząd „Paskudnych zębów" i po raz pierwszy poczuł dreszcz emocji. Wziął zieloną parę — z twardego, ale giętkiego plastiku, na tyle elastycznego, że dawał się łatwo rozkładać i składać. Bez trudu wyobraził sobie małego chłopca kłapiącego zębami i warczącego na siostry.

— Państwa syn się tym bawił? — zapytał.

Lwin skinęła głową, a Soe powiedział:

— Podobały mu się, bez przerwy wkładał je do buzi. Któregoś wieczoru usiłował nawet jeść w nich obiad.

— Kto je kupił? — chciał wiedzieć David.

— Ja — odpowiedział Soe. — Kupiłem kilka rzeczy na Halloween. Nie były zbyt drogie.

— Gdzie je pan kupił? — David niemal wstrzymał oddech. Liczył na odpowiedź w rodzaju: Walmart, Kmart, Target, Sears, Macy's. Na jakąś sieć o dużym portfelu.

— Na bazarze.

— Na którym?

— Tym dużym, niedaleko Logan Square.

— Pewnie w Mighty Mall — podsunęła Helen.

Ekscytacja Davida trochę zmalała. Mighty Mall był zbiorowiskiem ogromnych budynków z metalu, gdzie mieścił się cały labirynt stoisk i straganów, na których można było znaleźć prawie wszystko, co sprzedawano legalnie, i sporo rzeczy z czarnego rynku. Tanie ubrania, sprzęty domowe, stare płyty, sprzęt sportowy, pirackie CD, używane książki, sztuczną biżuterię, zabawki, gry i milion innych rzeczy. Niskie ceny przyciągały tłumy. Najczęściej płacono gotówką. Kasy fiskalne i paragony nie cieszyły się popularnością.

— Czy były w opakowaniu? — zapytał David. Na opakowaniu musiała być nazwa producenta i może importera.

— Tak, ale już go nie ma — odrzekł Soe. — Już dawno wyrzucone do śmieci.

— Nie ma opakowania — potwierdziła Lwin.

W mieszkaniu były dwie sypialnie — z jednej korzystali rodzice, z drugiej dzieci. David poszedł za Soe, podczas gdy kobiety zostały w pokoju gościnnym. Łóżeczkiem Thui okazał się zwykły materac leżący na podłodze obok posłań sióstr. Dzieci miały tani regalik zapełniony książeczkami do kolorowania i bajkami. Obok stało plastikowe pudło pełne chłopięcych zabawek.

— To jego. — Soe wskazał na pojemnik.

— Mogę obejrzeć? — zapytał David.

— Tak, proszę.

David ukłęknął i powoli oglądał zawartość pudła — figurki bohaterów kreskówek, wyścigówki, pistolet, kajdanki, typowe tanie zabawki pięcioletniego chłopca. Kiedy wstał, powiedział:

— Później się im przyjrzę. Tymczasem niech pan dopilnuje, żeby wszystko zostało tak, jak jest.

Wrócili do dużego pokoju. „Paskudne zęby" znalazły się w torebce z suwakiem. David wyjaśnił, że musi je wysłać do eksperta od zatruć ołowiem, żeby je zbadano. Jeśli zęby rzeczywiście zawierają niedozwolony poziom ołowiu, spotkają się ponownie i zastanowią nad wytoczeniem sprawy. Ostrzegł jednak, że może być trudno ustalić producenta zabawki, i starał

217

się ostudzić entuzjastyczną nadzieję Birmańczyków, że któregoś dnia będą z tego pieniądze. Gdy Zincowie wychodzili, cała trójka — Zaw, Lwin i Soe — wydawała się równie zdezorientowana i zaniepokojona, jak w chwili, gdy przyszli. Soe wybierał się do szpitala, żeby spędzić noc przy Thui.

⋏   ⋏   ⋏

Nazajutrz rano David wysłał priorytetową przesyłkę z „Paskudnymi zębami" do laboratorium w Akron. Jego dyrektor, doktor Biff Sandroni, był wiodącym ekspertem w sprawach zatrucia ołowiem u dzieci. David wysłał też czek na dwa i pół tysiąca dolarów, ale nie z kancelarii Finleya i Figga, tylko z własnego konta bankowego. Powinien co prawda omówić tę sprawę ze swoimi dwoma szefami — i miał to w planie — lecz najpierw chciał wiedzieć coś więcej.

Sandroni zadzwonił dwa dni później, żeby potwierdzić otrzymanie przesyłki i czeku. Ostrzegł, że minie mniej więcej tydzień, zanim będzie mógł wziąć się do badania zębów. Okazał żywe zainteresowanie, bo nie widział jeszcze zabawki zaprojektowanej do noszenia w ustach. Praktycznie wszystkie zabawki, które badał, dzieci po prostu gryzły. Według niego zabawki pochodzą z Chin, Meksyku lub Indii, lecz bez opakowania nie da się ustalić producenta ani importera.

Sandroni był gadatliwy i zaczął opowiadać o swoich najważniejszych dokonaniach. Często zeznawał w sądzie — „uwielbiam sale sądowe" — i twierdził, że tylko dzięki niemu zapadły wyroki opiewające na kilka milionów. Zwracał się do Davida po imieniu i nalegał, by on nazywał go Biff. Słuchając go, David nie mógł sobie przypomnieć, by wcześniej znał kogoś o imieniu Biff. To przechwalanie się w innym przypadku pewnie zaniepokoiłoby Davida, ale przecież miał do czynienia z ekspertem w sprawach zatruć ołowiem. Poza tym doktor Sandroni cieszył się nieposzlakowaną opinią jako prawdziwy wojownik w tej dziedzinie.

▲ ▲ ▲

Punktualnie o siódmej w sobotni ranek David i Helen znaleźli Mighty Mall i zostawili samochód na zatłoczonym parkingu. Ruch był duży, miejsce tętniło już życiem. Na dworze był jeden stopień mrozu, a w środku niewiele cieplej. Czekali w długiej kolejce do budki z napojami, kupili dwa gorące kakao i rozpoczęli wędrówkę. Mimo chaotycznego wyglądu bazar był na swój sposób zorganizowany. Handlarze żywnością zajmowali miejsce blisko frontu, sprzedawano tam takie pyszności, jak kiełbaski na patyku, pączki i watę cukrową. Potem był ciąg stoisk z tanią odzieżą i obuwiem. Kolejny pasaż zapełniały książki i biżuteria, dalej meble i części samochodowe.

Zarówno klienci, jak i handlarze mieli wszystkie kolory skóry. Oprócz angielskiego i hiszpańskiego słychać było inne języki: azjatyckie, jakieś narzecza afrykańskie i czyjś donośny głos, prawdopodobnie Rosjanina.

David i Helen sunęli z tłumem, zatrzymując się od czasu do czasu, gdy coś przyciągnęło ich uwagę. Po godzinie, gdy kakao zrobiło się zimne, natrafili na sektor ze sprzętem gospodarstwa domowego, a potem z zabawkami. Stały tam trzy stragany oferujące tysiące tanich gadżetów i przedmiotów do zabawy, ale nic z tego nawet nie przypominało „Paskudnych zębów". Zincowie mieli świadomość, że od Halloween minęło kilka miesięcy, dlatego znalezienie kostiumów i tym podobnych akcesoriów było mało prawdopodobne.

David wziął do ręki paczkę zawierającą trzy figurki różnych dinozaurów, wystarczająco małych, żeby mogło je gryźć raczkujące dziecko, ale za dużych, by je połknęło. Wszystkie trzy pomalowano na różne odcienie zieleni. Tylko naukowiec taki jak Sandroni mógłby zdrapać z nich trochę farby i sprawdzić obecność ołowiu, ale po miesiącu wyczerpujących poszukiwań David wiedział i bez tego, że większość najtańszych zabawek jest skażona. Dinozaury sprzedawała firma Larkette Industries z Mobile w stanie Alabama, a wykonano je w Chinach. Wcześniej natknął się już na nazwę tej firmy — była pozywana w kilku procesach.

Gdy trzymał dinozaury, zastanawiał się nad absurdalnością tego wszystkiego. Tania zabawka została wyprodukowana w miejscu oddalonym o tysiące kilometrów, za psie grosze, pomalowana farbą zawierającą ołów, importowana do Stanów Zjednoczonych i dystrybuowana przez sieć hurtowników, aż ostatecznie lądowała tutaj, na gigantycznym pchlim targu, gdzie sprzedawano ją za niecałe dwa dolary, i była kupowana przez najuboższych klientów, zabierana przez nich do domu, podarowywana dzieciom, które ją gryzły, by skończyć w szpitalu z uszkodzonym mózgiem i zmarnowanym życiem. Gdzie w tym wszystkim jest prawo chroniące konsumenta, inspektorzy, biurokraci?

Nie wspominając o dziesiątkach tysięcy dolarów potrzebnych na leczenie dziecka i wspomaganie go przez resztę życia.

— Kupuje pan? — szczeknęła maleńka Hiszpanka.

— Nie, dziękuję. — David odłożył zabawkę na stos i odwrócił się.

— Ani śladu „Paskudnych zębów? — zapytał, stając za Helen.

— Ani śladu.

— Zamarzam. Chodźmy stąd.

Rozdział 21

W dniu wyznaczonym przez sędziego Seawrighta przesłuchania klientów kancelarii Finleya i Figga w sprawie krayoxxu rozpoczęły się dokładnie o dziewiątej w sali balowej hotelu Marriott w śródmieściu. Ponieważ za przesłuchania płacił pozywany, Varrick Laboratories, nie żałowano na poczęstunek, złożony z bułeczek i najróżniejszych ciast, kawy, herbaty i soków. Ustawiono też długi stół z kamerą po jednej stronie i krzesłem dla świadka po drugiej.

Pierwszym świadkiem była Iris Klopeck. Dzień wcześniej zadzwoniła po pogotowie i karetka zawiozła ją do szpitala, ponieważ dokuczała jej arytmia i nadciśnienie. Nerwy miała w strzępach i kilkakrotnie powtarzała Wally'emu, że nie wytrzyma procesu. On zaś więcej niż raz przypominał jej, że jeśli znajdzie w sobie dość sił, wkrótce dostanie czek na ogromną sumę, „prawdopodobnie na milion dolców", i to pomogło. Pomocne okazały się również tabletki xanaxu na uspokojenie, więc kiedy wreszcie Iris zajęła miejsce dla świadka, miała szkliste oczy i odpływała do krainy marzeń. Mimo to jednak w pierwszej chwili zamarła i popatrzyła bezradnie na prawników.

— To tylko złożenie zeznań — powtarzał jej Wally. — Będzie tam spore grono prawników, ale to mili ludzie, w każdym razie większość.

Nie wyglądali na miłych. Po lewej stronie widziała rząd skupionych młodych mężczyzn ze zmarszczonymi czołami i w ciemnych garniturach. Już zapisywali coś w żółtych notesach, a ona przecież nie powiedziała jeszcze ani słowa. Najbliżej stała atrakcyjna kobieta, która się uśmiechała i pomogła Iris usiąść, a po prawej Wally i jego dwóch kumpli.

— Pani Klopeck, nazywam się Nadine Karros i kieruję zespołem adwokatów Varrick Laboratories — odezwała się kobieta. — Przez następne dwie godziny będziemy panią wypytywali, dlatego chciałabym, żeby się pani odprężyła. Obiecuję, że nie będę próbowała pani oszukać. Jeśli nie zrozumie pani pytania, proszę na nie nie odpowiadać. Po prostu je powtórzę. Jest pani gotowa?

— Tak — odpowiedziała Iris, widząc podwójnie.

Obok Iris stanął protokolant sądowy, który powiedział:

— Proszę unieść prawą rękę.

Iris tak zrobiła i przysięgła mówić prawdę.

— A więc, pani Klopeck, jestem pewna, że pani adwokaci wyjaśnili pani, że nagrywamy wszystko na wideo i może to zostać użyte w sądzie, jeśli z jakichś powodów nie będzie pani mogła zeznawać. Czy pani to rozumie? — spytała Nadine Karros.

— Tak myślę.

— Wystarczy, że mówiąc, będzie pani patrzyła w kamerę, wtedy wszystko pójdzie dobrze.

— Spróbuję, tak, to mogę zrobić.

— Wspaniale. Czy obecnie przyjmuje pani jakieś leki, pani Klopeck?

Iris wpatrywała się w kamerę, jakby czekała, aż to urządzenie powie jej, co ma mówić. Brała jedenaście tabletek dziennie na cukrzycę, ciśnienie, cholesterol, arytmię serca, artretyzm, kamienie w nerkach i kilka innych dolegliwości, ale niepokoił ją tylko xanax, bo mógł wpływać na stan umysłu. Wally radził jej, by pominęła milczeniem ten specyfik, gdyby ją o to zapytano, ale teraz Karros zaczęła w tym grzebać.

Zachichotała.

— Jasne, biorę masę lekarstw.

Ustalenie ich listy trwało piętnaście minut, w czym xanax nie pomagał, i w chwili gdy Iris dotarła do końca listy, przypomniała sobie o jeszcze jednym i palnęła:

— Kiedyś łykałam krayoxx, ale już nie, bo ten lek zabija.

Wally wybuchnął śmiechem. Oscar też uznał to za zabawne. David stłumił śmiech, gdy spojrzał na stojących po drugiej stronie stołu chłopców od Rogana Rothberga o kamiennych twarzach, z których żaden nie pozwoliłby sobie nawet na skrzywienie ust. Nadine jednak się uśmiechnęła i powiedziała:

— Czy to wszystko, pani Klopeck?

— Tak myślę — odpowiedziała kobieta, nie do końca pewna.

— Zatem nie bierze pani niczego, co mogłoby wpływać na pani pamięć, osąd sytuacji albo zdolność do udzielania prawdziwych odpowiedzi?

Iris zerknęła na Wally'ego, który schował się za notesem, i w sekundę stało się oczywiste, że coś zostało przemilczane.

— Tak właśnie jest — zapewniła Iris.

— Niczego na depresję, stres, ataki paniki, stany lękowe?

Było tak, jakby Karros czytała w myślach Iris i wiedziała, że ona kłamie. Iris o mało się nie zakrztusiła, kiedy wybąkała:

— Normalnie nie.

Dziesięć minut później nadal międlili to „normalnie nie" i Iris przyznała się w końcu, że zażywa xanax „od czasu do czasu". Choć z drugiej strony wypowiadała się bardzo niejasno, gdy Karros próbowała poznać szczegóły przyjmowania tego leku. Zająknęła się, kiedy nazwała lek „pigułkami szczęścia", ale brnęła dalej. Mimo sztywniejącego języka i opadających powiek Iris zapewniła mur z prawników stojący po jej lewej, że ma jasny umysł i jest gotowa na dalszą część.

Adres, data urodzenia, członkowie rodziny, zatrudnienie, wykształcenie — przesłuchanie szybko stało się nużące, gdy Nadine i Iris omawiały rodzinę Klopecków, ze szczególnym uwzględnieniem Percy'ego, zmarłego męża. Iris, coraz bardziej przytomna, zakrztusiła się dwa razy, gdy mówiła o ukochanym mężu, nieżyjącym od prawie dwóch lat. Nadine Karros wypytywała o zdrowie i nawyki Percy'ego — picie, palenie, uprawianie ćwiczeń fizycznych, dietę — a Iris, bardzo się starając, by przedstawić mężulka w jak najlepszym świetle, sportretowała go ze szczegółami. Percy okazał się grubym chorym człowiekiem, który źle się odżywiał, pił stanowczo za dużo piwa i rzadko opuszczał kanapę.

— Ale rzucił palenie — zaznaczyła co najmniej dwa razy.

Po godzinie zrobili przerwę. Oscar wymówił się od dalszego uczestnictwa, bo miał podobno być w sądzie, ale Wally nie do końca mu wierzył. Wally, niemal wykręcając Oscarowi ramię, przyprowadził go na przesłuchanie, żeby zrobić coś w rodzaju pokazu siły przed wojskami lądowymi rzuconymi przez Rogana Rothberga, choć było wątpliwe, czy obecność Oscara Finleya wstrząśnie obroną. Przy pełnej obsadzie strona stołu zajmowana przez kancelarię Finleya i Figga miała trzech adwokatów, a teraz o jednego mniej. Dwa metry dalej, po drugiej stronie, Wally doliczył się ośmiu osób.

Siedmiu prawników, żeby robić identyczne notatki, i jeden, który mówi? Absurdalne. Po jakimś czasie, kiedy Iris monotonnie perorowała, Wally zaczął myśleć, że taki pokaz siły to dobra rzecz. Może w Varrick tak się boją, że kazali ludziom od Rogana Rothberga na niczym nie oszczędzać. Może kancelaria Finleya i Figga ma ich w ręku, tylko nie zdaje sobie z tego sprawy?

Kiedy wznowili przesłuchanie, Nadine zachęcała Iris, by opowiedziała o tym, jak i na co Percy się leczył, ale Wally przestał słuchać. Był zły na Jerry'ego Alisandrosa, który znów wykręcił się z udziału w postępowaniu. Początkowo Alisandros miał wspaniały plan zjawienia się na przesłuchaniach z całym orszakiem, żeby zrobić pierwsze, piorunujące wejście, stoczyć bitwę z ludźmi Rogana Rothberga i trochę im dokopać. Ale kolejna niecierpiąca zwłoki sprawa, tym razem w Seattle, okazała się ważniejsza.

— To tylko składanie zeznań — powiedział Alisandros przez telefon zdenerwowanemu Wally'emu dzień wcześniej. — Podstawowa procedura.

Podstawowa, w rzeczy samej. Iris opowiadała właśnie o przepuklinie Percy'ego.

David nie miał właściwie nic do roboty. Siedział tam jako kolejna osoba, papierowy adwokat, bazgrząc coś i czytając. Po raz kolejny przeglądał materiały z Agencji do spraw Żywności i Leków dotyczące zatrucia ołowiem u dzieci.

Od czasu do czasu Wally wtrącał uprzejmie:

— Sprzeciw. Czas na wnioski.

Urocza Nadine Karros przerywała, czekała, aż Wally skończy, a potem mówiła:

— Może pani odpowiedzieć, pani Klopeck. — A wtedy Iris mówiła wszystko, co pani mecenas chciała wiedzieć.

Ściśle przestrzegano dwugodzinnego czasu przesłuchania,

który ustanowił sędzia Seawright. Karros zadała ostatnie pytanie za dwie jedenasta, potem podziękowała Iris za doskonałe wywiązanie się z roli świadka. Iris ruszyła po torebkę, w której trzymała xanax. Wally odprowadził ją do drzwi i zapewnił, że wykonała dobrą robotę.

— Kiedy będą chcieli iść na ugodę? — zapytała go szeptem.

Wally przyłożył palec do ust i wypchnął ją za drzwi.

Następna była Millie Marino, wdowa po Chesterze, macocha Lyle'a, dziedzica kart baseballowych i pierwotnego źródła informacji o krayoxxie. Miała czterdzieści dziewięć lat, była atrakcyjna, na swój sposób zgrabna, całkiem dobrze ubrana, na pewno nie brała żadnych środków uspokajających i w niczym nie przypominała poprzedniego świadka. Stawiła się na przesłuchanie, choć nadal nie wierzyła w ten proces. Ciągle kłóciła się z Wallym o spadek po mężu. Straszyła go, że wynajdzie innego adwokata. Wally dał jej na piśmie gwarancję odszkodowania wysokości miliona dolarów.

Karros zadawała jej te same pytania. Wally zgłaszał takie same sprzeciwy. David czytał to samo co wcześniej i myślał: Jeszcze sześć osób i koniec.

⅄ ⅄ ⅄

Po pospiesznym lunchu prawnicy zebrali się na przesłuchanie Adama Granda, zastępcy kierownika pizzerii, gdzie można było jeść do woli za stałą cenę, którego matka zmarła w poprzednim roku, po zażywaniu krayoxxu przez dwa lata. (Była to ta sama pizzeria, do której Wally często teraz zaglądał, ale tylko po to, żeby ukradkiem zostawiać w toaletach egzemplarze swojej broszury *Strzeż się krayoxxu!*).

Nadine Karros zrobiła sobie przerwę, jej miejsce zajął numer dwa, Luther Hotchkin, który poprowadził przesłuchanie. Najwyraźniej jednak Nadine dała mu kartkę z pytaniami, ponieważ pytał dokładnie o to samo.

Podczas męczącej pracy u Rogana Rothberga David słyszał dużo opowieści o chłopakach z działu spraw sądowych. Prawnicy szalejący na salach sądowych byli zupełnie innym gatunkiem — wściekli faceci, grający o wielkie pieniądze, podejmujący ogromne ryzyko, żyjący na krawędzi. W każdej dużej kancelarii prawniczej wydział spraw sądowych był najbarwniejszą częścią, gdzie pracowały najwybitniejsze osobowości. Tak w każdym razie głosiła legenda. Teraz, gdy zerkał od czasu do czasu przez stół na poważne twarze swoich przeciwników, zaczynał wątpić w jej prawdziwość. Nic, czego doświadczył w swojej karierze, nie było równie monotonne, jak siedzenie na przesłuchaniach. A to było dopiero trzecie. Niemal zatęsknił za mordęgą przedzierania się przez księgi finansowe jakiejś podejrzanej chińskiej korporacji.

Karros miała przerwę, ale jej uwagi nie uchodziło nawet jedno słowo. Te wstępne przesłuchania były rodzajem wyłaniania kandydatów, próbą przed głównym konkursem piękności, podczas której ona i jej klient mieli okazję poznać i przepytać osiem osób, zanim wybiorą zwycięzcę. Czy Iris Klopeck wytrzyma intensywny wysiłek związany z dwutygodniowym procesem? Prawdopodobnie nie. Podczas przesłuchania była naćpana. Nadine kazała już zresztą dwóm współpracownikom sprawdzić jej kartotekę medyczną. Z drugiej strony niektórzy sędziowie przysięgli mogliby bardzo jej współczuć. Mille Marino byłaby doskonałym świadkiem, ale mąż Chester był poważnie chory na serce i pewnie dlatego umarł.

Nadine i jej zespół mieli dokończyć przesłuchania, obejrzeć je potem kilka razy i wyłonić najlepszych kandydatów. Oni i ich biegli zamierzali przeprowadzić dokładną analizę kartotek medycznych ośmiu „ofiar", by w końcu wybrać osobę o najmniej uzasadnionych roszczeniach. Kiedy zwycięzca zostanie ogłoszony, pośpieszą do sądu z wnioskiem o wydzielenie jednej sprawy. Poproszą sędziego Seawrighta o rozpatrzenie tego jednego pozwu w ramach Reguły 83:19 i usuną wszelkie przeszkody między pozwem a procesem z ławą przysięgłych.

▲   ▲   ▲

Kilka minut po osiemnastej David wypadł z Marriotta i popędził do samochodu. Był skołowany i marzył o tym, by pooddychać zimnym powietrzem. Zostawiając za sobą śródmieście, zatrzymał się przy Starbucksie w niewielkim pasażu handlowym i zamówił podwójne espresso. Tuż obok był sklep z akcesoriami na imprezy, reklamujący się, że ma kostiumy i zabawne gadżety. Wszedł tam, żeby się rozejrzeć, co od pewnego czasu stało się jego nawykiem. Żaden sklep z tego typu artykułami nie był teraz bezpieczny, bo on i Helen szukali „Paskudnych zębów" w opakowaniu, z ładnie wydrukowaną nazwą producenta. W tym sklepie sprzedawano typowy asortyment tanich kostiumów, śmiesznych prezentów, dekoracji, błyskotek, zabawek i papieru do pakowania. Mieli kilka par zębów wampira wyprodukowanych w Meksyku i sprzedawanych przez importera o nazwie Mirage Novelties z Tucson.

Znał Mirage i miał nawet niewielką kartotekę tej firmy. Była prywatna, w poprzednim roku osiągnęła obrót rzędu osiemnastu milionów dolarów i sprzedawała rzeczy podobne do tych, które David teraz oglądał. Założył kartoteki dziesiątkom przedsiębiorstw specjalizujących się w tanich zabawkach i gadżetach, nie znalazł jednak ani jednej pary „Paskudnych zębów".

Zapłacił trzy dolary za szczęki z wielkimi kłami, by dodać je do powiększającej się kolekcji, a potem pojechał do Brickyard Mall, gdzie spotkał się z Helen w libańskiej restauracji. Nie chciał opowiadać przy obiedzie, jak minął mu dzień — taka sama męka czekała go nazajutrz — dlatego gawędzili o jej zajęciach i jak można się było spodziewać, o zbliżającym się powiększeniu rodziny.

Szpital dziecięcy Lakeshore znajdował się w pobliżu. Znaleźli oddział intensywnej opieki medycznej i zastali tam Soe Khainga w pokoju dla gości. Byli z nim jego krewni, dokonano wzajemnej prezentacji, choć ani David, ani Helen nie zapamiętali nawet jednego imienia czy nazwiska. Sam fakt, że Zincowie tam zajrzeli, żeby się przywitać, bardzo poruszył Birmańczyków.

David i Helen poszli za Soe korytarzem, minęli pokój pielęgniarek i stanęli przed oknem, przez które było widać Thuyę podłączonego do zaskakującej liczby rurek, przewodów i monitorów. Jego oddech wspomagał respirator.

W ostatnim miesiącu stan Thui trochę się zmienił. Po wizycie w mieszkaniu jego rodziców David skontaktował się z jednym z lekarzy. Po przesłaniu e-mailem dokumentów podpisanych przez Soe i Lwin lekarz zgodził się z nim porozmawiać. Chłopiec wyglądał strasznie. Poziom ołowiu w jego ciele był bardzo duży i dokonał znacznych spustoszeń w nerkach, wątrobie, układzie nerwowym i mózgu. Malec odzyskiwał i tracił przytomność. Jeśli przeżyje, potrzeba będzie miesięcy, może nawet roku, by pobudzić do pracy jego uszkodzony mózg. Zwykle jednak dziecko przy takim poziomie ołowiu nie przeżywało.

— Dotykam go raz dziennie. On mnie słyszy — powiedział Soe, a potem starł łzę z policzka.

David i Helen wpatrywali się w szybę, ale nie wiedzieli, co powiedzieć.

Rozdział 22

Kolejnym elementem życia w dużej kancelarii, którego David nie znosił, były niekończące się zebrania. Oceniano na nich i relacjonowano, dyskutowano o przyszłości firmy, planowano, witano nowych prawników, żegnano starych, zapoznawano się z nowymi trendami w prawie, pouczano żółtodziobów, uczono się od starszych wspólników, rozmawiano o odszkodowaniach, zadaniach i nieskończenie wielu innych niewiarygodnie nudnych sprawach. Filozofia Rogana Rothberga to ciągła praca i ciągłe nabijanie licznika, ale ciągłe narady właściwie utrudniały zarabianie pieniędzy.

Pamiętając o tym, David trochę niechętnie zaproponował w nowej firmie, żeby zrobili zebranie. Pracował tam od czterech miesięcy i ustalił już własną, wygodną rutynę zajęć. Z drugiej strony martwił się brakiem zwykłych ludzkich kontaktów i komunikacji między pracownikami kancelarii. Proces krayoxxu wlókł się, marzenia Wally'ego o szybkim rozbiciu banku zbladły, a dochody spadały. Oscar stawał się coraz bardziej poirytowany, choć wydawało się, że to niemożliwe. Plotkując z Rochelle, David dowiedział się, że wspólnicy nigdy nie siadają razem przy stole, by pomyśleć nad strategią i oczyścić atmosferę. Oscar odpowiedział, że jest zbyt zajęty. Wally uznał, że takie spotkanie byłoby stratą czasu. Rochelle uważała, że pomysł z zebraniem jest do kitu, dopóki nie dowiedziała się, że również ma w nim uczestniczyć, a wtedy podeszła do tego entuzjastycznie. Jako jedynemu pracownikowi, który nie był prawnikiem, przemawiał do wyobraźni fakt, że zostałaby dopuszczona do ich grona. Z czasem Davidowi udało się jednak przekonać obu wspólników i w kancelarii Finleya i Figga ustalono termin inauguracyjnego zebrania.

Poczekali do siedemnastej, a potem zamknęli drzwi i wyłączyli telefony. Po dość długiej chwili niezręcznego milczenia David powiedział:

— Oscarze, myślę, że powinieneś poprowadzić to spotkanie jako starszy wspólnik.

— O czym chcesz rozmawiać? — odburknął Oscar.

— Cieszę się, że pytasz.

David szybko rozdał kartki z porządkiem zebrania. Numer 1: Harmonogram. Numer 2: Omówienie prowadzonych spraw. Numer 3: Kartoteka. Numer 4: Specjalizacja.

— To tylko propozycja — zaznaczył. — Szczerze mówiąc, wszystko mi jedno, o czym będziemy rozmawiali, ale ważne jest, żeby każdy z nas mógł się wypowiedzieć.

— Zbyt dużo czasu spędziłeś w poważnej kancelarii — uznał Oscar.

— A więc co cię gryzie? — zapytał Wally Davida.

— Nic mnie nie gryzie. Pomyślałem tylko, że lepiej by nam się pracowało, gdybyśmy ujednolicili honoraria i omawiali prowadzone sprawy. Sposób prowadzenia kartoteki jest od dwudziestu lat nieaktualny, a jako firma nie zarobimy pieniędzy, jeśli nie będziemy się w czymś specjalizowali.

— Cóż, skoro mowa o pieniądzach... — odezwał się Oscar, biorąc notes. — Od czasu złożenia pozwu w sprawie krayoxxu nasz dochód spada bez przerwy od trzech miesięcy. Ten proces zajmuje nam za dużo czasu i mamy coraz mniej gotówki. To mnie gryzie. — Wpatrywał się w Wally'ego.

— Dzień wypłaty się zbliża — przypomniał Wally.

— Powtarzasz to bez przerwy.

— Załatwimy sprawę odszkodowania za samochód Groomera w przyszłym tygodniu, to będzie netto około dwudziestu kawałków. Takie okresy posuchy to nic niezwykłego, Oscarze. Cholera, pracujesz przecież od tak dawna. Wiesz, że raz jest lepiej, raz gorzej. W zeszłym roku traciliśmy pieniądze przez dziewięć miesięcy z dwunastu, mimo to osiągnęliśmy całkiem przyzwoity zysk.

Rozległo się głośne pukanie do drzwi. Wally zerwał się na równe nogi i jęknął:

— Och nie, to DeeAnna. Przepraszam, koledzy, mówiłem jej, żeby zrobiła sobie dzień przerwy. — Pobiegł do drzwi i je otworzył. Weszła DeeAnna w obcisłych, czarnych, skórzanych spodniach, butach dziwki i opiętej bawełnianej bluzce. — Cześć, skarbie, mamy rodzaj zebrania. Może poczekasz w moim gabinecie? — zaproponował Wally.

— Jak długo? — zapytała.

— Niedługo.

DeeAnna uśmiechnęła się wyzywająco do Oscara i Davida, a potem zaczęła kroczyć z dumnie uniesioną głową. Wally zaprowadził ją do swojego gabinetu i zamknął za nią drzwi. Usiadł przy stole, trochę zażenowany.

— Wiecie, co mnie gryzie? — odezwała się Rochelle. — Ona. — Kiwnęła głową w kierunku gabinetu Wally'ego. — Dlaczego musi tu przychodzić każdego popołudnia?

— Kiedyś przyjmowałeś klientów po siedemnastej — wszedł jej w słowo Oscar. — A teraz po prostu zamykasz się z nią.

— Ona nikomu nie przeszkadza — odpowiedział Wally. — I nie mówcie tak głośno.

— Mnie przeszkadza — prychnęła Rochelle.

Wally uniósł obie ręce, ściągnął brwi i w jednej chwili był gotowy do kłótni.

— Posłuchajcie, między nią i mną zaczyna być na poważnie i to nie wasz interes. Rozumiecie? Nie mam zamiaru o tym rozmawiać.

Nastąpiła chwila ciszy, kiedy wszyscy nabierali oddechu, a potem Oscar rozpoczął następną rundę:

— Przypuszczam, że powiedziałeś jej o krayoxxie i ogromnym odszkodowaniu, które jest na wyciągnięcie ręki, więc nic dziwnego, że się tu kręci. Mam rację?

— Ja nie mówię o twoich kobietach, Oscarze — odparował Wally.

Kobietach? Więcej niż jednej? Oczy Rochelle zrobiły się duże, a David przypomniał sobie wszystkie powody, dla których nienawidził zebrań w firmie. Przez kilka sekund Oscar wpatrywał się w Wally'ego z niedowierzaniem. Obaj mężczyźni wydawali się zaskoczeni tą wymianą zdań.

— Idźmy dalej — odezwał się David. — Chciałbym prosić o pozwolenie na analizę struktury naszych wynagrodzeń i opracowanie propozycji ich ujednolicenia. Jakieś obiekcje?

Nie było żadnych.

Idąc za ciosem, David szybko rozdał pliki kartek.

— To sprawa, na którą się natknąłem, i widzę w niej duży potencjał.

— „Paskudne zęby"? — mruknął Oscar, patrząc na kolorowe zdjęcie zestawu szczęk.

— Tak. Klientem jest pięcioletni chłopiec w śpiączce po

zatruciu ołowiem. Jego ojciec kupił ten komplet sztucznych zębów z kłami na ostatnie Halloween, a dzieciak trzymał je w ustach godzinami. Ołów jest w różnych farbach. Na stronie trzeciej są wstępne wyniki badań z laboratorium w Akron, gdzie doktor Biff Sandroni wziął te zęby pod lupę. Jego wnioski znajdują się na dole: wszystkie sześć par plastikowych zębów jest pokrytych ołowiem. Doktor Sandroni to specjalista od zatruć tego rodzaju i twierdzi, że to najgorszy produkt, z jakim zetknął się od dwudziestu pięciu lat. Jego zdaniem zęby wyprodukowano w Chinach, a potem importowała je jakaś firma sprzedająca tanie zabawki tu, w Stanach Zjednoczonych. Chińskie fabryki mają fatalną przeszłość, jeśli chodzi o malowanie milionów najróżniejszych produktów farbami z ołowiem. Agencja do spraw Żywności i Leków i Urząd Ochrony Konsumenta biją na alarm i żądają wycofania ich z rynku, ale nie sposób wszystkiego monitorować.

Rochelle, wpatrując się w ten sam konspekt co Oscar i Wally, westchnęła:

— Biedny mały. Wyjdzie z tego?

— Zdaniem lekarzy nie. Doszło do poważnego uszkodzenia mózgu, systemu nerwowego i wielu organów. Jeśli przeżyje, będzie przedstawiał sobą bardzo smutny widok.

— Kto jest producentem? — zapytał Wally.

— To ważne pytanie. W całym Chicago nie udało mi się natrafić na drugi zestaw „Paskudnych zębów", a razem z Helen węszymy od miesiąca. Nie ma ich w katalogach wysyłkowych. Jak dotąd żadnej wskazówki. Istnieje możliwość, że ten produkt pojawia się tylko przed Halloween. Rodzina nie zachowała opakowania.

— Muszą gdzieś być podobne rzeczy — odezwał się Wally. — Chodzi o to, że jeśli ta firma sprzedaje badziewie podobne do tego, na pewno robi też sztuczne wąsy i inny szmelc w tym rodzaju.

— Taką mam teorię. Zebrałem już ładną kolekcję podobnych rzeczy i sprawdzam ich importerów i producentów.

— Kto zapłacił za badania? — zapytał Oscar podejrzliwie.

— Ja. Dwa i pół tysiąca dolarów.

To spowodowało przerwę w rozmowie, jako że wszyscy zaczęli wpatrywać się w wyniki badań. W końcu Oscar spytał:

— Podpisałeś umowę z rodziną w imieniu kancelarii?

— Nie, podpisali umowę ze mną, żebym mógł mieć dostęp do kartoteki medycznej i rozpocząć dochodzenie. Podpiszą z kancelarią, jeśli ich o to poproszę. Pytam: Czy kancelaria Finleya i Figga weźmie tę sprawę? Jeśli odpowiedź brzmi „tak", trzeba będzie wydać na nią więcej pieniędzy.

— Ile? — chciał wiedzieć Oscar.

— Będziemy musieli wynająć ekipę Sandroniego, żeby przyszła do mieszkania rodziców chłopca i poszukała ołowiu. Metal może być w innych zabawkach, w farbie na ścianach, która odłazi, a nawet w wodzie pitnej. Byłem w tym mieszkaniu, ma co najmniej pięćdziesiąt lat. Sandroni musi wyizolować źródło ołowiu. Jest co prawda przekonany, że mamy to źródło, ale chce wykluczyć wszystko inne.

— Ile to będzie kosztowało? — znów spytał Oscar.

— Dwadzieścia tysięcy.

Oscarowi opadła szczęka. Pokręcił głową, a Wally gwizdnął i rzucił na stół plik kartek. Tylko Rochelle zachowała spokój, bo w sprawie pieniędzy tak naprawdę nigdy nie miała prawa głosu.

— Bez pozwanego nie ma procesu — zauważył Oscar. — Po co wyrzucać forsę na dochodzenie, skoro nie wiadomo, komu wytoczyć sprawę?

— Znajdę tego producenta — zapewnił David.

— Doskonale. A kiedy ci się to uda, będziemy mieli proces. Może.

Drzwi gabinetu Wally'ego skrzypnęły i otworzyły się. Weszła DeeAnna i miauknęła:

— Wally, jak długo jeszcze, kochanie?

— Tylko kilka minut — rzucił Wally. — Prawie skończyliśmy.

— Mam już dość czekania.

— Dobrze, już dobrze. Będę za minutę.

Zatrzasnęła drzwi z taką siłą, że ściany się zatrzęsły.

— Mam wrażenie, że teraz to ona prowadzi firmowe zebranie — mruknęła Rochelle.

— Niech się pani odwali — warknął Wally, a potem zwrócił się do Davida: — Podoba mi się ta sprawa, Davidzie, naprawdę. Ale mając na tapecie proces krayoxxu, nie możemy wydawać dużych pieniędzy na inny przypadek. Radziłbym odłożyć to na jakiś czas i nadal szukać importera, a kiedy ułożymy się z Varrick Laboratories, będziemy w idealnej sytuacji, by wybrać następną sprawę. Masz umowę z rodzicami tego chłopca, dzieciak nigdzie nie ucieknie. Trzymajmy rękę na pulsie i zajmijmy się tym w przyszłym roku.

Pozycja Davida nie pozwalała mu na wykłócanie się. Obaj wspólnicy powiedzieli „nie". Rochelle by się zgodziła, gdyby miała prawo głosu, ale teraz chyba straciła zainteresowanie.

— W porządku — odpowiedział David. — W takim razie sam będę się zajmował tą sprawą w wolnym czasie, za własne pieniądze i z prywatnym ubezpieczeniem od popełnienia błędów zawodowych.

— Masz takie ubezpieczenie? — zdziwił się Oscar.

— Nie, ale przecież bardzo łatwo je wykupić.

— A co z dwudziestoma kawałkami? — spytał Wally. — Zgodnie z naszym wykazem księgowym zarobiłeś w firmie przez ostatnie cztery miesiące mniej niż pięć tysięcy dolarów.

— To prawda, ale z każdym miesiącem dostaję więcej. Poza

tym zostało mi trochę gotówki w banku. Mam zamiar zaryzykować i pomóc temu chłopcu.

— Tu nie chodzi o pomaganie małemu chłopcu — warknął Oscar. — Chodzi o finansowanie procesu. Zgadzam się z Wallym. Dlaczego nie odłożyć tego na rok?

— Bo nie chcę. Ta rodzina potrzebuje pomocy teraz.

Wally wzruszył ramionami i powiedział:

— No więc wchodź w to. Nie mam nic przeciwko temu.

— Ja również — zgodził się Oscar. — Ale chcę widzieć wzrost twoich miesięcznych przychodów.

— I zobaczysz.

Drzwi pokoju Wally'ego znów się otworzyły i DeeAnna wypadła przez nie jak burza. Głośno tupiąc, przeszła przez pokój i syknęła:

— Bydlak! — Zamaszyście otworzyła frontowe drzwi, rzucając jeszcze: — Nie dzwoń do mnie! — I znów wstrząsnęła ścianami, gdy je zatrzaskiwała.

— Ma temperament — zauważył Wally.

— Pokazała klasę — dodała Rochelle.

— Nie możesz myśleć o niej poważnie, Wally — jęknął Oscar.

— Ona to moja sprawa, nie twoja — syknął Wally. — Mamy jeszcze coś na warsztacie? Jestem zmęczony tym zebraniem.

— Ja skończyłem — powiedział David.

— Zebranie zakończone — ogłosił starszy wspólnik.

Rozdział 23

Wspaniały Jerry Alisandros pojawił się wreszcie na chicagowskim polu wielkiej bitwy z Varrick, a jego przybycie naprawdę robiło wrażenie. Po pierwsze, przyleciał gulfstreamem G650, o którym Wally nadal marzył. Po drugie, przywiózł ze sobą świtę mogącą śmiało konkurować z orszakiem otaczającym Nadine Karros, gdy weszła do sądu. Z prawnikami z kancelarii Zella i Pottera siły przeciwnych stron na miejscu potyczki wydawały się wyrównane. Po trzecie, miał doświadczenie, talent i był znany w całym kraju, czego nie można powiedzieć o nikim od Finleya i Figga.

Oscar darował sobie rozprawę, bo nie był potrzebny. Wally nie mógł się doczekać chwili, gdy wkroczy dumnie na salę sądową w towarzystwie sławnego partnera. David powlókł się tam z czystej ciekawości.

Nadine Karros i jej klient wybrali Iris Klopeck na królika doświadczalnego, choć żaden z adwokatów strony pozywającej ani sama Iris nie mieli najmniejszego pojęcia o planach przeciwnika. Pełnomocnicy Varrick Laboratories zgłosili wniosek o rozdzielenie procesów w przypadku wszystkich ośmiu pozwów i prowadzenie postępowania sądowego w Chicago zamiast łączenia ich z tysiącami innych spraw w nowo otwartym wielookręgowym przewodzie sądowym na południu Florydy. Prawnicy pozywających bardzo ostro się temu sprzeciwiali. Wymieniono sążniste uzasadnienia. Gdy w sali sądowej sędziego Seawrighta spotkały się oba zespoły adwokatów, atmosfera była napięta.

Kiedy czekali, wszedł protokolant i poinformował ich, że sędzia się spóźni, bo zatrzymała go jakaś ważna sprawa, i powinien zjawić się za pół godziny. David stał bezczynnie przy stole strony pozywającej, gawędził z ludźmi od Zella i Pottera, kiedy jeden z adwokatów z zespołu Nadine Karros podszedł do nich, żeby się przywitać, choć robił to w sposób sztuczny i wymuszony. David przypominał go sobie z korytarzy u Rogana Rothberga, ale od jakiegoś czasu bardzo się starał, żeby o nich wszystkich zapomnieć.

— Jestem Taylor Barkley — powiedział adwokat, ściskając mu dłoń. — Harvard, dwa lata przed tobą.

— Miło mi — odrzekł David, a potem przedstawił Barkleya prawnikom Zella i Pottera, których dopiero co poznał.

Przez kilka minut rozmawiali niezobowiązująco o Cubs, pogodzie, ale w końcu poruszyli temat, którym się zajmowali. Barkley utrzymywał, że pracuje dwadzieścia cztery godziny na dobę, jako że u Rogana ostro wzięli się do roboty przy krayoxxie. David znał to życie, wyszedł z niego cało i nie miał ochoty o nim słuchać.

— Zapowiada się gorący proces — powiedział, żeby przerwać ciszę, która nagle zapadła.

Barkley prychnął, jakby był lepiej poinformowany.

— Jaki proces? Te sprawy nigdy nie trafią nawet w pobliże sędziego. Wiecie to przecież, prawda? — zapytał, patrząc na adwokatów Zella i Pottera. — Przez jakiś czas będziemy prowadzili zażartą obronę, rozdymali proces, podnosili honorarium do nieprzyzwoitego poziomu, a potem doradzimy klientowi, żeby poszedł na ugodę — ciągnął cicho Barkley, bo salę wypełniali podsłuchujący wszystkich prawnicy. — Zobaczysz, jak wygląda taka zagrywka, Zinc. Jeśli zostaniesz wystarczająco długo.

— Próbuję nadążać — odpowiedział David, ważąc każde słowo. On i faceci od Zella i Pottera nastawili uszu i chłonęli wszystko, ale nie wierzyli Barkleyowi.

— Warto wiedzieć — dodał Barkley szeptem — że ostatnio stałeś się prawie legendą u Rogana. Gość mający dość ikry, żeby odejść, znaleźć łatwiejszą pracę, który siedzi teraz na sprawach będących żyłami złota. A my nadal tyramy jak niewolnicy za godzinową stawkę.

David pokiwał tylko głową, mając nadzieję, że facet zaraz sobie pójdzie.

Woźny sądowy nagle się ożywił i kazał wszystkim wstać. Na podium pojawił się sędzia Seawright i poprosił, żeby wszyscy usiedli.

— Dzień dobry — powiedział do mikrofonu, rozkładając papiery. — Przez następne dwie godziny mamy mnóstwo spraw do załatwienia i jak zawsze krótkie wypowiedzi będą bardzo mile widziane. Śledzę etap przygotowawczy i wygląda na to, że wszystko toczy się zgodnie z planem. Czy ma pan jakieś zastrzeżenia dotyczące przygotowania procesu, panie Alisandros?

Jerry podniósł się ostentacyjnie, bo wszyscy na niego patrzyli. Miał długie siwe włosy założone za uszy i opadające na kark. Opalony, szczupły, przyszedł w szytym na miarę garniturze, który leżał na nim idealnie.

— Nie, Wysoki Sądzie, nie tym razem. Bardzo się cieszę, że znalazłem się na pańskiej sali sądowej, Wysoki Sądzie.

— Witamy w Chicago. Pani Karros, czy ma pani zastrzeżenia dotyczące przygotowania rozprawy?

Nadine wstała. W jasnoszarej lnianej sukience z dekoltem w serek, opinającej jej smukłe nogi dużo poniżej kolan, i w czarnych pantoflach na koturnie, przyciągnęła spojrzenia wszystkich. David nie mógł się doczekać procesu, żeby obejrzeć ten pokaz mody. Wally aż się ślinił.

— Wymieniliśmy dziś rano listy ekspertów, Wysoki Sądzie, więc wszystko jest w porządku — powiedziała głębokim głosem i z doskonałą dykcją.

— Bardzo dobrze. To prowadzi do najważniejszego zagadnienia, jakie mamy na dzisiaj: gdzie będzie się odbywał proces? Strona pozywająca złożyła wniosek o przeniesienie wszystkich przypadków i włączenie ich do wielookręgowego procesu w sądzie federalnym w Miami. Pozwany sprzeciwia się temu i chce nie tylko zatrzymania spraw w Chicago, ale też ich rozdzielenia i rozpatrywania po kolei, zaczynając od sprawy spadkobierców nieżyjącego Percy'ego Klopecka. Te propozycje zostały szczegółowo i wyczerpująco przedstawione w uzasadnieniach. Przeczytałem każde słowo. Teraz pozwolę obu stronom na zgłoszenie uwag, poczynając od adwokatów strony pozywającej.

Jerry Alisandros podszedł z notatkami do niewielkiej barierki pośrodku sali sądowej, dokładnie naprzeciwko i trochę poniżej sędziego Seawrighta. Ostrożnie rozłożył papiery, odchrząknął i zaczął od typowego:

— Za pozwoleniem Wysokiego Sądu...

⋏ ⋏ ⋏

Dla Wally'ego był to najbardziej ekscytujący moment w karierze. Pomyśleć tylko, że on, hochsztapler z południowo-zachodniego Chicago, siedzi teraz w sądzie federalnym i przypatruje się walce wspaniałych prawników przy sprawie, którą on znalazł i założył, sprawie, za którą jest odpowiedzialny, sprawie, którą on wykreował — niemal trudno było znieść taką świadomość. Kiedy tłumił uśmiech, poczuł się nawet lepiej, dotykając swojego brzucha i wsuwając palce za pasek spodni. Prawie siedem kilogramów mniej. Trzeźwy od stu dziewięćdziesięciu pięciu dni. Utrata wagi i jasność myślenia wiązały się bez wątpienia z nieopisaną frajdą, jaką on i DeeAnna mieli w łóżku. Zażywał viagrę. Jeździł nowym jaguarem kabrioletem (nowym dla niego, ale w sumie trochę używanym i kupionym na raty rozłożone na ponad pięć lat) i czuł się o dwadzieścia lat młodszy. Kiedy pomykał z opuszczonym dachem po Chicago, marzył o pieniądzach z krayoxxu i wspaniałym życiu, jakie go czekało. Razem z DeeAnną będą podróżowali, wylegiwali się na plażach, a on popracuje tylko wtedy, gdy będzie to konieczne. Już postanowił, że zacznie się specjalizować w pozwach zbiorowych, zapomni o szarzyźnie ulicy, tanich rozwodach i pijanych kierowcach, zajmie się za to dużymi pieniędzmi. Był pewny, że on i Oscar się rozstaną. Szczerze mówiąc, po dwudziestu latach najwyższy na to czas. Choć kochał go jak brata, Oscar nie miał ambicji, wizji, tak naprawdę nie chciał robić prawdziwej kariery. Rozmawiali już o tym, jak ukryć pieniądze z krayoxxu przed żoną Oscara. Czekał go paskudny rozwód, ale Wally postanowił stać przy nim i go wspierać. Kiedy jednak to się skończy, wspólnicy ruszą każdy w swoją stronę. To smutne, ale nieuniknione. Wally zacznie w nowych miejscach, Oscar jest za stary na zmiany.

⋏ ⋏ ⋏

Jerry Alisandros miał fatalny początek, kiedy próbował spierać się z sędzią Seawrightem i wmawiać mu, że nie ma wyboru, jak tylko przenieść proces do Miami.

— Te pozwy zostały złożone w Chicago, nie w Miami — przypomniał mu sędzia. — Nikt państwa nie zmuszał, żeby zrobić to akurat tutaj. Przypuszczam, że moglibyście złożyć je wszędzie, gdzie są dostępne leki z Varrick Laboratories, co, jak myślę, obejmuje wszystkie pięćdziesiąt stanów. Nie bardzo rozumiem, na jakiej podstawie sędzia federalny z Florydy uważa, że może polecić sędziemu federalnemu z Illinois przekazanie mu jego spraw. Czy może mi pan w tym pomóc, panie Alisandros?

Pan Alisandros nie mógł. Mężnie próbował jednak dać do zrozumienia, że w dzisiejszych czasach w przypadku pozwów zbiorowych zazwyczaj toczy się wielookręgowy proces i we wszystkich przypadkach przewodniczy tylko jeden sędzia.

Zazwyczaj, ale nie obowiązkowo. Seawright wydawał się poirytowany faktem, że ktoś, kimkolwiek jest, sugeruje, iż oczekuje, że odda sprawy. Są jego!

⋏ ⋏ ⋏

David siedział za Wallym w rzędzie krzeseł przed barierką. Czuł dreszcz emocji, obserwując to, co dzieje się na sali sądowej, był też spięty, bo wiedział, że stawka jest wysoka, ale jednocześnie niepokoił się, bo najwyraźniej sędzia Seawright był przeciwko nim. Alisandros zapewnił co prawda swój zespół, że wygrana tego wstępnego etapu nie ma zasadniczego znaczenia. Skoro adwokaci Varrick Laboratories chcą pojedynczego procesu, jako testu w Chicago, i zamierzają szybko do niego doprowadzić, niech tak będzie. W całej karierze nigdy nie zdezerterował przed rozprawą sądową. Niech to idzie na wokandę!

Niemniej sędzia wydawał się wrogo usposobiony. Dlaczego David się tym martwił? Nie będzie żadnego procesu, prawda? Wszyscy prawnicy siedzący po jego stronie sali wierzą w głębi duszy, że szefostwo Varrick Laboratories pójdzie na ugodę w sprawie zbiorowego pozwu dotyczącego krayoxxu, zanim jeszcze rozpoczną się procesy. A jeśli można wierzyć Barkleyowi, adwokaci od Rogana Rothberga także myślą o ugodzie. Czyżby chodziło o ukartowane zagranie? Czy tak właśnie się to odbywa w przypadku pozwów zbiorowych? Szkodliwy lek zostaje odkryty, adwokaci powodów gorączkowo zbierają sprawy, składa się pozwy, wielkie kancelarie powołane na obrońców reagują niekończącym się dostarczaniem drogich prawniczych talentów, obie strony przeciągają wszystko, rosną koszty, aż producent leku ma dość wypisywania czeków na pokaźne sumy dla swoich adwokatów i wtedy dochodzi do ugody ze wszystkimi. Adwokaci powodów dostają ogromne honoraria, a ich klienci otrzymują znacznie mniej, niż się spodziewali. Kiedy kurz opadnie, prawnicy obu stron są bogatsi, firma zamyka bilans i wprowadza na rynek inny lek.

Czy to jest po prostu dobry teatr?

⚹ ⚹ ⚹

W chwili gdy Jerry Alisandros zaczął się powtarzać, usiadł. Prawnicy zerkali na Nadine Karros, która wstała i podeszła do podium. Miała kilka kartek z notatkami, ale nie skorzystała z nich. Ponieważ było jasne, że sędzia się z nią zgadza, krótko przedstawiła swoje argumenty. Mówiła długimi elokwentnymi zdaniami, jakby napisano je wcześniej po głębokim namyśle. Używała prostych słów, a jej głos niósł się po sali, żadnego wodolejstwa, żadnych zbędnych gestów. Ta kobieta urodziła się, by występować na scenie. Dowodziła, że nie było takiego przypadku, przepisu proceduralnego ani precedensu gdziekolwiek — by sędzia federalny przekazywał jedną ze swoich spraw innemu sędziemu.

⚹ ⚹ ⚹

Po niedługim czasie David zaczął się zastanawiać, czy naprawdę chce oglądać Karros w akcji przed ławą przysięgłych. Czy w tej chwili ona już wie, że nie będzie żadnego procesu? Czy po prostu składa wniosek, pracując za dwa tysiące na godzinę?

Miesiąc wcześniej obrona Varrick Laboratories podała kwartalne dochody firmy, które znacząco spadły. Producent leków zaskoczył analityków, podając pięć miliardów dolarów jako szacowane koszty toczących się przeciwko niemu procesów, głównie w związku z krayoxxem. David śledził to dokładnie w publikacjach finansowych i na blogach. Opinie były podzielone: jedni uważali, że Varrick Laboratories szybko zgodzą się na zbiorowe odszkodowania, żeby posprzątać ten bałagan, inni, że firma zamierza wybadać sytuację podczas bezpardonowego procesu. Cena udziałów Varrick wahała się od trzydziestu pięciu do czterdziestu dolarów za jeden, stąd wniosek, że udziałowcy zachowywali względny spokój.

David studiował też historię procesów przy pozwach zbiorowych i zaskoczyła go liczba przypadków, kiedy wartość udziałów pozywanej korporacji znacząco wzrastała, gdy decydowano się na ugodę i unikano licznych procesów. Zwykle następował spadek ceny udziałów przy pierwszej fali złych wiadomości i histerii adwokatów strony pozywającej, ale kiedy uformowano już linie ataku i obrony, a sumy ustalano na określonym, niezmiennym poziomie, Wall Street najwyraźniej wolała dobrą ugodę. Bo Wall Street źle znosi „niesprecyzowaną odpowiedzialność", gdy duża sprawa trafia na wokandę, a wynik procesu trudno przewidzieć. W ciągu ostatnich dziesięciu lat praktycznie wszystkie większe pozwy zbiorowe dotyczące farmaceutyków kończyły się ugodą i wypłatą miliardów dolarów.

Z jednej strony David czuł się uspokojony rezultatem swoich

poszukiwań. Z drugiej jednak — znalazł niewiele wiarygodnych dowodów na to, że krayoxx rzeczywiście wywołuje fatalne skutki uboczne, o które go posądzano.

▲ ▲ ▲

Po wyczerpującej i uczciwej debacie sędzia Seawright wiedział już wystarczająco dużo. Podziękował prawnikom za sumienne przygotowanie wystąpień i obiecał, że wyda orzeczenie w ciągu dziesięciu dni. Dodatkowy czas nie był potrzebny, tak naprawdę mógłby wydać to orzeczenie od razu. Nie pozostawił wątpliwości, że wolałby zatrzymać sprawę w Chicago, i najwyraźniej podobał mu się pomysł „procesu pokazowego".

Adwokaci strony pozywającej poszli do Chicago Chop House, gdzie Alisandros zarezerwował na lunch salę na tyłach. Poza Wallym i Davidem było tam siedmiu adwokatów i dwóch asystentów (sami mężczyźni). Wszyscy zajęli miejsca przy prostokątnym stole. Jerry zamówił wino już wcześniej, dlatego rozlano je w chwili, gdy usiedli. Wally i David nie chcieli pić wina.

— Toast — ogłosił Jerry, stukając w kieliszek. Zapadła cisza. — Wznoszę toast za szacownego Harry'ego Seawrighta i jego słynne błyskawiczne prowadzenie procesu. Pułapka została zastawiona, a ci debile od Rogana Rothberga myślą, że jesteśmy ślepi. Chcą procesu. Staruszek Harry też chce procesu, dlatego, w imię Boże, dajmy im proces.

Wszyscy upili po łyku, a kilka sekund później rozmowa zeszła na analizę nóg i pośladków Nadine Karros. Wally, który siedział po prawej stronie tronu Alisandrosa, rzucił kilka komentarzy uznanych za przezabawne. Przy sałatkach pogawędka w naturalny sposób zaczęła schodzić na drugi ulubiony temat prawników — ugodę. David, który prawie w ogóle się nie odzywał, został zmuszony do opowiedzenia o spotkaniu z Taylorem Barkleyem tuż przed posiedzeniem. Jego relacji wysłuchano z ogromnym zainteresowaniem — zbyt dużym, jego zdaniem.

Scena należała do Jerry'ego i to on mówił najwięcej. Entuzjastycznie nastawiony do głośnego procesu ze spektakularnym wyrokiem, żywił jednocześnie głębokie przekonanie, że Varrick skrewią i wyłożą miliardy na stół.

Kilka godzin później David nadal miał mętlik w głowie, ale równocześnie uspokajała go obecność Jerry'ego Alisandrosa. Ten facet toczył wojny na salach sądowych i poza nimi i prawie nigdy nie przegrywał. Według „Lawyer Weekly" trzydziestu pięciu wspólników w kancelarii Zella i Pottera podzieliło się w poprzednim roku zyskiem netto w wysokości miliarda trzystu milionów dolarów. Netto, po zakupie odrzutowca i firmowego pola golfowego i pokryciu wszystkich innych ogromnych wydatków dopuszczalnych przez urząd podatkowy. W magazynie „Florida Business" napisano, że majątek netto Jerry'ego Alisandrosa szacuje się na mniej więcej trzysta pięćdziesiąt milionów.

Niezły sposób prowadzenia praktyki adwokackiej.

David nie pokazał tych liczb Wally'emu.

Rozdział 24

Kirk Maxwell reprezentował Idaho w Senacie Stanów Zjednoczonych przez prawie trzydzieści lat. Generalnie cieszył się dobrą opinią, jako człowiek o stałych poglądach, który unikał rozgłosu i wolał pracować z dala od kamer, za to skutecznie. Był małomówny i skromny. Należał do popularniejszych członków Kongresu, niemniej jego śmierci trudno odmówić spektakularności.

Maxwell przemawiał w Senacie, trzymał w ręku mikrofon i kłócił się ostro z kolegą zajmującym miejsce po drugiej stronie sali, gdy nagle chwycił się za pierś, upuścił mikrofon, otworzył usta z przerażenia i upadł do przodu. Umarł natychmiast z powodu zatrzymania akcji serca, a wszystko to zarejestrowała oficjalna senacka kamera, z której zapis wyciekł nielegalnie i świat oglądał go potem na YouTube, zanim jego żona dotarła do szpitala.

Dwa dni po pogrzebie jego zbuntowany syn wspomniał jakiemuś dziennikarzowi, że senator zażywał krayoxx, i teraz rodzina zastanawiała się nad wytoczeniem procesu Varrick

Laboratories. W chwili gdy ta informacja została przetrawiona przez programy informacyjne, prawie nikt nie wątpił, że senatora zabił lek. Maxwell miał tylko sześćdziesiąt dwa lata, cieszył się dobrym zdrowiem, ale w jego rodzinie za wysoki poziom cholesterolu występował często.

Jeden z rozzłoszczonych kolegów senatora zapowiedział śledztwo w podkomisji dotyczące szkodliwości krayoxxu. Agencję do spraw Żywności i Leków zasypały żądania wycofania specyfiku ze sprzedaży. W Varrick Laboratories przycupnięto na ten czas w lesie niedaleko Montville i nie skomentowano tego w żaden sposób. Nastał kolejny czarny dzień dla firmy, ale Reuben Massey miewał gorsze.

Taki proces byłby ironią losu z dwóch powodów. Po pierwsze, podczas trzydziestu lat w Waszyngtonie senator Maxwell przyjął miliony od wielkich firm farmaceutycznych i głosował dokładnie po ich myśli. Po drugie, senator był zagorzałym zwolennikiem zreformowania pozwów zbiorowych i od lat głosował za nałożeniem surowych restrykcji na procedurę wytaczania procesów. Ale na skutek tragedii ironia często się gubi. Wdowa po senatorze wynajęła słynnego adwokata z Boise, ale „jedynie celem konsultacji".

⋏   ⋏   ⋏

Widząc krayoxx na pierwszych stronach, sędzia Seawright doszedł do wniosku, że proces może być mimo wszystko ciekawy. Oddalił sprzeciwy strony pozywającej we wszystkich sprawach. Pozew złożony przez Wally'ego, a potem uzupełniony, został podzielony na jednostkowe postępowania, z przypadkiem zmarłego Percy'ego Klopecka jako pierwszym na liście, który zostanie rozpatrzony w błyskawicznie prowadzonym procesie.

Wally wpadł w panikę, kiedy dostał powiadomienie o rozprawie, ale zaczął się uspokajać w czasie długiej i kojącej rozmowy z Jerrym Alisandrosem. Jerry wyjaśnił mu, że śmierć senatora Maxwella to dar z niebios — i to pod więcej niż jednym względem, bo zajadły reformator pozwu zbiorowego został uciszony — i zwiększy jedynie nacisk na Varrick Laboratories, żeby zacząć rozmowy o ugodzie. Poza tym, powtarzał Jerry, już się cieszy na okazję wystąpienia przeciwko uroczej pani Karros w pełnej ludzi sali sądowej w Chicago.

— Ostatnie miejsce, gdzie chcą mnie widzieć, to sala sądowa — powtarzał. Jego „zespół procesowy do sprawy Klopecka" w tej chwili właśnie ciężko pracował. Kancelaria Zolla i Pottera miała do czynienia z wieloma egocentrycznymi sędziami federalnymi, którzy przedstawiali własne specjalne wersje wymyślonych przez siebie błyskawicznych procesów.

— To Seawright nie jest człowiekiem, który wymyślił błyskawiczny proces? — zapytał Wally naiwnie.

— Na Boga, nie. Słyszałem takie określenie trzydzieści lat temu w stanie Nowy Jork. — Potem Jerry zachęcał Wally'ego do szukania w mieście kolejnych ofiar krayoxxu. — Mam zamiar zrobić z ciebie bogatego człowieka, Wally — powtarzał w kółko.

⋏ ⋏ ⋏

Dwa tygodnie po śmierci senatora Maxwella Agencja do spraw Żywności i Leków ustąpiła pod naporem nacisków i poleciła wycofanie krayoxxu z rynku. Adwokaci od pozwów zbiorowych dostali orgazmu, a prawnicy w dziesiątkach miast składali prasie oświadczenia — w większości przypadków mniej więcej tej samej treści: zakłady Varrick będą musiały zostać pociągnięte do odpowiedzialności za ogromne niedopatrzenia. Powinno się wszcząć śledztwo na szczeblu federalnym. Agencja do spraw Żywności i Leków nigdy nie powinna była dopuścić tego specyfiku do obrotu. W Varrick wiedziano, że lek nie jest do końca dobry, ale wprowadzono go na rynek pośpiesznie i po sześciu latach firma zarobiła na nim ponad trzydzieści miliardów dolarów. Kto wie, jakie tajemnice kryją laboratoria Varrick?

Oscar, słysząc te wiadomości, był rozdarty wewnętrznie. Z jednej strony oczywiście chciał, żeby lek miał jak najgorszą prasę, bo to zmusiłoby producenta do próby osiągnięcia ugody. Z drugiej jednak w skrytości ducha miał nadzieję, że lek na dobre załatwi jego żonę. Wycofanie go zwiększyło co prawda presję na Varrick Laboratories, ale też usuwało tabletki z domowych apteczek. Prawdę mówiąc, najlepszym rozwiązaniem byłoby, zdaniem Oscara, gdyby ugoda nastąpiła w tym samym czasie, kiedy jego żona kojfnęłaby przez to lekarstwo. Mógłby wtedy zatrzymać dla siebie całe pieniądze, uniknąć skomplikowanego rozwodu, a potem wytoczyłby sprawę za spowodowanie śmierci ukochanej żony i jeszcze raz wydoił Varrick.

Marzył o czymś takim za zamkniętymi drzwiami. Diody w telefonie oznaczające poszczególne linie mrugały bez przerwy, ale on nie chciał podnosić słuchawki. W większości były to bowiem „przypadki żyjących" Wally'ego, ludzie, których Figg w taki czy inny sposób urobił. Niech Rochelle, Wally i młody David zajmują się telefonami i rozgorączkowanymi klientami. Oscar zamierzał zostać w swoim gabinecie i unikać tego szaleństwa, jak tylko się da.

▲ ▲ ▲

Rochelle zażądała następnego firmowego zebrania, ponieważ zamierzała odejść.

— Widzisz, co zacząłeś — powiedział Oscar do Davida, gdy cała czwórka usiadła przy stole późnym popołudniem.

— O czym będziemy rozmawiali? — zapytał Wally, choć wszyscy wiedzieli.

Rochelle wbiła wzrok w Davida i ten nie miał innego wyjścia — musiał się odezwać. Odchrząknął i od razu przeszedł do rzeczy.

— Musimy jakoś zorganizować przypadki z krayoxxem. Od kiedy lek został wycofany, telefony dzwonią jak oszalałe, dobijają się do nas ludzie, którzy już podpisali umowę albo chcą do nas dołączyć.

— Czy to nie wspaniałe? — Twarz Wally'ego rozjaśniał szeroki uśmiech człowieka usatysfakcjonowanego.

— Może, ale nie jesteśmy firmą specjalizującą się w pozwach zbiorowych, Wally. Nie jesteśmy przygotowani na jednoczesne prowadzenie czterystu spraw. Twoi kumple od zbiorówek mają dziesiątki prawników i jeszcze więcej asystentów, stażystów, mnóstwo ludzi do zajmowania się tą robotą — tłumaczył David.

— Mamy czterystu klientów? — zdziwił się Oscar. Trudno się było domyślić, czy jest zadowolony, czy raczej przytłoczony.

Wally siorbnął dietetycznego napoju i oznajmił z dumą:

— Mamy osiem przypadków śmierci, to wiadomo, i czterysta siedem przypadków żyjących, a licznik cały czas bije. Przykro mi, że te mniej ważne przypadki sprawiają tyle kłopotu, ale kiedy nadejdzie pora ugody i włączymy tych ludzi do puli odszkodowań wydębionej przez Jerry'ego Alisandrosa, przekonamy się najprawdopodobniej, że żyjący są warci marne setki tysięcy dolarów lub coś koło tego. Razy czterysta siedem. Czy ktoś z was chce to policzyć?

— Nie o to chodzi, Wally — sprzeciwił się David. — Umiemy liczyć. Pomijasz drobny fakt, że te przypadki mogą nie skończyć się pozwami. Ani jeden z tych żyjących klientów nie został przebadany przez lekarza. Tak naprawdę nie wiemy, czy są poszkodowani, mam rację?

— Nie, jeszcze nie, i nie wytoczyliśmy jak dotychczas spraw w imieniu tych klientów, prawda?

— Nie, ale ci ludzie bez wątpienia nabrali przekonania, że są w pełni uprawnionymi klientami i że należy im się odszkodowanie. Założyłeś im zbyt różowe okulary.

— Kiedy lekarz ma ich zbadać? — chciał wiedzieć Oscar.

— Niedługo — burknął Wally. — Jerry właśnie załatwia lekarza biegłego tutaj, w Chicago. Facet zbada ich wszystkich i sporządzi opinie.

— A ty zakładasz, że każdy z nich ma uzasadnione roszczenia? — zapytał David.

— Niczego nie zakładam.

— Ile będzie kosztowało badanie jednego przypadku? — drążył Oscar.

— Nie wiemy, dopóki nie będziemy mieli lekarza.

— Kto płaci za te badania? — Oscar nie odpuszczał.

— Grupa Procesowa Krayoxxu. W skrócie GPK.

— To znaczy, że my?

— Nie.

— Jesteś pewny?

— O co chodzi? — warknął Wally ze złością. — Dlaczego wszyscy na mnie naskakują? Pierwsze zebranie dotyczyło wyłącznie mojej dziewczyny. To skupia się na moich klientach. Zaczynam nie lubić tych firmowych zebrań. Co jest z wami nie tak, koledzy?

— Mam dość tych dzwoniących ludzi — odezwała się Rochelle. — To nie ma końca. Każdy ma swoją historię. Niektórzy płaczą, bo śmiertelnie ich pan wystraszył, Wally. Niektórzy nawet przychodzą i chcą, żebym trzymała ich za ręce. Są przekonani, że mają problemy z sercem, i to wszystko przez pana i Agencję do spraw Żywności i Leków.

— A jeśli naprawdę mają problemy z sercem, bo spowodował je krayoxx, my zaś możemy załatwić im trochę grosza? Czy nie to właśnie powinni robić adwokaci?

— Może wynajmiemy asystenta do pomocy na kilka miesięcy? — zaproponował David pochopnie. Skulił się, czekając na reakcję. Ponieważ nikt z całej trójki nie odezwał się wystarczająco szybko, ciągnął: — Moglibyśmy upchnąć jego lub ją w rupieciarni na górze i tam odsyłać wszystkie przypadki krayoxxu. Pomógłbym jemu lub jej opracować program do pisania pozwów i tworzenia kartoteki, żeby on lub ona mogli mieć błyskawicznie rozeznanie w każdym przypadku. Jeśli chcecie, mogę nadzorować to przedsięwzięcie. Wszystkie telefony dotyczące krayoxxu byłyby przełączane do nowego biura. Odciążylibyśmy panią Gibson, a Wally nadal robiłby to, co umie najlepiej: łapałby klientów.

— Nie stać nas na zatrudnianie nowego człowieka — powiedział Oscar, jak można się było spodziewać. — Naszej płynności finansowej przez krayoxx daleko do stabilności. A ponieważ to nie ty płacisz rachunki i jeszcze bardzo dużo ci do tego brakuje, dodam jedynie, że nie jesteś uprawniony do proponowania jakichkolwiek wydatków.

— Rozumiem — odpowiedział David. — Proponowałem tylko sposób zorganizowania pracy w firmie.

Szczerze mówiąc, dopisało ci szczęście, żeśmy cię zatrudnili, pomyślał Oscar i o mało nie powiedział tego na głos.

Wally'emu propozycja się spodobała, ale w tym momencie nie miał odwagi, żeby sprzeciwiać się starszemu wspólnikowi. Rochelle podziwiała Davida za jego śmiałość, ale nie chciała wychylać się z komentarzem, który dotyczyłby decyzji jej szefa.

— Mam lepszy pomysł — powiedział Oscar do Davida. — Dlaczego sam nie zostaniesz asystentem przy sprawie krayoxxu? Już i tak siedzisz na górze. Wiesz co nieco o programach do zakładania spraw. Bez przerwy marudzisz o konieczności zorganizowania tu pracy. Chciałeś wprowadzenia nowego systemu archiwizowania danych i tworzenia kartotek. Sądząc po twoich miesięcznych zarobkach, wygląda na to, że masz trochę wolnego czasu. Zaoszczędzimy dzięki temu parę centów. Co ty na to?

To wszystko była prawda, więc David nie miał zamiaru dyskutować.

— W porządku. Jaki będzie mój udział w honorarium z odszkodowań?

Oscar i Wally popatrzyli po sobie, obie pary oczu zwęziły się, podczas gdy mózgi pracowały pełną parą. Nie postanowili jeszcze, w jaki sposób podzielą pieniądze. Mówili, co prawda niezobowiązująco, o premii dla Rochelle i Davida, ale o prawdziwym podziale łupu nie padło ani słowo.

— Będziemy musieli to omówić — odrzekł w końcu Wally.

— Tak, to sprawa do omówienia przez wspólników — dodał Oscar, jakby pozycja wspólnika w ich firmie oznaczała przynależność do ekskluzywnego i wpływowego, mającego władzę klubu.

— Cóż, zatem się pośpieszcie, panowie, i podejmijcie jakąś decyzję — powiedziała Rochelle. — Nie mogę jednocześnie odpowiadać na telefony i zajmować się całą papierkową robotą.

Rozległo się pukanie do drzwi. DeeAnna wróciła.

Rozdział 25

Plan Reubena Masseya posprzątania najnowszego bałaganu z krayoxxem załamał się po śmierci senatora Kirka Maxwella, którego szyderczo nazywano teraz w korytarzach Varrick Kirk Maxwell. Wdowa po nim nie założyła jeszcze sprawy, ale jej adwokat gaduła wykorzystał do ostatniej sekundy swoje piętnaście minut w świetle reflektorów. Ochoczo udzielał wywiadów, wprosił się nawet do kilku programów dyskusyjnych w kablówkach. Ufarbował włosy, kupił kilka nowych garniturów i oddawał się marzeniom, tak jak wielu innych adwokatów.

Cena zwykłych akcji Varrick spadła do dwudziestu i pół dolara, najniższego poziomu od sześciu lat. Dwóch analityków z Wall Street, znienawidzonych przez Masseya, rekomendowało sprzedawanie udziałów. Jeden z nich napisał: *Po krótkich sześciu latach na rynku krayoxx przynosił jedną czwartą zysków osiąganych przez Varrick. Po wycofaniu go z rynku krótkoterminowe prognozy odnoszące się do firmy są bardzo niepewne.* Drugi z nich napisał: *Liczby są przerażające. Biorąc pod uwagę milion potencjalnych spraw sądowych z powodu krayoxxu, firma Varrick będzie tkwiła po uszy w kloace pozwów zbiorowych przez następne dziesięć lat.*

Przynajmniej słowo „kloaka" zostało trafnie użyte, wymamrotał do siebie Massey, przeglądając poranne sprawozdania finansowe. Nie było jeszcze ósmej. Niebo nad Montville chmurzyło się, wewnątrz bunkra firmy panowała ponura atmosfera, ale co dziwne, jemu dopisywał humor. Raz w tygodniu lub częściej, jeśli było to możliwe, Massey pozwalał sobie na rozkosz zjedzenia kogoś na śniadanie. Tego dnia danie miało być wyjątkowo smakowite.

▲ ▲ ▲

Jako stosunkowo młody człowiek Layton Koane służył przez cztery kadencje w Izbie Reprezentantów, dopóki nie został odesłany przez wyborców do domu po paskudnej aferze z jedną z urzędniczek. Okryty wstydem nie mógł znaleźć pracy w rodzinnym Tennessee, nie miał żadnych talentów ani umiejętności, na dodatek porzucił studia przed ich ukończeniem. Jego życiorys przedstawiał się żenująco marnie. Rozwiedziony, bezrobotny bankrut, zaledwie czterdziestoletni, podryfował z powrotem na Kapitol, ponieważ postanowił zaryzykować wędrówkę drogą nadziei, pokonywaną przez tak wielu skończonych polityków. Kontynuował waszyngtońską tradycję uświęconą czasem — został lobbystą.

Nieobciążony dylematami etycznymi Koane szybko stał się wschodzącą gwiazdą w kombinowaniu przy funduszach rządowych. Okazje do mataczenia umiał wyszukać, wyczuć, wygrzebać i zaprezentować klientowi, gotowemu płacić mu coraz wyższe honoraria. Był jednym z pierwszych lobbystów, którzy zrozumieli zawiłości systemu kolczykowania i to, że za dodatkowe niewielkie porcje słoniny wykrojone przez członków Kongresu płacą niepiśmienni robotnicy tuczarni gdzieś tam na prowincji. Koane zwrócił na siebie uwagę w nowym fachu, kiedy zgarnął sto tysięcy dolarów od znanego państwowego uniwersytetu, potrzebującego nowego stadionu koszykówki. Wujek Sam wyłuskał dziesięć milionów na tę inwestycję i przyznał fundusze na podstawie wydrukowanego maleńkimi literami, liczącego trzy tysiące stron wniosku, dostarczonego w ostatniej chwili. Kiedy rywalizująca z uniwersytetem uczelnia się o tym dowiedziała, wybuchła spora wrzawa, ale było już za późno.

Dzięki tej kontrowersyjnej sprawie nazwisko Koane'a zaistniało na mapie, klienci zaczęli go tłumnie oblegać. Jednym z nich był inwestor budowlany z Wirginii, który wpadł na pomysł postawienia tamy na rzece i utworzenia jeziora, dzięki czemu działki nad brzegiem sprzedawałby za bajońskie sumy. Koane wziął od inwestora pięćset tysięcy dolarów i poradził mu, żeby wyłożył kolejne sto tysięcy dla komitetu wyborczego kongresmena, który reprezentował okręg, gdzie potrzebna była tama. Kiedy wszyscy zostali opłaceni i włączeni do działania, Koane przystąpił do pracy nad budżetem federalnym i znalazł niepotrzebne nikomu drobne osiem milionów w funduszach przyznanych korpusowi inżynieryjnemu armii. Tamę postawiono. Inwestor zarobił krocie. Wszyscy byli szczęśliwi poza ekologami, zwolennikami ochrony przyrody i mieszkańcami.

To był interes, jak zwykle w Waszyngtonie, i przeszedłby niezauważony, gdyby nie uparty dziennikarz z Roanoke. Doszło do nagonki na kongresmena, inwestora, Koane'a, ale w uprawianiu lobbingu nie było miejsca na wstyd, a wszelki rozgłos bardzo się przydawał. Interesy Koane'a kwitły. Po pięciu latach w grze otworzył własną firmę — nazywała się Grupa Koane'a. Specjaliści od spraw rządowych. Po dziesięciu latach stał się multimilionerem. Po dwudziestu corocznie przyznawano mu status jednego z trzech najbardziej wpływowych lobbystów w Waszyngtonie. (Czy jakakolwiek inna demokracja ocenia swoich lobbystów?).

Varrick Laboratories płaciły Grupie Koane'a stałe wynagrodzenie wysokości równego miliona dolarów i dokładały znacznie więcej, kiedy robota została wykonana. Za takie pieniądze pan Layton Koane tańczył, jak klient mu zagrał.

▲ ▲ ▲

Jako świadków krwawej jatki Reuben Massey postanowił wykorzystać swoich najbardziej zaufanych prawników — Nicholasa Walkera i Judy Beck. Wszyscy troje byli na miejscu, gdy przyjechał Koane, sam, zgodnie z prośbą Masseya. Koane miał własny odrzutowiec, szofera i lubił podróżować z całą świtą, ale nie tego dnia.

Spotkanie miało serdeczny początek, wymieniano uprzejmości i skubano croissanty. Koane utył ostatnio jeszcze bardziej i jego szyty na miarę garnitur pękał w szwach. Był jasnoszary z połyskiem podobnym do tego, jaki miały garnitury noszone przez telewizyjnych kaznodziejów. Wykrochmalona biała koszula wybrzuszała się w pasie. Mięsista szyja z trzema podbródkami z trudem znosiła obrożę kołnierzyka. Jak zawsze Koane miał pomarańczowy krawat i pomarańczową chusteczkę w kieszonce na piersi. Niezależnie od majątku, nigdy nie nauczył się ubierać elegancko.

Massey gardził Laytonem Koane'em i uważał go za ćwoka, tumana, muła i sprzedawczyka, któremu na tyle dopisało szczęście, że znalazł się we właściwym miejscu w odpowiednim czasie. Massey nienawidził również wszystkiego, co wiązało się z Waszyngtonem: rządu i jego przepisów krępujących ruchy, hord urzędników, którzy je tworzyli, polityków, którzy je aprobowali, biurokratów, którzy wprowadzali je w życie. Żeby przetrwać w tak niesprzyjającym środowisku, człowiek musiał być równie śliski, jak Layton Koane.

— Dostajemy baty w Waszyngtonie — zaczął Massey, choć wszyscy o tym wiedzieli.

— Nie tylko w Waszyngtonie — odpowiedział Koane nosowym głosem. — Mam czterdzieści tysięcy waszych udziałów, pamiętasz?

To prawda, Varrick Laboratories zdecydowały się raz zapłacić Grupie Koane'a akcjami.

Massey wziął jakieś notatki i czytał je przez okulary umieszczone na czubku nosa.

— W zeszłym roku zapłaciliśmy twojej firmie ponad trzy miliony dolarów.

— Trzy miliony dwieście — sprecyzował Koane.

— Przekazaliśmy też maksymalną ilość pieniędzy zarówno na kampanię reelekcyjną, jak i komitetom wyborczym osiemdziesięciu ośmiu ze stu członków Senatu, w tym oczywiście zmarłego wielkiego Maxwella, niech odpoczywa w pokoju. Daliśmy, ile należało, ponad trzystu członkom Izby Reprezentantów. W obu izbach obie partie wzięły od nas, ile mogły, na centralny fundusz łapówkowy, czy jak się to, do cholery, nazywa. Przekazaliśmy maksymalne stawki do nie mniej niż czterdziestu komitetów wyborczych, które mają podobno pracować ku chwale Boga tu na ziemi. Dodatkowo dwudziestu czterech naszych dyrektorów osobiście wspierało, kogo trzeba, a wszystko zgodnie z twoimi instrukcjami. Poza tym dzięki mądrości Sądu Najwyższego możemy przekazywać ogromne sumy w gotówce do systemu wyborczego, których nie da się wykryć. W samym tylko zeszłym roku było to pięć milionów. Jeśli zsumujesz to wszystko i dodasz wszelkiego rodzaju płatności, zgłoszone i niezgłoszone, nad stołem i pod stołem, okaże się, że Varrick Laboratories przekazały w ubiegłym roku prawie czterdzieści milionów dolarów, żeby nasza demokracja zmierzała w dobrym kierunku.

Massey rzucił papiery na stół i wpatrywał się w Koane'a.

— Czterdzieści milionów, żeby kupić jedno, Laytonie, jedyny produkt, którym handlujesz: wpływy.

Koane wolno kiwał głową.

— Powiedz nam zatem, proszę, Laytonie, skoro mamy wpływy, które kupowaliśmy przez lata, jakim cudem Agencja do spraw Żywności i Leków wycofała z rynku krayoxx?

— Agencja to Agencja — odpowiedział Koane. — To odrębny świat, niezależny do nacisków politycznych, albo przynajmniej tak kazano nam wierzyć.

— Polityczne naciski? Wszystko grało, dopóki jeden z polityków nie umarł. Moim zdaniem jego kolesie z Senatu naciskali na Agencję jak jasna cholera.

— Oczywiście, że tak.

— W takim razie gdzie ty byłeś? Nie masz byłych członków Agencji na liście płac?

— Mamy jednego, ale ważne jest słowo „były". Już nie ma prawa głosu.

— Więc wygląda na to, że zostałeś załatwiony przez polityków.

— Na razie, Reubenie. Przegraliśmy bitwę, ale nadal możemy wygrać wojnę. Maxwell umarł i za minutę nikt nie będzie o nim pamiętał. Tak to się dzieje w Waszyngtonie. Bardzo szybko zapomina się o ludziach. Już rozpoczęli kampanię w Idaho, żeby go kimś zastąpić. Zaczekaj chwilę i jego śmierć odejdzie w zapomnienie.

— Zaczekać? Przez Agencję do spraw Żywności i Leków tracimy dziennie na sprzedaży osiemnaście milionów. Od kiedy przyjechałeś dziś rano i zaparkowałeś samochód, straciliśmy czterysta tysięcy. Nie mów mi o czekaniu.

Nicholas Walker i Judy Beck robili rzecz jasna notatki. A przynajmniej bazgrolili coś w żółtych notesach. Żadne z nich nie podnosiło wzroku, ale oboje mieli frajdę z tego wycisku.

— Mnie za to winisz, Reubenie? — zapytał Koane, a w jego głosie pobrzmiewała nuta desperacji.

— Tak, dokładnie. Nie rozumiem, na jakich zasadach działa to przegniłe miejsce, dlatego wynająłem cię i płacę ci cholerną fortunę, żebyś przeprowadził moją firmę przez to pole minowe. Zatem, Laytonie, tak, kiedy coś idzie źle, wina spada na ciebie. Całkowicie bezpieczny lek został wycofany z rynku bez sensownego powodu. Możesz mi to wyjaśnić?

— Nie mogę tego wyjaśnić, ale obwinianie mnie jest niesprawiedliwe. Pilnujemy tych spraw, od kiedy został złożony pierwszy pozew. Mamy solidne kontakty na całej linii frontu, a Agencja wykazywała małe zainteresowanie wycofaniem leku niezależnie od tego, jak głośno darli się prawnicy. Byliśmy bezpieczni. A potem Maxwell kopnął w kalendarz w pięknym stylu przed kamerą. To wszystko zmieniło.

Zapadła cisza, kiedy wszyscy czworo sięgnęli po kawę.

Koane zawsze przywoził plotki, informacje z pierwszej ręki, które przekazywano sobie szeptem, i teraz nie mógł się doczekać, by się nimi podzielić.

— Z pewnego źródła wiem, że rodzina Maxwella nie chce wytaczać procesu. Z bardzo dobrego źródła.

— Od kogo to wiesz? — spytał Massey.

— Od kolejnego członka klubu, senatora, który jest blisko związany z Maxwellem i jego rodziną. Zadzwonił wczoraj do mnie i poszliśmy się czegoś napić. Jest bardzo cwany, zdaje sobie sprawę, że ma teraz Varrick na celowniku. Jeśli pozew zostanie złożony, to będzie zła wiadomość dla firmy, zwiększą się też naciski na Agencję, żeby utrzymać zakaz sprzedaży leku. Ale jeśli nikt nie wytoczy sprawy, Maxwell zostanie szybko zapomniany. O jeden ból głowy mniej, choć następne będą czekały w kolejce.

Massey zatoczył krąg prawą ręką.

— Mów dalej, wyduś to z siebie.

— Za pięć milionów dolarów pozwu nie będzie. Przeprowadzę to przez moje biuro. Poufna ugoda, bez żadnych szczegółów.

— Pięć milionów? Za co? Za lek, który nikomu nie szkodzi? — prychnął Massey.

— Nie. Pięć milionów za pozbycie się potężnego bólu głowy — odpowiedział Koane. — Był senatorem przez prawie trzydzieści lat, uczciwym człowiekiem, więc spadek po nim nie robi zbyt dużego wrażenia. Rodzina potrzebuje trochę gotówki.

— Jakakolwiek informacja o ugodzie uruchomi lawinę ze strony adwokatów od pozwów zbiorowych — wtrącił się Nicholas Walker. — Nie utrzymasz tego w tajemnicy. Zbyt wielu dziennikarzy się temu przygląda.

— Wiem, jak manipulować prasą, Nick. Uściśniemy sobie dłonie, dobijając interesu, podpiszemy papiery za zamkniętymi drzwiami i przeczekamy. Rodzina Maxwella i ich prawnik nie wystąpią z żadnym oświadczeniem, a ja zadbam o ładniutki przeciek, że rodzina postanowiła nie składać pozwu. Posłuchajcie, nie ma takiego prawa, nawet w tym kraju, że trzeba komuś wytaczać sprawę. Ludzie z najróżniejszych powodów przez cały czas rezygnują z pozwów. Zawrzemy układ, podpiszemy dokumenty, obiecamy im pieniądze nie później niż za dwa lata, z odsetkami. To mogę zrobić.

Massey wstał i się przeciągnął. Podszedł do wysokiego okna i wpatrywał się w mgłę snującą się wśród drzew. Nie odwracając się, zapytał:

— Co o tym sądzisz, Nick?

— Cóż, na pewno dobrze byłoby mieć sprawę Maxwella z głowy — odrzekł Walker z namysłem. — Layton ma rację. Jego kumple z Senatu szybko o nim zapomną, zwłaszcza jeśli nie będzie procesu. Pięć milionów to niewygórowana cena w takim układzie.

— Judy?

— Zgadzam się z Nickiem — odpowiedziała Judy Beck bez wahania. — Najważniejszy jest powrót leku na rynek. Jeśli uszczęśliwienie rodziny Maxwella to przyśpieszy, radziłabym zgodzić się na takie rozwiązanie.

Massey wrócił powoli na miejsce, splótł palce i aż strzeliły mu kostki dłoni, potarł twarz, napił się kawy, najwyraźniej głęboko pogrążony w myślach. Jednak brak zdecydowania nie leżał w jego naturze.

— W porządku, Laytonie, zawrzyj ten układ. Pozbądź się Maxwella. Pamiętaj jednak, że jeśli ta ugoda odbije się na nas rykoszetem, kończę naszą znajomość, i to od razu. Nie jestem teraz zadowolony z ciebie i twojej firmy i chyba zacznę się rozglądać za kimś innym.

— Nie ma takiej potrzeby, Reubenie. Usunę ci Maxwella z drogi.

— Doskonale. Ile czasu minie, zanim krayoxx wróci na rynek? I ile to będzie kosztowało?

Koane starł delikatnie z czoła kilka kropli potu.

— Na to pytanie nie umiem odpowiedzieć. Musimy załatwiać wszystko krok po kroku i trzymać rękę na pulsie. Zmiotę Maxwella pod dywan, a potem znowu powinniśmy się spotkać.

— Kiedy?

— Za trzydzieści dni?

— Doskonale. Trzydzieści dni to strata pięciuset czterdziestu milionów zysku.

— Umiem liczyć, Reubenie.

— Tego jestem pewny.

— Załatwię to, dobrze?

— Posłuchaj mnie, Laytonie. Jeśli ten lek nie wróci na rynek w niedalekiej przyszłości, przyjadę do Waszyngtonu i spalę na stosie ciebie i twoją firmę, a potem wynajmę inną bandę „specjalistów od spraw rządowych", żeby chroniła moją firmę. — Massey rzucał gniewne spojrzenia i dźgał palcem powietrze przed nosem lobbysty. — Mogę załatwić sobie spotkanie z wiceprezydentem i przewodniczącym Izby Reprezentantów. Mogę iść na drinka z tuzinem senatorów. Wezmę ze sobą książeczkę czekową i ciężarówkę gotówki, a jeśli będę musiał, zawiozę autokar dziwek do Agencji do spraw Żywności i Leków i je tam wypuszczę.

Koane uśmiechnął się nieszczerze, jakby usłyszał dobry żart.

— Nie będzie takiej potrzeby, Reubenie. Daj mi tylko odrobinę czasu.

— Nie mamy ani odrobiny czasu.

— Szybki powrót krayoxxu na rynek udowodni, że jest nieszkodliwy — powiedział Koane chłodno, chcąc odejść jak najdalej od tematu rezygnacji z jego usług. — Jakieś pomysły?

— Pracujemy nad tym — odrzekł Nicholas Walker.

Massey wstał i wrócił do ulubionego okna.

— Skończyliśmy spotkanie, Laytonie — warknął i nawet nie odwrócił głowy, żeby się pożegnać.

▲ ▲ ▲

W chwili gdy Koane wyszedł, Reuben odprężył się i spokojniej myślał o wydarzeniach poranka. Nic tak nie poprawiało humoru wyrachowanemu prezesowi zarządu, jak ofiara z człowieka. Gdy Nick Walker i Judy Beck sprawdzali e-maile na smartfonach, Reuben czekał. Kiedy skończyli, powiedział:

— Chyba powinniśmy przedyskutować strategię ugody. Jak wyglądamy z terminami?

— Proces w Chicago ruszył — poinformował Nick. — Nie ma jeszcze daty rozprawy, ale wkrótce ją poznamy. Nadine Karros przyjrzała się kalendarzowi sędziego Seawrighta i wypatrzyła śliczną lukę pod koniec października. Jeśli szczęście nam dopisze, to może być właśnie wtedy.

— To mniej niż rok od złożenia pozwu.

— Tak, ale nie zrobiliśmy nic, żeby to spowolnić. Nadine prowadzi sztywną obronę, przechodzi przez wszystkie wnioski, ale nie stawia żadnych przeszkód, żadnych wniosków o oddalenie pozwu, żadnych zakusów na uproszczone postępowanie. Przygotowanie postępuje gładko i bez problemów. Seawright jest najwyraźniej zaciekawiony tą sprawą i chce procesu.

— Dziś jest trzeci czerwca. Ciągle są składane nowe pozwy. Jeśli już teraz zaczniemy rozmawiać o ugodzie, da się to przeciągnąć do października?

— Bez najmniejszego problemu — odpowiedziała Judy Beck. — Ugoda przy fetazine zajęła trzy lata, było pół miliona roszczeń. Przy zoltarenie trwało to jeszcze dłużej. Adwokaci strony pozywającej myślą tylko o jednym: o pięciu miliardach dolarów, które odpisaliśmy sobie od podatku w zeszłym kwartale. Marzy im się taka pula do podziału.

— Nadejdzie kolejna fala szaleństwa — uprzedził Nick.

— No to zabierajmy się do roboty — powiedział Massey.

Rozdział 26

Wally siedział na rozprawie rozwodowej na szesnastym piętrze Richard J. Daley Center w śródmieściu. Na ranek wyznaczono termin sprawy Strate przeciwko Strate, jednego z mniej więcej dziesięciu smutnych rozwodów, mających na zawsze (miejmy nadzieję) rozłączyć dwoje ludzi, o których przede wszystkim trzeba powiedzieć, że nie powinni się pobierać. Żeby rozwikłać sporne kwestie, wynajęli Wally'ego, zapłacili mu siedemset pięćdziesiąt dolarów za rozwód za zgodą obu stron i po sześciu miesiącach znaleźli się w sądzie, zajmując miejsca w rzędach po przeciwnych stronach sali, z niecierpliwością czekając na rozpatrzenie ich sprawy. Wally również czekał. Czekał i przyglądał się procesji poturbowanych przez los, zwaśnionych małżonków, którzy podchodzili potulnie do ławki, kłaniali się sędziemu, mówili, kiedy adwokat ich o to poprosił, unikali kontaktu wzrokowego i po kilku ponurych minutach wychodzili, uwolnieni od współmałżonka.

Wally znajdował się w grupie adwokatów, którzy z niecierpliwością czekali na swoją kolej. Znał połowę z nich. Drugiej połowy nie widział na oczy. W mieście z dwudziestoma tysiącami adwokatów twarze pojawiały się i znikały. Wyścig szczurów. Co za młyn.

Jakaś żona płakała przed sędzią. Nie chciała rozwodu. Ale jej mąż chciał.

Wally nie mógł się doczekać chwili, gdy będzie miał te sceny za sobą. Już niedługo rozsiądzie się w bajeranckim gabinecie bliżej śródmieścia, daleko od potu i stresu biednych ulic, za biurkiem z szerokim marmurowym blatem. Dwie zgrabne sekretarki będą odbierały telefony i przynosiły mu akta, a asystent lub dwóch będą odwalali za niego papierkową robotę. Żadnych rozwodów, pijanych kierowców, testamentów, lichych spadków, żadnych klientów, którzy nie mogą zapłacić. Będzie wybierał sprawy, zarobi duże pieniądze.

Pozostali adwokaci patrzyli na niego nieufnie. Wiedział o tym. Od czasu do czasu wspominali o krayoxxie. Zaciekawieni i zawistni. Niektórzy spoglądali z nadzieją, że Wally naprawdę natrafił na żyłę złota, bo to dodałoby im wiary, że może kiedyś i im się uda. Z drugiej strony większość chętnie patrzyłaby na jego bolesny upadek. Mieliby wtedy dowód, że ich kierat jest im przeznaczony. I nic więcej.

W kieszeni jego płaszcza zawibrował telefon komórkowy. Wyjął go błyskawicznie, skupił wzrok na nazwisku i numerze dzwoniącego, a potem zerwał się z miejsca i wybiegł z sali. W chwili gdy zamknął za sobą drzwi, rzucił:

— Jerry, jestem w sądzie. O co chodzi?

— Wielka nowina, bracie Wally — śpiewnie odpowiedział Jerry. — Zagrałem wczoraj o osiemnaście dołków z Nicholasem Walkerem. Czy to nazwisko coś ci mówi?

— Tak... nie. Nie jestem pewny. Kto to?

— Graliśmy na moim polu. Miałem siedemdziesiąt osiem punktów. Biedny Nick o dwadzieścia uderzeń więcej. Raczej nietęgi z niego golfista. Jest szefem zespołu prawników w Varrick. Znam go od lat. Dupek jakich mało, ale uczciwy człowiek. Wally nie do końca wiedział, o co Jerry'emu chodzi, ale nie potrafił sklecić pytania.

— Jerry, chyba nie dzwonisz do mnie, żeby się przechwalać wygraną w golfa, prawda?

— Nie, Wally. Dzwonię, żeby cię poinformować, że ludzie z Varrick chcą rozmawiać o ugodzie. To właściwie jeszcze nie negocjacje, na co zwracam ci uwagę, ale chcą o tym pogadać. Tak to się zwykle dzieje. Uchylili drzwi. My wstawiamy tam stopę. Oni wykonają taniec węża, my wykonamy taniec węża. I zanim się zorientujemy, będziemy mówili o pieniądzach. Dużych pieniądzach. Jesteś tam, Wally?

— Och, tak.

— To dobrze. Posłuchaj, przed nami jeszcze daleka droga, zanim twoi klienci staną w kolejce po odszkodowania. Bierzmy się do roboty. Załatwię lekarzy, żeby ich przebadali; to teraz najważniejsze. Ty powinieneś się sprężyć, żeby zebrać więcej spraw. Prawdopodobnie pierwsze będą załatwiane przypadki śmierci. Ilu masz takich delikwentów?

— Ośmiu.

— Tylko tylu? Myślałem, że więcej.

— Jest ośmiu, Jerry, z czego jedna sprawa znalazła się już w sądzie, pamiętasz? To Klopeck.

— Racja, racja. Z tą cudną laską jako przeciwniczką. Szczerze mówiąc, chciałbym brać udział w tej rozprawie, żeby tylko móc przez cały dzień patrzeć na jej nogi.

— W każdym razie...

— W każdym razie wrzucamy wyższy bieg. Zadzwonię dzisiaj po południu z planem gry. Mamy mnóstwo pracy, Wally, ale pierwszy krok został zrobiony.

Wally wrócił na salę sądową i nadal czekał. Powtarzał

w myślach: Pierwszy krok został zrobiony. Pierwszy krok został zrobiony. Koniec gry. Już po imprezie. Słyszał to przez całe życie, ale jakie to miało znaczenie w kontekście procesu sądowego na tak wysokim szczeblu? Czy ludzie z Varrick poddają się walkowerem, szybko rezygnują z walki, chcąc zmniejszyć własne straty? Wally doszedł do wniosku, że tak.

Zerknął na zabiedzonych i zdołowanych adwokatów, którzy go otaczali. Szlifowali bruk tak samo jak on i spędzali dni na próbach wyrwania pieniędzy od zwykłych ludzi, ledwo wiążących koniec z końcem. Biedne dranie, pomyślał.

Nie mógł się doczekać, kiedy powie o tym DeeAnnie, ale najpierw musi porozmawiać z Oscarem. I to nie w kancelarii Finleya i Figga, gdzie żadna rozmowa nie jest poufna.

▴ ▴ ▴

Spotkali się na lunchu dwie godziny później we włoskiej knajpce niedaleko ich biura. Oscar miał paskudny poranek. Spędził go na próbach pogodzenia sześciorga dorosłych dzieci walczących o spadek po matce, który praktycznie nie przedstawiał żadnej wartości. Musiał się napić czegoś mocniejszego, dlatego zamówił butelkę taniego wina. Wally, trzeźwy od dwustu czterdziestu jeden dni, nie miał problemu z pozostaniem przy wodzie. Przy sałatce caprese Wally szybko zrelacjonował swoją rozmowę z Jerrym Alisandrosem i zakończył melodramatycznie:

— To ta chwila, Oscarze. To się w końcu wydarzy.

Gdy Oscar słuchał i pił szybko pierwszy kieliszek, jego nastrój się zmieniał. Zdobył się na uśmiech, a Wally niemal widział, jak jego sceptycyzm się ulatnia. Wyjął długopis, odsunął na bok sałatkę i zaczął bazgrać.

— Przeliczmy to jeszcze raz, Wally. Czy przypadek śmierci jest naprawdę wart dwa miliony?

Wally rozejrzał się, sprawdzając, czy nikt ich nie słyszy. Byli bezpieczni.

— Przestudiowałem tysiące spraw, tak? Wziąłem pod lupę dziesiątki odszkodowań wypłacanych w pozwach zbiorowych w procesach o leki. W tej chwili mamy zbyt dużo niewiadomych, żeby przewidzieć, ile każdy przypadek będzie wart. Trzeba ustalić, kto jest odpowiedzialny, jaka była przyczyna śmierci, poznać historię choroby, wiek zmarłego, wypracowany dochód i podobne rzeczy. Potem musimy się dowiedzieć, ile szefostwo Varrick wrzuci do puli. Ale milion dolców to minimum, jak myślę. Honorarium to czterdzieści procent. Połowa idzie dla Jerry'ego plus trochę forsy na jego ekspertyzy, więc dla nas zostaje netto coś około półtora miliona dolarów.

Oscar pisał jak oszalały, choć słyszał te liczby setki razy.

— To przypadki śmierci, muszą być więcej warte niż milion za każdy — powiedział, jakby wcześniej zajmował się dziesiątkami tak dużych spraw.

— Może dwa — zgodził się Wally. — Potem zabierzemy się do żyjących, których jak do tej pory mamy czterystu siedmiu. Powiedzmy, że po badaniu lekarskim zakwalifikuje się tylko połowa. Bazując na podobnych przypadkach, z najróżniejszymi lekami, moim zdaniem sto tysięcy jest sensowną liczbą dla klienta, którego rytm serca został trochę zaburzony. To dwadzieścia milionów, Oscarze. Nasza działka wyniesie około trzech i pół miliona.

Oscar napisał coś, przerwał pisanie, upił duży łyk wina i powiedział:

— Zatem powinniśmy porozmawiać o podziale, tak? Czy do tego zmierza ta rozmowa?

— Podział to tylko jeden z ważnych tematów.

— W porządku, a co złego jest w podziale po połowie?

Wszystkie kłótnie o honoraria zawsze zaczynały się od równego podziału.

Wally wepchnął do ust kawałek pomidora i gryzł go zawzięcie.

— To jest złego w równym podziale, że to ja wynalazłem krayoxx, zebrałem sprawy i jak do tej pory odwaliłem dziewięćdziesiąt procent roboty. Mam te osiem przypadków śmierci w moim pokoju. David ma pozostałe czterysta spraw u siebie na górze. Ty, o ile się nie mylę, nie masz żadnego przypadku krayoxxu.

— Chyba nie prosisz o dziewięćdziesiąt procent?

— No pewnie, że nie. Coś ci zaproponuję. Mam tonę roboty do przewalenia. Wszystkie te przypadki musi zbadać lekarz, ocenić i tak dalej. Odłóżmy na bok resztę: mnie, ciebie, Davida, i weźmy się do pracy. Przygotujemy te sprawy, a jednocześnie będziemy szukali nowych. Kiedy gruchnie wieść o ugodzie, wszyscy adwokaci w tym kraju dostaną świra na punkcie krayoxxu, dlatego musimy być jeszcze szybsi. A kiedy czeki zaczną napływać, myślę, że podział sześćdziesiąt-trzydzieścidziesięć będzie sprawiedliwy.

Oscar zamówił lasagne, a Wally ravioli. Kiedy kelner odszedł, Oscar syknął:

— Twoje honorarium jest dwa razy większe od mojego? Coś takiego jeszcze nigdy się nie zdarzyło. Nie podoba mi się to.

— A co by ci się spodobało?

— Po równo.

— Zapomniałeś o Davidzie? Obiecaliśmy mu działkę, kiedy zgodził się zająć sprawami żyjących.

— Więc dobrze, połowa dla ciebie, czterdzieści procent dla mnie i dziesięć dla Davida. Rochelle dostanie ładną premię, ale nie będziemy się z nią dzielili.

Bez pieniędzy łatwo było rzucać liczbami, a jeszcze łatwiej

dokonywać podziału. Dochodziło między nimi do paskudnych awantur o honoraria wysokości pięciu tysięcy dolarów, ale tego dnia było inaczej. Wizja dużych pieniędzy koiła ich nerwy, żaden nie miał ochoty się kłócić. Wally powoli wyciągnął rękę nad stołem, Oscar zrobił to samo. Szybko uścisnęli sobie dłonie i zabrali się do jedzenia.

Po kilku kęsach Wally zapytał:

— Jak tam twoja żona?

Oscar zmarszczył czoło, skrzywił się i odwrócił wzrok. Paula Finley była tematem absolutnie zakazanym, bo nikt w firmie jej nie znosił, włączając Oscara.

Wally jednak naciskał:

— Wiesz, Oscarze, to odpowiednia chwila. Jeśli masz zamiar ją rzucić, zrób to teraz.

— Ty mi dajesz rady w sprawie małżeństwa?

— Tak. Wiesz, że mam rację.

— Zakładam, że o tym myślałeś.

— Tak, bo ty tego nie zrobiłeś i jeszcze dlatego, że nigdy nie wierzyłeś w sprawę krayoxxu, może nawet i teraz nie wierzysz.

Oscar dolał sobie wina i powiedział:

— Posłuchajmy.

Wally pochylił się w jego stronę, jakby wymieniali tajemnice o broni nuklearnej.

— Złóż pozew o rozwód. Teraz. Od razu. Wielka mi rzecz! Przechodziłem przez to cztery razy. Wyprowadź się, znajdź jakieś lokum, zerwij wszystkie więzy. Poprowadzę dla ciebie tę sprawę, ona może sobie wynająć, kogo zechce. Podpiszemy umowę z datą sprzed sześciu miesięcy, będzie w niej napisane, że ja biorę osiemdziesiąt procent z ugody dotyczącej krayoxxu, jeśli jakaś będzie, a wy z Davidem podzielicie się dwudziestoma procentami. Musisz wykazać jakiś dochód z krayoxxu, bo inaczej jej adwokat wpadnie w szał. Większość pieniędzy może sobie poczekać jako lewa kasa, nie wiem, przez jakiś rok, aż będzie po rozwodzie. Wtedy, któregoś dnia się rozliczymy.

— To celowe ukrywanie majątku.

— Wiem. Kocham to. Robiłem to tysiące razy, choć na znacznie mniejszą skalę. Podejrzewam, że ty też. Bardzo sprytne, nie uważasz?

— Jeśli nas przyłapią, obaj możemy trafić do więzienia za lekceważenie sądu, i to bez procesu.

— Nikt nas nie przyłapie. Ona myśli, że cały krayoxx jest mój, prawda?

— Prawda.

— Więc musi się udać. To nasza kancelaria adwokacka i to my decydujemy, w jaki sposób pieniądze są dzielone. Nikomu nic do tego.

— Jej adwokaci nie będą idiotami, Wally. W chwili gdy dojdzie do ugody w sprawie krayoxxu, będą wszystko wiedzieli.

— Daj spokój, Oscarze, przecież takie okazje nie zdarzają nam się cały czas. Podejrzewam, że przez ostatnie dziesięć lat miałeś średni roczny dochód w wysokości... ilu? Siedemdziesięciu pięciu tysięcy?

Oscar wzruszył ramionami.

— Podobnie jak ty. Żałosne, nie uważasz? Po trzydziestu latach w okopach.

— Nie o to chodzi, Oscarze. Chodzi o to, że przy rozwodzie sprawdzają, ile zarobiłeś w przeszłości.

— Wiem.

— Jeśli pieniądze z krayoxxu są moje, możemy udowodnić, że twoje dochody się nie zmieniły.

— Co zrobisz z tymi pieniędzmi?

— Zakopię je gdzieś na wybrzeżu, aż rozwód się skończy. Cholera, Oscarze, to nie musi być wybrzeże, wyskoczymy do

274

Wielkiego Kanionu i będziemy sprawdzali raz w roku, czy tam są. Uwierz mi, nie ma sposobu, żeby się dowiedzieli. Ale musisz złożyć pozew teraz i się wyprowadzić.

— Dlaczego tak mnie namawiasz na rozwód?

— Ponieważ nienawidzę tej kobiety. Bo ty marzysz o rozwodzie od końca miesiąca miodowego. Bo zasługujesz na to, żeby być szczęśliwym, a kiedy rzucisz tę sukę, twoje życie od razu zmieni się na lepsze. Pomyśl o tym, Oscarze. Wolny w wieku sześćdziesięciu dwóch lat z gotówką w banku.

Oscar nie potrafił stłumić uśmiechu. Opróżnił trzeci kieliszek. Zjadł kilka kęsów. Najwyraźniej z czymś się zmagał, w końcu zapytał:

— Jak mam jej to powiedzieć?

Wally otarł kąciki ust, wyprostował plecy i starał się nadać głosowi autorytatywne brzmienie.

— Cóż, jest wiele sposobów, jak można to zrobić, i wszystkie wypróbowałem. Czy rozmawialiście kiedykolwiek o rozejściu się?

— Nie przypominam sobie.

— Przypuszczam, że łatwo będzie zacząć od dużej kłótni.

— Och, bardzo łatwo. Ciągle jest z jakiegoś powodu niezadowolona, zwykle chodzi o pieniądze. Kłócimy się prawie codziennie.

— Tak właśnie myślałem. Zrób więc coś takiego, Oscarze: wróć dziś wieczorem do domu i zrzuć bombę. Powiedz jej, że jesteś nieszczęśliwy i chcesz odejść. Proste. Żadnej awantury, żadnych przepychanek, żadnych negocjacji. Powiesz jej, że może zatrzymać dom, samochód, meble, że może zabrać wszystko, jeśli zgodzi się na brak orzekania o winie.

— A jeśli się nie zgodzi?

— Odejdź tak czy inaczej. Możesz zatrzymać się u mnie, dopóki nie znajdziesz jakiegoś mieszkania. Kiedy zobaczy, jak wychodzisz, wścieknie się i zacznie swoje machinacje. Nie potrwa długo, zanim eksploduje. Daj jej czterdzieści osiem godzin i zamieni się w kobrę.

— Ona już jest kobrą.

— I była od dziesięcioleci. Wypełnimy formularze i jej wyślemy, a to do reszty wyprowadzi ją z równowagi. Jeszcze przed końcem tygodnia wynajmie adwokata.

— Udzielałem już takich rad, ale nigdy nie pomyślałem, że sam będę musiał z nich skorzystać.

— Oscarze, czasami potrzeba jaj, żeby odejść. Zrób to teraz, kiedy jeszcze możesz cieszyć się życiem.

Oscar nalał sobie ostatni kieliszek i się uśmiechnął. Wally nie potrafił sobie przypomnieć, kiedy widział starszego partnera tak zadowolonego.

— Potrafisz się na to zdobyć, Oscarze?

— Aha. Myślę, że chyba wrócę wcześniej do domu, zacznę się pakować i będę miał to wreszcie z głowy.

— Cudownie. Uczcijmy to dzisiaj obiadem. Na koszt firmy.

— Umowa stoi, ale tej laluni z nami nie będzie, prawda?

— Jakoś ją spławię.

Oscar dopił wino niczym pięćdziesiątkę tequili i powiedział:

— Cholera, Wally, od lat nie byłem tak podekscytowany.

Rozdział 27

Naprawdę trudno było przekonać Khaingów, że potrzebują pomocy, ale po kilku tygodniach obiadów z Big Makiem w roli głównej darzyli Davida głębokim zaufaniem. W każdą środę po wcześniejszym obiedzie, na który było coś zdrowszego, David i Helen podjeżdżali do tego samego McDonalda, zamawiali takie same burgery i frytki i jechali do mieszkania na osiedlu w Rogers Park, żeby odwiedzić birmańską rodzinę. Zaw, babcia, i Lu, dziadek, przyłączali się, bo też bardzo lubili fast food. Przez resztę tygodnia żyli na diecie składającej się głównie z ryżu i kurczaków, ale w środy Khaingowie jadali jak Amerykanie.

Helen była w siódmym miesiącu ciąży, i rzeczywiście na to wyglądała. Początkowo miała wątpliwości dotyczące tych cotygodniowych odwiedzin. Jeśli ołów jest w powietrzu, musi pamiętać o nienarodzonym dziecku. Dlatego David wszystko sprawdził. Zadręczał prośbami doktora Biffa Sandroniego, aż w końcu uzyskał upust z dwudziestu tysięcy na pięć tysięcy dolarów, przy czym David odwalił większość czarnej roboty.

Sam chodził po mieszkaniu i zbierał próbki wody, farby ze ścian, ceramicznych powłok, filiżanek i spodków, talerzy, misek, albumów z rodzinnymi zdjęciami, zabawek, butów, ubrań, praktycznie wszystkiego, z czym rodzina się stykała. Zawiózł ten zbiór do laboratorium Sandroniego w Akron, zostawił tam, odebrał dwa tygodnie później i zwrócił rodzinie. Zgodnie z wynikami badań Sandroniego znajdowały się tam tylko śladowe ilości ołowiu, na poziomie zgodnym z normą, więc nikomu nic nie groziło. Helen i dziecko byli bezpieczni w mieszkaniu Khaingów.

Thuya zatruł się „Paskudnymi zębami" i doktor Sandroni był gotów zeznać to pod przysięgą w jakimkolwiek sądzie w kraju. David miał w perspektywie obiecujący proces, ale musieli jeszcze ustalić, kogo należy pozwać. On i Sandroni sporządzili krótką listę czterech chińskich producentów, robiących podobne zabawki dla amerykańskich importerów, ale nie potrafili wskazać, o którego dokładnie chodzi. I zgodnie z opinią Sandroniego istniało spore prawdopodobieństwo, że nigdy im się to nie uda. Zestaw „Paskudnych zębów" mógł być wyprodukowany przed dwudziestu laty, a potem leżeć gdzieś w magazynie przez dziesięciolecia, zanim został wysłany do Stanów Zjednoczonych, gdzie znowu przeleżał parę ładnych lat, nim trafił do sprzedaży. Producent i importer nadal mogli działać na rynku, ale mogli też przepaść wiele lat temu. Chińczycy byli pod ciągłym naciskiem ze strony amerykańskich kontrolerów, żeby monitorowali poziom ołowiu używanego przy wyrobie tysięcy produktów, i często ustalenie, kto co wyprodukował, było niemożliwe w skomplikowanym labiryncie tanich fabryk rozrzuconych po całym kraju. Choć doktor Sandroni dysponował nieskończenie długą listą źródeł, brał udział w setkach procesów, po czterech miesiącach poszukiwań nadal niczego nie ustalił. David i Helen odwiedzili każdy pchli targ i sklep z zabawkami w Chicago i na przedmieściach, zebrali zdumiewającą kolekcję sztucznych szczęk z wampirzymi kłami, ale nie natrafili na „Paskudne zęby". Ich poszukiwania jeszcze się nie skończyły, ale stracili entuzjazm. Thuya wrócił już do domu, żywy, ale bardzo chory. Uszkodzenie mózgu było poważne. Nie potrafił chodzić bez pomocy, mówić wyraźnie, jeść samodzielnie ani kontrolować fizjologii. Widzenie miał ograniczone i prawie nie reagował na proste polecenia. Pytany o imię, otwierał usta i wydawał dźwięk zbliżony do „Tay". Większość czasu spędzał w specjalnym łóżku z barierką, a dbanie o jego higienę było bardzo trudne. Opieka nad chłopcem stała się codziennym wyzwaniem dla całej rodziny i wielu sąsiadów. Przyszłości nie dawało się przewidzieć. Zgodnie z oświadczeniem lekarzy, przekazanym bardzo taktownie, prawdopodobieństwo, że jego stan się poprawi, było zerowe. W tajemnicy przed rodziną lekarz powiedział Davidowi, że ciało i mózg Thui nie będą rozwijały się normalnie i nic nie można na to poradzić. Nie istnieje też miejsce, gdzie można by go umieścić.

Za pomocą łyżki Thuya był karmiony specjalną mieszanką złożoną z dokładnie zmielonych owoców, warzyw i niezbędnych składników odżywczych. Nosił specjalne pieluchy. Mieszanka, pieluchy i leki kosztowały miesięcznie sześćset dolarów, z czego połowę David i Helen zobowiązali się pokrywać. Khaingowie nie mieli ubezpieczenia i gdyby nie wspaniałomyślność dyrekcji szpitala dziecięcego Lakeshore, Thuya nie miałby opieki na tak wysokim poziomie. I prawdopodobnie już by nie żył. Krótko mówiąc, Thuya stał się niewyobrażalnym ciężarem.

Soe i Lwin uparli się, żeby do obiadu mały siadał przy stole. Miał specjalne krzesełko, również podarowane przez szpital, i kiedy przywiązało się go i zapięło, siedział na nim prosto i cze-

kał na jedzenie. Podczas gdy rodzina zajadała burgery z frytkami, Helen ostrożnie karmiła go łyżeczką dla niemowląt.
Twierdziła, że powinna się wprawiać. David siedział po drugiej
stronie z papierowym ręcznikiem, gawędził z Soe o pracy
i życiu w Ameryce. Siostry Thui, które zdecydowały się na
amerykańskie imiona, Lynn i Erin, miały odpowiednio osiem
i sześć lat. Prawie się nie odzywały, ale widać było, że są
bardzo przejęte prawdziwym fast foodem. Kiedy zabierały
głos, mówiły doskonałym, pozbawionym akcentu angielskim.
Lwin zapewniała, że obie mają w szkole same szóstki.

To, że obiady te traktowano bardzo poważnie i niewiele się
podczas nich mówiło, spowodowane było prawdopodobnie tym,
że przyszłość rysowała się bardzo niepewnie. Od czasu do
czasu rodzice, dziadkowie i siostry spoglądali na Thuyę z takim
wyrazem twarzy, jakby za chwilę mieli się rozpłakać. Pamiętali
hałaśliwego, nadpobudliwego chłopczyka, który lubił się śmiać,
i teraz zmagali się z zaakceptowaniem prawdy, że on już nigdy
nie wróci. Soe obwiniał się o to, że kupił toksyczną zabawkę,
Lwin winiła siebie, że nie była bardziej spostrzegawcza. Lynn
i Erin miały wyrzuty sumienia, że zachęcały Thuyę do zabawy
z zębami i straszenia ich. Nawet Zew i Lu gnębiło poczucie
winy, bo powinni przecież byli coś zrobić, choć nie mieli
pojęcia co.

Po obiedzie David i Helen wyprowadzili Thuyę z mieszkania, przeszli krótkim odcinkiem chodnika i obserwowani
przez całą rodzinę, przypięli go pasami do tylnego siedzenia
w samochodzie. Na wszelki wypadek zabrali też ze sobą
niewielką torbę z dodatkowymi pieluchami i rzeczami do
mycia.

Jechali dwadzieścia minut nad brzeg jeziora i zaparkowali
niedaleko Navy Pier. David wziął go za lewą rękę, Helen za
prawą i zaczęli wolniutki spacer, wlokąc się noga za nogą. To

był widok rozdzierający serce. Thuya poruszał się jak dziesięciomiesięczne dziecko stawiające pierwsze kroki, ale nigdzie się nie śpieszyli i nie groził mu upadek. Szli promenadą nad brzegiem, mijając przeróżne łodzie. Kiedy Thuya chciał przystanąć i przyjrzeć się dwunastometrowemu keczowi, przystawali. Kiedy chciał popatrzeć na wielką łódź rybacką, zatrzymywali się i rozmawiali o niej. David i Helen mówili bez przerwy, niczym dwójka dumnych rodziców małego dziecka. Thuya bełkotał coś w odpowiedzi, jąkając się, wydawał ciąg niezrozumiałych dźwięków, a oni udawali, że go rozumieją. Gdy się zmęczył, zachęcali go, by szedł dalej. Zdaniem rehabilitanta ze szpitala to było ważne. Nie wolno dopuścić do zwiotczenia mięśni.

Zabierali go do parków, wesołych miasteczek, centrów handlowych, na mecze baseballowe i uliczne festyny. Wycieczki w środowe wieczory były dla niego ważne i stały się jedynym odpoczynkiem w tygodniu dla jego rodziny. Po dwóch godzinach wracali do domu.

Któregoś dnia czekały tam na nich trzy nowe twarze. W minionych miesiącach David zajmował się pomniejszymi problemami prawnymi Birmańczyków mieszkających na osiedlu i coraz lepiej znał prawo imigracyjne. W jednym przypadku o mało nie doszło do rozwodu, ale małżonkowie w końcu się pogodzili. Trwał też proces w sprawie zakupu używanego samochodu. Jego sława wśród Birmańczyków rosła, ale on nie był przekonany, czy to dobrze. Potrzebował klientów, którzy płacą.

Przybysze oparli się o karoserie samochodów. Soe wyjaśnił, że tych trzech mężczyzn pracowało dla firmy melioracyjnej. Ponieważ byli nielegalnymi imigrantami i właściciel firmy o tym wiedział, płacił im dwieście dolarów tygodniowo w gotówce. Tyrali po osiemdziesiąt godzin tygodniowo. Jakby tego było mało, szef od trzech tygodni nie wypłacił im centa. Słabo znali angielski, a ponieważ David nie wierzył własnym uszom, poprosił Soe, żeby powtórzył mu dokładnie wszystko jeszcze raz. Usłyszał to samo, co poprzednio: dwieście dolarów tygodniowo bez dodatku za nadgodziny, żadnej wypłaty od trzech tygodni. I wcale nie był to odosobniony przypadek. Pracowali tam inni Birmańczycy i duża grupa z Meksyku. Wszyscy nielegalni imigranci, wszyscy tyrający jak woły i wszyscy kiwani.

David coś zanotował i obiecał przyjrzeć się ich sytuacji.

Po drodze do domu opowiedział o tym Helen.

— Ale czy człowiek pracujący na czarno ma prawo pozwać nieuczciwego pracodawcę? — zapytała.

— Oto jest pytanie. Jutro się dowiem.

⋏ ⋏ ⋏

Oscar nie wrócił po lunchu do kancelarii. Nie byłoby z niego pożytku, bo miał zbyt dużo na głowie, by marnować czas na siedzenie za biurkiem. Trochę się upił i musiał wytrzeźwieć. Zatankował samochód, kupił w sklepiku wielki kubek kawy, a potem ruszył na południe I-57 i wkrótce znalazł się poza Chicago. Jechał wśród pól.

Ile razy doradzał klientom, by wzięli rozwód? Tysiące. W pewnych okolicznościach było to bardzo łatwe do zrobienia. „Posłuchaj, nadchodzi taki czas w małżeństwie, że mąż musi odejść. Dla ciebie ten czas właśnie nadszedł". Zawsze czuł się bardzo mądry, a nawet był z siebie zadowolony, gdy udzielał takiej rady. Teraz patrzył na siebie jak na oszusta. Jak ktoś może doradzać coś takiego, jeżeli sam przez to nie przeszedł?

Trwali z Paulą w nieszczęśliwym małżeństwie od trzydziestu lat. Ich jedynym dzieckiem była dwudziestosześcioletnia Keely, teraz rozwódka, która stawała się coraz bardziej podobna do matki. Rozwód Keely nadal był bolesną sprawą, przede wszystkim dlatego, że rozkoszowała się swoim nieszczęściem. W pracy zarabiała marne centy, miała mnóstwo problemów emocjonalnych wymagających tabletek, a jej główną terapią były niekończące się zakupy z matką, za które płacił Oscar.

— Mam dość ich obu — powiedział Oscar głośno i odważnie, gdy mijał drogowskaz w Kankakee. — Mam sześćdziesiąt dwa lata, dobre zdrowie i spodziewam się pożyć jeszcze dwadzieścia trzy lata. Mam prawo szukać szczęścia, prawda?

Oczywiście, że tak.

Ale jak to powiedzieć? Oto jest pytanie. Jakich słów powinien użyć, żeby rzucić bombę? Pomyślał o dawnych klientach, starych rozwodnikach, którymi zajmował się od lat. Na jednym końcu spektrum bomba wybuchała, gdy żona przyłapywała męża w łóżku z inną kobietą. Oscar przypominał sobie trzy czy cztery takie przypadki. To było idealne rozwiązanie. Nasze małżeństwo jest skończone, kochanie, poznałem kogoś. Jednak raz zajmował się parą, która nigdy się nie kłóciła, nie mówiła o separacji, rozwodzie i niedawno świętowała trzydziestą rocznicę ślubu, kupiła nawet domek nad jeziorem, gdzie zamierzała zamieszkać po przejściu na emeryturę. Któregoś dnia mąż wrócił do domu z delegacji i zastał dom pusty. Wszystkie ubrania żony i połowa mebli zniknęły. Wyprowadziła się. Powiedziała, że nigdy go nie kochała. Wkrótce ponownie wyszła za mąż, a on popełnił samobójstwo.

Sprowokowanie Pauli do kłótni nigdy nie było trudne. Ta kobieta uwielbiała awantury i sprzeczki. Może powinien więcej wypić, przyjść do domu lekko pijany, pozwolić, żeby zaczęła się czepiać jego picia, na co wytknąłby jej ostro niekończące się zakupy i podsycałby ogień, aż oboje zaczęliby na siebie wrzeszczeć. Wtedy wziąłby trochę rzeczy i wypadł z domu jak burza.

Oscar nigdy nie mógł zdobyć się na odwagę, by odejść. Powinien, dziesiątki razy, ale zawsze emocje opuszczały go w przedpokoju. Szedł wtedy do pokoju gościnnego, zamykał się tam na klucz i spał sam.

Kiedy zbliżał się do Champaign, miał już gotowy plan. Po co podstępnie wywoływać kłótnię, żeby zwalić na nią winę? Chce odejść, dlatego postanowił być mężczyzną i przyznać się do tego. „Jestem nieszczęśliwy, Paulo, i to od lat. Nie ma wątpliwości, że ty też jesteś nieszczęśliwa, bo inaczej nie awanturowałabyś się ze mną i nie zrzędziła przez cały czas. Odchodzę. Możesz zatrzymać dom i wszystko, co w nim jest. Zabieram swoje rzeczy. Żegnaj". Skręcił i ruszył na północ.

⋏ ⋏ ⋏

Ostatecznie sprawa okazała się dość prosta i Paula zupełnie nieźle to przyjęła. Trochę popłakała, kilka razy go sklęła, ale kiedy Oscar nie dał się podpuścić, zamknęła się w piwnicy i nie chciała stamtąd wyjść. Oscar zapakował do samochodu ubrania i kilka osobistych rzeczy, a potem odjechał, uśmiechnięty, z poczuciem ulgi i zadowolenia, które rosło z każdą minutą.

Sześćdziesiąt dwa lata, najwyższy czas posmakować wolności i mieć ją już na zawsze, czas zostać bogatym człowiekiem, jeśli mógł wierzyć Wally'emu, a w tej chwili mu wierzył. Prawdę mówiąc, pokładał ogromne zaufanie w swoim młodszym wspólniku.

Oscar nie był pewny, dokąd zmierza, ale nie miał zamiaru jechać do Wally'ego i spędzać tam nocy. Napatrzył się na niego w ciągu dnia w pracy, poza tym blachara też na pewno tam wpadnie, a Oscar jej nie znosił. Jeździł przez mniej więcej godzinę, po czym zameldował się w hotelu niedaleko O'Hare. Przysunął fotel do okna i patrzył, jak w oddali startują i lądują samoloty. Pewnego dnia sam zacznie podróżować — wyspy, Paryż, Nowa Zelandia — mając u swego boku jakąś miłą panią.

Już czuł się dwadzieścia lat młodszy. Wszystko zapowiadało się wspaniale.

Rozdział 28

Następnego ranka o wpół do ósmej Rochelle przyjechała wcześniej, żeby nacieszyć się jogurtem i gazetą, nie
mając żadnego towarzystwa poza AC, ale AC już bawił się
z kimś innym. Pan Finley był w pracy, i to całkiem zadowolony.
Rochelle nie potrafiła sobie przypomnieć, kiedy ostatni raz
zjawił się w kancelarii przed nią.

— Dzień dobry, pani Gibson — powiedział ciepłym, serdecznym głosem, a na jego pobrużdżonej twarzy malowała się
radość.

— Co pan tu robi? — zapytała podejrzliwie.

— Tak się składa, że jestem właścicielem tego budynku.

— Z czego jest pan taki zadowolony? — zadała kolejne
pytanie, stawiając torebkę na biurku.

— Bo ostatnią noc przespałem w hotelu. Sam.

— Może powinien pan robić to częściej.

— Nie chce pani wiedzieć dlaczego?

— Pewnie, że chcę. Dlaczego?

— Ponieważ wczoraj wieczorem odszedłem od Pauli, pani

Gibson. Spakowałem się, pożegnałem, wyszedłem i nie mam zamiaru tam wracać.

— Bogu niech będą dzięki — powiedziała. Oczy miała szeroko otwarte ze zdumienia. — Naprawdę?

— Naprawdę. Po trzydziestu paskudnych latach stałem się wolnym człowiekiem. I dlatego jestem taki zadowolony, pani Gibson.

— Cóż, w takim razie ja też jestem zadowolona. Gratuluję.

Przez osiem i pół roku pracy w kancelarii Finleya i Figga Rochelle nie poznała Pauli i bardzo się z tego cieszyła. Zgodnie z tym, co mówił Wally, Paula nie chciała nawet zbliżyć się do ich budynku, ponieważ byłoby to poniżej jej godności. Chwaliła się ludziom, że jej mąż jest adwokatem, dając do zrozumienia, że ma pieniądze i władzę, ale w głębi duszy czuła się upokorzona niską pozycją jego kancelarii. Wydawała każdego centa, którego zarobił, i gdyby nie jakieś tajemnicze fundusze jej rodziny, już wiele lat temu musieliby ogłosić bankructwo. Przy co najmniej trzech okazjach domagała się, żeby Oscar zwolnił Rochelle, a on dwa razy próbował to zrobić. W obu przypadkach salwował się ucieczką do swojego gabinetu, gdzie za zamkniętymi drzwiami lizał rany. Kiedyś pani Finley zadzwoniła i chciała rozmawiać z mężem. Rochelle poinformowała ją uprzejmie, że jest zajęty z klientem. „A co mnie to obchodzi? — powiedziała. — Proszę mnie połączyć". Rochelle znów odmówiła i zamiast tego przełączyła ją na tryb oczekiwania. Kiedy Rochelle ją odblokowała, Paula klęła jak szewc bliska ataku serca i zagroziła, że zaraz pojawi się w kancelarii i zrobi porządek. Na co Rochelle odpowiedziała: „Proszę bardzo, ale niech pani to robi na własne ryzyko. Mieszkam w domu czynszowym i nie tak łatwo mnie przestraszyć". Paula nie przyszła, ale dała popalić mężowi.

Rochelle podeszła i mocno uścisnęła Oscara. Żadne z nich

nie pamiętało, kiedy ostatni raz dotykali się z jakiegokolwiek powodu.

— Będzie pan jak nowo narodzony. Moje gratulacje.

— Rozwód nie powinien być skomplikowany — powiedział Oscar.

— Chyba nie skorzysta pan z usług Figga?

— Cóż, tak. Nie jest drogi. Widziałem jego nazwisko na kuponie bingo.

Roześmiali się, a potem zaczęli plotkować, siedząc przy stole.

Godzinę później, podczas trzeciego zebrania firmy, Oscar powtórzył nowinę Davidowi, który wydawał się trochę zbity z tropu entuzjazmem, jaki wywołała ta wiadomość. U nikogo nie było widać ani śladu smutku. To oczywiste, że Paula Finley narobiła sobie mnóstwo wrogów. Oscar niemal chichotał na myśl o tym, że zostawił żonę.

Wally podsumował swoje rozmowy z Jerrym Alisandrosem i opowiadał w taki sposób, jakby czeki na ogromne sumy zostały już praktycznie wysłane pocztą. Kiedy Wally napawał się własnymi słowami, David nagle domyślił się, jaka intryga stoi za rozwodem. Pozbyć się żony teraz, i to szybko, zanim do kasy zaczną wpływać poważne pieniądze. Niezależnie od tego, jaki był plan, David wyczuwał kłopoty. Ukrywanie majątku, przekierowywanie funduszy, tworzenie fikcyjnych kont bankowych — prawie słyszał rozmowę, jaką odbyli obaj wspólnicy. Zapaliło mu się żółte światło. Powinien zachować czujność i uważnie się temu przyglądać.

Wally namawiał, żeby ostro wziąć się do dzieła, uporządkować akta, znaleźć nowych klientów, odłożyć na bok wszystko inne i tak dalej. Alisandros obiecał biegłych lekarzy, kardiologów, wszelką pomoc logistyczną, by przygotować klientów do ugody. Każdy przypadek, który mieli w rękach, był wart prawdziwe pieniądze, każdy kolejny przypadek mógł okazać się jeszcze cenniejszy.

Oscar siedział i się uśmiechał. Rochelle słuchała bardzo uważnie. David uznał te wiadomości za ekscytujące, ale zachował sceptycyzm. Dużo z tego, co Wally powiedział, było przesadzone i David nauczył się już dzielić wszystko na pół. Mimo to nawet połowa zapowiadała wspaniały dzień wypłaty.

Bilans finansowy rodziny Zinców spadł poniżej stu tysięcy dolarów w gotówce i choć David nie chciał się martwić, coraz częściej o tym myślał. Zapłacił Sandroniemu siedem i pół tysiąca dolarów za badania do sprawy, która prawdopodobnie nie była tego warta. On i Helen przekazywali co miesiąc trzysta dolarów na pomoc dla Thui, co mogło potrwać jeszcze całe lata. Nie żałowali tego, ale rzeczywistość skrzeczała. Miesięczny dochód Davida z kancelarii stale wzrastał, ale było mało prawdopodobne, że kiedykolwiek zarobi tam tyle, ile dostawał u Rogana. To nie był teraz dla niego punkt odniesienia. Obliczył, że mając dziecko, żeby żyć wygodnie, będzie potrzebował stu dwudziestu pięciu tysięcy rocznie. Krayoxx mógłby poprawić ten bilans, choć David i dwaj wspólnicy nie poruszyli jeszcze tematu jego udziału w zyskach.

Trzecie zebranie firmowe skończyło się dość nagle, gdy jakaś olbrzymia kobieta w dresie i klapkach wdarła się do biura i zażądała rozmowy z adwokatem o krayoxxie. Brała lek od dwóch lat i naprawdę czuła, że ma coraz słabsze serce, i jeszcze tego dnia chciała pozwać producenta. Oscar i David zniknęli. Wally przywitał się z nią, uśmiechnął i powiedział:

— Cóż, nie ma wątpliwości, że trafiła pani pod właściwy adres.

▲ ▲ ▲

Rodzina Maxwellów wynajęła adwokata z Boise, Fraziera Ganta, który był numerem jeden w średnio prosperującej kancelarii prawniczej, zajmującej się głównie błędami lekar-

skimi i wypadkami z udziałem ogromnych ciężarówek z na-
czepami. Boise nie jest właściwie miejscem do wydawania
wyroków opiewających na duże sumy. Rzadko zdarza się tam
zasądzenie odszkodowań w pozwach zbiorowych równie libe-
ralne, jak na Florydzie, w Teksasie, Nowym Jorku i Kalifornii.
Idaho krzywym okiem patrzy na pozwy zbiorowe, a sędziowie
tam są generalnie konserwatywni. Niemniej Gant radził sobie
z prowadzeniem spraw i uzyskiwaniem wyroków. Był kimś,
z kim należało się liczyć, i w tej chwili miał w rękach największy proces w kraju. Chodziło o zmarłego senatora, którego
śmierć powaliła na podłogę Senatu, a wszystko wskazywało
na to, że odpowiedzialna jest za to ogromna korporacja. To
proces, o jakim śnią adwokaci.

Gant upierał się przy spotkaniu w Waszyngtonie, jako przeciwieństwie Boise, choć Layton Koane był gotów spotkać się
gdziekolwiek. W rzeczywistości Koane wolałby każde inne
miasto zamiast Waszyngtonu, bo w tym przypadku musiałby
przyjąć Ganta w swoim biurze. Grupa Koane'a wynajęła ostatnie
piętro nowiuteńkiego, bardzo reprezentacyjnego i lśniącego
dziesięciopiętrowego budynku przy K Street, na tym odcinku
asfaltu, gdzie tłoczyli się „pośrednicy" mający prawdziwe
wpływy. Zapłacił fortunę nowojorskiemu dekoratorowi za
projekt podkreślający bogactwo i prestiż. I to się sprawdzało.
Klienci — obecni i potencjalni — zastygali w nabożnym
podziwie na widok marmuru i szkła już w chwili, gdy wychodzili z prywatnej windy. Znajdowali się w centrum władzy
i bez wątpienia za to płacili.

W przypadku Ganta role były odwrócone. To lobbysta miał
zapłacić, dlatego wolałby skromniejsze miejsce. Jednak Gant
się uparł i mniej więcej dziewięć tygodni po śmierci senatora,
i co ważniejsze, przynajmniej dla Koane'a i Varrick Laboratories, prawie siedem tygodni od wycofania krayoxxu z rynku

przez Agencję do spraw Żywności i Leków, panowie poznali się i usiedli przy niewielkim okrągłym stole konferencyjnym w kącie gabinetu Koane'a. Ponieważ Koane nie był zainteresowany robieniem wrażenia na kliencie i zadanie, które go czekało, uważał za obmierzłe, nie marnował czasu.

— Wiem z pewnego źródła, że rodzina zgodzi się na odszkodowanie wysokości pięciu milionów dolarów i nie założy sprawy — zaczął.

Gant zmarszczył czoło i skrzywił się, jakby dokuczały mu hemoroidy.

— Możemy negocjować — rzucił jakby od niechcenia, co nic nie znaczyło. Przyleciał z Boise na negocjacje, i nic więcej. — Ale wydaje mi się, że pięć to najniższa stawka.

— A jaka jest najwyższa? — zapytał Koane.

— Mój klient nie jest bogaty — odrzekł Gant ze smutkiem. — Jak panu wiadomo, senator był bez reszty oddany służbie publicznej i wiele dla niej poświęcił. Zostawił tylko pół miliona dolarów, a rodzina ma potrzeby. Maxwell to duże nazwisko w Idaho i rodzina chciałaby utrzymać określony standard.

Wymuszanie pieniędzy było specjalnością Koane'a, więc trochę bawiło go to, że znalazł się teraz po drugiej stronie barykady. Rodzina składała się z wdowy, bardzo miłej sześćdziesięcioletniej kobiety bez pretensji, która nie miała upodobania do zbytku, czterdziestoletniej córki, żony pediatry, siedzącej po uszy w kredytach na wszelkich możliwych frontach, trzydziestopięcioletniej córki uczącej w szkole za czterdzieści jeden tysięcy dolarów rocznie, i trzydziestojednoletniego syna, z którym był problem. Kirk Maxwell junior od piętnastego roku życia zmagał się z uzależnieniem od narkotyków i alkoholu i nie wygrywał tej walki. Koane wszystko sprawdził i wiedział o tej rodzinie więcej niż Gant.

— Może wymieni pan jakąś kwotę? — zaproponował. — Ja powiedziałem „pięć", teraz pana kolej.

— Pański klient traci z zysku około dwudziestu milionów dziennie, dlatego że krayoxxu nie ma już na rynku — powiedział Gant trochę ciszej, jakby dzielił się poufną informacją, którą w swej mądrości zdobył.

— Dokładnie osiemnaście, ale nie bawmy się w liczykrupy.

— Dwadzieścia milionów brzmi bardzo dobrze.

Koane spojrzał ponad okularami do czytania. W tym interesie nic nie mogło go zaskoczyć, więc teraz musiał trochę poudawać.

— Dwadzieścia milionów dolców? — powtórzył, udając niedowierzanie.

Gant zacisnął zęby i skinął głową.

Koane szybko odzyskał wigor i rzekł:

— Powiem wprost. Senator Maxwell był tu przez trzydzieści lat i w tym czasie dostał co najmniej trzy miliony od potężnego producenta leków i powiązanych z nim komitetów wyborczych, z czego spora część pochodziła z kieszeni zakładów Varrick i ich zarządu, wziął też około miliona od ludzi z narodowej inicjatywy reformy pozwów zbiorowych i innych grup dążących do zaostrzenia prawa procesowego. Kolejne cztery miliony dostał od lekarzy, szpitali, banków, fabrykantów, przedsiębiorstw handlowych... to bardzo długa lista dobrze prosperujących grup, chcących za wszelką cenę ukrywać szkody, ograniczać procesy i w zasadzie zatrzaskiwać drzwi sądu przed każdym, kto chciałby dochodzić odszkodowania za utratę zdrowia lub śmierć. Jeśli chodzi o reformę pozwów zbiorowych i wielkich producentów leków, nieodżałowany zmarły senator miał doskonałe wyniki w głosowaniu. Wątpię, żeby pan go popierał.

— Od czasu do czasu — mruknął Gant bez przekonania.

— Cóż, nie natrafiliśmy na żaden ślad dotacji pańskiej ani

292

z pańskiej kancelarii na jego kampanię. Powiedzmy prawdę, walczyliście w różnych obozach.

— W porządku, ale jakie to ma znaczenie w tej chwili?

— Żadnego.

— To po co o tym rozmawiamy? On, podobnie jak wszyscy członkowie Senatu, zgromadził mnóstwo pieniędzy. Wszystko odbywało się legalnie i pieniądze były wydawane na jego reelekcję. Na pewno rozumie pan tę grę, panie Koane.

— W rzeczy samej, rozumiem. Zatem on umiera, a wina za to spada na krayoxx. Czy jest pan świadomy, że senator przestał brać ten lek? Ostatnia recepta pochodzi z października zeszłego roku, wystawiono ją siedem miesięcy przed jego zejściem. Sekcja zwłok ujawniła poważną chorobę serca, zator i niedrożność arterii, a nic z tego nie zostało spowodowane przez krayoxx. Doprowadzi pan do procesu i polegnie.

— Bardzo wątpię, panie Koane. Nie widział mnie pan na sali sądowej.

— Nie widziałem. — Ale Koane miał informacje. Najwyższy wyrok, jaki uzyskał Gant, opiewał na dwa miliony dolarów, po apelacji zmniejszony o połowę. Jak wynikało z jego zeznania podatkowego, w poprzednim roku zarobił niecałe czterysta tysięcy dolarów. Marne centy w porównaniu z milionami, które wpłynęły na konto Koane'a. Gant płacił miesięcznie pięć tysięcy dolarów alimentów i dodatkowe jedenaście tysięcy kosztowało go spłacanie hipoteki bardzo zadłużonego domu przy polu golfowym. Sprawa Maxwella była bez wątpienia jego kołem ratunkowym. Koane nie znał szczegółowych warunków jego wynagrodzenia, ale zgodnie z tym, czego dowiedział się ze źródła w Boise, Gant dostałby dwadzieścia pięć procent przy ugodzie i czterdzieści procent od odszkodowania przyznanego przez sąd.

Gant pochylił się i oparł łokcie na stole.

— Obaj wiemy, że ta sprawa nie dotyczy odpowiedzialności i nie chodzi w niej o uszczerbek na zdrowiu. Zasadnicze pytanie brzmi: ile zarząd Varrick gotów jest zapłacić, żeby powstrzymać mnie przed wytoczeniem głośnego, dużego procesu. Bo jeśli to zrobię, utrzyma się nacisk na Agencję do spraw Żywności i Leków, prawda, panie Koane?

▲ ▲ ▲

Koane przeprosił go na chwilę i poszedł do innego pokoju. Reuben Massey czekał w swoim gabinecie w Varrick Laboratories. Nicholas Walker również tam był i siedział przy stole. Używali trybu głośnomówiącego.

— Chcą dwudziestu milionów — powiedział Koane i przygotował się na atak.

Massey przyjął jednak tę wiadomość bez żadnych emocji. Wierzył w produkty firmy i właśnie rzucił na rynek plazid, ich własną wersję pigułek szczęścia.

— Niech mnie, Koane — powiedział spokojnie. — Odwalasz kawał niezłej roboty przy stole negocjacyjnym, staruszku. Zaczęliśmy od pięciu, a teraz mamy już dwadzieścia. Lepiej zgódźmy się na te dwadzieścia, zanim podbijesz to do czterdziestu. O co w tym wszystkich chodzi, do cholery?

— O nic poza chciwością, Reubenie. Wiedzą, że mają nas w garści. Ten facet sam przyznał, że w tym procesie nie będzie chodziło ani o odpowiedzialność, ani o uszkodzenie zdrowia. Nie możemy już sobie pozwolić na złą prasę, więc ile zgodzimy się zapłacić, żeby uciszyć Maxwellów? To takie proste.

— Wydawało mi się, że jakieś wspaniałe źródło szeptało ci do ucha o pięciu milionach?

— Mnie też się tak wydawało.

— To nie jest pozywanie do sądu, to zbrojna napaść.

— Tak, Reubenie, obawiam się, że masz rację.

— Layton, tu Nick. Sprzeciwiłeś się?

— Nie. Mam pozwolenie na pięć. Dopóki mi nie powiecie, nie mogę wejść wyżej.

— To idealny moment, żeby wstać od stołu — stwierdził Walker z uśmiechem. — Ten facet, Gant, już liczy kasę, kilka milionów, jak mu się wydaje. Znam ten typ, jest przewidywalny. Odeślijmy go do Idaho z pustymi kieszeniami. Nie będzie wiedział, co poszło nie tak, podobnie jak rodzina Maxwella. Koane, przekaż mu, że górna granica to pięć milionów, a prezes zarządu jest akurat za granicą. Będziemy musieli się spotkać i przedyskutować wszystko, co zajmie parę dni. Niemniej ostrzeż go, że jeśli pójdzie do sądu, wszelkie rozmowy w sprawie ugody ustaną.

— Nie zrobi tego — odpowiedział Koane. — Myślę, że masz rację. Też uważam, że on już liczy pieniądze.

— Podoba mi się to — odrzekł Massey. — Ale jeszcze przyjemniej będzie uciąć temu łeb. Podnieś do siedmiu, Laytonie, ale to maksimum.

⋏ ⋏ ⋏

Znalazłszy się w swoim gabinecie, Koane usiadł na fotelu i oznajmił:

— Jestem upoważniony do zaproponowania siedmiu milionów. Nie mogę zaproponować więcej, ponieważ prezes zarządu jest dziś nieobecny. Chyba podróżuje po Azji i jest prawdopodobnie w samolocie.

— Od siedmiu do dwudziestu droga daleka — zauważył Gant, marszcząc czoło.

— Nie dostanie pan dwudziestu. Rozmawiałem z adwokatem firmy, który jest również członkiem zarządu.

— W takim razie spotkamy się w sali sądowej — powiedział Gant, zamykając teczkę, z której i tak niczego nie wyjmował.

— To kiepska groźba, panie Gant. Żadna ława przysięgłych w tym kraju nie da panu siedmiu milionów za śmierć spowodowaną chorobą serca, niemającą żadnego związku z naszym lekiem. Nasza taktyka polega na tym, że procesy z nami trwają zwykle trzy lata. To dużo czasu, żeby siedzieć i myśleć o siedmiu milionach.

Gant wstał nagle i powiedział:

— Dziękuję panu za poświęcony mi czas, panie Koane. Sam trafię do drzwi.

— Jeśli pan wyjdzie, panie Gant, oferowane siedem milionów zniknie ze stołu. Pojedzie pan do domu z niczym.

Gant zawahał się, ale zaraz podjął marsz.

— Do zobaczenia w sądzie — wycedził przez zaciśnięte zęby i zamknął za sobą drzwi.

⋏ ⋏ ⋏

Dwie godziny później Gant zadzwonił z komórki. Wyglądało na to, że rodzina Maxwellów zastanowiła się, odzyskała zdrowy rozsądek i za namową adwokata, któremu ufała, doszła do wniosku, że, no cóż, siedem milionów brzmi mimo wszystko cholernie dobrze. Layton Koane przedstawił mu pełny obraz sytuacji i Gant nie tylko się zgodził, ale też był bardzo zadowolony.

Po telefonie Koane zrelacjonował tę rozmowę Reubenowi Masseyowi.

— Bardzo wątpię, czy w ogóle rozmawiał z rodziną — powiedział Koane. — Moim zdaniem obiecał im pięć milionów, a potem postanowił iść na całość, zaryzykować z dwudziestoma i teraz wraca szczęśliwy z ugodą na siedem. Będzie bohaterem.

— A my uniknęliśmy kuli. Pierwszy raz od dawna ktoś nie wcelował — podsumował Massey.

Rozdział 29

David złożył w sądzie federalnym pozew, w którym zarzucał łamanie wszelkich praw pracowniczych podejrzanej firmie melioracyjnej o nazwie Cicero Pipe. Pracę wykonywano przy ogromnej oczyszczalni wody w południowej części Chicago, na którą pozwany miał kontrakt opiewający na sześćdziesiąt milionów dolarów. Pozywającymi było trzech nielegalnie zatrudnianych robotników z Birmy i dwóch z Meksyku. Łamanie przepisów dotyczyło znacznie większej liczby osób, ale większość odmówiła udziału w procesie. Za bardzo się bali.

Zgodnie z informacjami, jakie David zgromadził, Departament Pracy i Urząd Celno-Imigracyjny Stanów Zjednoczonych zawarły chwiejne porozumienie w sprawie złego traktowania nielegalnych imigrantów. Niewzruszona zasada o nieograniczonym dostępie do sprawiedliwości przeważyła (odrobinę) nad koniecznością uregulowania statusu prawnego imigranta w Stanach. Dlatego nielegalnie zatrudniony pracownik, który był na tyle śmiały, by rozpocząć walkę z nieuczciwym pracodawcą, nie podlegał władzy Urzędu Celno-Imigracyjnego przynajmniej na czas prowadzonego sporu. David bez przerwy powtarzał to robotnikom, aż w końcu Birmańczycy, poszturchiwani przez Soe Khainga, zdobyli się na odwagę i zgodzili złożyć pozew. Pozostali, z Gwatemali i Meksyku, byli za bardzo wystraszeni perspektywą stracenia nawet tych marnych centów, które zarabiali. Jeden z Birmańczyków szacował, że chodzi o co najmniej trzydziestu ludzi, z których wszyscy byli zatrudnieni na czarno i mieli płacone gotówką dwieście dolarów tygodniowo za osiemdziesiąt i więcej godzin ciężkiej pracy.

Potencjalne straty były ogromne. Minimalna płaca wynosiła siedem dolarów i dwadzieścia pięć centów, a prawo federalne określało również dziesięć dolarów i osiemdziesiąt siedem centów jako stawkę za każdą godzinę powyżej czterdziestu na tydzień. Za osiemdziesiąt godzin każdy pracownik powinien otrzymać co tydzień siedemset dwadzieścia cztery dolary i osiemdziesiąt centów albo pięćset dwadzieścia cztery dolary i osiemdziesiąt centów więcej, niż mu płacono. Choć ustalenie dokładnych dat nie było możliwe, David zakładał, że Cicero Pipe robiło ten szwindel co najmniej od trzydziestu tygodni. Zgodnie z prawem zadośćuczynienie za powstałe straty wynosiło podwójną wartość niewypłaconej pensji, więc każdy z jego pięciu klientów powinien otrzymać mniej więcej trzydzieści jeden tysięcy dolarów. Prawo dopuszczało również obciążenie pozwanego kosztami procesu i honorarium adwokata.

Oscar niechętnie zgodził się, żeby David złożył ten pozew. Wally'ego nigdzie nie było. Szlifował bruk w poszukiwaniu dużych ludzi.

Trzy dni po wytoczeniu sprawy anonimowy rozmówca postraszył Davida przez telefon, że poderżnie mu gardło, jeśli pozew nie zostanie natychmiast wycofany. David zgłosił ten telefon na policję. Oscar radził mu, żeby kupił sobie pistolet i nosił go w teczce. David odmówił. Następnego dnia w anonimowym liście grożono mu śmiercią i wymieniono też nazwiska jego kolegów: Oscara Finleya, Wally'ego Figga, a nawet Rochelle Gibson.

▲ ▲ ▲

Jakiś bandzior szedł energicznie Preston, jakby śpieszył się do domu. Właśnie minęła druga w nocy, powietrze pod koniec czerwca było ciepłe i gęste. Mężczyzna był biały, w wieku około trzydziestu lat, w imponujących raperskich ciuchach i z bardzo małym mózgiem. Na ramieniu miał zawieszoną tanią sportową torbę, a w niej dwie litrowe plastikowe butelki z benzyną, mocno zakręcone. Skierował się w prawo i przygarbiony wbiegł na ganek kancelarii adwokackiej. Wszystkie światła były zgaszone, na zewnątrz i w środku. Preston Avenue spała, nawet salon masażu zamknął już podwoje.

Gdyby AC się obudził, usłyszałby lekkie szczęknięcie gałki u drzwi, kiedy bandyta sprawdzał na wszelki wypadek, czy ktoś nie zapomniał ich zamknąć. Nikt jednak o tym nie zapomniał. AC chrapał w kuchni, lecz Oscar obudził się w piżamie na kanapie pod kocem i myślał, jak bardzo jest szczęśliwy, od kiedy się wyprowadził.

Bandzior przeszedł wzdłuż ganku, zeskoczył i popędził wokół budynku do tylnych drzwi. Miał zamiar dostać się do środka i zdetonować swoje prymitywne bomby. Dwa litry benzyny na drewnianej podłodze, zasłony i książki znajdujące się w pobliżu wystarczyłyby do spalenia starego domu, zanim przyjechałaby straż pożarna. Szarpnął drzwi — również okazały się zamknięte — ale szybko poradził sobie z zamkiem za pomocą śrubokręta. Otworzył je na oścież i zrobił krok do środka. Wszędzie było ciemno.

Pies zaczął warczeć, a potem rozległy się dwa wyjątkowo

głośne strzały. Łobuz wrzasnął, spadł z krótkich schodów na niewielką zapuszczoną rabatkę. Oscar stał nad nim. Zobaczył od razu, że trafił drania tuż nad kolanem.

— Nie! Błagam! — jęczał bandzior.

Starannie mierząc, Oscar z zimną krwią strzelił mu w drugą nogę.

▲ ▲ ▲

Dwie godziny później Oscar, już częściowo ubrany, rozmawiał swobodnie z dwoma policjantami, siedząc przy stole. Wszyscy trzej popijali kawę. Bandyta był w szpitalu, na chirurgii — miał uszkodzone obie nogi, ale śmierć na pewno mu nie groziła. Nazywał się Justin Bardall i kiedy nie bawił się ogniem i nie właził pod lufę, był operatorem spychacza w Cicero Pipe.

— Idioci, idioci, idioci — powtarzał Oscar.

— Nikt nie miał go przyłapać — powiedział jeden z gliniarzy, śmiejąc się.

W tym momencie dwóch detektywów w Evanston pukało do drzwi właściciela Cicero Pipe. Zaczynał się dla niego długi dzień.

Oscar wyjaśnił, że właśnie się rozwodzi i szuka mieszkania. Kiedy nie mieszkał w hotelu, spał na kanapie w kancelarii.

— Mam to miejsce od dwudziestu jeden lat — powiedział. Znał jednego z gliniarzy, a drugiego widywał w okolicy. Żaden z nich nie przejął się strzelaniną. Chodziło o obronę prywatnej własności i to było jasne jak słońce, choć Oscar pominął w zeznaniu niepotrzebny strzał w drugą nogę. Poza dwoma butelkami z benzyną w sportowej torbie znaleziono kawał bawełnianej szmaty nasączonej najprawdopodobniej naftą i kilka kawałków tektury. Był to zmodyfikowany koktajl Mołotowa, ale nie taki, który się rzuca. Policjanci domyślali się, że tektura miała zostać użyta jako podpałka. W sumie chodziło o żałosną próbę podpalenia, choć żeby wzniecić pożar, nie trzeba być geniuszem.

W czasie ich rozmowy na ulicy przed kancelarią zaparkowała furgonetka wiadomości telewizyjnych. Oscar założył krawat i dał się sfilmować.

Kilka godzin później, podczas czwartego zebrania firmowego, David z ciężkim sercem słuchał nowin, ale nadal odmawiał noszenia broni. Rochelle trzymała w torebce tani pistolet, więc troje z ich czwórki było uzbrojonych. Dziennikarze nie przestawali dzwonić. Pracownicy kancelarii stawali się coraz sławniejsi.

— Pamiętajcie — powtarzał Wally kolegom — jesteśmy butikiem specjalizującym się w sprawie krayoxxu. Wszyscy zrozumieli?

— Tak, tak — wystękał Oscar. — A co z łamaniem prawa w przypadku birmańskich robotników?

— To też.

Zebranie zostało przerwane, kiedy do drzwi zapukał jakiś dziennikarz.

Wkrótce stało się jasne, że w kancelarii adwokackiej Finleya i Figga tego dnia nie będzie się praktykowało żadnego prawa. David i Oscar rozmawiali z „Tribune" i „Sun-Timesem". Podawano szczegóły. Pan Bardall został wypisany z chirurgii, zamknięty w izolatce i nie rozmawiał z nikim poza adwokatem. Właściciel Cicero Pipe i jego dwaj kierownicy zostali aresztowani, ale wypuszczono ich za kaucją. Generalnym wykonawcą oczyszczalni wody okazała się renomowana firma z Milwaukee, co zapowiadało szybkie i dokładne zbadanie sprawy. Pracę na budowie przerwano. Nie mógł się do niej zbliżyć żaden z nielegalnych pracowników.

David wyszedł wreszcie tuż przed dwunastą, cicho informując Rochelle, że jest potrzebny w sądzie. Wrócił do domu, zabrał

Helen, która z każdym dniem wyglądała na coraz bardziej ciężarną, i pojechali na lunch. Zrelacjonował jej ostatnie wydarzenia — opowiedział o grożeniu śmiercią, bandziorze i jego zamiarach, o Oscarze i obronie firmy, i nasilającym się zainteresowaniu prasy. Pomniejszał niebezpieczeństwo i zapewnił ją, że FBI już nad wszystkim czuwa.

— Martwisz się? — zapytała.

— Ani trochę — odpowiedział bez przekonania. — Ale jutro to i owo może ukazać się w prasie.

⋏ ⋏ ⋏

I tak było. Ogromne zdjęcia Oscara ukazały się w dodatkach miejskich zarówno w „Tribune", jak i „Sun-Timesie". Pisano o starym prawniku śpiącym w kancelarii, który strzela do intruza z koktajlami Mołotowa, przeznaczonymi do spalenia budynku z zemsty za wniesienie pozwu w sprawie sporu o wynagrodzenie nielegalnie zatrudnianych robotników, wykorzystywanych przez firmę, powiązaną przed wieloma laty z przestępczością zorganizowaną. Oscara przedstawiano jako nieustraszonego rewolwerowca z południowo-zachodniego Chicago i przy okazji jako jednego z najlepszych w kraju specjalistów od pozwów zbiorowych, zaangażowanego w proces Varrick Laboratories, producenta paskudnego leku o nazwie krayoxx. „Tribune" zamieściła mniejszą fotografię Davida, obok reporterskich zdjęć właściciela Cicero Pipe i jego pomagierów prowadzonych do aresztu.

Co ważniejsze, urzędy nagle się ożywiły — Federalne Biuro Śledcze, Departament Pracy, Urząd Celno-Imigracyjny, Departament Bezpieczeństwa Krajowego i Federalne Biuro Nadzoru Realizacji Kontraktów Rządowych. W większości przypadków ich przedstawiciele mieli coś do powiedzenia dziennikarzom. Plac budowy był zamknięty także następnego dnia. Główny wykonawca podniósł alarm. Kancelaria Finleya i Figga znów przeżywała oblężenie reporterów, śledczych, potencjalnych ofiar krayoxxu i więcej niż zazwyczaj hołoty z ulicy. Oscar, Wally i Rochelle trzymali broń blisko siebie. Młody David trwał w swej świętej naiwności.

▲ ▲ ▲

Dwa tygodnie później Justin Bardall opuścił szpital na wózku inwalidzkim. Jemu, jego szefowi, i jeszcze jednemu facetowi postawiono bardzo wiele zarzutów, a prawnicy zaczęli już rozmowy o ewentualnej umowie między obroną i oskarżeniem w celu uzyskania łagodniejszych wyroków. Bardall miał zgruchotaną lewą kość strzałkową i potrzebował w przyszłości następnych operacji, choć lekarze spodziewali się, że z czasem odzyska pełną sprawność. Został postrzelony drugi raz, gdy nie stanowił już zagrożenia, ale nikt mu nie współczuł. Reakcję na skargi bardzo dobrze oddają słowa jednego z detektywów, który powiedział: „Masz szczęście, że nie odstrzelił ci łba".

Rozdział 30

Jerry Alisandros w końcu dotrzymał obietnicy. Był bardzo zajęty organizowaniem negocjowania ugody i jak Wally dowiedział się od któregoś z jego współpracowników, nie miał po prostu czasu na rozmowy telefoniczne z dziesiątkami adwokatów, którymi żonglował. Niemniej w trzecim tygodniu sierpnia przysłał biegłych.

Nazwa tej firmy zupełnie nie miała znaczenia — Połączona Grupa Diagnostyczna albo PGD, jak wolała być określana. Wally mógł co najwyżej powiedzieć, że PGD to mający siedzibę w Atlancie zespół techników medycznych, którzy nie robili nic innego poza podróżowaniem po kraju i badaniem ludzi głośno domagających się zysku po ataku, jaki Jerry przypuszczał na producenta jakiegoś leku. Zgodnie z instrukcją Wally wynajął sześćset metrów kwadratowych powierzchni w zapyziałym ciągu sklepów, w miejscu, gdzie kiedyś mieścił się sklep z tanimi artykułami dla zwierząt. Zatrudnił ekipę budowlaną, która postawiła ściany i wmontowała drzwi, a potem ekipę sprzątającą, by jako tako to ogarnęła. Frontowe okna zalepiono szarym papierem, nie było tam żadnych oznakowań. Wypożyczył kilka tanich krzeseł, stołów oraz biurek, kazał zainstalować telefon i wstawił kserokopiarkę. Wszystkie rachunki Wally wysyłał pracownikowi firmy Jerry'ego, który zajmował się wyłącznie prowadzeniem księgowości dotyczącej procesu krayoxxu.

Kiedy miejsce było już gotowe, PGD weszła tam i przystąpiła do pracy. Jej zespół składał się z trzech techników, ubranych stosownie w zielone uniformy chirurgów. Każdy z nich miał stetoskop. Wyglądali tak oficjalnie, że nawet Wally w pierwszej chwili wziął ich za wysoko wykwalifikowanych i godnych zaufania fachowców. W rzeczywistości wcale tak nie było, ale to właśnie oni przebadali setki potencjalnych powodów i powódek. Kierował nimi doktor Borzov, kardiolog z Rosji, który zarobił mnóstwo pieniędzy, diagnozując pacjentów/klientów dla Jerry'ego Alisandrosa i tuzina innych adwokatów w całym kraju. Doktor Borzov rzadko widywał otyłe osoby, które nie miałyby poważnych problemów ze zdrowiem, niedających się podciągnąć pod „pozew zbiorowy przeciwko producentowi leku miesiąca". Nigdy nie zeznawał w sądzie — miał zbyt silny akcent i lista jego dokonań była zbyt krótka — ale w prowizorycznych gabinetach lekarskich był wart tyle złota, ile ważył.

David, który stał się de facto asystentem we wszystkich czterystu trzydziestu sprawach żyjących klientów zażywających krayoxx, i Wally, ponieważ to on ich namierzył, byli obecni, gdy ekipa PGD rozpoczęła badania. Zgodnie z harmonogramem trzech klientów zjawiło się rano punktualnie o ósmej. Wally i przystojny technik z PGD w fartuchu i białych szpitalnych drewniakach powitali ich kawą. Papierkowa robota zajęła dziesięć minut i miała na celu głównie upewnienie się, że klient rzeczywiście brał krayoxx przez więcej niż sześć miesięcy. Pierwszego klienta zaprowadzono do innego pokoju, gdzie

PGD zainstalowała własny echokardiograf i gdzie czekało dwóch innych techników. Jeden z nich objaśniał procedurę — „Robimy po prostu diagonalne zdjęcie pańskiego serca" — podczas gdy drugi pomagał klientowi położyć się na prawdziwym szpitalnym łóżku, które PGD woziła po kraju razem z echokardiografem. Kiedy badali pacjenta, do pokoju wchodził doktor Borzov i lekko kiwał głową badanemu. Jego zachowanie przy łóżku nigdy nie dodawało otuchy, ale też badany nie był prawdziwym pacjentem. Lekarz miał na sobie długi biały fartuch, jego nazwisko było nadrukowane nad lewą kieszenią, nosił też stetoskop jako dodatek i dla efektu. Kiedy mówił, akcent sprawiał, że jego wypowiedzi brzmiały bardzo kompetentnie. Wpatrywał się w ekran, marszczył czoło, bo zawsze je marszczył, po czym wychodził z pokoju.

Nagonka na krayoxx była wspierana badaniami, które jakoby dowodziły, że lek osłabia szczelność zastawki aortalnej, powodując przez to spadek efektywności zastawki mitralnej. Echokardiograf mierzył wydajność zastawki aortalnej i jej spadek o trzydzieści procent był doskonałą nowiną dla adwokatów. Doktor Borzov opisywał natychmiast obraz, zawsze spragniony znalezienia kolejnej osłabionej zastawki.

Badanie trwało dwadzieścia minut, dlatego wykonywali trzy na godzinę, około dwudziestu pięciu każdego dnia przez sześć dni w tygodniu. Wally wynajął nieruchomość na miesiąc. PGD była opłacana z konta procesowego kancelarii Zella i Pottera oraz Finleya i Figga, brała tysiąc dolarów za każde badanie, a wszystkie rachunki przekazywano Jerry'emu na Florydę.

Zanim tu przyjechali, PGD i doktor Borzov byli w Charlestonie i Buffalo. Z Chicago jechali do Memphis, potem do Little Rock. Inny zespół PGD obsługiwał Zachodnie Wybrzeże z serbskim lekarzem dokonującym odczytu badań. Jeszcze inny zarabiał krocie w Teksasie. Krayoxxowa sieć kancelarii Zella i Pottera obejmowała czterdzieści stanów, siedemdziesięciu pięciu adwokatów i prawie osiemdziesiąt tysięcy klientów.

▲ ▲ ▲

Żeby uniknąć chaosu panującego w kancelarii, David kręcił się w okolicy prowizorycznego gabinetu i rozmawiał z klientami, których wcześniej nie widział na oczy. Mówiąc ogólnie, ci ludzie z nadwagą i strasznie niezgrabni byli zadowoleni z wizyty u lekarza, niepokoili się, czy lek nie uszkodził im serca, mieli nadzieję, że w jakiś sposób odzyskają zdrowie, i okazywali się całkiem mili. Czarni, biali, starzy, młodzi, kobiety, mężczyźni — grubi i z całą gamą poziomu cholesterolu. Każdy klient, z którym rozmawiał, był bardzo przejęty lekiem, bardzo zadowolony z jego działania i zdenerwowany, że będzie musiał szukać zamiennika. David stopniowo poznawał też techników z PGD, dowiedział się czegoś o ich pracy, choć nie należeli do zbyt rozmownych. Doktor Borzov prawie się do niego nie odzywał.

Po trzech dniach David wiedział, że ekipa PGD nie jest zadowolona z wyników swojej pracy. Warte tysiąc dolarów od osoby badania dostarczyły niewielu dowodów na niewydolność aortalną, choć natrafili na kilka potencjalnych przypadków.

Czwartego dnia zepsuła się klimatyzacja, a wynajęte przez Wally'ego miejsce zmieniło się w łaźnię parową. Był sierpień, temperatura przekraczała trzydzieści stopni, a kiedy właściciel dawnego sklepu nie odpowiadał na telefony, ekipa PGD zagroziła, że odejdzie. Wally przywiózł wiatraki i lody, błagał, żeby zostali i dokończyli badania. Nie przestawali zatem, dwudziestominutowe badania skróciły się do piętnastu minut, potem do dziesięciu. Borzov pobieżnie przeglądał wyniki, stojąc na chodniku i paląc papierosy.

▲ ▲ ▲

Sędzia Seawright ustalił datę rozprawy na dziesiątego sierpnia, jedyny możliwy termin w jego kalendarzu przed sezonem urlopowym w wymiarze sprawiedliwości. Nikt nie składał żadnych dodatkowych wniosków, nie zapowiadało się na walkę, procedura przygotowawcza odbywała się przy niezwykle dobrej współpracy. Varrick Laboratories jak do tej pory skwapliwie dostarczały wszelkie dokumenty, wskazywały świadków i biegłych. Nadine Karros złożyła tylko kilka błahych wniosków, które sędzia bardzo szybko zaakceptował. Adwokaci od Zella i Pottera okazali się wyjątkowo sprawni w przedstawianiu wniosków i dokumentacji.

Seawright uważnie słuchał plotek o ugodzie. Jego współpracownicy wczytywali się w prasę finansową i nie spuszczali oka z poważnych blogów. Nikt z Varrick Laboratories nie złożył formalnego oświadczenia dotyczącego ugody, lecz było jasne, że firma wie, jak doprowadzać do przecieków. Cena jej udziałów spadła do dwudziestu czterech i pół dolara, ale pogłoski o zbiorowej ugodzie sprawiły, że wróciła do poziomu trzydziestu dolarów.

Kiedy obie grupy prawników były już na miejscu, sędzia Seawright usiadł za stołem i wszystkich powitał. Przeprosił za to, że wyznaczył termin rozprawy na sierpień — „najtrudniejszy miesiąc w roku dla zajętych ludzi" — ale był głęboko przekonany, że obie strony powinny się spotkać, zanim wszyscy się rozjadą. Szybko sprawdził pozycje na liście przygotowań i upewnił się, że nikt nie próbował mataczyć. Nie było żadnych skarg.

Jerry Alisandros i Nadine Karros traktowali się nawzajem tak uprzejmie, że graniczyło to z wygłupami. Wally siedział po prawej stronie Jerry'ego, jakby pełnił funkcję instancji odwoławczej, w razie gdyby doszło do awantury na sali sądowej. Za nim pomiędzy adwokatami z kancelarii Zella i Pottera siedzieli David i Oscar. Z powodu strzelaniny i szumu w prasie Oscar zaczynał być rozpoznawany, co mu się bardzo podobało. Przez cały czas się uśmiechał i już uważał się za kawalera.

Zmieniając temat, sędzia Seawright powiedział:

— Słyszę bardzo dużo plotek o ugodzie, jednej, wielkiej, globalnej ugodzie, jak się teraz na to mówi w tej branży. Chcę wiedzieć, co się dzieje. Ponieważ akurat ta sprawa postępuje bardzo szybko, mogę śmiało wyznaczyć termin procesu i wpisać go do kalendarza. Niemniej jeśli ugoda jest prawdopodobna, po co zawracać sobie tym głowę? Czy może mnie pani oświecić w tej materii, pani Karros?

Nadine wstała, skupiając na sobie wzrok wszystkich, i z wdziękiem zrobiła kilka kroków w stronę podium.

— Wysoki Sądzie, jak Wysoki Sąd prawdopodobnie wie, Varrick Laboratories były wciągnięte w wiele skomplikowanych procesów sądowych i firma ma własne sposoby podchodzenia do ugody z wieloma powodami. Nie zostałam upoważniona do rozpoczęcia negocjacji w sprawie Klopecka, mój klient nie upoważnił mnie również do wygłaszania publicznie oświadczeń dotyczących ugody. Jeśli chodzi o mnie, przygotowujemy się do procesu.

— To mi wystarczy. Panie Alisandros?

Jerry i Nadine zamienili się miejscami na podwyższeniu. Jerry uśmiechał się szeroko.

— My również, Wysoki Sądzie, przygotowujemy się do procesu. Muszę jednak powiedzieć, że jako członek komisji procesowej powodów odbyłem kilka nieformalnych i wstępnych rozmów z przedstawicielami firmy w sprawie ogólnej ugody. Mam nadzieję, że pani Karros wie o tych rozmowach, ale jak wspomniała, nie jest upoważniona, by o nich dyskutować. Nie reprezentuję Varrick Laboratories, więc nic mnie nie ogranicza. Jednocześnie firma nie zażądała ode mnie utrzymywania tych rozmów w tajemnicy. Dodatkowo, Wysoki Sądzie, jeśli osiągniemy etap formalnych negocjacji, wątpię, by pani Karros była w nie zaangażowana. Wiem z doświadczenia, że w Varrick zajmują się tym pracownicy firmy.

— Czy spodziewa się pan formalnych negocjacji? — zapytał Seawright.

Nastąpiła długa chwila milczenia, wiele osób wstrzymało oddech. Nadine Karros udało się wyglądać na zaciekawioną, choć miała jasny obraz sytuacji. Nie można było tego powiedzieć o nikim innym z obecnych na sali sądowej. Serce Wally'ego ostro przyśpieszyło, gdy smakował słowa „formalne negocjacje".

Jerry kilkakrotnie przestąpił z nogi na nogę i wreszcie się odezwał:

— Wysoki Sądzie, nie chciałbym, żeby potem powoływano się na moją wypowiedź, dlatego wybiorę bezpieczniejsze wyjście i powiem, że nie jestem pewny.

— Zatem pan i pani Karros nie możecie dać mi żadnych wskazówek dotyczących ugody? — W głosie sędziego Seawrighta brzmiała frustracja.

Prawnicy pokręcili głowami. Nadine bardzo dobrze wiedziała, że do żadnej ugody nie dojdzie, Jerry był prawie pewny, że dogadają się poza salą sądową, jednak żadne z nich nie mogło grać w otwarte karty. I prawdę mówiąc, z etycznego punktu widzenia sędzia nie miał prawa wiedzieć o ich poczynaniach poza sądem. Jego zadanie polegało na przeprowadzeniu uczciwego procesu, a nie śledzeniu postępów w osiąganiu ugody.

Jerry wrócił na swoje miejsce, a sędzia Seawright znów zmienił temat:

— Patrzę na siedemnasty października, poniedziałek, jako datę procesu. Przewiduję, że proces potrwa nie dłużej niż dwa tygodnie.

Prawnicy natychmiast spojrzeli w kalendarze i zmarszczyli czoła.

— Jeśli termin wam nie pasuje, prosiłbym, żeby powód był dobrze uzasadniony — dodał. — Panie Alisandros?

Jerry podniósł się powoli, trzymając niewielki terminarz oprawiony w skórę.

— Cóż, Wysoki Sądzie, to oznacza, że proces zacznie się dziesięć miesięcy od złożenia pozwu. To bardzo szybko, nie uważa pan?

— Tak jest w istocie, panie Alisandros. Jedenaście miesięcy to moja średnia. Nie dopuszczam, żeby moje sprawy się przedawniały. Dlaczego ten termin panu nie pasuje?

— Ależ pasuje, Wysoki Sądzie, martwię się tylko, czy będziemy mieli wystarczająco dużo czasu na przygotowania. To wszystko.

— Bzdura. Przygotowania są prawie zakończone. Macie biegłych. Pozwany ma biegłych. Bóg mi świadkiem, że obie strony mają utalentowanych prawników. Siedemnasty października jest za sześćdziesiąt osiem dni. To powinna być bułka z masłem dla adwokata z taką reputacją jak pańska, panie Alisandros.

Co za przedstawienie, pomyślał Wally. Ta sprawa i wszystkie pozostałe zostaną rozstrzygnięte w miesiąc.

311

— Co na to obrona, pani Karros? — zapytał Seawright.

— Mamy pewien kłopot z terminem, Wysoki Sądzie — odrzekła Nadine. — Ale to nic, czego nie dałoby się obejść.

— Bardzo dobrze. Sprawa Klopeck przeciwko Varrick Laboratories jest niniejszym wyznaczona na siedemnastego października. Jeśli nie dojdzie do jakiejś katastrofy, nie będzie żadnych opóźnień, odroczeń, więc nie zawracajcie sobie głowy prośbami. — Uderzył młotkiem i oznajmił: — Rozprawa zakończona. Dziękuję państwu.

Rozdział 31

Wiadomość o tym, że data procesu została wyznaczona, natychmiast znalazła się w prasie finansowej i internecie. Historię przedstawiano na różne sposoby, ale ogólnie rzecz biorąc, wyglądało na to, że Varrick Laboratories zostały siłą zaciągnięte przed sąd federalny, gdzie będą odpowiadać za wiele swoich grzechów. Reubena Masseya w ogóle nie obchodziło, jak sprawa jest przedstawiana ani co myśli opinia publiczna. Ważne, żeby w oczach prawników strony pozywającej firma sprawiała wrażenie wstrząśniętej i przestraszonej. Dobrze znał adwokackie nasienie.

Trzy dni po rozprawie w Chicago Nicholas Walker zadzwonił do Jerry'ego Alisandrosa i zasugerował, że powinni zorganizować poufne spotkanie między przedstawicielami firmy i największych kancelarii prawniczych zaangażowanych w sprawę krayoxxu. Jego celem miało być otwarcie na oścież drzwi do negocjacji. Alisandros zapalił się do tego pomysłu i śmiertelnie poważnie przysiągł dochować tajemnicy. Zadając się z adwokatami od mniej więcej dwudziestu lat, Nicholas wiedział, że spotkanie nie będzie utrzymane w sekrecie, bo jeden czy dwóch prawników da cynk prasie.

Następnego dnia w artykule na pierwszej stronie „Wall Street Journal" napisano, że Cymbol, główny ubezpieczyciel Varrick Laboratories, został uprzedzony przez firmę, iż trzeba będzie uruchomić fundusz rezerwowy. Cytując anonimowe źródło, spekulowano, że jedynym powodem podjęcia takiej akcji była konieczność uporządkowania „bałaganu z krayoxxem". Nastąpiły inne przecieki, a blogerzy wkrótce zaczęli ogłaszać kolejne zwycięstwo konsumentów nad producentami.

Ponieważ każdy adwokat wart swojego dyplomu miał własny odrzutowiec, wybór miejsca spotkania nie był problemem. Nicholas Walker zarezerwował w wyludnionym w sierpniu Nowym Jorku ogromną salę konferencyjną na czterdziestym piętrze opustoszałego hotelu w śródmieściu. Wielu prawników miało urlopy i powyjeżdżało, uciekając przed upałem, ale nawet jedno zaproszenie nie zostało odrzucone. Ugoda na tak ogromną skalę była znacznie ważniejsza od kilku dni wakacji. Kiedy zebrali się osiem dni po ustaleniu terminu pierwszego procesu przez sędziego Seawrighta, było wśród nich sześciu członków komisji procesowej powodów oraz trzydziestu innych adwokatów, każdy reprezentujący tysiące pozwów dotyczących krayoxxu. Nic nieznaczący prawnicy, tacy jak Wally Figg, nawet nie wiedzieli o tym spotkaniu.

Dobrze zbudowani młodzi faceci w ciemnych garniturach pilnowali drzwi sali konferencyjnej i sprawdzali tożsamość zaproszonych. Po krótkim śniadaniu pierwszego ranka Nicholas Walker przywitał wszystkich, jakby byli handlowcami z tej samej firmy. Rzucił nawet dowcip i wywołał śmiech, mimo to atmosfera była napięta. Worek z pieniędzmi miał zostać rozwiązany, a wszyscy w sali byli wytrawnymi graczami, zdecydowanymi walczyć o nie choćby gołymi rękami.

Jak do tej pory zgłoszono tysiąc sto przypadków śmierci. Albo, innymi słowy, tysiąc sto spraw, w których spadkobiercy zmarłej osoby twierdzili, że przyczyną śmierci był krayoxx. Dowody natury medycznej nie były niepodważalne, ale prawdopodobnie wystarczyłyby do wzbudzenia wątpliwości w ławie przysięgłych. Realizując zasadniczy plan, Nicholas Walker i Judy Beck nie tracili czasu na omawianie zagadnień związanych z ustalaniem winy. Założyli, podobnie jak horda po drugiej stronie barykady, że lek wywołał tysiąc sto zgonów i tysiące innych, mniej poważnych uszczerbków na zdrowiu.

Po wstępnych formalnościach Walker oznajmił, że Varrick Laboratories chciałyby ustalić precyzyjnie wartość każdego przypadku śmierci. Przyjmując, że zostanie to zrobione, potem przeszliby do spraw żyjących poszkodowanych.

▲ ▲ ▲

Wally przebywał nad brzegiem jeziora Michigan w niewielkim wynajętym domu o jedną przecznicę od wody, z ukochaną DeeAnną, która powalała w bikini. Właśnie skończył jeść sałatkę z makaronu, kiedy zaćwierkała jego komórka. Zobaczył numer, odebrał i powiedział:

— Jerry, człowieku, co się dzieje?

DeeAnna, leżąca topless na fotelu w pobliżu, nastawiła uszu. Wiedziała, że każdy telefon od Jerry'ego jest wydarzeniem.

Jerry wyjaśnił, że wrócił na Florydę po dwóch dniach spędzonych w Nowym Jorku na potajemnym spotkaniu i tak dalej, walił w Varrick jak w bęben, choć tam są twarde sztuki, omawiali tylko przypadki śmierci, rozumiesz, w każdym razie nastąpił ogromny postęp, choć nie ma żadnego układu, nie było ściskania rąk, oczywiście nic na piśmie, ale wygląda na to, że każda sprawa zgonu będzie warta około dwóch milionów.

Wally mruczał coś cały czas i uśmiechał się do DeeAnny, która podeszła bliżej.

— Dobra wiadomość, Jerry, świetna robota. Pogadajmy w przyszłym tygodniu.

— Co się stało? — zagruchała DeeAnna, kiedy się rozłączył.

— Nic takiego. Jerry miał trochę nowin. Adwokaci Varrick złożyli kilka wniosków i chce, żebym rzucił na nie okiem.

— Nie ma ugody?

— Nie.

Bez przerwy mówiła teraz o ugodzie. Jasne, że to jego wina, bo miał za długi język, ale ta kobieta dostała obsesji na punkcie odszkodowań. Brakowało jej rozumu, żeby udawać, iż mało ją to obchodzi. Niestety, chciała szczegółów.

Chciała też pieniędzy, co martwiło Wally'ego. Rozmyślał już o strategii wycofania się, podobnie jak jego nowy bohater, Oscar. Pozbyć się kobiety, zanim pojawią się pieniądze.

Szesnaście milionów dolarów. Z czego siedemnaście procent wpadnie do kasy kancelarii Finleya i Figga, w sumie dwa miliony siedemset tysięcy dolarów, a Wally dostanie pięćdziesiąt procent tej sumy. Jest milionerem.

Wczołgał się na dmuchany materac i popłynął przez basen. Zamknął oczy i starał się stłumić uśmiech. Wkrótce DeeAnna znalazła się obok niego. Unosiła się na wodzie, nadal topless, i dotykała go od czasu do czasu, żeby się upewnić, że nadal jej potrzebuje. Byli razem od wielu miesięcy i Wally zaczynał się nudzić. Coraz trudniej przychodziło mu zaspokajanie jej ciągłego apetytu na seks. W końcu miał czterdzieści sześć lat, o dziesięć więcej niż DeeAnna, choć ustalenie daty jej urodzenia graniczyło z cudem. Dzień i miesiąc były niezmienne, ale rok bez przerwy przesuwał się do przodu. Wally był zmęczony i potrzebował przerwy, a poza tym denerwowała go jej fascynacja pieniędzmi za krayoxx.

Dla własnego dobra powinien rzucić ją już teraz, przejść przez rutynę zerwania, którą tak dobrze znał, pozbyć się DeeAnny i trzymać ją z dala od pieniędzy. To nie będzie łatwe i zajmie trochę czasu. Ale taka strategia i w przypadku Oscara na pewno się sprawdzi. Paula Finley wynajęła Stamma, paskudnego adwokacinę specjalizującego się w rozwodach, a on zaczął już walić w wojenne bębny. Podczas pierwszej pogawędki z Wallym przez telefon Stamm wyraził zdziwienie, że Oscar zarabia tak mało w kancelarii, i imputował, że pieniądze są ukrywane. Sondował mętne wody świata honorariów płaconych gotówką, ale od Wally'ego, który znał te obszary na wylot, niczego się nie dowiedział. Napomknął o procesie z krayoxxem, lecz Wally spuścił go po nożu, powtarzając dobrze wyuczoną formułkę, że Oscar nie jest zaangażowany w tę sprawę.

— Cóż, wszystko to wygląda podejrzanie — stwierdził Stamm. — Pan Finley zgadza się odejść, nie biorąc po trzydziestu latach małżeństwa niczego poza samochodem i ubraniami.

— Och, nie — zaprotestował Wally. — Zrozumie pan to doskonale, kiedy naprawdę pozna pan Paulę Finley, swoją klientkę. — Przekomarzali się przez chwilę, jak to zwykle adwokaci od rozwodów, a potem obiecali, że jeszcze pogadają.

Choć Wally bardzo potrzebował pieniędzy, postanowił, że odłoży na kilka miesięcy realizację czeku. Teraz albo w ciągu najbliższych tygodni trzeba zająć się papierkową robotą, trzymać wszystko w tajemnicy w sądzie, a potem spławić kobiety.

ᴧ ᴧ ᴧ

Jak na bardzo mało wydajny miesiąc w roku, sierpień okazał się całkiem owocny. Dwudziestego drugiego sierpnia Helen Zinc urodziła prawie czterokilową dziewczynkę, Emmę, i przez parę dni jej rodzice zachowywali się tak, jakby to właśnie im urodziło się pierwsze dziecko w historii. Matka i córka były zdrowe, a kiedy przyjechały do domu, czekała na nie cała czwórka dziadków razem z tuzinem przyjaciół. David wziął tydzień wolnego i nie mógł wyjść z niewielkiego, pomalowanego na różowo pokoju dziecinnego.

Został wezwany do pracy przez rozzłoszczoną sędzię federalną, która najwyraźniej nie uznawała wakacji i mówiło się o niej, że pracuje dziewięćdziesiąt godzin tygodniowo. Nazywała się Sally Archer, choć nie bez racji przezywano ją Porywcza Sal. Była młoda i obcesowa, wściekle inteligentna i zajęta głównie ścieraniem na proch swojego personelu. Porywcza Sal orzekała jak błyskawica i chciała, żeby każdy proces zakończył się dzień po złożeniu pozwu. Sprawa robotników reprezentowanych przez Davida została przydzielona Archer, która, nie przebierając w słowach, wyraziła opinię o Cicero Pipe i jej niedopuszczalnych praktykach.

Pod naciskiem wielu instytucji rządowych i samej Porywczej Sal główny wykonawca zmusił podwykonawcę, Cicero Pipe, do uporządkowania kwestii zatrudnienia i problemów z prawem, a potem nadal pracował na swoim odcinku przy oczyszczalni wody. Ustalenie skomplikowanej kwalifikacji prawnej czynów zarzucanych niedoszłemu podpalaczowi, Justinowi Bardallowi, i innym ludziom z Cicero miało potrwać całe miesiące, ale sprawa wynagrodzeń mogła być i była załatwiona od ręki.

Sześć tygodni po złożeniu pozwu David wypracował ugodę, w którą nie mógł uwierzyć. Cicero Pipe zgodziła się wypłacić ryczałtem każdemu z jego pięciu klientów po trzydzieści tysięcy dolarów. Dodatkowo firma miała wypłacić dwadzieścia pięć tysięcy dolarów trzydziestu sześciu innym nielegalnym robot-

318

nikom, głównie z Meksyku i Gwatemali, którym płacono dwieście dolarów za tydzień pracy przez co najmniej osiemdziesiąt godzin.

Z powodu złej sławy otaczającej tę sprawę, znacznie powiększonej przez próbę podpalenia i żywiołową obronę kancelarii przez Oscara oraz nakaz aresztowania bogatego właściciela Cicero Pipe, rozprawa prowadzona przez Porywczą Sal przyciągnęła kilku dziennikarzy. Sędzia Archer zaczęła od podsumowania pozwu, a używając wobec postępków Cicero Pipe określenia „praca niewolnicza", zapewniła sobie liczne cytaty w prasie. Bezlitośnie chłostała firmę i upominała jej adwokatów, którzy zdaniem Davida byli nawet miłymi facetami, i popisywała się elokwencją przez pół godziny, podczas gdy dziennikarze notowali.

— Panie Zinc, jest pan zadowolony z ugody? — zapytała.

Ugoda była pisemna. Porozumienie zawarto tydzień wcześniej. Pozostawała tylko sprawa wynagrodzenia adwokatów.

— Tak, Wysoki Sądzie — odpowiedział David cicho.

Trzej prawnicy reprezentujący Cicero Pipe spuścili głowy, jakby bali się podnieść wzrok.

— Widzę, że złożył pan wniosek o honorarium dla adwokata — ciągnęła Porywcza Sal, przeglądając papiery. — Pięćdziesiąt sześć godzin. Powiedziałabym, że biorąc pod uwagę to, czego pan dokonał, i pieniądze, jakie pan uzyskał dla tych wszystkich robotników, ten czas został dobrze wykorzystany.

— Dziękuję, Wysoki Sądzie. — David wciąż stał przy swoim stoliku.

— Jaka jest pańska stawka godzinowa, panie Zinc?

— Cóż, Wysoki Sądzie, spodziewałem się tego pytania i prawdą jest, że nie mam stawki godzinowej. Moich klientów nie stać na to, żeby płacić mi od godziny.

Sędzia Archer pokiwała głową.

— Czy w zeszłym roku pracował pan przy zleceniu na godziny?

— Och, tak. Do minionego grudnia byłem starszym współpracownikiem u Rogana Rothberga.

Sędzia roześmiała się do mikrofonu i powiedziała:

— O rany. Tak to jest rozmawiać z ekspertami o ich stawkach godzinowych. Ile wtedy warta była godzina pańskiego czasu pracy, panie Zinc?

Zażenowany David przestąpił z nogi na nogę i wzruszył ramionami.

— Wysoki Sądzie, ostatni raz, kiedy pracowałem na godziny, klient płacił pięćset dolarów za godzinę.

— Na pewno jest pan wart pięćset dolarów za godzinę. — Porywcza Sal pisała coś przez kilka sekund, a potem ogłosiła: — Zaokrąglijmy to do trzydziestu tysięcy. Jakiś sprzeciw, panie Lattimore?

Główny obrońca pozwanego wstał i zastanawiał się, co powiedzieć. Ze zgłoszenia sprzeciwu nie wynikłoby nic dobrego, ponieważ sędzia najwyraźniej trzymała stronę drugiego obozu. Jego klient i tak dostał solidnie po tyłku, więc czym jest kolejne trzydzieści tysięcy dolarów? Poza tym, gdyby Lattimore miał jakieś wątpliwości dotyczące tego honorarium, wiedział, że Porywcza Sal szybko załatwi go pytaniem: „A jaka jest pańska stawka godzinowa, panie Lattimore?".

— Brzmi rozsądnie — uznał.

— To dobrze. Chcę, żeby wszystkich płatności dokonano w ciągu trzydziestu dni. Rozprawa zakończona.

Przed salą rozpraw David spędził trochę czasu z trzema dziennikarzami i cierpliwie odpowiadał na ich pytania. Kiedy skończył, pojechał do mieszkania Soe i Lwin, gdzie spotkał się z trzema klientami z Birmy i przekazał im wiadomość, że wkrótce każdy z nich otrzyma czek na sumę trzydziestu tysięcy dolarów. Wiadomość nie była zbyt jasna po przetłumaczeniu i Soe musiał powtórzyć ją kilka razy, żeby mężczyźni w nią uwierzyli. Śmiali się i uważali to za żart, ale David się nie śmiał. Kiedy wreszcie wszystko do nich dotarło, dwóch się rozpłakało, a trzeci doznał szoku. David próbował im wytłumaczyć, że uczciwie zarobili te pieniądze własnym potem i pracą, ale tego też nie dało się dokładnie przetłumaczyć na ich język.

David się nie śpieszył. Nie widział córki od całych sześciu godzin, co było swoistym rekordem, ale ona przecież nigdzie się nie wybierała. Sączył herbatę z małej czarki i rozmawiał z klientami, promieniejąc po pierwszym odniesionym znaczącym zwycięstwie. Podjął się sprawy, którą większość adwokatów by odrzuciła. Jego klienci odważnie wyszli z cienia nielegalnej imigracji i sprzeciwili się złu, a David ich do tego namówił. Trzech niskich facetów oddalonych o tysiące kilometrów od ojczyzny, wykorzystywanych przez wielką firmę mającą wielu wpływowych przyjaciół, nadal byłoby krzywdzonych, gdyby nie młody adwokat i wymiar sprawiedliwości. Sprawiedliwość, przy swoich wadach i niejednoznacznościach, zwyciężyła w spektakularny sposób.

Kiedy David jechał do kancelarii, czuł się niesamowicie dumny, miał poczucie dobrze wypełnionego obowiązku. Miał też nadzieję na wiele wspaniałych zwycięstw w przyszłości, ale to pierwsze na zawsze pozostanie dla niego wyjątkowe. Nigdy przez pięć lat pracy w wielkiej kancelarii nie był tak dumny z tego, że jest prawnikiem.

Było późno, w kancelarii nikogo nie było. Wally poszedł na urlop i tylko od czasu do czasu dowiadywał się o najnowsze wieści o sprawie krayoxxu. Oscar wziął kilka wolnych dni i nawet Rochelle nie wiedziała, gdzie się podziewa. David sprawdził automatyczną sekretarkę i pocztę elektroniczną, pokręcił się przez kilka minut przy biurku, a potem się tym znudził. Kiedy zamykał frontowe drzwi, przed budynek podjechał policyjny radiowóz. Przyjaciele Oscara mieli oko na to miejsce. David pomachał dwóm policjantom i ruszył do domu.

Rozdział 32

Po długim weekendzie po Święcie Pracy Wally napisał do klientki Iris Klopeck:

Droga Iris!

Jak wiesz, termin naszego procesu jest wyznaczony na przyszły miesiąc, na 17 października, ale nie ma w tym nic, czym należałoby się niepokoić. Przez prawie cały zeszły miesiąc prowadziłem negocjacje z adwokatami z Varrick i osiągnęliśmy bardzo zadowalające porozumienie. Firma szykuje się do zaoferowania około 2 milionów dolarów za to, że przyczyniła się do śmierci Twojego męża, Percy'ego. Ta oferta nie jest oficjalna, ale spodziewamy się jej na piśmie w ciągu następnych piętnastu dni. Wiem, że to znacznie więcej niż milion, który Ci obiecałem, niemniej potrzebna mi Twoja zgoda na przyjęcie tej oferty, kiedy zostanie formalnie wyłożona na stół. Jestem bardzo dumny z naszej niewielkiej kan-

celarii. Przypominamy Dawida, który pokonał Goliata, i właśnie w tej chwili wygrywamy.

Podpisz, proszę, załączony dokument z akceptacją warunków ugody i odeślij mi go pocztą.

Z poważaniem

Wallis T. Figg, adwokat i radca prawny

Podobne listy wysłał do pozostałych siedmiu klientów z cudownej małej grupki przypadków śmierci, a kiedy skończył, rozsiadł się wygodnie na obrotowym bujanym fotelu, położył nogi bez butów na biurku i oddał się rozmyślaniom o pieniądzach. Musiał jednak je przerwać, ponieważ w interkomie rozległ się oschły głos Rochelle:

— Dzwoni ta kobieta. Proszę z nią porozmawiać. Doprowadza mnie do szału.

— W porządku — rzucił Wally, wpatrując się w aparat telefoniczny.

DeeAnna nie miała zamiaru odejść po cichu. Podczas jazdy do domu znad jeziora Michigan zaczął się z nią kłócić i udało mu się doprowadzić awanturę do poziomu, gdy zaczęli się wyzywać. W ogniu walki oznajmił jej, że między nimi wszystko skończone, i przez dwa cudowne dni nie rozmawiali ze sobą. Ale potem zjawiła się u niego w mieszkaniu pijana, on ustąpił i pozwolił jej przespać się na sofie. Była skruszona, nawet żałosna, i co pięć minut proponowała mu eksperymenty z seksem. Jak do tej pory Wally odmawiał. Teraz z kolei wydzwaniała o najróżniejszych porach i zjawiła się parę razy w kancelarii. Wally był jednak zdeterminowany. Stało się dla niego jasne, że pieniądze z krayoxxu nie wystarczą przy DeeAnnie na dłużej niż trzy miesiące. Podniósł słuchawkę i odezwał się szorstko:

— Cześć.

A ona już płakała.

▲　▲　▲

Tamten wietrzny ponury poniedziałek pracownicy Zella i Pottera zapamiętają jako dzień masakry w Święto Pracy. Nie było mowy o świętowaniu — byli wysoko wykwalifikowanymi zawodowcami, a nie jakimiś robotnikami, co w sumie i tak nie miało znaczenia. Często pracowali w święta, podobnie w weekendy. Budynek otwierano wcześnie i już o ósmej rano korytarze wypełniały odgłosy krzątaniny prawników, gorliwie wyszukujących szkodliwe leki i zakłady, które je produkowały.

Zdarzało się czasami, że ich poszukiwania kończyły się niczym. Pogoń prowadziła donikąd. Studnia okazywała się pusta.

Pierwszy cios został zadany o dziewiątej, kiedy doktor Julian Smitzer, kierownik badań medycznych w kancelarii, upierał się przy spotkaniu z Jerrym Alisandrosem, który naprawdę nie miał czasu, ale nie mógł mu odmówić, zwłaszcza że sprawa została określona przez sekretarkę jako „pilna".

Doktor Smitzer zakończył wspaniałą karierę kardiologa i naukowca w klinice Mayo w Rochester w Minnesocie i z niedomagającą żoną przeniósł się na Florydę. Jednak po kilku miesiącach zaczął się nudzić. Przypadkiem poznał Jerry'ego Alisandrosa. Pierwsze spotkanie doprowadziło do drugiego i przez ostatnie pięć lat doktor Smitzer nadzorował badania medyczne w kancelarii za roczną pensję wysokości miliona dolarów. Nadawał się do tego idealnie, bo przez większą część kariery naukowca pisał o haniebnych poczynaniach wielkich firm farmaceutycznych.

W kancelarii adwokackiej pełnej nadpobudliwych i agresywnych adwokatów doktor Smitzer był postacią ogólnie szanowaną. Nikt nie kwestionował jego wyników badań ani opinii, a jego praca była warta znacznie więcej, niż mu płacono.

— Mamy problem z krayoxxem — oznajmił zaraz po tym, jak wszedł do gabinetu Jerry'ego i usiadł.

Po kilku głębokich, aż bolesnych oddechach Jerry powiedział:

— Słucham.

— Przez ostatnie pół roku analizowaliśmy badania McFaddena i teraz mogę stwierdzić, że są błędne. Nie istnieje wiarygodna statystyczna zależność wskazująca, że u ludzi biorących ten lek występuje większe ryzyko ataku serca albo wylewu. Prawdę mówiąc, McFadden sfałszował wyniki. Jest doskonałym lekarzem i naukowcem, ale najwyraźniej nabrał przekonania, że lek jest niebezpieczny, a potem nagiął wyniki, żeby pasowały do jego wniosków. Ludzie przyjmujący ten lek mają wiele innych problemów: nadwagę, cukrzycę, nadciśnienie, miażdżycę, żeby wymienić tylko kilka. Zdrowie wielu jest w fatalnym stanie i można się u nich spodziewać podwyższonego poziomu cholesterolu. Zwykle biorą garść pigułek kilka razy dziennie, a krayoxx jest tylko jedną z nich, i jak dotąd niemożliwe było ustalenie skutków łączenia tych wszystkich lekarstw. Statystycznie może istnieć, i podkreślam to słowo, niewielkie zwiększenie ryzyka ataku serca albo wylewu u osób zażywających krayoxx, ale powtarzam, wcale nie musi tak być. McFadden badał trzy tysiące przypadków przez dwa lata, moim zdaniem to niewielka grupa, i uzyskał wynik większego ryzyka ataku serca lub udaru tylko o dziewięć procent.

— Czytałem jego wnioski wiele razy, Julianie — wszedł mu w słowo Jerry. — Praktycznie nauczyłem się ich na pamięć, zanim wskoczyliśmy w ten proces.

— Wskoczyłeś za szybko, Jerry. Z tym lekiem wszystko jest w porządku. Omówiłem to szczegółowo z McFaddenem.

Wiesz, jak ostro krytykowano jego badania, kiedy je ogłosił. Wytłumaczył się i teraz odstępuje od swojej opinii o tym leku.

— Co?!

— Tak. McFadden przyznał mi się w zeszłym tygodniu, że powinien przebadać większą grupę ludzi. Martwi go też fakt, że nie zajęli się badaniem skutków łączenia wielu leków przyjmowanych naraz. Chce odwołać wyniki tamtych badań i ratować reputację.

Jerry skubał grzbiet nosa, jakby chciał go zmiażdżyć.

— Nie, nie, nie — mamrotał.

— Tak, tak, i niedługo skończy badania korygujące tamte błędy.

— Kiedy?

— Mniej więcej za trzy miesiące. Ale jest jeszcze gorzej. Bardzo dokładnie przebadaliśmy oddziaływanie leku na zastawkę aortalną. Jak wiesz, wydaje się, że badania z Palo Alto łączą jej nieszczelność z uszkodzeniami spowodowanymi zażywaniem leku. To też jest wątpliwe, i to bardzo.

— Dlaczego mówisz mi to teraz, Julianie?

— Bo dokładne badania wymagają czasu i uczymy się teraz kilku nowych rzeczy.

— Co mówi doktor Bannister?

— Cóż, zacznijmy od tego, że nie będzie zeznawał.

Jerry masował skronie i stał, wpatrując się w przyjaciela. Podszedł do okna, wyjrzał przez nie, ale niczego nie widział. Ponieważ doktor Smitzer był na liście płac kancelarii, nie mógł zeznawać w żadnym procesie prowadzonym przez Zella i Pottera ani w czasie przygotowania, ani rozprawy. Ważną częścią jego pracy było utrzymywanie sieci biegłych sądowych, występujących jako świadkowie — wynajętych facetów gotowych zeznawać za ogromne pieniądze. Doktor Bannister był profesjonalnym biegłym z imponującym życiorysem i długą listą dokonań, który z zamiłowaniem wykorzystywał to do współpracy ze sławnymi adwokatami w czasie dużych procesów. To, że teraz się wycofał, było katastrofą.

▲ ▲ ▲

Drugi cios spadł godzinę później, gdy Jerry już krwawił i wisiał nad przepaścią. Młody wspólnik o nazwisku Carlton zjawił się z grubym raportem i ponurą miną.

— Sprawy przybrały zły obrót, Jerry — zaczął.

— Wiem.

Carlton nadzorował badanie tysięcy potencjalnych klientów, a opasły raport wypełniały przerażające wyniki.

— Nie można wykazać skutków ubocznych, Jerry. Jak do tej pory dziesięć tysięcy przypadków, a wyniki nie powalają. Może dziesięć procent ma jakieś kłopoty z ciśnieniem, ale nie ma się czym podniecać. Mamy tu wszelkiego rodzaju choroby serca, zwężenie arterii i tym podobne, niczego jednak nie da się połączyć z lekiem.

— Dziesięć milionów dolców na badania i nic nie mamy? — sapnął Jerry. Oczy miał zamknięte, naciskał kciukami skronie.

— Co najmniej dziesięć milionów i, tak, niczego nie mamy. Mówię to z ciężkim sercem, Jerry, ale ten lek jest nieszkodliwy. Myślę, że wykopaliśmy suchą studnię. Radziłbym to przerwać i się wycofać.

— Nie prosiłem o radę.

— Nie, nie prosiłeś.

Carlton wyszedł z gabinetu i zamknął za sobą drzwi. Jerry przekręcił w nich klucz i podszedł do sofy, rozciągnął się na niej i zaczął wpatrywać w sufit. Bywał już w takich sytuacjach — w pułapce z lekiem, który nie był taki zły, jak mu się wcześniej wydawało. Nadal istniała jednak szansa, że ludzie z Varrick są za nim o krok, dwa z tyłu. Może firma nie wie tego, co wie już Jerry? Biorąc pod uwagę to, że pogłoski o ugodzie ruszyły do góry cenę udziałów, wynoszącą w piątek w chwili zamknięcia giełdy trzydzieści cztery i pół dolara, może uda się zablefować i zmusić Varrick do szybszej ugody. Widywał to już wcześniej. Firma z mnóstwem pieniędzy i tonami złej prasy chce zwyczajnie usunąć z drogi widmo procesu i adwokatów.

W miarę jak mijały minuty, uspokajał się. W ogóle nie myślał o wszystkich Wallych Figgach — przecież są dorośli i sami podjęli decyzję o wytaczaniu procesów. I nie mógł zmusić się do myślenia o klientach, którzy spodziewali się czeków na znaczne sumy, i to niedługo. Nie przejmował się też specjalnie zachowaniem twarzy — był obrzydliwie bogaty, a pieniądze już dawno pozbawiły go wrażliwości.

Tak naprawdę Jerry myślał już o kolejnym leku, następcy krayoxxu.

▲   ▲   ▲

Trzeci cios, ostateczny, został zadany przez telefon podczas rozmowy umówionej dokładnie na piętnastą. Jerry konferował z innym członkiem komisji procesowej powodów. Rodney Berman był krzykliwym adwokatem z Nowego Orleanu, który zarabiał i tracił fortuny na zakładaniu się z sędziami. Dzięki ropie rozlanej w Zatoce Meksykańskiej miał pieniądze i udało mu się nawet zebrać więcej klientów do sprawy krayoxxu niż kancelaria Zella i Pottera.

— Siedzimy po uszy w gównie — zaczął miło.

— To był zły dzień, Rodney, wal śmiało, spraw, żeby stał się jeszcze gorszy.

— Najnowsza wiadomość pochodzi z bardzo poufnego źródła, i dodam, bardzo drogiego, od informatora, który widział wstępną wersję artykułu mającego się ukazać w przyszłym miesiącu w „New England Journal of Medicine". Naukowcy z Harvardu i kliniki w Cleveland oświadczą, że nasz ukochany krayoxx jest równie zdrowy, jak kiełki pszenicy, i nie powoduje żadnych problemów jakiejkolwiek natury. Żadnego zwiększonego ryzyka ataku serca albo wylewu. Żadnych uszkodzeń zastawki aortalnej. Nic. A ci chłopcy mają dorobek, przy którym nasi faceci wyglądają na znachorów. Moi biegli zwiewają gdzie pieprz rośnie. Moi adwokaci chowają się pod biurkami. Zgodnie z opinią naszych lobbystów Agencja do spraw Żywności i Leków zastanawia się nad ponownym wprowadzeniem leku na rynek. Varrick rozdaje pieniądze w całym Waszyngtonie. Co jeszcze chciałbyś usłyszeć, Jerry?

— Myślę, że usłyszałem już dość. Szukam jakiegoś mostu.

— Widzę jeden z okien mojego gabinetu — powiedział Rodney i się zaśmiał. — Spina brzegi Missisipi i po prostu na mnie czeka. Będzie to most imienia Rodneya Bermana. Pewnego dnia znajdą mnie w zatoce oblepionego ropą naftową.

Cztery godziny później wszystkich sześciu członków komisji procesowej powodów wzięło udział w telekonferencji, jaką Jerry zorganizował w swoim gabinecie. Po podsumowaniu przez niego ponurych wieści z tego dnia Berman przedstawił swoją wersję. Każdy z nich wypowiadał się po kolei, ale nikt nie miał do przekazania dobrych wiadomości. Proces załamywał się na wszystkich frontach, rozsypywała się każda teoria, od wybrzeża do wybrzeża. Długo debatowali nad tym, ile z tego wiedzą w Varrick, lecz generalne odczucie było takie, że oni, adwokaci, znacznie wyprzedzają producenta leku. Ale to miało się szybko zmienić.

Zgodzili się natychmiast przerwać badania klientów. Jerry na ochotnika obiecał, że skontaktuje się z Nicholasem Walkerem i spróbuje przyśpieszyć rozmowy o ugodzie. Z kolei każdy z szóstki obiecał, że zacznie kupować ogromne pakiety akcji

Varrick, żeby podbić ich cenę. To w końcu spółka akcyjna i cena jej udziałów oznacza wszystko. Jeśli w Varrick wierzą, że ugoda uspokoi Wall Street, może to oznaczać chęć uporządkowania bałaganu z krayoxxem możliwie najmniej boleśnie.

Telekonferencja trwała dwie godziny i zakończyła się w tonie odrobinę bardziej optymistycznym, niż się zaczęła. Postanowili naciskać mocno jeszcze przez kilka dni, zachowywać kamienne twarze i liczyć na cud, ale pod żadnym pozorem nie będą wydawali pieniędzy na krayoxx z własnej kieszeni. Zakończyli tę sprawę. Ograniczą straty i przejdą do następnej bitwy.

Nikt nie wspomniał słowem o procesie Klopeck, mającym się odbyć za sześć tygodni.

Rozdział 33

Dwa dni później Jerry Alisandros wykonał z pozoru rutynowy telefon do Nicholasa Walkera z Varrick Laboratories. Pogadali o pogodzie, trochę o futbolu, a potem Jerry przeszedł do interesów.

— Będę w przyszłym tygodniu w okolicach twojego lasu, Nick, i chciałbym cię odwiedzić, jeśli będziesz w firmie i znajdziesz dla mnie czas.

— Może — odrzekł Walker ostrożnie.

— Bez problemu dogadujemy się co do liczb i robimy postępy, przynajmniej w sprawach zmarłych. Spędziłem całe godziny z komisją procesową i jesteśmy gotowi do rozpoczęcia formalnych negocjacji dotyczących ugody. Rzecz jasna, będzie to pierwsza runda. Załatwmy te duże sprawy, a potem będziemy się przedzierali przez małe.

— Taki mamy plan, Jerry — powiedział Walker, w pełni się z nim zgadzając, a Jerry odetchnął nareszcie pełną piersią. — Reuben Massey naciska na mnie ostro, żeby to wreszcie zakończyć. Dziś rano nieźle mnie przeczołgał i zamierzałem do ciebie zadzwonić. Massey polecił mi, żebym pojechał do ciebie z naszym zespołem prawników i z ludźmi z firm, które mamy na Florydzie, i wypracował porozumienie zgodne z założeniami, jakie już przedyskutowaliśmy. Proponuję, żebyśmy spotkali się w Fort Lauderdale za tydzień od dzisiaj. Podpiszemy umowę, przedstawimy ją potem sędziemu i ruszymy dalej. Przypadki żyjących zajmą więcej czasu, ale przynajmniej te duże będziemy mieli z głowy. Zgoda?

Zgoda? Nawet nie masz pojęcia, pomyślał Jerry.

— Doskonały pomysł, Nick. Przygotuję tu wszystko.

— Nalegam jednak, żeby było obecnych wszystkich sześciu członków komisji procesowej.

— To mogę zorganizować, nie ma problemu.

— I czy moglibyśmy ściągnąć urzędnika sądowego lub kogoś innego? Nie wyjadę stamtąd, dopóki nie zawrzemy układu na piśmie, zatwierdzonego przez sąd.

— Doskonały pomysł, Nick. — Jerry uśmiechał się jak idiota.

— Miejmy to już za sobą.

Po tym telefonie Jerry sprawdził sytuację na rynku. Varrick sprzedawał się po trzydzieści sześć dolarów i jedynym powodem wzrostu cen akcji był szum wokół zbliżającej się ugody.

⋏ ⋏ ⋏

Rozmowa telefoniczna została nagrana przez firmę specjalizującą się w wykrywaniu kłamstw. Kancelaria Zella i Pottera często korzystała z jej usług i potajemnie nagrywała rozmowy, żeby sprawdzić poziom prawdomówności drugiej strony. Pół godziny po tym, jak Jerry się rozłączył, dwóch ekspertów weszło do jego gabinetu z kilkoma wykresami i diagramami. Ze sprzętem i maszynerią zainstalowali się w niewielkiej sali konferencyjnej w głębi korytarza. Zmierzyli poziom stresu w obu głosach i bez trudu ustalili, że obaj mężczyźni kłamali. Jerry kłamał, żeby ponaglić Walkera.

Analiza stresu w głosie Walkera wykazała wysoki poziom fałszu. Kiedy mówił o Reubenie Masseyu i chęci firmy, by jak najszybciej ukręcić procesowi łeb, powiedział prawdę. Ale kiedy wspominał o zorganizowaniu szczytu w sprawie ugody w następnym tygodniu w Fort Lauderdale, z całą pewnością oszukiwał.

Jerry sprawiał wrażenie, że przyjął te informacje spokojnie. Podobnych dowodów nigdy nie dopuszczano w sądzie, ponieważ były bardzo zawodne. Często pytał sam siebie, po co w ogóle zawraca sobie głowę analizą stresu w głosie, ale korzystając z niej przez lata, prawie w nią uwierzył. Potrzebował czegokolwiek, czego mógłby się chwycić. Takie nagrania były rzecz jasna bardzo nieetyczne i w niektórych stanach nawet nielegalne, dlatego trzymanie ich w tajemnicy stało się rutyną.

Przez większość z minionych piętnastu lat nie pozwalał przysypiać prawnikom z Varrick Laboratories, wytaczając im proces za procesem. A w trakcie tego sporo się dowiedział o firmie. Jej badania zawsze były lepsze niż badania ekspertów wynajętych przez powodów. Wynajmowała szpiegów i inwestowała ogromne fundusze w szpiegostwo przemysłowe. Reuben Massey uwielbiał walczyć bezpardonowo i zwykle znajdował sposób wygrania wojny, nawet jeśli przegrał większość bitew.

Jerry wpisał hasło do prywatnego dziennika i wklepał:

Krayoxx wyparowuje na moich oczach. Właśnie rozmawiałem z N. Walkerem, który zamierza przyjechać tu w przyszłym tygodniu, żeby podpisać ugodę. 80 do 20, że się nie pojawi.

⋏　⋏　⋏

Iris Klopeck pokazała list od Wally'ego kilkorgu przyjaciołom i członkom rodziny. Perspektywa otrzymania dwóch milionów dolarów od razu zaczęła przysparzać problemów. Clint, jej syn nierób, który na co dzień odburkiwał jej wulgarnie, nagle zaczął okazywać matce wszelkie odcienie uczuć. Sprzątał w swoim pokoju, cały czas z nią gawędził, a najchętniej opowiadał jej, jak marzy o nowym samochodzie. Brat Iris, który dopiero co wyszedł z więzienia po drugiej odsiadce za kradzieże motocykli, malował jej dom (nie chcąc ani grosza za pracę) i robił aluzje, że marzy o sklepie z używanymi motocyklami. Wiedział nawet o jednym wystawionym na sprzedaż za jedyne sto tysięcy dolarów. „Prawdziwa okazja", powiedział, na co syn Iris wyszeptał za jego plecami: „Co jak co, ale na »okazjach« to on się zna". Koszmarna siostra Percy'ego, Bertha, dawała wszystkim do zrozumienia, że należy się jej coś z tych pieniędzy, bo jest „z jego krwi". Iris nie znosiła tej baby, podobnie jak Percy, i natychmiast wytknęła jej, że nie była nawet na pogrzebie brata. Bertha utrzymywała teraz, że leżała wtedy w szpitalu. „Udowodnij to", zażądała Iris i się pokłóciły.

⋏ ⋏ ⋏

Tego dnia, kiedy przyszedł list od Wally'ego, Adam Grand krzątał się po pizzerii, a szef warknął na niego bez najmniejszego powodu. Adam, zastępca kierownika, odpłacił mu pięknym za nadobne i wybuchła paskudna kłótnia. Kiedy wrzaski i przekleństwa ucichły, Adam rzucił pracę, albo został wyrzucony, i przez kilka minut obaj mężczyźni spierali się jeszcze o naturę jego odejścia; nie żeby miało to znaczenie — i tak stamtąd zniknął. Adam w ogóle się tym nie przejął, przecież miał być bogaty.

⋏ ⋏ ⋏

Millie Marino miała na tyle zdrowego rozsądku, że nikomu nie pokazała tego listu. Przeczytała go kilkakrotnie, zanim słowa zaczęły do niej docierać, i przez chwilę miała nawet wyrzuty sumienia, że wątpiła w kwalifikacje Wally'ego. Nadal nie budził zaufania i nadal była na niego zła za testament męża i spadek po nim, ale te sprawy przestały teraz się liczyć. Syn Chestera, Lyle, miał prawo do swojej części, dlatego uważnie śledził proces. Gdyby wiedział, jak blisko są otrzymania pieniędzy, mógłby stać się namolny. Dlatego Millie schowała list i nie powiedziała nikomu ani słowa.

▲ ▲ ▲

Dziewiątego września, po pięciu tygodniach od postrzelenia w nogi, Justin Bardall wniósł do sądu dwie sprawy: przeciwko Oscarowi i kancelarii Finleya i Figga jako spółce. Zarzucał Oscarowi „nadużycie siły" przy strzelaniu, a zwłaszcza celowy trzeci strzał w lewą nogę po tym, jak Bardall został poważnie ranny i nie stanowił już zagrożenia. W pozwie domagał się pięciu milionów dolarów za uszkodzenia ciała i dziesięciu milionów odszkodowania z nawiązką za to, że Oscar działał ze złych pobudek.

Adwokatem, który złożył pozew, okazał się Goodloe Stamm, prawnik wynajęty przez Paulę Finley do przeprowadzenia rozwodu. Najwyraźniej w którymś momencie Stamm wytropił Bardalla i przekonał go, by wniósł sprawę mimo swojej przestępczej działalności i faktu, że miał siedzieć w więzieniu za próbę podpalenia.

Rozwód miał coraz bardziej burzliwy przebieg, czego ani Wally, ani Oscar się nie spodziewali, zwłaszcza że Oscar odchodził przecież tylko z samochodem i ubraniami. Stamm nie przestawał jednak ćwierkać o wielkich pieniądzach z krayoxxu i węszył spisek mający na celu ich zatajenie.

Widząc pozew na piętnaście milionów dolarów, Oscar wpadł w furię i całą winę zrzucał na Davida. Gdyby nie było procesu o wynagrodzenie wytoczonego Cicero Pipe, on i Bardall nigdy by się nie spotkali. Wally'emu udało się jakoś doprowadzić do zawieszenia broni i krzyki ustały. Skontaktował się z firmą ubezpieczeniową kancelarii i nalegał, żeby zajęła się obroną i całą resztą. Wobec perspektywy rychłego osiągnięcia ugody znacznie łatwiej było zawrzeć pokój, uśmiechać się, a nawet żartować z obrazka, na którym bandzior Bardall, kulejąc, wchodzi na salę sądową i usiłuje przekonać ławę przysięgłych, że on, nieudolny podpalacz, powinien stać się bogaty, bo nie zdołał puścić z dymem kancelarii adwokackiej.

Rozdział 34

E-mail poprzedzała standardowa formułka o poufności i chroniło hasło dostępu. Napisał go Jerry Alisandros i wysłał do ośmiu adwokatów, z których jednym był Wally Figg.

Z przykrością informuję, że jutrzejsza konferencja w sprawie ugody została odwołana przez Varrick Laboratories. Odbyłem dziś rano długą rozmowę z Nicholasem Walkerem, szefem działu prawnego Varrick, i dowiedziałem się, że firma postanowiła zawiesić na jakiś czas negocjacje dotyczące ugody. Ich strategia się zmieniła, szczególnie w świetle faktu, że termin rozpoczęcia procesu Klopeck w Chicago wypada za cztery tygodnie. Ludzie z Varrick doszli do wniosku, że dobrze będzie wybadać grunt pierwszym procesem, przekonać się, jak stoją z materiałem dowodowym i ustaleniem zakresu odpowiedzialności. Chcą zaryzykować przed prawdziwą ławą przysięgłych. Choć nie ma w tym nic niezwykłego, usłyszałem od pana Walkera kilka ostrych słów o dość nagłej zmianie planów firmy. Uważam, że negocjowali w złej wierze i tak dalej, ale niewiele można zyskać, idąc w tym momencie na udry. Ponieważ nie osiągnęliśmy jeszcze porozumienia co do szczegółów ugody, nie możemy ich do niczego zmusić. Wygląda na to, że oczy wszystkich będą zwrócone na salę sądową w Chicago.

Będę Cię informował na bieżąco. J.A.

⅄ ⅄ ⅄

Wally wydrukował e-mail — miał wrażenie, że waży tonę — poszedł do gabinetu Oscara i położył go na biurku. Potem opadł na skórzany fotel i niewiele brakowało, a by się rozpłakał.

Oscar wolno czytał wydruk. Z każdym zdaniem pogłębiały się zmarszczki na jego czole. Oddychał przez usta, jakby z trudem. Rochelle poinformowała go przez interkom, że ktoś do niego dzwoni, ale Oscar puścił to mimo uszu. Usłyszeli jej ciężkie kroki, gdy szła do jego gabinetu, a potem pukanie. Ponieważ żaden z nich nie zareagował, wetknęła głowę przez drzwi i powiedziała:

— Panie Finley, dzwoni sędzia Wilson.

Oscar pokręcił głową i odpowiedział:

— Nie mogę teraz rozmawiać, oddzwonię do niego.

Zamknęła drzwi. Mijały minuty. Potem do drzwi zapukał David, wszedł, popatrzył na obu wspólników i zorientował się, że nadciąga koniec świata. Oscar podał mu kartkę, którą David przeczytał, chodząc przed regałem z książkami.

— To jeszcze nie wszystko — powiedział.

— Nie bardzo rozumiem, jak to: nie wszystko? — warknął Wally.

— Przeglądałem w internecie dokumenty etapu przygotowawczego, kiedy zobaczyłem, że złożono nowy wniosek.

Niecałe dwadzieścia minut temu. Jerry Alisandros w imieniu kancelarii Zella i Pottera złożył wniosek o wycofanie ich ze sprawy Klopeck jako reprezentanta powódki.

Można było pomyśleć, że ciało Wally'ego skurczyło się o dobre dziesięć centymetrów. Oscar chrząknął, jakby chciał coś dodać.

David, blady i zdenerwowany, mówił dalej:

— Zadzwoniłem do znajomego z Zella i Pottera, facet nazywa się Worley, i dowiedziałem się od niego w tajemnicy, że to pełny odwrót. Eksperci... nasi eksperci... wszyscy polegli na tym leku i nikt nie chce zeznawać. Raport McFaddena nawet nie pojawi się w sądzie. W Varrick wiedzieli o tym od jakiegoś czasu i przeciągali rozmowy o ugodzie, żeby móc wytrącić nam broń z ręki tuż przed procesem Klopeck. Worley mówi, że wspólnicy Zella i Pottera są w stanie wojny, ale ostatnie słowo należy do Alisandrosa. Worley powiedział też, że najprawdopodobniej z lekiem jest wszystko w porządku i od tego chyba trzeba zacząć.

— Wiedziałem, że ta sprawa to zły pomysł — odezwał się Oscar.

— Och, zamknij się — syknął Wally.

David usiadł na krześle najdalej, jak to możliwe, od obu wspólników. Oscar oparł łokcie na biurku i podtrzymywał głowę rękami, niczym w imadle, jakby miał dostać ataku potwornej migreny. Wally zamknął oczy i odchylił głowę. Ponieważ wydawało się, że obaj nie są w stanie mówić, David poczuł się w obowiązku nawiązać rozmowę.

— Czy mogą się wycofać tak blisko terminu procesu? — zapytał, świadomy faktu, że obaj prawnicy nie mają pojęcia o procedurach obowiązujących w sądzie federalnym.

— To zależy od sędziego — odrzekł Wally. — Co oni zrobią z tymi wszystkimi sprawami? — zwrócił się do Davida. — Mają ich tysiące, dziesiątki tysięcy.

— Zdaniem Worleya wszyscy po prostu przyczają się i będą czekali na to, co się stanie z Klopeck. Jeśli to my wygramy, wtedy, jak przypuszczam, adwokaci Varrick wznowią rozmowy o ugodzie. Jeśli przegramy, boję się, że sprawa krayoxxu nie będzie nic warta.

Perspektywa wygranej wydawała się jednak bardzo odległa. Mijały kolejne minuty. Wszyscy milczeli. Słychać było tylko ciężkie oddechy trzech zdezorientowanych mężczyzn. W oddali, na Beech Street, wyła syrena karetki pogotowia, ale żaden z nich nie zareagował.

Wreszcie Wally usiadł prosto, w każdym razie spróbował usiąść prosto, i powiedział:

— Musimy poprosić sąd o odroczenie. Potrzebny nam dodatkowy czas i prawdopodobnie powinniśmy sprzeciwić się wnioskowi o ich wycofaniu się ze sprawy.

Oscarowi udało się oswobodzić głowę z uścisku. Popatrzył na Wally'ego, jakby miał ochotę go zastrzelić.

— Tak naprawdę to powinieneś zadzwonić do tego swojego kolesia Jerry'ego i dowiedzieć się, o co w tym wszystkim, do cholery, chodzi. Nie może zwiać tak blisko terminu procesu. Powiedz mu, że złożymy na niego skargę w komisji etyki. I że pójdziemy do prasy. Wielki Jerry Alisandros boi się przyjechać do Chicago. Powiedz mu cokolwiek, Wally, ale on musi być na tej rozprawie, bo Bóg mi świadkiem, sami sobie nie poradzimy.

— Jeśli z lekiem jest wszystko w porządku, po co w ogóle zawracać sobie głowę chodzeniem do sądu? — zapytał David.

— To szkodliwy lek — powiedział Wally. — I możemy znaleźć biegłego, który to potwierdzi.

— Z jakichś powodów nie bardzo ci wierzę — mruknął Oscar.

David wstał i ruszył do drzwi.

— Proponuję, żebyśmy wrócili do swoich gabinetów, prze-myśleli sytuację i spotkali się za godzinę.

— Dobry pomysł.

Wally wstał chwiejnie. Poszedł do swojego gabinetu i za-dzwonił do Alisandrosa. Nie był zaskoczony, gdy okazało się, że wspaniały adwokat jest nieosiągalny. Wally przystąpił więc do wysyłania mu e-maili — długich, pełnych oburzenia wia-domości z groźbami i inwektywami.

David przeszukiwał blogi — finansowe, pozwów zbiorowych, obserwatorów wydarzeń z zakresu prawa — i znalazł potwier-dzenie, że Varrick Laboratories przerwały rozmowy o ugodzie. Cena ich akcji spadała trzeci dzień z rzędu.

ʌ ʌ ʌ

Późnym popołudniem firma złożyła wniosek o odroczenie i przedstawiła swoją odpowiedź na wniosek Jerry'ego o wy-cofanie się. Właściwie zrobił to David, bo Wally zwiał, a Oscar nie czuł się zbyt dobrze. David opowiedział w skrócie Rochelle o nieszczęściu, jakie ich spotkało, a ona od razu zaczęła się martwić, że Wally zacznie pić. Był trzeźwy od prawie roku, ale ona widywała już jego załamania.

Następnego dnia, niezwykle szybko jak na nią, Nadine Karros złożyła sprzeciw wobec wniosku o odroczenie. Następnie, co było łatwe do przewidzenia, nie miała nic przeciwko wycofaniu się kancelarii Zella i Pottera. Długi proces z zawodowcem, jakim był Jerry Alisandros, byłby niesamowitym wyzwaniem, jednak Nadine wierzyła, że szybko poradzi sobie z Finleyem albo Figgiem, lub oboma.

Następnego dnia w odpowiedzi na złożony wniosek sędzia Seawright odrzucił prośbę o odroczenie. Datę rozpoczęcia procesu wyznaczono na siedemnastego października — i tak miało pozostać. Zarezerwował sobie w kalendarzu dwa tygodnie i zmiana tego harmonogramu byłaby niesprawiedliwa wobec innych procesujących się stron. Figg złożył przecież pozew (...z taką wrzawą, że nie można było głośniej) i miał mnóstwo czasu na przygotowanie się do rozprawy. Witamy na błyskawicznym procesie.

Sędzia Seawright rzucił kilka nieprzyjemnych słów pod adresem Jerry'ego Alisandrosa, ale wyraził zgodę na jego wycofanie się ze sprawy. Proceduralnie takie wnioski zwykle były rozpatrywane pozytywnie. Sędzia zauważył, że po odejściu pana Alisandrosa klientka, Iris Klopeck, nadal będzie miała odpowiednich pełnomocników w sądzie. Określenie „odpowiednich" było cokolwiek dyskusyjne, ale sędzia wzniósł się ponad to i nie komentował braku doświadczenia na sali sądowej pana Figga, pana Finleya i pana Zinca.

Jedynym wyjściem, jakie pozostało Wally'emu, było złożenie wniosku o wycofanie pozwu razem z pozostałymi siedmioma przypadkami. Fortuna wymykała mu się z rąk, znalazł się na granicy załamania nerwowego, ale równie bolesna, jak wycofanie pozwu, była dla niego wizja wejścia na salę sądową Seawrighta, jak z horroru, praktycznie w pojedynkę, z nieznośnym ciężarem tysięcy ofiar krayoxxu przygniatającym mu plecy, i prowadzenie sprawy, której nawet największe sławy procesowe teraz unikały. O nie. Razem ze wszystkimi, którzy wdepnęli w to bagno, kombinował, jak się z tego wydostać. Oscar upierał się, że najpierw powinni powiadomić o tym klientów. David był zdania, że Wally musi mieć ich zgodę na wycofanie pozwu. Wally godził się z nimi oboma, ale bez przekonania, i nie potrafił zmusić się do poinformowania klientów, że rezygnuje z ich spraw, i to kilka dni po tym, jak wysłał im pełne optymizmu listy, w których praktycznie obiecywał im po dwa miliony dolarów.

Już obmyślał kolejne kłamstwa. Zamierzał powiedzieć Iris,

a potem reszcie, że adwokatom Varrick udało się z powodzeniem wykopać ich sprawy z sądu federalnego, ale on i inni prawnicy zastanawiają się nad pozwaniem ich do sądu stanowego, a to zajmie kilka miesięcy, i tak dalej. Wally musi zyskać na czasie, sprawić, by minęło kilka miesięcy, grać na zwłokę, zwlekać, łgać, zwalać winę za opóźnienia na Varrick Laboratories. A potem wszystko się uspokoi. Rozwieją się marzenia o szybkim bogactwie. Po mniej więcej roku spreparuje kilka następnych kłamstw i z czasem sprawa zniknie.

Sam napisał wniosek, a kiedy skończył, wpatrywał się w niego przez długi czas. W końcu przy zamkniętych na klucz drzwiach i bez butów Wally kliknął ikonę „wyślij" i pożegnał się z milionami.

Musiał się napić. Potrzebne mu było zapomnienie. Sam, bardziej załamany niż kiedykolwiek, z marzeniami, które legły w gruzach, z coraz większymi długami, Wally ostatecznie się załamał i zaczął płakać.

Rozdział 35

Nie tak szybko, powiedziała Karros. Jej błyskawiczna i sformułowana w ostrych słowach reakcja na to, co Wally uważał za rutynowy wniosek o oddalenie sprawy, była zatrważająca. Zaczęła od deklaracji, że jej klient obstaje przy procesie. Bardzo szczegółowo przedstawiła zalew złej prasy, jaki przez ostatni rok towarzyszył Varrick Laboratories — w czym spory udział mieli adwokaci powodów, dolewający oliwy do ognia — i dołączyła do swojej odpowiedzi wycinki prasowe z całego kraju. Każdy artykuł był historią rozdmuchaną przez jakiegoś adwokata (w tym Wally'ego) najeżdżającego na Varrick z powodu krayoxxu i domagającego się milionów. W tej chwili pozwolenie tym samym adwokatom na odcięcie się od tego i ucieczkę bez słowa przeprosin byłoby bardzo nie fair.

Jej klient tak naprawdę nie chce przeprosin, chce sprawiedliwości. Domaga się uczciwego procesu przed ławą przysięgłych. To nie Varrick Laboratories zaczęły tę walkę, ale z całą pewnością zamierzają ją dokończyć.

Razem z odpowiedzią na wniosek strony przeciwnej zgłosiła własny, jakiego nigdy nie widziano w kancelarii Finleya i Figga. Jego tytuł — *Reguła 11. Wniosek o sankcje* — budził lęk, a język wystarczył, by odesłać Wally'ego na odwyk, Davida do Rogana Rothberga, a Oscara na wcześniejszą, bardzo niską emeryturę. Nadine Karros dowodziła, całkiem przekonująco, że jeśli sąd przychyli się do wniosku powodów o wycofanie zarzutów, należy przyjąć, że przede wszystkim pozew został złożony bezpodstawnie. Fakt, że powód chce oddalenia sprawy, jest wyraźnym znakiem, iż sprawa jest bezprzedmiotowa i nigdy nie powinna znaleźć się na wokandzie. Niemniej pozew złożono dziewięć miesięcy temu, a pozwany, Varrick Laboratories, nie miał innego wyjścia, jak tylko energicznie przystąpić do obrony. Dlatego też w myśl Reguły 11 Federalnych Procedury Cywilnej pozwany ma prawo do zwrotu kosztów, jakie poniósł na przygotowanie obrony.

Jak do tej pory, i Karros pisała o tym otwarcie, licznik chodził na pełnych obrotach, a Varrick Laboratories wydały około osiemnastu milionów na obronę, z czego przynajmniej połowa była związana ze sprawą Klopeck. To bez wątpienia ogromna suma, ale szybko wskazała, że powód, kiedy składał pozew, żądał stu milionów. Biorąc pod uwagę naturę pozwów zbiorowych, ze wszystkimi elementami masowej histerii, Varrick Laboratories muszą bronić się skutecznie na pierwszym procesie, niezależnie od kosztów. Prawo nie wymaga, by którakolwiek ze stron wybierała najtańsze kancelarie prawnicze albo szukała możliwości układu. Mając tak dużo do stracenia, zarząd Varrick Laboratories wybrał kancelarię prawniczą o długiej historii sukcesów na salach sądowych.

Na bardzo wielu stronach podawała szczegóły innych niepoważnych pozwów, przy których sędziowie federalni rzucali książkami w niesumiennych adwokatów, składających te śmieci, w tym dwa w sali sądowej czcigodnego sędziego Harry'ego L. Seawrighta.

Reguła 11 dopuszczała, żeby sankcje, jeśli sąd na to zezwoli, dotykały w równej mierze adwokatów, jak ich klientów.

— Hej, Iris, wiesz co? Jesteś winna połowę, to znaczy dziewięć milionów — wymamrotał David pod nosem, w nadziei, że choć trochę poprawi sobie humor w ten kolejny depresyjny dzień. Przeczytał wniosek jako pierwszy, a kiedy skończył, miał spoconą szyję. Nadine Karros i jej mała armia od Rogana Rothberga przygotowali go w mniej niż czterdzieści osiem godzin, a David potrafił wyobrazić sobie młodych trepów przesiadujących nad nim nocą i zasypiających przy biurkach.

Kiedy Wally to przeczytał, wyszedł chyłkiem z kancelarii i nie widziano go tam do końca dnia. Kiedy Oscar to przeczytał, powlókł się na niewielką sofę w swoim gabinecie, zamknął drzwi na klucz, zdjął buty, wyciągnął się i zakrył oczy ramieniem. Po kilku minutach nie tylko wyglądał na trupa, prawdę mówiąc, modlił się o śmierć.

▲ ▲ ▲

Bart Shaw był adwokatem specjalizującym się w pozywaniu innych adwokatów za błędy, zaniedbanie obowiązków i postępowanie niezgodne z etyką zawodową. Praca w tej niewielkiej niszy na zatłoczonym rynku sprawiła, że wśród prawników był pariasem. Miał niewielu przyjaciół wśród kolegów po fachu, ale uważał, że to dobrze. Był bystrym, utalentowanym i agresywnym człowiekiem, dokładnie takim, jakiego w Varrick potrzebowali do zadania, które wydawało się trochę podejrzane, ale idealnie mieściło się w granicach kodeksu etycznego.

Po serii rozmów telefonicznych z Judy Beck i kohortą Nicka Walkera z działu prawnego Varrick Laboratories Shaw zgodził się na warunki współpracy. Jego honorarium wynosiło dwadzieścia pięć tysięcy dolarów, a stawkę godzinową ustalono na sześćset. Jakiekolwiek dodatkowe pieniądze zyskane z potencjalnych spraw za nieuczciwe praktyki zostawały u niego w kieszeni.

Pierwszy telefon wykonał do Iris Klopeck, która miesiąc przed procesem była w stanie bardzo dalekim od emocjonalnej stabilności. Nie chciała rozmawiać z kolejnym prawnikiem, ale przyznała, że wolałaby nigdy nie spotkać jego poprzednika. Kiedy niespodziewanie się rozłączyła, Shaw odczekał godzinę i spróbował jeszcze raz. Po niepewnym „halo" poszedł na całość.

— Czy pani wie, że pani adwokat próbuje wycofać pani sprawę? — zapytał. A ponieważ nie zareagowała od razu, mówił dalej: — Pani Klopeck, nazywam się Bart Shaw. Jestem prawnikiem i reprezentuję ludzi, którzy zostali wyrolowani przez swoich adwokatów. Chodzi o nieuczciwe praktyki adwokackie. Tylko tym się zajmuję, a pani adwokat, Wally Figg, usiłuje wyłgać się z pani sprawy. Jest ubezpieczony od odpowiedzialności cywilnej i być może będzie miała pani z tego jakieś pieniądze.

— Już gdzieś to słyszałam — powiedziała cicho.

To była typowa zagrywka Shawa: gadał bez przerwy przez następne dziesięć minut. Opowiedział jej o wniosku, który Wally złożył, chcąc wycofać pozew, zarówno jej, jak i pozostałych siedmiu powodów. Kiedy Iris w końcu się odezwała, powiedziała:

— Ale on mi obiecał milion dolarów.

— Obiecał?

— O tak.

— To bardzo nieetyczne, ale wątpię, czy pan Figg w ogóle przejmuje się etyką.

— On jest jakiś śliski.

— W jaki dokładnie sposób obiecał pani ten milion?

— Tutaj, w mojej kuchni przy stole, kiedy widziałam go po raz pierwszy. A potem to napisał.

— Co takiego? Ma to pani na piśmie?

— Jakiś tydzień temu dostałam od Figga list. Napisał, że zgodzili się na dwa miliony odszkodowania, a to znacznie więcej, niż mi wcześniej obiecał. Mam ten list przed sobą. Co się dzieje z tą ugodą? Może pan powtórzyć, jak się pan nazywa?

Shaw trzymał ją przy telefonie przez godzinę i gdy się rozłączyli, byli wykończeni. Następna była Millie Marino, a ponieważ nie brała żadnych środków uspokajających, załapała, o co chodzi, znacznie szybciej niż biedna Iris. Nic nie wiedziała o załamaniu się planowanej ugody ani o wycofaniu sprawy, bo nie rozmawiała z Wallym od kilku tygodni. Podobnie jak w przypadku Iris, przekonał ją do natychmiastowego powstrzymania się od kontaktów z Wallym. Dla Shawa było to w tym momencie bardzo ważne. Millie była zdezorientowana tą rozmową i rozwojem wypadków, odpowiedziała, że potrzebuje trochę czasu, by zebrać myśli.

Adam Grand nie potrzebował na to czasu. Od razu sklął Wally'ego. Jak ta gnida może próbować wycofać sprawę, nic mu o tym nie mówiąc? Ostatnie, co słyszał, to ugoda na dwa miliony dla każdego. Cholera, no pewnie, że Grand jest gotów dobrać się Figgowi do skóry.

— Na jaką sumę jest ubezpieczony od odpowiedzialności cywilnej? — zapytał.

— Standardowa polisa opiewa na pięć milionów, ale wariantów jest więcej — wyjaśnił Shaw. — Niedługo się tego dowiemy.

⋏ ⋏ ⋏

Piąte zebranie odbyło się po zmroku w czwartkowy wieczór, ale Rochelle w nim nie uczestniczyła. Nie zniosłaby więcej złych wiadomości, poza tym nie mogła zrobić nic, co pomogłoby w tej sytuacji.

List od Barta Shawa przyszedł po południu i leżał teraz na środku stołu. Po wyjaśnieniu, że „skonsultował się z sześcioma ich klientami zaangażowanymi w sprawę krayoxxu, w tym z panią Klopeck", postawił sprawę jasno, że nie jest opłacany przez żadną z tych sześciu osób. Jeszcze nie. Czekają bowiem, co się stanie z ich sprawami. Niemniej on, Shaw, bardzo martwi się próbą wycofania tych spraw przez kancelarię Finleya i Figga bez powiadamiania o tym klientów. Takie działanie łamie wszelkie dobre obyczaje obowiązujące w ich profesji. Formalnym, ale klarownym językiem pouczał firmę, że: 1. Etycznym obowiązkiem jest skrupulatna dbałość o dobro klienta; 2. Klient powinien być informowany o wszelkiej aktywności; 3. Nieetyczne jest płacenie klientowi za powierzenie sprawy; 4. Nie można gwarantować wprost korzystnego wyniku sprawy, po to, by nakłonić klienta do podpisania umowy. I tak dalej. W surowych słowach ostrzegał, że jeśli dopuszczą się kolejnych uchybień w prowadzonych sprawach, skończy się to bardzo nieprzyjemnym procesem.

Oscar i Wally, którzy mieli na koncie wiele oskarżeń o nieetyczne postępowanie, przejęli się nie tyle tymi zarzutami, ile ogólną wiadomością, jaką list zawierał: że w chwili gdy sprawy zostaną wycofane, firma natychmiast zostanie pozwana za nieuczciwe praktyki. David denerwował się każdym słowem listu Shawa.

Siedzieli przy stole, wszyscy przygnębieni i rozbici. Nikt nie przeklinał, nie wrzeszczał. David wiedział, że do awantury doszło, gdy przebywał poza kancelarią.

Mieli związane ręce. Jeśli sprawa Klopeck spadnie z wokandy, Karros wykastruje ich żądaniem sankcji, a stary Seawright chętnie na to pójdzie. Kancelaria może stanąć przed koniecznością zapłacenia milionowej grzywny. Jakby tego było mało, ta hiena Shaw zasypie ich pozwami o nieuczciwą praktykę i będzie ciągał po sądach przez następne dwa lata.

Jeśli wycofają wniosek o oddalenie sprawy, będą musieli stawić się na rozprawie, do której pozostało tylko dwadzieścia pięć dni.

Podczas gdy Wally bazgrał bezmyślnie w notesie, jakby nałykał się prochów, Oscar przystąpił do oceny sytuacji:

— Zatem albo pozbędziemy się tych spraw i staniemy w obliczu finansowej ruiny, albo za trzy tygodnie od tego poniedziałku pomaszerujemy do sądu federalnego na sprawę, której prowadzenia nie podjąłby się żaden adwokat przy zdrowych zmysłach, sprawę, gdzie nie ma winnego, bez biegłych, w imieniu klientki, która jest albo obłąkana, albo naćpana, klientki, której zmarły mąż ważył prawie sto pięćdziesiąt kilo i praktycznie umarł z przejedzenia, będziemy mieli przeciwko sobie pluton doświadczonych, dobrze opłacanych i utalentowanych prawników, dysponujących nieograniczonym budżetem i ekspertami z najlepszych szpitali w kraju, i sędziego, który zdecydowanie faworyzuje drugą stronę, bardzo nas nie lubi, bo jego zdaniem brakuje nam doświadczenia i kompetencji. I cóż, to chyba tyle? Coś pominąłem, Davidzie?

— Nie mamy pieniędzy na koszty procesowe — przypomniał David, zamykając tym listę.

— Racja. Świetna robota, Wally. Jak powtarzałeś przez cały czas, te pozwy zbiorowe to żyła złota.

— Daj spokój, Oscarze — odezwał się Wally cicho. — Zejdź ze mnie na chwilę. Biorę na siebie pełną odpowiedzialność. To wszystko moja wina. Wychłostaj mnie, rób, co chcesz. Ale pozwól, że ograniczymy naszą rozmowę do czegoś produktywnego, dobrze? Oscarze?

— Jasne. Jaki masz plan? Olśnij nas po raz kolejny, Wally.

— Nie mamy innego wyboru, jak walczyć — powiedział Wally. Głos nadal miał zachrypnięty, mówił powoli. — Spróbujemy zebrać do kupy jakieś dowody. Pójdziemy do sądu i będziemy walczyli jak lwy, a kiedy przegramy, będziemy mogli zapewnić klientów i tego łachudrę Shawa, że zrobiliśmy, co się dało. W każdym procesie ktoś wygrywa i ktoś przegrywa. Jasne, że skopią nam tyłki, ale w tym momencie wolałbym wyjść z sądu z podniesioną głową, a nie z nałożoną sankcją i pozwami za nieuczciwą praktykę.

— Miałeś kiedykolwiek do czynienia z ławą przysięgłych w sądzie federalnym, Wally? — zapytał Oscar.

— Nie, a ty?

— Nie. — Oscar spojrzał na Davida. — A ty, Davidzie?

— Nie.

— Tak właśnie myślałem. Trzy oferimy bełkoczące coś na sali sądowej z uroczą Iris Klopeck, niemające zielonego pojęcia, co robić. Wspomniałeś o zebraniu do kupy jakichś dowodów. Mógłbyś nas oświecić w tej sprawie, Wally?

Wally wpatrywał się w niego przez moment, a potem powiedział:

— Spróbujemy znaleźć paru biegłych, kardiologa i może farmakologa. Jest mnóstwo ekspertów, którzy za pieniądze powiedzą wszystko. Zapłacimy im, posadzimy na miejscu dla świadków i będziemy się modlili, żeby jakoś przetrwali.

— Nie przetrwają, bo przede wszystkim będą kłamali.

— Racja, ale przynajmniej spróbujemy, Oscarze. Przynajmniej zawalczymy.

— Ile te pajace mogą kosztować?

Wally spojrzał na Davida, który wyjaśnił:

— Złapałem dzisiaj po południu doktora Borzova, faceta, który badał tutaj naszych klientów. Wrócił do domu w Atlancie, bo badanie nagle zostało przerwane. Powiedział, że mógłby zastanowić się nad zeznawaniem w sprawie Klopeck za honorarium... hm... myślę, że powiedział siedemdziesiąt pięć tysięcy dolarów. Ma paskudny akcent.

— Siedemdziesiąt pięć tysięcy? — powtórzył Oscar. — I nawet go dobrze nie zrozumiałeś?

— Jest Rosjaninem, a jego angielski nie jest zbyt wyszukany, co może działać na naszą korzyść podczas rozprawy, bo dzięki temu moglibyśmy trochę namieszać w głowach ławie przysięgłych.

— Przepraszam, ale nie nadążam.

— Cóż, musisz sobie wyobrazić, że Nadine Karros weźmie tego gościa w krzyżowy ogień pytań. Jeśli ława przysięgłych zrozumie, jak bardzo jest niekompetentny, to nasza sprawa ucierpi. Ale jeśli ława przysięgłych nie będzie pewna, czy dobrze go rozumie, wtedy być może spustoszenia będą mniejsze.

— Tego właśnie uczą na Harvardzie?

— Naprawdę nie pamiętam, czego mnie uczyli na Harvardzie.

— W takim razie, jakim cudem stałeś się ekspertem od praktyki procesowej?

— Nie jestem ekspertem, ale bardzo dużo czytam i oglądam powtórki Perry'ego Masona. Słodziutka Emma nie sypia za dobrze, więc się tłukę nocami po mieszkaniu.

— Od razu lepiej się poczułem.

— Przy odrobinie szczęścia możemy znaleźć lewego farmakologa za mniej więcej dwadzieścia pięć tysięcy dolarów — powiedział Wally. — Będzie jeszcze kilka innych wydatków, ale Rogan nie liczy na zaciętą walkę.

— I teraz wiemy dlaczego — wtrącił się Oscar. — Chcą procesu, i to szybkiego. Chcą sprawiedliwości. Chcą błyskawicznego, jednoznacznego wyroku, który będą mogli ogłosić całemu światu. Wpadliście w ich zasadzkę, Wally. Ludzie z Varrick zaczęli rozmawiać o ugodzie, a chłopcy od pozwów zbiorowych kupować nowe odrzutowce. Zwodzili was do dnia, gdy do pierwszej rozprawy został tylko miesiąc, a wtedy odkryli karty. Twoi bliscy przyjaciele od Zella i Pottera zwiali tylnymi drzwiami, mając na koncie tylko ogromne straty.

— Już o tym rozmawialiśmy, Oscarze — uciął Wally.

Nastąpiła trzydziestosekundowa przerwa i atmosfera w jakiś sposób się oczyściła. Wally odezwał się spokojnie:

— Ten budynek jest wart trzysta tysięcy dolarów i nie ma obciążonej hipoteki. Chodźmy do banku, otwórzmy linię kredytową pod hipotekę, tak ze dwieście tysięcy, i ruszajmy na poszukiwanie biegłych.

— Tego właśnie się spodziewałem — westchnął Oscar. — Dlaczego mamy wyrzucać pieniądze w błoto?

— Daj spokój, Oscarze. Wiesz więcej ode mnie o postępowaniu procesowym, co prawda, wiesz niewiele, ale...

— Masz absolutną rację w tej sprawie.

— Nie wystarczy wejść do sądu, rozpocząć proces, przedstawić się ławie przysięgłych, a potem szukać kryjówki, kiedy Nadine zacznie strzelać do nas z armaty. Jeśli nie znajdziemy paru ekspertów, nie dotrzemy nawet do procesu. To zaś samo w sobie jest nieuczciwą praktyką adwokacką.

David próbował pomóc:

— Mogę się założyć, że ten facet, Shaw, będzie na sali sądowej i nie spuści z nas oka.

— Racja — powiedział Wally. — I jeżeli nie spróbujemy przynajmniej udawać, że naprawdę chcemy tego procesu, Seawright może uznać nasz pozew za niepoważny i walnie w nas sankcjami. Mimo że wygląda to na wariactwo, wydanie tych pieniędzy może zaoszczędzić nam większych strat.

Oscar odetchnął głęboko i założył ręce za głowę.

— To obłęd. Zupełny obłęd.

Wally i David zgodzili się z nim.

⋏　⋏　⋏

Wally wycofał wniosek o oddalenie pozwów i na dokładkę wysłał kopie Bartowi Shawowi. Nadine Karros wycofała swoją odpowiedź i groźbę sankcji wynikających z Reguły 11. Kiedy sędzia Seawright podpisał zgodę na oba posunięcia, w butikowej kancelarii adwokackiej Finleya i Figga odetchnięto. W tym momencie żaden z trzech prawników nie był na muszce pani adwokat.

Po sprawdzeniu finansów firmy bank nie wyrywał się z udzieleniem kredytu, mimo że hipoteka budynku nie była obciążona. Nic nie mówiąc Helen, David podżyrował linię kredytową, podobnie jak dwaj jego partnerzy. Mając dwieście tysięcy dolarów, kancelaria wrzuciła czwarty bieg, co jednak komplikował fakt, iż żaden z nich nie do końca wiedział, co powinno zostać zrobione.

Sędzia Seawright i jego urzędnicy codziennie przeglądali akta z coraz większym niepokojem. W poniedziałek, trzeciego października, wszyscy adwokaci zostali wezwani do sądu na nieformalną sesję roboczą. Wysoki Sąd zaczął spotkanie od stwierdzenia, że proces rozpocznie się za trzy tygodnie i nic tego nie zmieni. Obie strony utrzymywały, że będą przygotowane do rozprawy.

— Czy zaangażował pan biegłych? — zapytał sędzia Wally'ego.

— Tak, Wysoki Sądzie.

— A kiedy pańskim zdaniem może się pan podzielić tą informacją z sądem i drugą stroną? Miał pan na to całe miesiące, prawda?

— Tak, Wysoki Sądzie, ale harmonogram zakłóciło nam kilka niespodziewanych wydarzeń — odpowiedział Wally gładko, jak prawdziwy przemądrzały dupek.

— Kto jest pańskim kardiologiem? — strzeliła Nadine Karros z drugiej strony stołu.

— Doktor Igor Borzov — odpowiedział Wally takim tonem, jakby Borzov był najwybitniejszym ekspertem od spraw serca na świecie. Nadine nawet nie mrugnęła ani też się nie uśmiechnęła.

— Kiedy możemy spodziewać się od niego pisemnego zeznania? — zapytał sędzia.

— Kiedykolwiek — powiedział Wally, jakby to nie był problem. Prawda jednak wyglądała tak, że Borzov wahał się jeszcze, czy warto za siedemdziesiąt pięć tysięcy kłaść głowę pod topór.

— Nie potrzebujemy wcześniejszej opinii doktora Borzova — powiedziała Karros trochę od niechcenia. Innymi słowy, wiemy, że to konował, i nie obchodzi nas, co zezna, bo rozniesiemy go przed ławą przysięgłych. Podjęła tę decyzję w jednej chwili, bez naradzania się z asystentami, nie potrzebowała dwudziestu czterech godzin na zastanowienie. Jej lodowaty chłód przyprawiał o dreszcz.

— Czy mają państwo farmakologa? — zapytała.

— Tak, mamy — skłamał Wally. — To doktor Herbert Threadgill. — Wally właściwie rozmawiał z tym facetem, ale nie osiągnęli porozumienia. David dostał jego nazwisko od kumpla Worleya od Zella i Pottera, który opisał Threadgilla jako „wariata, który za dolara zezna cokolwiek". Okazało się jednak, że to nie takie proste. Threadgill żądał pięćdziesięciu tysięcy dolarów jako rekompensaty za upokorzenia, których bez wątpienia dozna w sądzie.

— Jego wcześniejszych zeznań też nie potrzebujemy — powiedziała Nadine z lekkim machnięciem ręki, które wystarczyło za tysiąc słów. Z niego też zostaną strzępy.

⋏ ⋏ ⋏

Kiedy spotkanie się skończyło, David bardzo chciał, żeby Oscar i Wally poszli z nim do sali sądowej na czternastym piętrze budynku Dirksena. Zgodnie z informacjami na stronie internetowej zaczynał się tam ważny proces. Chodziło o powództwo cywilne dotyczące śmierci siedemnastoletniego ucznia, przejechanego przez olbrzymią ciężarówkę, która, pędząc na czerwonym świetle, uderzyła dzieciaka bokiem. Samochód należał do firmy spoza stanu, dlatego sprawę rozpatrywał sąd federalny.

Ponieważ nikt z kancelarii Finleya i Figga nigdy nie brał udziału w procesie w sądzie federalnym, David był przekonany, że powinni przynajmniej mu się przyjrzeć.

Rozdział 36

Pięć dni przed rozpoczęciem procesu sędzia Seawright znów zgromadził adwokatów w swojej sali sądowej na ostatnią naradę przed rozprawą. Trzech gamoni dzięki wysiłkom Davida wyglądało dobrze i profesjonalnie. Uparł się, żeby włożyli ciemne garnitury, białe koszule i krawaty, jakiekolwiek, byle nie krzykliwe, i czarne buty. Dla Oscara nie było to problemem, bo zawsze ubierał się jak adwokat, choć niezbyt wzięty. Dla Davida taki ubiór był drugą skórą, miał szafę pełną drogich garniturów z czasów pracy u Rogana Rothberga. Natomiast dla Wally'ego było to swego rodzaju wyzwanie. David znalazł sklep z męską odzieżą po umiarkowanych cenach i poszedł z Wallym, żeby dokonać wyboru i pomóc mu w dobraniu rozmiaru. Wally zrzędził i awanturował się przez cały czas, i o mało nie wypadł stamtąd jak burza, gdy okazało się, że w sumie musi zapłacić tysiąc czterysta dolarów. W końcu wyjął kartę kredytową i razem z Davidem wstrzymali oddech, gdy sprzedawca przepuścił ją przez kasę. Nie pojawił się żaden problem, więc szybko wyszli ze sklepu z torbami koszul, krawatów i czarnymi, skórzanymi, sznurowanymi półbutami.

Po drugiej stronie sali sądowej Nadine Karros, cała w Pradzie, była otoczona swoimi sześcioma bulterierami, wszystkimi w garniturach od Zegny albo Armaniego i wyglądającymi jak z reklam w błyszczących magazynach.

Zgodnie ze swoim zwyczajem sędzia Seawright nie udostępnił listy przyszłych sędziów przysięgłych. Inni sędziowie puszczali ją w obieg dwa tygodnie przed procesem, a to nieodmiennie oznaczało gorączkowe konsultacje obu stron z wysoko opłacanymi konsultantami z sądu. Im większa była sprawa, tym więcej wydawano pieniędzy na zdobywanie informacji o poszczególnych przysięgłych. Sędzia Seawright brzydził się tymi podejrzanymi machinacjami. Wiele lat temu przy jednej z jego spraw powstał zarzut prowadzenia niedozwolonych praktyk przez takich ludzi. Przyszli sędziowie przysięgli skarżyli się, że są obserwowani, śledzeni, fotografowani, a nawet nagabywani przez wygadanych obcych ludzi, którzy wiedzieli o nich stanowczo za dużo.

Przez następne pięć dni kancelaria Rogana Rothberga zamierzała wydać pięćset tysięcy dolarów na próby zdobycia informacji o sędziach przysięgłych. W momencie rozpoczęcia procesu mieli zatrudnionych trzech dobrze opłacanych konsultantów, którzy, siedząc w różnych miejscach na sali sądowej, obserwowaliby reakcje przysięgłych na zeznania. Konsultantka Finleya i Figga kosztowała dwadzieścia pięć tysięcy dolarów i została wynajęta dopiero po kolejnej awanturze. Ona i jej współpracownicy mieli zrobić, co w ich mocy, żeby dowiedzieć się jak najwięcej o przeciętnym sędzim oraz obserwować dokładnie proces selekcji. Nazywała się Consuelo i szybko zdała sobie sprawę, że nigdy jeszcze nie pracowała z tak niedoświadczonymi adwokatami.

Sędzia Seawright przywołał wszystkich do porządku, a jego urzędnik wręczył jedną listę Oscarowi, a drugą Nadine Karros. Znajdowało się na niej sześćdziesiąt nazwisk, a wszystkie osoby zostały wcześniej sprawdzone przez personel pracujący dla sędziego, żeby wyeliminować sędziów, którzy: 1. Zażywali teraz lub brali wcześniej krayoxx albo jakikolwiek inny lek na obniżenie poziomu cholesterolu; 2. Mieli w rodzinie lub wśród przyjaciół kogoś, kto brał krayoxx lub miał z nim jakikolwiek kontakt; 3. Byli kiedykolwiek reprezentowani przez prawnika, nawet tylko pośrednio związanego z tą sprawą; 4. Byli kiedykolwiek zaangażowani w proces sądowy dotyczący leku lub produktu, któremu zarzucano szkodliwość dla zdrowia; 5. Czytali w gazecie lub magazynie artykuł o krayoxxie i pozwach, które złożono w związku z nim. Czterostronicowy kwestionariusz obejmował zagadnienia, które mogły dyskwalifikować potencjalnego przysięgłego.

Wcześniej podczas nieprzyjemnego i często drażliwego procesu ustalono, że Oscar weźmie na siebie rolę adwokata prowadzącego i to on będzie dreptał po sali sądowej. Wally miał mu służyć radą, obserwować, notować i robić wszystko, co powinien robić jego zastępca, choć żaden z nich nie wiedział, co z tego wyniknie. Na Davidzie spoczęła odpowiedzialność za zbieranie materiałów i informacji, monumentalne zadanie, ponieważ była to pierwsza rozprawa w sądzie federalnym dla każdego z nich i wszystko trzeba było sprawdzać i ustalać. Podczas bardzo wielu posiedzeń przy stole, mozolnych i niezbędnych ze strategicznego punktu widzenia, David dowiedział się, że ostatni raz Oscar brał czynnie udział w procesie w sądzie stanowym osiem lat temu i była to stosunkowo prosta sprawa o ustalenie winnego, który spowodował wypadek na czerwonym świetle; Oscar przegrał tę sprawę. Dokonania Wally'ego były jeszcze skromniejsze — sprawa o poślizgnięcie się w jednym ze sklepów Walmartu, przy której przysięgli obradowali przez piętnaście minut, orzekając na korzyść sieci handlowej, i prawie zapomniana rozprawa dotycząca wypadku samochodowego w Wilmette, która również skończyła się jego porażką.

Kiedy Oscar i Wally zwarli się rogami nad strategią, zwrócili się do Davida, bo nie było nikogo innego. Jego głos był decydujący, co z kolei bardzo go krępowało.

Po wręczeniu listy przysięgłych sędzia Seawright wygłosił surowy wykład o zbliżaniu się do zespołu sędziów przysięgłych. Wyjaśnił, że kiedy przyszli sędziowie przysięgli przyjadą w poniedziałek rano, on weźmie ich w krzyżowy ogień pytań na temat niedozwolonych kontaktów. Czy mieli wrażenie, że ktoś grzebał w ich życiorysach, sprawdzał ich pochodzenie? Czy ktoś ich śledził, fotografował? Jakiekolwiek złamanie tego zakazu spowoduje, że on będzie wtedy bardzo niezadowolonym sędzią.

— Nie zgłoszono żadnych wniosków związanych ze standardem Daubert — ciągnął — dlatego można spokojnie uznać, iż żadna ze stron nie zamierza domagać się wyłączenia z procesu biegłych strony przeciwnej, czy mam rację?

Ani Oscar, ani Wally nie mieli pojęcia o standardzie Daubert, który stosowano od lat. „Daubert" pozwalał każdej ze stron sprzeciwić się dopuszczeniu opinii biegłych przeciwnika. Była to standardowa procedura w sądach federalnych i stosowano ją w połowie stanów. David natknął się na nią dziesięć dni wcześniej, kiedy przysłuchiwał się procesowi w sąsiedniej sali. Po szybkim sprawdzeniu, o co w tym chodzi, zdał sobie sprawę, że Nadine Karros prawdopodobnie zażąda wykluczenia ich biegłych, zanim proces się rozpocznie. Fakt, że nie odwołała się do standardu Daubert, mógł oznaczać tylko jedno: chce, by ich biegli zeznawali, bo wtedy będzie mogła skompromitować ich na oczach przysięgłych.

Kiedy David wyjaśnił partnerom, na czym polega ten standard, wszyscy trzej podjęli decyzję o nieskładaniu wniosku o skorzystanie ze standardu Daubert wobec ekspertów Varrick Laboratories. Powód był prosty, tak samo jak Nadine, tyle że zupełnie odwrotny. Jej biegli byli doświadczeni, mieli ustaloną renomę i takie kwalifikacje, że standard Daubert nie miałby wobec nich sensu.

— Tak, Wysoki Sądzie, Wysoki Sąd ma rację — odpowiedziała Nadine.

— Tak, Wysoki Sądzie — odpowiedział Oscar.

— Niezwykłe, ale nie szukam dodatkowej pracy. — Sędzia przesunął jakieś papiery i wyszeptał do protokolanta: — Nie widzę żadnych wniosków czekających na decyzję, więc pozostaje rozpocząć proces. Sędziowie przysięgli będą tutaj o ósmej trzydzieści w poniedziałek rano i zaczniemy dokładnie o dziewiątej. Coś jeszcze?

Adwokaci pokręcili głowami.

— Bardzo dobrze. Udzielam obu stronom pochwały za efektywną procedurę przygotowawczą i niespotykanie dobrą współpracę. Mam zamiar przeprowadzić uczciwy i szybki proces.

Zespół z kancelarii Finleya i Figga szybko zebrał papiery i opuścił salę sądową. Po drodze David próbował wyobrazić sobie, jak to miejsce będzie wyglądało za pięć dni, z sześćdziesięcioma potencjalnymi i zdenerwowanymi sędziami przysięgłymi, kretami z innych kancelarii specjalizujących się w pozwach zbiorowych, czekającymi na rozlew krwi, dziennikarzami, analitykami giełdowymi, konsultantami obserwującymi przysięgłych, zadowolonymi z siebie szychami z Varrick i typowym tłumem gapiów sądowych. Skurcz żołądka sprawił, że z trudem oddychał.

— Byle jakoś to przeżyć — powtarzał sobie. — Masz dopiero trzydzieści dwa lata. To nie będzie koniec twojej kariery.

Na korytarzu zaproponował, żeby się rozdzielili i spędzili kilka godzin na obserwowaniu innych rozpraw, ale Oscar i Wally marzyli tylko o tym, żeby stamtąd wyjść. Więc David zrobił to, czym zajmował się przez ostatnie dwa tygodnie: wślizgnął się na salę sądową i zajął miejsce w trzecim rzędzie za prawnikami.

Im więcej widział, tym bardziej był zafascynowany sztuką prowadzenia procesu.

Rozdział 37

W sprawie Klopeck przeciwko Varrick Laboratories pierwszy kryzys nastąpił, gdy okazało się, że powódka nie stawi się w sądzie. Seawright, powiadomiony o tym, gdy siedział w swoim gabinecie, był bardzo niezadowolony. Wally próbował wytłumaczyć mu, że Iris odwieziono do szpitala w środku nocy, bo skarżyła się na trudności z oddychaniem, hiperwentylację, pokrzywkę i jeszcze jedną czy dwie z jej dolegliwości.

Trzy godziny wcześniej, gdy adwokaci z kancelarii Finleya i Figga pracowali gorączkowo przy stole jeszcze przed świtem, zadzwoniła komórka Wally'ego. To był Bart Shaw, adwokat od nieuczciwych praktyk, który straszył ich procesem, jeśli nie wywiążą się z umów z klientami w sprawie krayoxxu. Najwyraźniej syn Iris, Clint, znalazł numer jego telefonu i zadzwonił, żeby powiedzieć, że matka jedzie karetką do szpitala i nie może wziąć udziału w rozprawie. Clint zadzwonił do niewłaściwego adwokata, a Shaw po prostu przekazywał im tę wiadomość.

— O rany, dzięki, dupku — mruknął Wally, rozłączając się.

— Kiedy się pan dowiedział, że zabrano ją do szpitala? — spytał sędzia Seawright.

— Kilka godzin temu, Wysoki Sądzie. Byliśmy w kancelarii i szykowaliśmy się do procesu, kiedy zadzwonił jej adwokat.

— Jej adwokat? Myślałem, że to pan jest jej adwokatem.

David i Oscar mieli ochotę zapaść się pod ziemię. Wally'emu mózg i tak się już gotował, musiał wziąć dwa proszki na uspokojenie. Spojrzał na sufit i usiłował wymyślić szybki sposób naprawienia tej gafy.

— Tak, no więc, Wysoki Sądzie, to trochę skomplikowane. Ale ona jest w szpitalu. Odwiedzę ją podczas przerwy na lunch.

Po drugiej stronie stołu Nadine Karros starała się, by na jej twarzy malował się wyraz zatroskania. Wiedziała wszystko o zastraszaniu kancelarii Finleya i Figga przez Barta Shawa. W rzeczywistości bowiem to ona i jej współpracownicy znaleźli go i zarekomendowali Nicholasowi Walkerowi i Judy Beck.

— Proszę to zrobić — powiedział sędzia surowo. — I chcę zobaczyć jakieś zaświadczenie od jej lekarzy. Zakładam, że skoro nie może zeznawać, będziemy zmuszeni wykorzystać jej zeznania złożone w czasie przygotowań do procesu.

— Tak, Wysoki Sądzie.

— Sędziowie przysięgli powinni już zajmować miejsca. Przewiduję, że pierwsze posiedzenie odbędą dzisiaj późnym popołudniem, więc powinien pan jutro rano wstać pierwszy, panie Figg. W normalnych warunkach powódka rozpoczyna rozprawę, zajmując miejsce dla świadków i mówiąc o zmarłej bliskiej osobie.

To z pewnością było miłe ze strony sędziego Seawrighta, że mówi im, jak mają postępować na procesie, pomyślał Wally, gdyby nie bardzo protekcjonalny ton jego głosu.

— Porozmawiam z lekarzami — powtórzył Wally. — To wszystko, co mogę zrobić.

— Coś jeszcze?

Wszyscy adwokaci pokręcili głowami i wyszli z gabinetu, by udać się do sali sądowej, która przez ostatnie piętnaście minut ładnie się zapełniła. Po lewej stronie, za stołem adwokatów powoda, woźny sadzał na długich tapicerowanych ławach sześćdziesięciu przysięgłych. Po prawej kręciło się kilka grupek widzów rozmawiających szeptem. Miejsca z tyłu zajęli Millie Marino, Adam Grand i Agnes Schmidt, trójka klientów kancelarii Finleya i Figga, którzy przyszli z ciekawości, a może szukali jakichś odpowiedzi, bo gwarantowane im miliony dolarów niespodziewanie rozpłynęły się w powietrzu. Towarzyszył im Bart Shaw, hiena, parias, najgorsza szumowina, na jaką można się było natknąć w środowisku prawników. Kilka rzędów przed nimi siedział Goodloe Stamm, adwokat rozwodowy, którego wynajęła Paula Finley. Stamm znał już plotki i wiedział, że poważni prawnicy, spece od rozpraw, opuścili okręt. Mimo to ta sprawa go interesowała i liczył nawet na cud w wykonaniu adwokatów od Finleya i Figga, którym może uda się wyrwać jakieś pieniądze dla jego klientki.

Sędzia Seawright przywołał wszystkich do porządku i podziękował sędziom za wypełnianie patriotycznego obowiązku. Streścił sprawę w trzydziestu słowach, przedstawił adwokatów i personel sądowy, mający brać udział w rozprawie, woźnych i protokolantów. Podał powód nieobecności Iris Klopeck i dokonał prezentacji przedstawiciela korporacji farmaceutycznej Varrick Laboratories, Nicholasa Walkera.

Po trzydziestu latach spędzonych na fotelu sędziego Seawright wiedział to i owo o wyborze przysięgłych. Najważniejsze było, przynajmniej w jego opinii, trzymanie adwokatów na jak najkrótszych smyczach. Miał własną listę pytań, ulepszaną przez lata, i polecił prawnikom, by przekazali mu swoje pytania. Niemniej to głównie on mówił.

Szczegółowe kwestionariusze bardzo usprawniły procedurę. Z góry wyeliminowano sędziów mających więcej niż sześćdziesiąt pięć lat, niewidomych lub kalekich w stopniu utrudniającym spełnianie obowiązków, a także tych, którzy w ciągu ostatniego roku byli przysięgłymi. Wykluczono również tych, którzy przyznali się, że wiedzą coś o tej sprawie, adwokatach lub leku. Kiedy sędzia przeglądał kwestionariusz pilota linii lotniczych, mężczyzna wstał i poprosił o zwolnienie go z tej funkcji, ponieważ kolidowała z jego terminarzem. Zyskał tyle, że sędzia Seawright wygłosił mu zaskakująco ostry wykład o obowiązkach obywatelskich. Kiedy pilot usiadł, odpowiednio skruszony, nikt nie odważył się wyrywać z prośbą o usunięcie go z listy z powodu innych zobowiązań. Choć młoda matka z dzieckiem z zespołem Downa została zwolniona.

W ciągu ostatnich dwóch tygodni David rozmawiał z co najmniej tuzinem prawników, którzy prowadzili sprawy rozstrzygane przez sędziego Seawrighta. Każdy sędzia ma swoje dziwactwa, szczególnie sędziowie federalni, ponieważ są nominowani dożywotnio, a ich decyzje rzadko się kwestionuje. Wszyscy radzili mu, by podczas wybierania sędziów przysięgłych siedział cicho.

— Staruszek sam bardzo skrupulatnie odwali za was robotę — powtarzali jeden po drugim.

Kiedy liczba kandydatów zmniejszyła się do pięćdziesięciu, sędzia Seawright wybrał dwanaście nazwisk na chybił trafił. Woźny zaprowadził te osoby na miejsca dla przysięgłych, gdzie zajęły wygodne fotele. Wszyscy adwokaci pracowicie notowali. Konsultanci do spraw sędziów przysięgłych siedzieli na brzegach krzeseł i gapili się na te pierwsze dwanaście osób.

Wcześniej debatowano nad tym, jaki powinien być modelowy sędzia przysięgły w tej sprawie. Adwokaci powodów woleli ludzi z nałogami i niechlujnych, jak Klopeckowie, najchętniej walczących z wysokim poziomem cholesterolu i z problemami ze zdrowiem wynikającymi z ich stylu życia. Siedzący po drugiej stronie adwokaci obrony opowiadali się za osobami o szczupłych, jędrnych ciałach, młodo wyglądających, mających niewiele cierpliwości i współczucia dla otyłych i chorych. W pierwszej grupie w sposób nieunikniony znalazła się mieszanina obu typów, choć tylko parę osób wyglądało na częstych gości siłowni. Sędzia Seawright skreślił numer trzydziesty piąty, bo kobieta, której go nadano, przyznała się, że przeczytała kilku artykułów o kwestionowanym leku. Niemniej było jasne, że to osoba inteligentna, po której można spodziewać się uczciwości. Ojciec numeru dwudziestego dziewiątego okazał się lekarzem, a jedna z pań wychowała się w domu, gdzie słowo „proces" uważano za wulgaryzm. Numer szesnaście pozwał kiedyś do sądu dekarza, za złą robotę, a dyskusja o tym wywołała falę ziewnięć. Sędzia brnął jednak dalej i zadawał mnóstwo pytań. Kiedy skończył, poprosił stronę pozywającą o zadawanie pytań przyszłym przysięgłym, ale tylko z dziedzin, które nie zostały do tej pory poruszone.

Oscar podszedł do podium stojącego naprzeciwko ławy przysięgłych. Uśmiechnął się ciepło i powiedział sędziom przysięgłym „dzień dobry".

— Mam tylko kilka pytań — zwrócił się do nich spokojnie, jakby robił to już wiele razy.

Od dnia, kiedy David wtoczył się, dosłownie, do kancelarii Finleya i Figga, Wally powtarzał przy bardzo wielu okazjach, że Oscara niełatwo onieśmielić. Może dlatego, że miał trudne dzieciństwo, pracował na ulicach jako gliniarz albo dzięki częstemu reprezentowaniu wkurzonych małżonków i poszkodowanych robotników, a może decydowała o tym jego zadziorność, irlandzki temperament. Cokolwiek to było, Oscar Finley miał grubą skórę. Pewien udział w tym mogło mieć valium, ale kiedy Oscar gawędził z dwunastką potencjalnych sędziów przysięgłych, bez trudu ukrywał tremę, nerwy i w pełni uzasadniony strach, roztaczając atmosferę opanowania i pewności siebie. Zadał kilka prostych pytań, otrzymał kilka pozbawionych znaczenia odpowiedzi i usiadł.

Kancelaria zrobiła pierwszy maleńki kroczek w sądzie, nie sprowadzając na siebie katastrofy. David trochę się odprężył. Dodatkowo uspokajał go fakt, że był trzeci w kolejności — co nie oznaczało, że pokładał duże nadzieje w dwóch prawnikach, którzy go poprzedzali — ale przynajmniej to oni stali na linii ognia, a on chował się w okopie. Nie chciał nawet spojrzeć na bandę od Rogana Rothberga, a oni najwyraźniej w ogóle nie zwracali na niego uwagi. To był dzień rozgrywki, a oni byli zawodnikami. David i jego partnerzy robili dobrą minę do złej gry, tkwiąc w pułapce sprawy, której nikt nie chciał, i marzyli o jej zakończeniu.

Teraz Nadine Karros przedstawiła się przyszłym przysięgłym. Na ławie przysięgłych siedziało pięciu mężczyzn i siedem kobiet. Mężczyźni, w wieku od dwudziestu trzech do sześćdziesięciu trzech lat, zmierzyli ją wzrokiem i zaaprobowali. David skupił się na twarzach kobiet. Helen powiedziała mu, że zgodnie z jej teorią kobiety będą miały mieszane i skomplikowane odczucia, jeśli chodzi o Nadine Karros. Po pierwsze i najważniejsze, pojawi się duma, że kobieta nie tylko stoi na czele adwokatów, ale też, jak wkrótce się przekonają, jest najlepszym prawnikiem na tej sali sądowej. U niektórych duma szybko zmieni się w zawiść. Jak kobieta może być tak piękna, stylowa, szczupła, a przy tym inteligentna i przebojowa w świecie mężczyzn?

Sądząc po twarzach kobiet, pierwsze wrażenia były generalnie dobre. A mężczyźni byli już kupieni.

Pytania Nadine były bardziej rzeczowe. Mówiła o procesach, kulturze pozwu w amerykańskim społeczeństwie i rutynowo opowiedziała o kilku oburzających werdyktach. Czy którykolwiek z przysięgłych zastanawiał się nad tym? Kilkoro potwierdziło, więc drążyła głębiej. Mąż kobiety z numerem osiem był elektrykiem w związku zawodowym, ogólnie rzecz biorąc, była więc pewniakiem dla każdego powoda pozywającego wielką korporację, Nadine najwyraźniej wyjątkowo się nią zainteresowała.

Adwokaci z kancelarii Finleya i Figga uważnie obserwowali Karros. Jej zwracający uwagę wygląd miał być dla nich prawdopodobnie jedyną atrakcją podczas tego procesu, ale szybko o nim zapomną.

Po dwóch godzinach sędzia Seawright zarządził trzydziestominutową przerwę, żeby adwokaci mogli porównać notatki, spotkać się z konsultantami i rozpocząć selekcję. Każda ze stron mogła domagać się wykluczenia każdego przysięgłego, pod warunkiem że poda ważny powód. Na przykład, jeśli przysięgłego można było zasadnie podejrzewać o stronniczość lub był kiedyś reprezentowany przez jedną z kancelarii adwokackich biorących udział w rozprawie, albo zarzucono by mu, że nienawidzi Varrick Laboratories, wtedy można by go było wykluczyć z ważnej przyczyny. Poza tym każda ze stron mogła przedstawić trzy wnioski o odwołanie przysięgłych z jakiegokolwiek powodu lub bez powodu.

Po półgodzinie oba zespoły adwokackie poprosiły o więcej czasu, dlatego sędzia Seawright odroczył dalsze postępowanie do czternastej.

— Zakładam, że dowie się pan, w jakim stanie jest pańska klientka, panie Figg — powiedział.

Wally zapewnił go, że to zrobi.

Oscar i Wally szybko postanowili, że wyślą Davida, żeby sprawdził, jak czuje się Iris, i ustalił, czy jest w stanie i czy zechce zeznawać jako pierwsza we wtorek rano. Zgodnie z tym, co mówiła Rochelle, która spędziła cały ranek na użeraniu się przez telefon z recepcją szpitala, Iris została zawieziona na ostry dyżur w Christ Medical Center. Kiedy David zjawił się tam w południe, dowiedział się, że przed godziną wypisano ją do domu. Pośpieszył więc do jej mieszkania w okolicach lotniska Midway. Oboje z Rochelle wydzwaniali do niej co dziesięć minut. Nikt nie odbierał.

Przed frontowymi drzwiami leżał zwinięty w kłębek ten sam monstrualny rudy kot i jednym zaspanym okiem obserwował Davida, który ostrożnie zbliżał się chodnikiem. Pamiętał grill na werandzie. Pamiętał folię aluminiową naklejoną na okna. Szedł tamtędy dokładnie dziesięć miesięcy temu za Wallym, następnego dnia po ucieczce od Rogana Rothberga, i zastanawiał się, czy stracił rozum. Teraz zadawał sobie to samo pytanie, ale miał mniej czasu na zastanawianie się nad swoim życiem. Zapukał energicznie do drzwi i spodziewał się, że kot albo odejdzie, albo go zaatakuje.

— Kto tam? — spytał męski głos.

— David Zinc. Państwa prawnik. Czy to ty, Clint?

To był Clint. Otworzył drzwi i warknął:

— Co tu robisz?

— Jestem tu, bo twojej matki nie ma w sądzie. Wybieramy właśnie sędziów przysięgłych i pewien sędzia federalny denerwuje się, że Iris się tam dzisiaj nie pojawiła.

Clint machnięciem ręki zaprosił go do środka. Iris leżała na sofie pod wystrzępioną, poplamioną narzutą, oczy miała zamknięte, przypominała wieloryba wyrzuconego na brzeg. Na niewielkim stoliku obok niej leżały plotkarskie magazyny, pudełko po pizzy, pusta butelka po dietetycznym napoju i trzy buteleczki z lekami.

— Jak ona się czuje? — wyszeptał David, choć miał już ogólne pojęcie na ten temat.

Clint pokręcił ponuro głową.

— Niedobrze — powiedział, jakby Iris lada chwila mogła umrzeć.

David usiadł na brudnym fotelu pokrytym rudą kocią sierścią. Nie zamierzał tracić czasu, a poza tym to miejsce go brzydziło.

— Słyszysz mnie, Iris? — zapytał.

— Tak — odpowiedziała, nie otwierając oczu.

— Posłuchaj, proces się zbliża i sędzia naprawdę chce wiedzieć, czy masz zamiar jutro przyjść. Chcemy, żebyś zeznawała i opowiedziała sędziom przysięgłym o Percym. To w pewnym sensie twój obowiązek jako jego spadkobierczyni i rzecznika rodziny, wiesz?

Chrząknęła, głośno wciągnęła powietrze, aż zagrało gdzieś głęboko w jej płucach.

— Nie chciałam tego procesu — powiedziała niewyraźnie. — Ta menda Figg przyszedł i mnie namówił, obiecał milion dolarów. — Zdołała otworzyć prawe oko i usiłowała popatrzeć na Davida. — Pamiętam, ty z nim przyszedłeś. Siedziałam sobie tutaj i zajmowałam się swoimi sprawami, a Figg obiecał mi te wszystkie pieniądze.

Prawe oko się zamknęło. David nie ustępował:

— Dziś rano w szpitalu badał cię lekarz. Co powiedział? W jakim jesteś stanie?

— W jakim chcesz. Głównie to nerwy. Nie mogę iść do sądu. To mogłoby mnie zabić.

David przejrzał w końcu na oczy. Ich sprawa, jeśli nadal można było ją tak nazywać, ucierpi bardziej, jeśli Iris stanie przed ławą przysięgłych. Prawo procesowe stanowi, że kiedy świadek z jakiegoś powodu nie może zeznawać — śmierci, choroby, uwięzienia — można posłużyć się jego zeznaniami złożonymi w trakcie przygotowań do rozprawy i przedstawić je sędziom przysięgłym. Choć nie powiedziała wtedy nic znaczącego, teraz trudno było sobie wyobrazić coś gorszego od Iris „na żywo".

— Jak się nazywa twój lekarz? — zapytał.

— Który?

— Nie wiem, wybierz któregoś. Może tego, który cię badał dziś rano w szpitalu.

— Dziś rano nikt mnie nie badał. Zmęczyłam się siedzeniem na ostrym dyżurze, więc Clint przywiózł mnie do domu.

— To mniej więcej piąty raz w ciągu miesiąca — odezwał się Clint z wyrzutem.

— Nie piąty! — krzyknęła Iris.

— Bez przerwy to robi — wyjaśnił Clint Davidowi. — Idzie do kuchni, mówi, że czuje się zmęczona, że brak jej tchu, a potem człowiek się przekonuje, że zdążyła już zadzwonić po pogotowie. Mam tego po dziurki w nosie, bo to zawsze ja muszę potem jechać do pieprzonego szpitala i taszczyć ją z powrotem.

— Proszę, proszę — mruknęła Iris, otworzyła oczy i patrzyła na syna ze złością. — Był o wiele milszy, kiedy spodziewałam się pieniędzy. Tak słodziuchny, że chyba bardziej nie można. A teraz tylko popatrz na niego, wyżywa się na biednej chorej matce.

— Przestań po prostu wydzwaniać po pogotowie — warknął Clint.

— Będziesz jutro zeznawała? — zapytał David stanowczo.

— Nie, nie mogę. Nie dam rady wyjść z domu, bo jak wychodzę, nerwy mi wysiadają.

— Nic dobrego by z tego nie wynikło, prawda? — wtrącił się Clint. — Ten proces i tak jest przegrany. Ten drugi adwokat, Shaw, mówi, że tak spieprzyliście tę sprawę, że nikt jej nie wygra.

David miał ochotę odpłacić mu pięknym za nadobne, ale zdał sobie sprawę, że Clint ma rację. Ten proces jest przegrany.

Dzięki kancelarii Finleya i Figga Klopeckowie znaleźli się w sądzie federalnym z pozwem, który jest beznadziejny, a on z partnerami stwarzają teraz pozory, że nad nim pracują i z niecierpliwością czekają na jego zakończenie.

David pożegnał się i szybko opuścił mieszkanie. Clint wyszedł za nim na dwór i kiedy szli ulicą, powiedział:

— Posłuchaj, gdybyś chciał, mógłbym pójść do sądu i mówić w imieniu rodziny.

Jeśli Iris ze swoim wyglądem była ostatnią rzeczą, jakiej potrzebowali w tym procesie, zastąpienie jej przez Clinta było rzeczą przedostatnią.

— Zastanowię się nad tym — odpowiedział, ale tylko dlatego, że chciał być miły. Nagranie wideo zeznania Iris na pewno dostarczy sędziom przysięgłym wystarczająco dużo wrażeń związanych z rodziną Klopecków.

— Są jakiekolwiek szanse, że dostaniemy trochę forsy? — zapytał Clint.

— Walczymy o to, Clint. Zawsze jest szansa, choć nie ma gwarancji.

— Byłoby miło, to pewne.

▲ ▲ ▲

O szesnastej trzydzieści sędziowie przysięgli zostali wybrani, zaprzysiężeni i odesłani do domu z poleceniem, by wrócili nazajutrz rano za piętnaście dziewiąta. Było wśród nich siedem kobiet, pięciu mężczyzn, ośmioro białych, troje czarnych i jedna osoba pochodzenia latynoskiego, choć zdaniem konsultantów do spraw przysięgłych rasa nie miała najmniejszego znaczenia. Jedna kobieta miała średnią nadwagę, reszta prezentowała całkiem dobrą formę fizyczną. Ich wiek wahał się od dwudziestu pięciu do sześćdziesięciu jeden lat, wszyscy mieli wykształcenie średnie, a trzy osoby wyższe.

Adwokaci z kancelarii Finleya i Figga załadowali się do SUV-a Davida i ruszyli do siedziby firmy. Byli wykończeni, ale dziwnie zadowoleni. Stawili czoło amerykańskiej potędze korporacyjnej i jak do tej pory nie ugięli się pod jej naciskiem. Oczywiście proces tak naprawdę jeszcze się nie zaczął, żaden świadek nie został zaprzysiężony, nie przedstawiono żadnego dowodu. Najgorsze miało dopiero nadejść, ale na razie nadal byli w grze.

David zdał im szczegółową relację z wizyty u Iris i wszyscy trzej zgodzili się, że należy trzymać ją z dala od sali sądowej. Pierwszym zadaniem na ten wieczór było uzyskanie zaświadczenia od lekarza, które satysfakcjonowałoby Seawrighta.

Tego wieczoru czekało ich jeszcze mnóstwo pracy. Kupili pizzę i zabrali ją do kancelarii.

Rozdział 38

Poniedziałkowa chwila wytchnienia od strachu przed unicestwieniem została zapomniana we wtorek rano. Kiedy ekipa kancelarii-butiku weszła na salę sądową, zdenerwowanie wróciło. To był prawdziwy początek rozprawy, a atmosfera napięta.

— Byleby mieć to już za sobą — powtarzał David pod nosem za każdym razem, gdy żołądek podchodził mu do gardła. Sędzia Seawright tego dnia był opryskliwy. Przywitał przysięgłych, potem wyjaśnił albo próbował wyjaśnić nieobecność pani Iris Klopeck, wdowy reprezentującej Percy'ego Klopecka. Kiedy kończył, powiedział:

— Teraz każda ze stron wygłosi wstępne oświadczenia. Nic z tego, co państwo usłyszą, nie jest dowodem, to będzie raczej to, co zdaniem adwokatów uda im się udowodnić podczas tego procesu. Ostrzegam, by nie traktowali państwo tego za bardzo serio. Może pan zaczynać, panie Finley, w imieniu powódki.

Oscar wstał, podszedł do podium, trzymając w ręku żółty notes. Położył go na podium, uśmiechnął się do przysięgłych, zajrzał do notatek, znów uśmiechnął się do sędziów, a potem niespodziewanie spoważniał. Minęło kilka krępujących sekund, jakby Oscar się pogubił i do głowy nie przychodziło mu nic, co mógłby powiedzieć. Otarł czoło i pochylił się do przodu. Odbił się od podium i ciężko wylądował na dywanie, jęcząc i wykrzywiając się, jakby bardzo go coś bolało. Wally i David podbiegli do niego, podobnie jak dwóch umundurowanych woźnych i para adwokatów od Rogana Rothberga. Kilku sędziów przysięgłych wstało, sprawiając wrażenie, że też chcą pomóc. Sędzia Seawright krzyczał:

— Dzwońcie po pogotowie! Dzwońcie po pogotowie! — A potem: — Czy na sali jest lekarz?

Nikt się nie przyznał, że jest lekarzem. Jeden z woźnych przejął kierowanie akcją i szybko okazało się, że Oscar nie zemdlał tak po prostu. W panującym chaosie, kiedy tłum widzów podniósł się z miejsc, ktoś krzyknął:

— On prawie nie oddycha. — Zamieszanie jeszcze się spotęgowało, jeszcze głośniej wołano o pomoc. Po kilku minutach zjawił się felczer zatrudniany w sądzie i ukłąknął obok Oscara.

Wally stał, potem się cofnął i znalazł tuż przed ławą przysięgłych. Nie zastanawiając się, w przypływie nieziemsko kretyńskiej weny spojrzał na przysięgłych, wskazał leżącego wspólnika i wypowiedział słowa, który usłyszało wiele osób, słowa powtarzane później przez adwokatów przez całe lata:

— Och, nic dziwnego, krayoxx.

— Wysoki Sądzie, proszę! — krzyknęła piskliwie Nadine Karros. Kilku sędziów przysięgłych uznało to za zabawne, pozostali nie.

— Panie Figg, proszę odejść od sędziów przysięgłych — polecił sędzia Seawright.

Wally czmychnął stamtąd w jednej sekundzie. On i David czekali potem w drugim końcu sali.

Sędziów przysięgłych odesłano do ich pokoju.

— Ogłaszam godzinną przerwę w rozprawie — powiedział Seawright. Zszedł z podwyższenia i stanął blisko podium. Wally pochylił się i szepnął:

— Przepraszam za to, Wysoki Sądzie.

— Milczeć.

Pojawiło się dwóch sanitariuszy z noszami na kółkach. Oscar został na nich położony i wywieziony z sali sądowej. Nie wyglądał na przytomnego. Miał puls, ale niebezpiecznie słaby. Kiedy prawnicy i widzowie stali niepewni, co powinni zrobić, David wyszeptał do Wally'ego:

— Miał jakieś kłopoty z sercem?

Wally pokręcił głową.

— Żadnych. Zawsze był szczupły i zdrowy. Zdaje się, że jego ojciec umarł na coś młodo. Ale Oscar nigdy nie opowiada o swojej rodzinie.

Zbliżył się do nich woźny i oznajmił:

— Sędzia chce widzieć adwokatów w swoim gabinecie.

⅄ ⅄ ⅄

Wally pomyślał, że nie ma nic do stracenia, dlatego poszedł go gabinetu sędziego Seawrighta na luzie.

— Wysoki Sądzie, powinienem pojechać do szpitala — powiedział.

— Proszę chwilę poczekać, panie Figg.

Nadine stała przed nim i nie wyglądała na zadowoloną.

— Wysoki Sądzie, opierając się wyłącznie na niestosownym komentarzu pana Figga skierowanym do przysięgłych, nie mamy innego wyboru, jak wnieść o unieważnienie procesu.

— Panie Figg? — sędzia zwrócił się do Wally'ego tonem świadczącym o tym, że unieważnienie procesu może nastąpić za kilka minut, a może nawet sekund.

Wally również stał i nie przychodziła mu do głowy żadna odpowiedź.

— Jakim cudem sędziowie przysięgli mogliby nabrać uprzedzeń? Pan Finley nie zażywał tego leku — odezwał się David. — Oczywiście to była idiotyczna uwaga, zrobiona w chwili, gdy zapanował chaos, ale nie ma w niej nic, co mogłoby budzić niechęć do leku.

— Nie zgadzam się, Wysoki Sądzie — odparowała szybko Nadine. — Kilku sędziów przysięgłych uznało, że to zabawne, i właściwie niewiele brakowało, a zaczęliby się śmiać. Nazywanie tego idiotyczną uwagą to niedopowiedzenie. To był bardziej niestosowny i szkodliwy komentarz.

Unieważnienie procesu oznaczało zwłokę, coś, czego zespół powódki potrzebował. Cholera, chcieliby odroczenia choćby o dekadę.

— Wniosek przyjęty — oświadczył sędzia. — Niniejszym unieważniam proces. I co teraz?

Wally opadł na fotel. Był blady. David powiedział pierwsze, co przyszło mu do głowy:

— Cóż, Wysoki Sądzie, na pewno potrzebujemy więcej czasu. Co pan powie na odroczenie sprawy?

— Pani Karros?

— Wysoki Sądzie, ta sytuacja jest z pewnością wyjątkowa. Proponuję, żebyśmy odczekali dwadzieścia cztery godziny i obserwowali stan pana Finleya. Myślę, że warto zwrócić uwagę na fakt, iż to pan Figg złożył pozew i prowadził tę sprawę, dopóki to się nie zmieniło przed kilkoma dniami. Jestem pewna, że poradzi sobie z procesem równie dobrze, jak jego starszy wspólnik.

— Słuszna uwaga — zgodził się sędzia Seawright. — Panie Zinc, myślę, że najlepiej będzie, jeśli pan i pan Figg pojedziecie do szpitala i sprawdzicie, jak czuje się pan Finley. Proszę mnie informować e-mailem, przesyłając wszystko do wiadomości pani Karros.

— Tak zrobimy, Wysoki Sądzie.

⁂

Oscar miał rozległy zawał serca. Jego stan był stabilny, jednak wcześniejsze badania ujawniły trzy zatory tętnicze. David i Wally spędzili ponury dzień w poczekalni oddziału intensywnej opieki medycznej, zabijając czas rozmowami o strategii prowadzenia procesu, e-mailując do sędziego Seawrighta, posilając się jedzeniem z automatów i spacerując po korytarzu. Wally był pewny, że ani Paula Finley, ani ich córka Keely nie przyszły go odwiedzić. Oscar wyprowadził się przed trzema miesiącami i zaczął już nawet z kimś się spotykać, potajemnie, rzecz jasna. Krążyły plotki, że Paula również kogoś sobie znalazła. W każdym razie to małżeństwo szczęśliwie się zakończyło, choć czekał ich jeszcze rozwód.

O szesnastej trzydzieści pielęgniarka zaprowadziła ich do pokoju Oscara na krótką wizytę. Był przytomny, cały pokryty rurkami i kabelkami, obstawiony monitorami, ale oddychał samodzielnie.

— Doskonałe oświadczenie wstępne — powiedział Wally i w zamian dostał nikły uśmiech. Postanowili z Davidem, że nie wspomną o unieważnieniu. Po kilku niezręcznych próbach nawiązania rozmowy zdali sobie sprawę, że Oscar jest zbyt wyczerpany, dlatego pożegnali się i wyszli. Przy drzwiach pielęgniarka poinformowała ich, że operację zaplanowano na siódmą następnego ranka.

Nazajutrz rano o szóstej David, Wally i Rochelle stali przy łóżku Oscara i zanim został zabrany na salę operacyjną, życzyli mu powodzenia. Kiedy siostra poprosiła ich, żeby wyszli, poszli do kafeterii na kiepskie śniadanie złożone z rzadkich sadzonych jajek i zimnego bekonu.

— Co się dzieje z procesem? — zainteresowała się Rochelle.

David przeżuł najpierw pracowicie kawałek bekonu i w końcu odpowiedział:

— Nie jestem pewny, ale mam przeczucie, że odroczenie nie będzie trwało długo.

Wally mieszał kawę i przyglądał się dwóm młodym pielęgniarkom.

— I wygląda na to, że obaj awansujemy. Ja będę prowadził sprawę, a ty zostaniesz moim zastępcą.

— A więc przedstawienie nadal trwa? — zapytała Rochelle.

— O tak — odpowiedział David. — Mamy bardzo niewielką kontrolę nad tym, co się teraz dzieje. Adwokaci Varrick dyktują warunki. Firma chce procesu, bo zależy jej na oczyszczeniu się z zarzutów. Ogromne zwycięstwo. Nagłówki w gazetach. Dowód na to, że jej cudowny lek nie jest taki zły. Ale co najważniejsze, sędzia jest po jej stronie. — Następny kęs bekonu. — I tak, mają fakty, pieniądze, biegłych, talenty prawnicze i sędziego.

— A co my mamy?

Obaj adwokaci zastanawiali się nad tym przez chwilę, a potem zaczęli kręcić głowami. Nic. Nie mamy niczego.

— Chyba mamy Iris — powiedział w końcu Wally i zaczął się śmiać. — Uroczą Iris.

— I ona ma zeznawać przed ławą przysięgłych?

— Nie. Jeden z jej lekarzy przysłał e-mail, w którym stwierdził, że fizycznie nie jest w stanie zeznawać w sądzie — powiedział David.

— Dziękujmy Bogu i za to — westchnął Wally.

Po godzinie, z którą nie bardzo wiedzieli, co począć, cała trójka wróciła do kancelarii i próbowała zająć się czymś produktywnym. Na Davida i Wally'ego czekały dziesiątki spraw związanych z procesem. O jedenastej trzydzieści zadzwoniła pielęgniarka z dobrą wiadomością, że Oscar opuścił już salę operacyjną i czuje się dobrze. Przez dwadzieścia cztery godziny nie można go odwiedzać, co również przyjęto z zadowoleniem. David wysłał do sędziego Seawrighta e-mail z najświeższymi informacjami, a kwadrans potem dostał odpowiedź. Sędzia chciał widzieć wszystkich adwokatów w swoim gabinecie o czternastej.

▲ ▲ ▲

— Proszę pozdrowić ode mnie pana Finleya — powiedział Seawright obojętnym tonem w chwili, gdy adwokaci usiedli, David i Wally po jednej stronie, Nadine i czterech jej pomagierów po drugiej.

— Dziękuję, Wysoki Sądzie — odpowiedział Wally, ale tylko dlatego, że oczekiwano po nim jakiejś reakcji.

— Nasz nowy plan przedstawia się następująco — zaczął sędzia, nie zmieniając tonu. — Zostało nam trzydziestu czterech przysięgłych, z których możemy wybierać. Wezwę ich na piątek rano, dwudziestego pierwszego października, za trzy dni od dzisiaj, i wybierzemy nowy skład ławy przysięgłych. W następny poniedziałek, dwudziestego czwartego października, zaczniemy nowy proces. Jakieś uwagi lub wnioski?

Och, całe mnóstwo, chciał powiedzieć Wally. Ale od czego powinien zacząć?

Adwokaci milczeli.

Sędzia mówił więc dalej:

— Zdaję sobie sprawę, że nie daje to wiele czasu adwokatom powódki na przegrupowanie się, ale jestem przekonany, że pan Figg poradzi sobie równie dobrze jak pan Finley. Szczerze mówiąc, żaden z was nie ma doświadczenia w sądzie federalnym. Zastąpienie jednego drugim w żaden sposób nie zaszkodzi sprawie powódki.

— Jesteśmy gotowi do rozprawy — powiedział Wally głośno, ale tylko po to, żeby jakoś się odszczeknąć i bronić.

— To dobrze. A teraz, panie Figg, niech pan zapamięta, że nie będę tolerował żadnych idiotycznych komentarzy na sali sądowej, niezależnie od tego, czy przysięgli będą obecni, czy nie.

— Przepraszam, Wysoki Sądzie — wymamrotał Wally ze skruchą, choć zdecydowanie fałszywą.

— Pańskie przeprosiny zostały przyjęte. Niemniej nakładam grzywnę wysokości pięciu tysięcy dolarów na pana i pańską kancelarię za tamto lekkomyślne i niegodne adwokata zachowanie na mojej sali sądowej, i zrobię to ponownie, jeśli znowu się pan wychyli.

— Trochę za surowo — palnął Wally.

A zatem wciąż się wykrwawiamy, pomyślał David. Siedemdziesiąt pięć tysięcy dla doktora Borzova; pięćdziesiąt tysięcy dla doktora Herberta Threadgilla, ich biegłego farmakologa; piętnaście tysięcy dla doktor Kanyi Meade, ich eksperta ekonomicznego; dwadzieścia pięć tysięcy dla Consuelo, konsultantki do spraw sędziów przysięgłych. Do tego trzeba dorzucić kolejne piętnaście tysięcy na sprowadzenie biegłych do Chicago, żywienie ich, nocowanie w eleganckim hotelu. W sumie Iris Klopeck i jej zmarły mąż kosztowali kancelarię Finleya i Figga co najmniej sto osiemdziesiąt tysięcy dolarów. A teraz z powodu niewyparzonego języka Wally'ego stracili kolejne pięć tysięcy.

Nie można jednak zapominać, powtarzał David w myślach, że to prawdopodobnie niewielkie pieniądze wyłożone na obronę własną. W przeciwnym razie czeka ich proces za nieuczciwe wykonywanie zawodu i raczej przerażające sankcje za złożenie nieuzasadnionego pozwu. W efekcie wyrzucali całkiem poważne sumy, żeby ich sprawa wydawała się mniej nieuzasadniona.

O takich manipulacjach nie wspominano słowem, gdy studiował na Harvardzie, ani też nigdy nie słyszał o czymś równie szalonym podczas pięciu lat praktyki u Rogana Rothberga.

A jeśli już mowa o sankcjach, pani Karros nie traciła czasu i powiedziała:

— Wysoki Sądzie, tym razem występujemy o zastosowanie Reguły jedenastej wniosku o sankcje. — Gdy mówiła, po stole przesuwano kopie. — Żądamy sankcji, wychodząc z założenia, że lekkomyślne zachowanie pana Figga wczoraj w sądzie zakończyło się unieważnieniem procesu, przez co nasz klient poniósł niepotrzebne koszty. Dlaczego Varrick Laboratories miałyby płacić za nieprofesjonalne zachowanie adwokata powódki?

— Bo Varrick są warte czterdzieści osiem miliardów dolarów. Ja mam o wiele mniej — odparował Wally. Było to dowcipne, ale nikt się nie roześmiał.

Sędzia Seawright bardzo uważnie czytał wniosek, a kiedy David i Wally to spostrzegli, też zajęli się czytaniem. Po dziesięciu minutach milczenia sędzia powiedział:

— Pańska odpowiedź, panie Figg?

Wally rzucił swój egzemplarz wniosku na stół, jakby to było coś brudnego.

— Nic nie mogę poradzić na to, Wysoki Sądzie, że ci ludzie biorą krocie za godzinę pracy. Są obrzydliwie drodzy, ale to nie mój problem. Jeśli zarząd Varrick chce wyrzucać pieniądze, to z pewnością może sobie na to pozwolić. Ale niech mnie pan nie stawia na równi z nimi.

— Odbiega pan od tematu, panie Figg — wtrąciła się Nadine. — Nie mielibyśmy dodatkowych zajęć, gdyby nie pan i unieważnienie procesu, które pan spowodował.

— Ale trzydzieści pięć tysięcy dolarów? Niech pani da spokój. Naprawdę uważa pani, że jesteście warci aż tyle?

— To zależy od wyniku procesu, panie Figg. Kiedy wypełniał pan pozew, żądał pan... ile? Sto milionów lub podobnej sumy? Proszę nie krytykować mojego klienta za prowadzenie energicznej obrony przy pomocy dobrych prawników.

— Najpierw coś sobie wyjaśnijmy. Jeśli państwo lub wasz klient podczas tego procesu będą wciskali ciemnotę, rozumie pani, przeciągali proces albo, nie daj Boże, popełnią jakiś błąd czy coś w tym rodzaju, to mogę szybko zgłosić wniosek o sankcje i dostać trochę pieniędzy? Czy dobrze to rozumiem, Wysoki Sądzie?

— Nie. To byłby wniosek z błahego powodu, zgodnie z Regułą jedenastą.

— Oczywiście, że byłby. — Wally roześmiał się głośno. — Są państwo doskonałym zespołem do dawania mandatów.

— Niech pan uważa na słowa, panie Figg — warknął sędzia Seawright.

— Przestań! — wyszeptał David.

Kiedy Wally usiadł, na kilka sekund zapadło milczenie. W końcu przerwał je sędzia:

— Zgadzam się, że można było uniknąć unieważnienia procesu i że spowodowało to dodatkowe koszty. Niemniej myślę, że suma trzydziestu pięciu tysięcy dolarów jest stanowczo za wysoka. Sankcja jest jak najbardziej uzasadniona, ale nie aż w takim wymiarze. Dziesięć tysięcy dolarów brzmi znacznie rozsądniej. Zatem postanowione.

Wally wciągnął powietrze — kolejny cios w brzuch. David zastanawiał się, jak można przyśpieszyć sprawy, żeby to spotkanie nareszcie się skończyło. Kancelarii Finleya i Figga nie było już stać na nic więcej.

— Musimy wracać do szpitala, Wysoki Sądzie — powiedział potulnie.

— Ogłaszam przerwę do piątku rano.

Rozdział 39

W skład drugiego zespołu sędziów przysięgłych weszło siedmiu mężczyzn i pięć kobiet. Wśród tej dwunastki znalazło się sześcioro białych, troje czarnych, dwójka Azjatów i jedna osoba pochodzenia latynoskiego. Grupa była odrobinę gorzej wykształcona od poprzedniej i ogólnie trochę cięższa. Dwóch mężczyzn miało ogromną nadwagę. Nadine Karros usiłowała jak zwykle wykluczyć grubasów i mieć więcej przedstawicieli mniejszości, ale musiała ulec wobec przewagi ogromnych obwodów w pasie. Consuelo była przekonana, że ci sędziowie przysięgli bardziej przypadną do gustu jej klientom.

W poniedziałek rano, gdy Wally wstał i ruszył w kierunku podium, David wstrzymał oddech. Był w zespole i kolejny atak serca zmusiłby go do stawienia czoła przeważającej liczbie przeciwników. Modlił się za młodszego wspólnika. Chociaż Wally stracił parę kilogramów, figlując z DeeAnną, nadal był przy kości i zaniedbany. A jeśli chodzi o zawały serca, wyglądał na znacznie bardziej prawdopodobnego kandydata niż Oscar.

No dalej, Wally, potrafisz tego dokonać. Urządź im piekło na ziemi i nie padnij.

Nie padł. Całkiem znośnie przedstawił ich sprawę przeciwko Varrick Laboratories, trzeciego co do wielkości producenta leków na świecie, „korporację mamuta" z siedzibą w New Jersey, firmę z długą, godną ubolewania historią zaśmiecania rynku szkodliwymi farmaceutykami.

Sprzeciw pani Karros. Podtrzymany przez sędziego.

Wally był jednak ostrożny i miał ku temu powody. Jeśli jedno czy dwa słowa, które się wymkną, mogą kosztować dziesięć tysięcy dolarów, obchodzi się na paluszkach wszystko, czego nie jest się pewnym. Raz po raz odnosił się do przedmiotu sporu, ale starał się raczej nie wymieniać jego nazwy i określał go jako „ten szkodliwy lek". Od czasu do czasu robił dygresje, ale generalnie trzymał się scenariusza. Kiedy po półgodzinie skończył, David odzyskał zdolność oddychania i wyszeptał:

— Dobra robota.

Nadine Karros nie marnowała czasu i przystąpiła do obrony klienta i jego produktu. Zaczęła od długiej, szczegółowej, całkiem przy tym interesującej listy wszystkich słynnych leków Varrick Laboratories, które firma wprowadziła na rynek przez ostatnie pięćdziesiąt lat, leków, które znał i którym ufał każdy Amerykanin, i takich, o których większość nigdy nie słyszała. Leków, które podajemy naszym dzieciom. Leków, które zażywamy codziennie z pełnym zaufaniem. Leków, które są synonimami dobrego zdrowia. Leków, które przedłużają życie, leczą infekcje, zapobiegają chorobom i tak dalej. Począwszy od bólu gardła i głowy, po epidemie cholery i AIDS, Varrick Laboratories stoją na linii frontu od dziesięcioleci, a świat dzięki temu staje się lepszym, bezpieczniejszym i zdrowszym miejscem. Kiedy skończyła pierwszy akt, wiele osób na sali oddałoby za Varrick życie.

Mówiąc coraz szybciej, rozwodziła się nad spornym lekiem, krayoxxem, medykamentem tak skutecznym, że lekarze — „wasi lekarze" — przepisywali go częściej niż jakikolwiek inny lek na obniżenie poziomu cholesterolu produkowany na świecie. Przedstawiła szczegółowo wyniki badań, które doprowadziły do opracowania składu krayoxxu. W jakiś sposób sprawiła, że opowieść o próbach klinicznych była ciekawa. Prowadzone badania udowadniały, że lek jest nie tylko skuteczny, ale i nieszkodliwy. Jej klient wydał cztery miliardy dolarów i poświęcił osiem lat pracy badawczej na wynalezienie krayoxxu i teraz z dumą broni tego cudownego preparatu.

David dyskretnie obserwował twarze przysięgłych. Cała dwunastka chłonęła każde jej słowo. Cała dwunastka zmieniała się w wyznawców. Davida też przekonała.

Mówiła o biegłych, których wezwała, żeby zeznawali pod przysięgą. Wybitnych uczonych i badaczach z takich miejsc, jak kliniki w Mayo, Cleveland i wydział medyczny Harvardu. Ci mężczyźni i kobiety przez całe lata badali krayoxx i wiedzą o nim znacznie więcej niż „mierноty" powołane przez stronę powódki.

Podsumowując, wyraziła pewność, że kiedy zostaną przedstawione wszystkie dowody, sędziowie przysięgli nie będą mieli problemu ze zrozumieniem i uwierzeniem, iż krayoxx to bezpieczny lek, potem wyrażą zgodną opinię i szybko wydadzą werdykt na korzyść jej klienta, Varrick Laboratories.

David obserwował siedmiu mężczyzn, gdy wracała na miejsce. Siedem par oczu nie odrywało się od niej. Zerknął na zegarek — pięćdziesiąt osiem minut — a nikt tego nie zauważył.

Technicy mocowali dwa wielkie ekrany, a tymczasem sędzia Seawright wyjaśnił przysięgłym, że obejrzą zeznania pani Iris Klopeck, która z powodów zdrowotnych nie może uczestniczyć w procesie. Jej zeznanie zostało nagrane na wideo trzydziestego marca w jednym z hoteli w śródmieściu Chicago. Sędzia zapewnił przysięgłych, że nie jest to niezwykła sytuacja i nie powinna mieć wpływu na ich opinię.

Przygaszono światła i nagle pojawiła się Iris, znacznie większa niż w rzeczywistości. Ze zmarszczonym czołem zamarła bez ruchu przed kamerą, naćpana i oszołomiona. Zeznanie zostało przemontowane, żeby usunąć wszystko, co mogłoby budzić sprzeciwy i wywoływać sprzeczki między adwokatami. Po podaniu wszystkich informacji dotyczących tożsamości Iris przystąpiła do opowieści o Percym. Mówiła o nim jak o ojcu, przedstawiła historię jego pracy, nawyki i śmierć. Na ekranie pojawiło się zdjęcie Iris i Percy'ego chlapiących się w wodzie z małym Clintem — oboje chorobliwie otyli; inne zdjęcie z Percym przy grillu w otoczeniu przyjaciół, gdy wszyscy szykowali się do pożerania kiełbasek i burgerów czwartego lipca. Na kolejnym siedział w bujanym fotelu z rudym kotem na kolanach — można było pomyśleć, że bujanie się w fotelu to jego jedyny wysiłek fizyczny. Wkrótce zdjęcia stworzyły obraz Percy'ego w miarę dokładny, choć niezbyt pozytywny. Był ogromnym mężczyzną, który za dużo jadł, nie przemęczał się, był niechlujny i umarł zbyt młodo z oczywistego powodu. Momentami Iris się wzruszała, momentami mówiła bez ładu i składu. Nagranie nie skłaniało do współczucia. Ale, jak doskonale wiedzieli jej adwokaci, była to znacznie lepsza prezentacja, niż gdyby Iris zjawiła się w sądzie osobiście. Po redakcji i montażu nagranie trwało osiemdziesiąt siedem minut i gdy dobiegło końca, wszyscy w sądzie poczuli ulgę.

Gdy zapalono światła, sędzia Seawright ogłosił przerwę na lunch. Rozprawa miała być wznowiona o czternastej. Wally zniknął bez słowa, wmieszawszy się w tłum. On i David planowali, co prawda, że zjedzą szybko kanapki w budynku sądu i zastanowią się nad dalszą strategią, ale po kwadransie czekania David poddał się i poszedł coś zjeść do kawiarni na drugim piętrze.

Oscara wypisano ze szpitala i teraz dochodził do siebie w mieszkaniu Wally'ego. Rochelle zaglądała do niego dwa razy dziennie — żona i córka się nie pokazały. David zadzwonił do niego i zdał mu krótką relację z początku rozprawy, starając się, by brzmiała optymistycznie. Oscar udawał, że go to interesuje, choć bez cienia wątpliwości wolał być tam, gdzie był.

⋏ ⋏ ⋏

Dokładnie o czternastej na sali sądowej zapadła cisza. Niedługo miała polać się krew, ale Wally był wyluzowany.

— Proszę wezwać swojego następnego świadka — powiedział sędzia, a Wally sięgnął po notes.

— To będzie paskudne — szepnął, a David poczuł zapach niedawno wypitego piwa.

Doktor Igor Borzov został przyprowadzony na miejsce dla świadków, gdzie woźny wysunął w jego stronę Biblię, na którą miał przysięgać. Borzov popatrzył na księgę i pokręcił głową. Odmówił dotknięcia jej. Sędzia Seawright spytał, czy ma z tym jakiś problem, na co Borzov powiedział, że jest ateistą.

— Żadnej Biblii — oznajmił. — Nie wierzę w to.

David przyglądał się temu z przerażeniem. No dalej, baranie, za siedemdziesiąt pięć tysięcy dolarów mógłbyś przynajmniej zastosować się do reguł gry. Po krępującej zwłoce sędzia Seawright kazał woźnemu odłożyć Biblię. Borzov uniósł prawą rękę i przysiągł mówić prawdę i tylko prawdę, ale sędziowie przysięgli zupełnie się pogubili.

Podążając za starannie opracowanym scenariuszem, Wally przeprowadził go przez rytuał prezentacji kwalifikowanego biegłego. Wykształcenie — szkoła średnia, studia medyczne w Moskwie. Przygotowanie zawodowe — staż na kardiologii

w Moskwie i w kilku moskiewskich szpitalach. Doświadczenie — niedługa praca w szpitalu rejonowym w Fargo w Dakocie
Północnej, prywatna praktyka w Toronto i Nashville. Poprzedniego wieczoru Wally i David przepowiadali to z nim godzinami
i błagali, żeby mówił tak wolno i wyraźnie, jak to możliwe.
W zaciszu kancelarii Borzova dawało się jakoś zrozumieć, ale
gdy znalazł się w sali sądowej, zapomniał o ich błaganiach
i udzielał odpowiedzi z szybkością karabinu maszynowego
z tak silnym akcentem, że to, co mówił, ledwo przypominało
angielski. Protokolantka sądowa dwa razy prosiła go o po-
wtórzenie.

Protokolanci sądowi są genialni, jeśli chodzi o rozumienie
mamrotania, wad wymowy, akcentów, slangu i słownictwa
technicznego. Fakt, że nie potrafiła poradzić sobie z Borzovem,
był załamujący. Kiedy przerwała mu trzeci raz, sędzia Seawright
wyznał:

— Ja też nie mogę go zrozumieć. Czy ma pan tłumacza,
panie Figg?

Dzięki, Wysoki Sądzie. Pytanie sędziego rozbawiło kilku
przysięgłych.

Prawdę mówiąc, Wally i David zastanawiali się nad wynajęciem tłumacza, ale ich dyskusja o tym była częścią szerszego
planu, mającego na celu wyparcie z pamięci Borzova, wyparcie
z pamięci ekspertów, wyparcie z pamięci wszystkich świadków
i niezjawienie się na procesie.

Po kilku następnych pytaniach Wally powiedział:

— Skorzystaliśmy z usług doktora Igora Borzova jako
biegłego w dziedzinie kardiologii.

Sędzia Seawright spojrzał na stół obrony i spytał:

— Pani Karros?

Nadine wstała i ze złośliwym uśmiechem odpowiedziała:

— Nie zgłaszamy sprzeciwu.

Innymi słowy: „Dostarczymy mu tyle liny, żeby mógł się powiesić".

Wally zapytał doktora Borzova, czy zapoznał się z historią chorób Percy'ego Klopecka. W odpowiedzi usłyszał wyraźne „tak". Przez pół godziny wałkowali ponurą listę jego chorób, a potem rozpoczęli żmudny proces dołączania wyników badań do materiału dowodowego. Zajęłoby to całe godziny, gdyby nie godna podziwu współpraca obrony. Pani Karros mogłaby oprotestować bardzo wiele z tych dokumentów, ale chciała, żeby przysięgli mogli to wszystko zobaczyć. Kiedy już grube na ponad dziesięć centymetrów akta zostały dopuszczone jako dowody, kilku przysięgłych z trudem powstrzymywało się od zaśnięcia.

Zeznanie stało się bardziej zrozumiałe dzięki powiększonemu diagramowi ludzkiego serca. Pokazano go na dużym ekranie, a doktor Borzov miał całkowitą swobodę w opisywaniu go ławie przysięgłych. Chodząc tam i z powrotem przed ekranem i wspomagając się wskaźnikiem, wykonywał kawał dobrej roboty, opisując zastawki, komory i arterie. Kiedy powiedział coś, co nie zostało zrozumiane, Wally powtarzał to dla dobra reszty słuchaczy. Wally wiedział, że to łatwiejsza część zeznawania, dlatego się nie śpieszył. Wydawało się, że lekarz dobrze się na tym zna, ale z drugiej strony każdy student drugiego roku medycyny ma taką samą wiedzę. Kiedy wykład wreszcie się skończył, Borzov wrócił na miejsce dla świadka.

Dwa miesiące przed śmiercią Percy przeszedł coroczne badania lekarskie, łącznie z EKG i echokardiografią, dzięki czemu doktor Borzov miał o czym mówić. Wally wręczył mu wyniki badań i przez piętnaście minut dyskutowali o podstawowych elementach echokardiogramu. U Percy'ego widać było znaczący spadek ilości krwi wypływającej z lewej komory.

David wstrzymał oddech, gdy adwokat i świadek poruszali

się po polu minowym technicznego lekarskiego żargonu. Od samego początku zapowiadało to katastrofę.

Krayoxx miał jakoby uszkadzać zastawkę mitralną w taki sposób, że wypompowywanie krwi z serca stawało się utrudnione. Próbując to wyjaśnić, Borzov użył wyrażenia „frakcja wyrzutu z lewej komory". Kiedy poproszono go, żeby wyjaśnił to przysięgłym, powiedział:

— Frakcja wyrzutowa jest właściwie liczbą impulsów w fazie końcowo-rozkurczowej minus liczba impulsów w fazie końcowo-skurczowej, podzielona przez liczbę impulsów w fazie końcowo-rozkurczowej razy sto. To właśnie jest frakcja wyrzutowa.

Taki język był niezrozumiały dla laika, nawet gdyby każde słowo zostało wypowiedziane powoli, czystym angielskim. W ustach doktora Borzova przypominało to bełkot i robiło smutne, a zarazem komiczne wrażenie.

Nadine Karros wstała i zaczęła:

— Wysoki Sądzie, proszę...

Sędzia Seawright pokręcił głową, jakby dostał w twarz, i powiedział:

— Niech pan kontynuuje, panie Figg.

Trójka przysięgłych wpatrywała się w Wally'ego, jakby ich obraził. Paru tłumiło śmiech.

Drepcząc w miejscu, Wally poprosił świadka, żeby mówił powoli, wyraźnie i jeśli to możliwe, nieco prościej. Mozolili się obaj, Borzov dawał z siebie wszystko, Wally powtarzał praktycznie każde jego słowo, aż osiągnęli coś w rodzaju klarowności wypowiedzi, ale na niewystarczającym poziomie. Borzov wdał się w omawianie stopni niewydolności zastawki mitralnej, wypływu krwi z lewego przedsionka i ważności pracy zastawki mitralnej przy wypływaniu krwi z serca.

Gdy sędziowie przysięgli wymiękli, Wally zadał mu serię

pytań dotyczących interpretacji echokardiogramu, czym wywołał taką odpowiedź:

— Gdyby komora była symetryczna i nie miała rozbieżności w ruchach ścianek albo geometrii, byłaby elipsoidalnie wydłużona. O tym stanowi płaski koniec i ostry koniec, i łagodna krzywizna, elipsoidalna frakcja. Zatem komora zmarszczona na dole nadal byłaby elipsoidalnie wydłużona, ale wszystkie ścianki poruszałyby się poza fałdą zastawki mitralnej.

Protokolantka sądowa uniosła rękę i nie panując nad sobą, palnęła:

— Przepraszam, Wysoki Sądzie, ale nic z tego nie rozumiem.

Sędzia Seawright zamknął oczy, jakby on także dawno zwątpił i chciał tylko, żeby Borzov skończył i opuścił salę sądową.

— Piętnaście minut przerwy — powiedział cicho.

▲ ▲ ▲

Wally i David siedzieli w milczeniu w niewielkiej kafejce przed dwoma nieruszonymi kawami. Dochodziła szesnasta trzydzieści, a oni mieli wrażenie, jakby na sali sędziego Seawrighta spędzili miesiąc. Żaden z nich nie chciał znów się tam znaleźć.

Kompromitujące wystąpienie Borzova wprawiło Davida w osłupienie, ale jednocześnie myślał o piciu Wally'ego. Starszy kolega nie był pijany i nawet nie wyglądał na kogoś, kto jest pod wpływem alkoholu, ale każdy powrót do butelki stanowi dla alkoholika poważny problem. Chciał go sprawdzić, przekonać się, że wszystko z nim w porządku, tyle że czas i miejsce wydawały się nieodpowiednie. Po co poruszać tak paskudny temat w tak fatalnych okolicznościach?

Wally wpatrywał się w jakiś punkt na podłodze, myślami błądząc zupełnie gdzie indziej.

— Moim zdaniem nie przeciągnęliśmy przysięgłych na naszą stronę — powiedział David prosto z mostu.

Jednak Wally się uśmiechnął i odpowiedział:

— Sędziowie przysięgli nas nienawidzą i wcale im się nie dziwię. Nie mamy co liczyć na przyśpieszony werdykt. W chwili gdy skończymy naszą sprawę, Seawright wyrzuci nas z sądu.

— Szybki koniec? Do sędziego też nie można mieć pretensji.

— Szybki i litościwy koniec — dodał Wally, nie odrywając wzroku od podłogi.

— Co to będzie oznaczało dla innych kwestii, jak sankcje i postępowanie niezgodne z etyką zawodową?

— Kto to może wiedzieć? Moim zdaniem sprawy niedotrzymania warunków umów z klientami upadną. Nie można pozwać kogoś za to, że przegrał sprawę przed sądem. Niestety, sankcje to zupełnie inna historia. Już widzę, jak adwokaci Varrick dobierają nam się do tyłka, utrzymując, że nie ma dla nas usprawiedliwienia.

David wypił wreszcie trochę kawy.

— Nie mogę przestać myśleć o Jerrym Alisandrosie — ciągnął Wally. — Chciałbym go dopaść w ciemnym zaułku i sprać do nieprzytomności kijem baseballowym.

— O, to przyjemna myśl.

— Lepiej już chodźmy. Skończmy z Borzovem i wyprowadźmy go stąd.

⋀ ⋀ ⋀

Przez następną godzinę zgromadzeni na sali sądowej męczyli się, oglądając wideo echokardiogramu Percy'ego, podczas gdy doktor Borzov próbował opisać, co widzą. Przy ściemnionym świetle kilku przysięgłych zapadło w drzemkę. Kiedy nagranie się skończyło, Borzov wrócił na miejsce dla świadka.

— Jak długo jeszcze, panie Figg? — zapytał sędzia.

— Pięć minut.

— Proszę kontynuować.

Nawet sprawy szyte najgrubszymi nićmi wymagają magii języka. Wally chciał szybko wprowadzić taki element, gdy przysięgli nadal są otumanieni, a obrona być może marzy, żeby iść do domu.

— A teraz, doktorze Borzov, czy ma pan już wyrobioną opinię na temat przyczyny śmierci pana Percy'ego Klopecka, wynikającą z pana wiedzy medycznej?

— Mam.

David obserwował Nadine Karros, która z bardzo wielu powodów i bez wysiłku mogła wykluczyć jakąkolwiek lub wszystkie opinie biegłego. Ale najwyraźniej nie miała ochoty tego robić.

— Jak brzmi ta opinia? — zapytał Wally.

— Moim zdaniem, bazując na określonym stopniu pewności lekarskiej, pan Klopeck umarł na skutek ostrego zawału mięśnia sercowego albo ataku serca. — Borzov wygłosił swoją opinię powoli, znacznie wyraźniejszym angielskim.

— Co pańskim zdaniem mogło spowodować atak serca?

— Moim zdaniem, bazując na określonym stopniu pewności lekarskiej, ten atak serca został spowodowany powiększeniem lewej komory serca.

— A co pańskim zdaniem spowodowało powiększenie lewej komory serca?

— Moim zdaniem, bazując na określonym stopniu pewności lekarskiej, to powiększenie nastąpiło na skutek przyjmowania leku na obniżenie poziomu cholesterolu o nazwie krayoxx.

Co najmniej czterech przysięgłych pokręciło głowami. Dwóch innych wyglądało, jakby miało ochotę wstać i nawymyślać Borzovowi.

O osiemnastej świadek został ostatecznie zwolniony, a przysięgli odesłani do domów.

— Rozprawa odroczona do dziewiątej rano — oznajmił sędzia Seawright.

W drodze do kancelarii Wally zasnął na siedzeniu dla pasażera. Stojąc w korku, David wziął komórkę, a potem wszedł do internetu, żeby sprawdzić zachowanie rynku. Cena akcji Varrick Laboratories podskoczyła z trzydziestu jeden i pół do trzydziestu pięciu dolarów.

Wieści o nadchodzącym zwycięstwie firmy niosły się lotem błyskawicy.

Rozdział 40

W czasie pierwszych dwóch miesięcy spędzonych na świecie mała Emma teoretycznie powinna w nocy spać. Kładziona o dwudziestej, budziła się zwykle o dwudziestej trzeciej na krótkie karmienie i zmianę pieluchy. Długie noszenie na rękach po pokoju i bujanie się z nią w fotelu usypiały ją około północy, ale już o trzeciej nad ranem znów robiła się głodna. Początkowo Helen dzielnie trzymała się postanowienia, że będzie karmiła piersią, ale po sześciu tygodniach była wykończona i wprowadziła butelkę. Ojciec Emmy też niewiele sypiał i zwykle oboje rodzice rozmawiali cicho podczas karmienia przed świtem, podczas gdy mała leżała między nimi pod kołdrą.

We wtorek o wpół do piątej David delikatnie położył córeczkę w łóżeczku, zgasił światło i wyszedł z jej pokoju. W kuchni nastawił kawę, a kiedy się parzyła, wszedł do internetu i sprawdził wiadomości, pogodę i blogi prawnicze. Szczególnie jeden, na którym śledzono losy pozwu przeciwko producentowi krayoxxu i proces Iris Klopeck. David miał ochotę go zignorować, ale nie potrafił oprzeć się pokusie.

W nagłówku napisano: Druzgocąca krytyka w sali sądowej 2314. Bloger znany jako Niezdecydowany Przysięgły najwyraźniej miał za dużo czasu albo był jednym z megafonów Rogana Rothberga. Pisał:

Dla tych, którzy cierpią na chorobliwą ciekawość i będą tłoczyli się dzisiaj w sali sądowej 2314 w budynku sądu federalnego, na drugiej rundzie pierwszego na świecie i prawdopodobnie jedynego procesu dotyczącego krayoxxu. Dla tych z was, którzy nie będą mogli wziąć w nim udziału, to jak oglądanie wykolejania się pociągu w zwolnionym tempie, na dodatek z ogromną dawką humoru. Wczoraj, w dniu rozpoczęcia procesu, przysięgli i widzowie zostali powitani ponurym widokiem wdowy, Iris Klopeck, której zeznania nagrano na wideo. Przypuszczalnie nie mogła przyjść do sądu z powodów zdrowotnych, choć jeden z moich informatorów widział ją wczoraj na zakupach w spożywczym przy Pulaski Road (kliknij tutaj, żeby zobaczyć zdjęcia). Facetka jest wielką kobietą, a kiedy na ekranie ukazała się jej twarz, wywołała spory szok. W pierwszej chwili wydawała się... cóż... naćpana, ale z czasem prochy najwyraźniej przestawały działać. Zdołała nawet uronić kilka łez, kiedy mówiła o ukochanym Percym, który umarł w wieku 48 lat, ważąc prawie 150 kilo. Iris chce, żeby przysięgli dali jej ciężarówkę forsy, i starała się, jak mogła, żeby wzbudzić współczucie. Nie zadziałało. Większość przysięgłych myślała to samo co ja: gdybyście nie byli tacy grubi, nie mielibyście takich problemów ze zdrowiem.

Jej grupa reprezentacyjna, teraz pomniejszona
o szefa, który sam dostał zawału serca, kiedy stanął
twarzą w twarz z prawdziwą ławą przysięgłych,
dokonała jak do tej pory tylko jednego genialnego
posunięcia, a mianowicie nie dopuściła, żeby Iris
znalazła się na sali sądowej, i trzymała ją z dala od
przysięgłych. Żadnych innych błyskotliwych pomysłów
nie można się już raczej spodziewać po tych dwóch
miernotach.

Drugim świadkiem była ich gwiazda, biegły,
dyplomowany oszołom z Rosji, który po 15 latach
pobytu w naszym kraju nie zdołał opanować podstaw
angielskiego. Ma na imię Igor, a kiedy Igor mówi, nikt
nie słucha. Igor mógłby z łatwością zostać powalony
przez obronę na łopatki za brak kwalifikacji — jego
niedostatki są zbyt liczne, żeby je wymieniać — ale
najwyraźniej obrońcy przyjęli strategię polegającą na
pozwalaniu adwokatom powódki na robienie
wszystkiego, czego potrzebują, by udowodnić, że
w ogóle mają jakąś sprawę. Obrona chce wystąpień
Igora, bo ją wspomaga!

Wystarczy! David zamknął laptop i poszedł po kawę. Wziął
prysznic i ubrał się po cichu, pocałował Helen na pożegnanie,
zajrzał do Emmy i wyszedł. Kiedy skręcał w Preston, zauważył,
że w kancelarii pali się światło. Była za piętnaście szósta
i pewnie Wally ciężko pracował. To dobrze, pomyślał David,
być może młodszy wspólnik wymyślił jakąś nową teorię, którą
zaatakują Nadine Karros i sędziego Seawrighta, zmniejszając
trochę rozmiary swojego upokorzenia. Jednak przed budynkiem
nie było samochodu Wally'ego. Tylne drzwi były otwarte,
podobnie jak frontowe. AC biegał podekscytowany po parterze.

Wally'ego nie było w gabinecie, w ogóle nigdzie go nie było. David pozamykał drzwi i poszedł do siebie na górę z nieodstępującym go AC. Na biurku nie czekała na niego żadna wiadomość, nie dostał nowych e-maili. Zadzwonił na komórkę Wally'ego, ale włączyła się poczta głosowa. Wally często zmieniał metody działania, ale nigdy przedtem ani on, ani Oscar nie zostawili otwartych drzwi i zapalonych świateł. Dziwne.

David usiłował przejrzeć jakieś materiały, ale nie mógł się skoncentrować. Był zdenerwowany procesem, a teraz dodatkowo prześladowało go wrażenie, że coś jest nie w porządku. Zszedł na dół i rozejrzał się po pokoju Wally'ego. Kosz na śmieci stojący obok szafki był pusty. Choć David nienawidził się za to, otworzył kilka szuflad, ale nie znalazł niczego interesującego. W kuchni obok wąskiej lodówki stał wysoki okrągły kosz, do którego wyrzucali fusy po kawie, pudełka po jedzeniu, puste butelki i puszki. David wyjął biały plastikowy worek na śmieci, otworzył go szeroko i znalazł to, czego bał się znaleźć. Z jednej strony, obok pojemnika po jogurcie, zobaczył pustą półlitrową butelkę po smirnoffie. David wyjął ją, opłukał nad zlewem i umył ręce. Zabrał ją na górę, postawił na biurku i bardzo długo się w nią wpatrywał.

W czasie lunchu Wally wypił kilka piw, a część wieczoru spędził w kancelarii, popijając wódkę. W którymś momencie zdecydował się wyjść. Wszystko wskazywało na to, że był pijany i dlatego zostawił zapalone światło i otwarte drzwi.

Umówili się na siódmą rano na kawę i naradę roboczą. Była siódma piętnaście i David się niepokoił. Zadzwonił do Rochelle i zapytał, czy miała jakieś wiadomości od Wally'ego.

— Nie, a stało się coś? — zapytała, jakby telefon ze złymi wieściami o Wallym nigdy nie był dla niej zaskoczeniem.

— Nie, szukam go, to wszystko. Będzie pani o ósmej, prawda?

— Właśnie wychodzę z domu. Po drodze zajrzę do Oscara, a potem przyjadę do biura.

David miał ochotę zadzwonić do Oscara, ale nie mógł się do tego zmusić. Trzy by-passy założono mu dopiero przed sześcioma dniami, więc David nie chciał go denerwować. Nakarmił AC i ponownie spróbował dodzwonić się na komórkę Wally'ego. Bez skutku. Rochelle zjawiła się dokładnie o ósmej z wiadomością, że Oscar czuje się dobrze i nie widziała Wally'ego.

— Nie wrócił na noc do domu — dodała.

David wyjął z kieszeni czarnych spodni pustą półlitrową butelkę.

— Znalazłem to w koszu na śmieci w kuchni. Wally upił się wczoraj w nocy, tutaj, a wychodząc, zostawił otwarte drzwi i zapalone światło.

Gdy Rochelle patrzyła na butelkę, zbierało jej się na płacz. Opiekowała się Wallym podczas jego wcześniejszych zmagań z nałogiem, pocieszała w trakcie odwyków. Trzymała go za rękę, modliła się za niego, przelewała przez niego łzy i świętowała z nim liczone z dumą dni trzeźwości. Rok, dwa tygodnie, dwa dni... a teraz patrzyli na pustą butelkę.

— Chyba nie mógł wytrzymać napięcia — stwierdził David.

— Kiedy upada, ląduje twardo, panie Davidzie, a każdy następny raz jest gorszy od poprzedniego.

David postawił butelkę na stole.

— Przecież był taki dumny z tego, że jest trzeźwy. Nie mogę w to uwierzyć. — Tak naprawdę nie mógł uwierzyć, że ich grupa (albo trzech pajaców) została zredukowana do jednego człowieka na posterunku. I choć jego partnerom brakowało doświadczenia w sądzie, w porównaniu z nim byli zaprawionymi w bojach weteranami.

— Myśli pani, że pokaże się w sądzie? — zapytał David.

Nie, jej zdaniem nie, ale Rochelle nie miała serca, żeby pognębiać go jeszcze bardziej.

— Prawdopodobnie tak. Powinien pan już jechać.

⋏ ⋏ ⋏

To była długa jazda do śródmieścia. David zadzwonił do Helen i przekazał jej nowiny. Była zdezorientowana, podobnie jak mąż, i wyraziła nawet opinię, że sędzia nie będzie miał innego wyjścia i odroczy rozprawę. Davidowi podobała się taka perspektywa i gdy parkował, był święcie przekonany, że jeśli Wally się nie pojawi, przedłoży sędziemu Seawrightowi wniosek o odroczenie. Bo też trzeba było uczciwie przyznać, że utrata dwóch głównych adwokatów w sprawie stanowi mocny argument unieważnienia procesu albo jego odroczenia.

Wally'ego nie było na sali sądowej. David usiadł samotnie przy stole, podczas gdy grupa od Rogana Rothberga i widzowie zajmowali miejsca. Za dziesięć dziewiąta David podszedł do woźnego i powiedział, że musi zobaczyć się z sędzią Seawrightem i że sprawa jest pilna.

— Proszę za mną — odpowiedział woźny.

Sędzia Seawright wkładał właśnie togę, kiedy David wszedł do jego gabinetu. Pomijając powitanie, David powiedział:

— Wysoki Sądzie, mamy problem. Pan Figg jest nieobecny bez usprawiedliwienia. Jeszcze go nie ma i boję się, że już nie przyjdzie.

Sędzia prychnął z niezadowolenia, ale nie przerwał powolnego zapinania togi.

— Nie wie pan, gdzie jest?

— Nie.

Sędzia Seawright spojrzał na woźnego i powiedział:

— Niech pan poprosi panią Karros.

Kiedy przyszła Nadine, sama, usiedli przy długim stole konferencyjnym. David powiedział im wszystko, co wie, nie pomijając niczego z historii problemów Wally'ego z alkoholem. Okazali mu współczucie, ale nie bardzo wiedzieli, jaki to będzie miało wpływ na proces. David przyznał się, że nie jest przygotowany i brakuje mu kompetencji, by zrobić to, co jeszcze powinno być zrobione, ale jednocześnie nie wyobraża sobie, że kancelaria będzie musiała zaczynać tę sprawę od nowa.

— Spójrzmy prawdzie w oczy — mówił — nie mamy zbyt wielu dowodów w tej sprawie i wiedzieliśmy o tym, kiedy ją zaczynaliśmy. Popychaliśmy ją tak daleko, jak się dało, a robiliśmy to tylko dlatego, żeby uniknąć sankcji i procesu za zaniedbanie obowiązków i błędy.

— Chce pan odroczenia? — zapytał sędzia.

— Tak. Myślę, że to jedyne sprawiedliwe rozwiązanie.

— Mój klient będzie się sprzeciwiał wszelkim próbom opóźniania wyroku i z pewnością będzie mocno naciskał, żeby ten proces skończyć — powiedziała Nadine.

— Nie jestem pewny, czy odroczenie cokolwiek zmieni — odezwał się sędzia Seawright. — Jeśli pan Figg wrócił do picia i pije tyle, że nie jest w stanie zjawić się w sądzie, odwyk, po którym znowu będzie mógł funkcjonować, w jego przypadku może trochę potrwać. Nie przychylam się do odroczenia.

David nie mógł spierać się z taką logiką.

— Wysoki Sądzie, nie mam pojęcia, co robić na sali sądowej. Nigdy wcześniej nie prowadziłem sprawy.

— U pana Figga też nie dopatrzyłem się zbyt dużego doświadczenia. Na pewno da pan sobie radę. Przynajmniej na jego poziomie.

Zapadła cisza, kiedy cała trójka zastanawiała się nad raczej nietypowym dla nich dylematem. W końcu milczenie przerwała Nadine:

— Mam propozycję. Jeśli dokończy pan proces, przekonam mojego klienta, żeby odstąpił od sankcji w ramach Reguły jedenastej.

Sędzia Seawright szybko wszedł jej w słowo:

— Panie Zinc, jeśli dokończy pan ten proces, gwarantuję, że ani pana, ani pańskiej klientki nie dotkną żadne sankcje.

— To wspaniale, ale co z procesem o zaniedbanie obowiązków i błędy?

Nadine nic nie powiedziała, za to sędzia zwrócił się do Davida:

— Wątpię, żeby były z tym jakieś problemy. Nie słyszałem o pozwaniu adwokata za niedopełnienie obowiązków czy nieuczciwą praktykę, tylko dlatego, że po prostu przegrał sprawę.

— Ani ja — dodała Nadine. — W każdym procesie jest wygrany i przegrany.

Oczywiście, pomyślał David, a wygrywanie za każdym razem jest pewnie bardzo przyjemne.

— Postąpimy tak — ciągnął sędzia. — Dzisiaj zarządzę przerwę, odeślę przysięgłych do domu, a pan zrobi, co w pańskiej mocy, żeby odszukać pana Figga. Jeśli jakimś cudem Figg pojawi się jutro w sądzie, będziemy kontynuowali, jakby nic się nie stało, i nie ukażę go za dzisiejszą nieobecność. Jeśli go pan nie znajdzie albo jeśli pan Figg nie będzie w stanie prowadzić sprawy, wznowimy proces jutro rano o dziewiątej. Pan się postara, a ja będę panu pomagał, jak potrafię. Skończymy proces i będziemy to mieli za sobą.

— Co z apelacją? — chciała wiedzieć Nadine. — Utrata dwóch głównych prowadzących sprawę adwokatów jest przekonującym argumentem, by wytoczyć nowy proces.

David zdołał się uśmiechnąć.

— Obiecuję, że nie będzie żadnych apelacji, w każdym razie ja do nich ręki nie przyłożę. Ta sprawa mogłaby z łatwością doprowadzić do bankructwa naszą niewielką kancelarię. Pożyczyliśmy pieniądze na doprowadzenie procesu do tego punktu. Nie umiem sobie wyobrazić, że moi wspólnicy marnują kolejne pieniądze i wygłupiają się z apelacją. Gdyby w jakiś sposób udało im się wygrać apelację, to i tak byliby zmuszeni do powrotu na salę sądową i rozpoczęcia procesu od nowa. A to ostatnia rzecz, jakiej by chcieli.

— W porządku, więc umowa stoi? — zapytał sędzia.

— Jeśli o mnie chodzi, tak — odpowiedziała Nadine.

— Panie Zinc?

David nie miał wyboru. Kontynuując samotnie, miał szansę ocalić firmę przed sankcjami i prawdopodobnie również przed procesem o niedopełnienie obowiązków. Inaczej pozostawałoby mu tylko domaganie się odroczenia, a kiedy spotkałby się z odmową, musiałby zrezygnować z udziału w procesie.

⋏ ⋏ ⋏

David nie śpieszył się z powrotem do kancelarii. Bez przerwy powtarzał sobie, że ma dopiero trzydzieści dwa lata, że to nie zrujnuje jego kariery. Jakoś przetrwa następne trzy dni, a za rok prawie nie będzie o tym pamiętał.

Wally'ego wciąż nie było. David zamknął się w swoim gabinecie i resztę dnia spędził na czytaniu transkrypcji innych procesów, ślęczał nad zeznaniami w innych sprawach, studiował zasady proceduralne, sposoby przedstawiania dowodów i tłumił odruch wymiotny.

Przy obiedzie dziobał jedzenie widelcem, gdy relacjonował wszystko Helen.

— Ilu adwokatów jest po drugiej stronie? — spytała.

— Nie wiem, ale zbyt wielu, żeby można ich było policzyć. Co najmniej sześciu plus cały rząd asystentów siedzących za nimi.

— A ty będziesz sam przy stole?

— Taki jest scenariusz.

Zjadła trochę makaronu, a potem powiedziała:

— Czy ktoś sprawdza kwalifikacje tych asystentów?

— Nie wydaje mi się. Dlaczego pytasz?

— Coś mi przyszło do głowy. Może ja powinnam zostać twoją asystentką na kilka następnych dni. Zawsze chciałam zobaczyć proces.

David roześmiał się po raz pierwszy od wielu godzin.

— Daj spokój, Helen. Nie jestem pewny, czy chciałbym, żeby ktokolwiek, a już szczególnie ty, był świadkiem tej jatki.

— Co powiedziałby sędzia, gdybym zjawiła się z teczką i notesem i zaczęła robić notatki?

— W tej chwili myślę, że sędzia Seawright straciłby cierpliwość.

— Mogłabym poprosić siostrę, żeby zajęła się Emmą.

David znów się roześmiał, ale ten pomysł nabierał kolorów. Co ma do stracenia? To może być jego pierwsza i zarazem ostatnia sprawa jako adwokata procesowego, więc dlaczego trochę się przy tym nie zabawić?

— To brzmi dobrze — przyznał.

— Wspomniałeś, że wśród przysięgłych jest siedmiu mężczyzn?

— Tak.

— Krótka spódnica czy długa?

— Krótka, ale nie za bardzo.

Rozdział 41

Niezdecydowany Przysięgły pisał na blogu:

To był krótki dzień w procesie Klopeck — krayoxx, jako że grupa reprezentacyjna miała problemy z zebraniem się do kupy. Plotka głosi, że prowadzący sprawę adwokat, szacowny Wallis T. Figg, nie stawił się w sądzie, a jego pomagier nowicjusz został wysłany, żeby go szukać. Figga nie widziano na sali sądowej tuż przed godziną 9.00. Sędzia Seawright odesłał przysięgłych do domu i kazał im wrócić dziś rano. Kolejne telefony do kancelarii Finleya i Figga od razu były przekierowywane na pocztę głosową. Nie oddzwonił nikt z pracowników, jeśli w tej firmie rzeczywiście ktoś pracuje. Ciekawe, czy Figg poszedł w tango? To pytanie jak najbardziej na miejscu, jeśli weźmie się pod uwagę, że w ciągu ostatnich 12 lat zawieszano mu prawo jazdy co najmniej dwa razy za prowadzenie po pijaku, ostatni raz w zeszłym roku. Z mojej kartoteki wynika, że Figg czterokrotnie żenił się i rozwodził. Namierzyłem żonę numer dwa. Powiedziała, że Wally zawsze miał problemy z butelką. Kiedy zadzwoniłem wczoraj do powódki, Iris Klopeck, która nadal jest zbyt chora, by stawić się w sądzie, odpowiedziała: „Wcale mnie to nie dziwi", gdy poinformowałem ją, że jej adwokat nie przyszedł na rozprawę. A potem odłożyła słuchawkę. Znany prawnik specjalizujący się w pozwach o niedopełnienie obowiązków, Bart Shaw, był widziany, jak przemykał do sali sądowej — plotka głosi, że może pozbierać resztki z bałaganu po krayoxxie i dobrać się do Finleya i Figga za sfuszerowanie tej sprawy. Jak do tej pory sprawa Klopeck teoretycznie nie została jeszcze spartaczona. Przysięgli niczego jeszcze nie zdecydowali. Ciąg dalszy nastąpi.

David rzucił okiem na inne blogi, gdy jadł baton z musli i czekał na Wally'ego, choć szczerze mówiąc, wcale się go nie spodziewał. Nikt nie miał od niego żadnych wieści — Oscar, Rochelle, DeeAnna i paru kumpli prawników z klubu pokerowego, do którego kiedyś należał. Oscar zadzwonił do kolegi z policji, żeby wypytać go nieformalnie, ale ani David, ani on nie spodziewali się, że Wally mógłby popełnić jakieś przestępstwo. Od Rochelle wiedział, że Wally już kiedyś zniknął na tydzień i nie dawał znaku życia, a potem zadzwonił do Oscara z motelu w Green Bay, kompletnie nawalony. David nasłuchał się bardzo wielu opowieści o pijanym Wallym. Dla niego były dziwne, bo znał tylko trzeźwego partnera.

Rochelle przyjechała wcześnie i weszła po schodach, a nieczęsto robiła coś takiego. Martwiła się o Davida i zaoferowała mu wszelką pomoc. Podziękował jej i zaczął wkładać akta do teczki. Rochelle nakarmiła AC, wzięła swój jogurt i porządkowała biurko, kiedy spojrzała na skrzynkę e-mailową.

— Panie Davidzie! — krzyknęła.

List był od Wally'ego, datowany na dwudziestego szóstego października, wysłany o piątej dziesięć z jego iPhone'a:

R.G.: Cześć, żyję. Nie dzwońcie na policję i nie płaćcie okupu. W.F.

— Dzięki Bogu — westchnęła Rochelle. — Nic mu nie jest.
— Nie napisał, że nic mu nie jest. Napisał tylko, że żyje. Ale to chyba dobrze.
— Co rozumiał przez „płacenie okupu"? — zastanawiała się Rochelle.
— Pewnie próbował być śmieszny. Ha, ha.
Jadąc do śródmieścia, David dzwonił do Wally'ego trzy razy. Skrzynka głosowa była zapełniona.

ᴧ ᴧ ᴧ

W sali pełnej mężczyzn w ciemnych garniturach piękna kobieta zwraca na siebie znacznie większą uwagę, niż gdyby szła zatłoczoną ulicą. Nadine Karros używała swojego wyglądu jak broni, gdy pięła się po szczeblach kariery i weszła do elity adwokatów sądowych w Chicago. W środę miała jednak konkurencję.

Nowa asystentka z kancelarii Finleya i Figga pojawiła się za piętnaście dziewiąta. Zgodnie z planem od razu podeszła do Karros i przedstawiła się jako Helen Hancock (panieńskie nazwisko), pracująca na część etatu asystentka u Finleya i Figga. Potem przedstawiła się kilku innym adwokatom obrony, sprawiając, że przerwali wszystko, czym byli zajęci, wstając niezgrabnie i wymieniając z nią uścisk dłoni. Uśmiechali się i starali być mili. Metr siedemdziesiąt i dziesięciocentymetrowe obcasy sprawiły, że Helen była o kilka centymetrów wyższa

411

od Nadine, a także od kilku facetów z jej zespołu. Orzechowe oczy i eleganckie ubranie, nie wspominając o smukłej sylwetce i spódnicy piętnaście centymetrów nad kolana, pozwoliły Helen skutecznie zaburzyć rytuały przed walką, nawet jeśli tylko na chwilę. Widzowie, niemal wszyscy mężczyźni, mierzyli ją spojrzeniami. Jej mąż, ignorujący ten spektakl, wskazał krzesło za sobą i powiedział jak rasowy adwokat:

— Podaj mi te akta. — A potem, znacznie ciszej, dodał: — Wyglądasz olśniewająco, ale nie uśmiechaj się do mnie.

— Tak, szefie — odpowiedziała, otwierając teczkę, jedną z kilku, które David przyniósł.

— Dzięki, że przyszłaś.

Godzinę wcześniej, jeszcze siedząc przy biurku, David wysłał e-mail do sędziego Seawrighta i Nadine Karros, że Figg się odezwał, ale nie będzie go w sądzie. Nikt nie ma pojęcia, gdzie jest ani kiedy się pojawi. Z tego, co David wiedział, Wally mógł wrócić do Green Bay i leży teraz pijany, ale zachował to dla siebie.

Doktor Igor Borzov znowu został włączony do rozprawy i zajął miejsce dla świadka. Wyglądał jak trędowaty czekający na ukamienowanie.

Sędzia Seawright powiedział:

— Może pani przesłuchać świadka, pani Karros.

Nadine podeszła do podium w kolejnym zabójczym stroju — lawendowej sukience z dzianiny, która idealnie ją opinała, prezentując jej kształtne i jędrne pośladki. Szeroki brązowy skórzany pasek był zapięty w taki sposób, by ogłaszać światu: „Tak, noszę rozmiar 36". Zaczęła od posłania biegłemu uroczego uśmiechu i poprosiła, żeby mówił powoli, bo w poniedziałek miała problem ze zrozumieniem go. Borzov w odpowiedzi wymamrotał coś niezrozumiale.

Przy tak wielu oczywistych punktach zaczepienia nie sposób

było przewidzieć, który Karros zaatakuje jako pierwszy. David nie był w stanie przygotować Borzova, zresztą i tak nie chciałby spędzić z tym człowiekiem nawet minuty.

— Doktorze Borzov, kiedy ostatni raz leczył pan własnego pacjenta?

Borzov musiał przez chwilę pomyśleć, zanim odpowiedział:

— Mniej więcej dziesięć lat temu.

Stąd prowadziła prosta droga do serii pytań o to, co dokładnie robił przez ostatnie dziesięć lat. Nie miał pacjentów, nie wykładał, nie prowadził badań, w ogóle nie robił niczego, czego można się spodziewać po lekarzu. W końcu, gdy Karros wykluczyła praktycznie wszystko, zapytała:

— Czy to prawda, doktorze Borzov, że przez ostatnie dziesięć lat pracował pan wyłącznie na zlecenia adwokatów prowadzących procesy?

Borzov zaczynał się wić. Nie był tego do końca pewny.

Ale Nadine była. Dysponowała faktami, które wybrała z zeznania, jakie Borzov złożył w czasie innego procesu rok temu. Uzbrojona w szczegóły, wzięła go za rękę i poprowadziła ścieżką ku samozagładzie. Rok po roku omawiała poszczególne procesy, badania, leki, adwokatów, a kiedy skończyła godzinę później, dla każdego na sali sądowej stało się jasne, że doktor Igor Borzov to jedynie maszynka do przystawiania pieczątek dla prawników obsługujących pozwy zbiorowe.

Asystentka napisała coś na kartce z notesu i podała ją dyskretnie Davidowi: *Gdzie znaleźliście tego faceta?*

David odpisał: *Robi wrażenie, co nie? I wziął za to tylko 75 000 dolarów.*

Kto zapłacił?

Nie chcesz wiedzieć.

Najwyraźniej rozgrzane węgle pod siedzeniem miały wpływ na dykcję albo Borzov nie chciał, by go rozumiano. W każdym

413

razie coraz trudniej było się domyślić, co mówił. Nadine była tak opanowana, że David wątpił, czy kiedykolwiek mogłaby przegrać sprawę. Patrzył na mistrzynię i robił notatki, ale nie po to, żeby przyjść z pomocą swojemu świadkowi — zapisywał jej chwyty krzyżowego ognia pytań.

Przysięgłych przestało to w ogóle interesować. Myśleli o czymś innym, dali sobie spokój, czekali na następnego świadka. Nadine to wyczuła i zaczęła skracać listę problemów do poruszenia. O jedenastej sędzia Seawright musiał się wysikać, dlatego zarządził dwadzieścia minut przerwy. Kiedy przysięgli wyszli z sali, Borzov podszedł do Davida i zapytał:

— Długo jeszcze?

— Nie mam pojęcia — odpowiedział David.

Lekarz pocił się i ciężko oddychał. Na jego koszuli pod pachami widać było mokre plamy. Nie jest dobrze, chciał powiedzieć David, ale się powstrzymał. Ale tobie przynajmniej za to płacą.

W czasie przerwy Nadine Karros i jej zespół podjęli taktyczną decyzję, by nie wracać do echokardiogramu Percy'ego. Teraz, gdy Borzov krwawił jak ranne zwierzę, echokardiogram mógłby stać się jego tarczą i znów zarzuciłby przysięgłych medycznym żargonem. Po przerwie, kiedy Borzov wrócił powoli na miejsce dla świadka, Nadine dobrała się do jego wykształcenia, wyraźnie podkreślając różnice między szkolnictwem medycznym w Stanach i w Rosji. Wymieniła ćwiczenia i wykłady, będące standardem w Stanach Zjednoczonych, o których nawet nie słyszano „w jego ojczyźnie". Znała odpowiedź na każde pytanie, które mu zadawała, a Borzov zdążył się do tego czasu zorientować, że tak jest. Coraz częściej wahał się przy udzielaniu odpowiedzi, bo wiedział, że jakakolwiek nieścisłość, niezależnie od tego, jak niewielka, zostanie mu wytknięta, przeanalizowana i rzucona w twarz.

Prześwietlała jego staże i kilka razy udało jej się przyłapać go na kłamstwie. W południe przysięgli przyglądający się tej wiwisekcji nie mieli już wątpliwości, że patrzą na lekarza, któremu nie powierzyliby nawet przepisania wody utlenionej. Dlaczego nigdy nie napisał żadnej pracy naukowej? Twierdził, że opublikował kilka w Rosji, zmuszony był jednak przyznać, iż nigdy ich nie przetłumaczono. Dlaczego nigdy nie pomyślał o pracy na jakimś wydziale? Sala wykładowa go nudziła, jak próbował wyjaśnić, choć bardzo trudno byłoby wyobrazić sobie Borzova próbującego porozumieć się z grupą studentów.

W przerwie na lunch David i jego asystentka wybiegli z budynku sądu i poszli do delikatesów za rogiem. Helen była zafascynowana przebiegiem rozprawy, chociaż wciąż nie otrząsnęła się ze zdumienia po żałosnym zdemaskowaniu doktora Borzova.

— Tak przy okazji — powiedziała przy sałatce z kiełków — jeśli kiedykolwiek mielibyśmy się rozwodzić, wynajmę Nadine.

— Och, naprawdę? Cóż, w takim razie ja będę zmuszony zatrudnić Wally'ego Figga, jeśli uda mi się zmusić go do zachowania trzeźwości.

— Jesteś boski.

— Zapomnij o rozwodzie, maleńka, jesteś zbyt śliczna i drzemie w tobie ogromny potencjał na asystentkę adwokata.

Helen spoważniała.

— Posłuchaj, wiem, że masz w tej chwili bardzo dużo na głowie, ale musisz myśleć o naszej przyszłości. Nie możesz zostać u Finleya i Figga. Co będzie, jeśli Oscar już nie wróci? A jeśli Wally nie przestanie pić? Przyjmując jednak, że tak się nie stanie, dlaczego chcesz się ich trzymać?

— Nie wiem. Nie miałem zbyt dużo czasu, żeby się nad tym zastanawiać. — Oszczędził jej informacji o podwójnym koszmarze, jakim były sankcje z Reguły 11 i procesy za nieuczciwe praktyki wobec klientów. Poza tym zdecydował, że nie powie jej też o linii kredytowej na dwieście tysięcy dolarów, którą żyrował razem z dwoma partnerami. Opuszczenie firmy w najbliższej przyszłości nie było prawdopodobne.

— Porozmawiajmy o tym później — zaproponował.

— Przepraszam. To dlatego, że moim zdaniem stać cię na znacznie więcej, to wszystko.

— Dziękuję, kochanie. Ale, ale... czy nie jesteś pod wrażeniem moich talentów adwokackich na sali sądowej?

— Jesteś fantastyczny, tylko tak sobie myślę, że jeden taki poważny proces w zupełności ci wystarczy.

— A tak przy okazji, Nadine nie zajmuje się rozwodami.

— To załatwia sprawę. Będę musiała jakoś z tobą wytrzymać.

▲ ▲ ▲

O trzynastej trzydzieści Borzov po raz ostatni ruszył truchtem na miejsce dla świadków. Nadine przystąpiła do ostatniego ataku. Ponieważ był kardiologiem, który nie praktykował, bez ryzyka założyła, że nie leczył Percy'ego Klopecka. To prawda, poza tym pan Klopeck zmarł na długo przed tym, nim Borzov został wynajęty jako biegły. Na pewno jednak konsultował się z lekarzami, którzy go prowadzili. Nie, przyznał Borzov, nie konsultował się. Udając niedowierzanie, Karros zabrała się do wytykania mu ogromnych niedopatrzeń. Jego odpowiedzi stawały się coraz wolniejsze, głos coraz cichszy, rosyjski akcent silniejszy, aż o czternastej czterdzieści pięć Borzov wyjął z kieszeni białą chustkę do nosa i zaczął nią machać.

Podobne gesty nie zostały przewidziane przez mądrych ludzi, którzy tworzyli zasady postępowania w sądzie federalnym, i David nie był pewny, co powinien zrobić w tej sytuacji. Wstał więc i powiedział:

— Wysoki Sądzie, moim zdaniem świadek ma już dość.

— Dobrze się pan czuje, doktorze Borzov? — zapytał sędzia, choć odpowiedź była oczywista.

Świadek pokręcił głową.

— Nie mam więcej pytań, Wysoki Sądzie — oświadczyła Karros i odeszła od podium, mając na koncie kolejne imponujące unicestwienie biegłego.

— Chciałby pan jeszcze spytać o coś świadka, panie Zinc? — zapytał sędzia.

Ostatnią rzeczą, na jaką David miał ochotę, było ożywianie martwego Borzova.

— Nie, Wysoki Sądzie — odpowiedział szybko.

— Jest pan wolny, doktorze Borzov.

Borzov oddalił się na miękkich nogach, ale bogatszy o siedemdziesiąt pięć tysięcy dolarów i kolejną czarną plamę na życiorysie. Sędzia Seawright zarządził odroczenie rozprawy do piętnastej trzydzieści.

⅄ ⅄ ⅄

Doktor Herbert Threadgill był farmakologiem o wątpliwej reputacji. Podobnie jak Borzov, schyłek kariery spędzał, żyjąc beztrosko, z dala od rygorów prawdziwej medycyny, nie robiąc nic poza zeznawaniem dla adwokatów, którzy potrzebowali naginanych opinii, by pasowały do ich wersji wydarzeń. Ścieżki obu zawodowych świadków czasami się krzyżowały, dobrze się znali. Threadgill niechętnie włączył się do sprawy Klopeck z dwóch powodów: fakty były wszawe, a sprawa naciągana, poza tym nie miał ochoty stawać przed Nadine Karros w sali sądowej. Ostatecznie jednak powiedział „tak" motywowany jednym — pięćdziesięcioma tysiącami dolarów oraz zwrotem kosztów za marne kilka godzin pracy.

Podczas przerwy spotkał doktora Borzova przed salą sądową i jego wygląd go poraził.

— Nie rób tego — wymamrotał kardiolog, wlokąc się do windy.

Threadgill pośpieszył do toalety, obmył twarz zimną wodą i postanowił, że ucieknie. Pieprzyć tę sprawę. Pieprzyć adwokatów, bo i tak nie są głównymi graczami. Zapłacono mu już całą sumę, ale gdyby zagrozili procesem, mógłby się zastanowić nad zwrotem jakiejś części. Albo nie. Za godzinę powinien już być w samolocie. Za trzy godziny będzie pił drinka z żoną na patiu. Nie popełnia przestępstwa. Nie został wezwany do sądu. Jeśli będzie to konieczne, po prostu nigdy nie wróci do Chicago.

O szesnastej David zjawił się w gabinecie sędziego i powiedział:

— Cóż, Wysoki Sądzie, zdaje się, że straciłem kolejnego człowieka. Nie mogę znaleźć doktora Threadgilla. Nie odbiera też telefonu.

— Kiedy ostatni raz pan z nim rozmawiał?

— W czasie lunchu. Był przygotowany, w każdym razie tak twierdził.

— Czy ma pan innego świadka, który nie zaginął?

— Tak, Wysoki Sądzie, eksperta od spraw ekonomicznych, doktor Kanyę Meade.

— Więc niech ją pan zgłosi, a potem się przekonamy, czy zagubione dusze znalazły drogę do domu.

Percy Klopeck pracował przez dwadzieścia dwa lata jako dyspozytor w firmie frachtowej. Było to zajęcie siedzące, a Percy nie robił niczego, by przerwać monotonię siedzenia na krześle przez osiem godzin dziennie. Nie należał do związków zawodowych, zarabiał czterdzieści cztery tysiące dolarów rocznie i można było z dużym prawdopodobieństwem przyjąć, że dałby radę pracować przez następne siedemnaście lat.

418

Doktor Kanya Meade była młodą ekonomistką z uniwersytetu w Chicago i czasami dorabiała na boku jako konsultantka, biorąc za to trochę kasy — w przypadku sprawy Klopecka jej stawka wyniosła piętnaście tysięcy dolarów. Obliczenia były proste: czterdzieści cztery tysiące przez siedemnaście lat plus przewidywane coroczne podwyżki oparte na trendach z przeszłości, plus fundusz emerytalny kalkulowany na oczekiwane piętnaście lat życia poza wiekiem sześćdziesięciu pięciu lat jako siedemdziesiąt procent jego najwyższej pensji. W sumie doktor Meade zeznała, że śmierć Percy'ego kosztowała jego i jego rodzinę milion pięćset dziesięć tysięcy dolarów.

Jako że umarł spokojnie we śnie, nie było podstaw do odszkodowania za cierpienie.

W trakcie zadawania pytań Nadine Karros zakwestionowała liczbę spodziewanych lat życia Percy'ego. Ponieważ zmarł w wieku czterdziestu ośmiu lat, a wczesna śmierć wśród mężczyzn z jego najbliższej rodziny była częsta, zakładanie, że dożyłby osiemdziesiątki, wydawało się nierealistyczne. Nadine poruszała się jednak ostrożnie, bo nie chciała zbyt dużo uwagi poświęcać odszkodowaniu. Gdyby to zrobiła, uprawdopodobniłaby liczby podane przez biegłą. Klopeckom nie należał się nawet cent, a ona nie miała zamiaru sprawiać wrażenia, że przejmuje się domniemaną utratą zdrowia Percy'ego.

Kiedy doktor Meade skończyła o siedemnastej dwadzieścia, sędzia Seawright odroczył rozprawę do dziewiątej następnego dnia.

Rozdział 42

Po ciężkim dniu w sądzie Helen nie miała ochoty gotować. Zabrała Emmę z domu siostry w Evanston, podziękowała jej serdecznie, obiecała, że później wszystko opowie, i pojechała do najbliższego fast foodu. Emma, która spała w poruszających się pojazdach o wiele lepiej niż w łóżeczku, drzemała spokojnie, gdy Helen wlokła się w kolejce do okienka dla samochodów. Zamówiła więcej hamburgerów i frytek niż zwykle, bo oboje z Davidem byli głodni. Padał deszcz, a dni pod koniec października stawały się coraz krótsze.

Helen ruszyła potem do domu Khaingów niedaleko Rogers Park i zanim dotarła na miejsce, David już tam był. Planowali, że szybko zjedzą z nimi obiad i wrócą do domu, żeby wcześnie położyć się spać — chodziło rzecz jasna przede wszystkim o Emmę. David nie miał więcej świadków do powołania w imieniu powódki i nie był pewny, czego może się spodziewać po Nadine Karros. We wnioskach przedprocesowych obrona zgłosiła listę dwudziestu siedmiu biegłych, a David przeczytał dokładnie wszystkie ich opinie. Tylko Nadine wiedziała, ilu z nich rzeczywiście zajmie miejsce dla świadka i w jakiej kolejności. Davidowi pozostawało niewiele poza siedzeniem, słuchaniem, wnoszeniem od czasu do czasu sprzeciwu, pisaniem wiadomości do urodziwej asystentki i sprawianiem wrażenia, że wie, co się dzieje. Zgodnie z tym, czego się dowiedział od kolegi ze studiów, prawnika w waszyngtońskiej kancelarii, pojawiła się idealna okazja, by obrona wniosła o przyśpieszony wyrok, przekonała sędziego Seawrighta, że reprezentujący powódkę adwokaci nie zdołali przedstawić choćby zarysu podstaw do wniesienia sprawy, i wygrała od razu bez konieczności powoływania własnych świadków.

— To może się skończyć już jutro — powiedział przyjaciel, tkwiąc w korku w Waszyngtonie, do Davida, który tkwił w korku w Chicago.

Od kiedy Thuya został wypisany ze szpitala pięć miesięcy temu, Zincowie stracili tylko kilka środowych wieczorów z fastfoodowym jedzeniem. Pojawienie się Emmy na świecie zakłóciło na krótko porządek spraw, ale nie minęło dużo czasu i spokojnie zabierali ją ze sobą w odwiedziny. Ustalił się swego rodzaju rytuał: kiedy Helen nadchodziła z dzieckiem, Lwin i Zaw, matka i babka, wypadały przez drzwi i podbiegały, żeby zobaczyć małą. W środku Lynn i Erin czekały niecierpliwie na kanapie, żeby dotknąć Emmy. Helen kładła córkę na czyichś kolanach, a dziewczynki, ich matka i babka piszczały, paplały i zachowywały się tak, jakby nigdy nie widziały niemowlęcia. Podawały ją sobie delikatnie i ostrożnie. Mogło to trwać bardzo długo, podczas gdy mężczyźni padali z głodu.

Thuya przypatrywał się temu wszystkiemu z wysokiego krzesełka i wyglądał na rozbawionego. Każdego tygodnia David i Helen mieli nadzieję, że zobaczą jakąś maleńką oznakę poprawy jego stanu, i każdego tygodnia byli rozczarowani. Uszkodzenia były przecież nieodwracalne.

David usiadł obok chłopca, jak zawsze pogłaskał go po głowie i podał mu frytkę. Gawędził z Soe i Lu, podczas gdy kobiety nie odstępowały Emmy. Wreszcie dotarły jakoś do stołu. Ogromną radość sprawiła im wiadomość, że David i Helen będą jedli razem z nimi, zwykle bowiem unikali hamburgerów i frytek. Ale nie tego wieczoru. David wyjaśnił, że trochę się śpieszą i nie będą mieli czasu, żeby zabrać Thuyę na przejażdżkę.

W połowie jedzenia cheeseburgera komórka Davida zawibrowała w kieszeni płaszcza. Wyjął telefon, spojrzał na wyświetlacz i zerwał się na równe nogi.

— To Wally — wyszeptał do Helen i wyszedł na zewnątrz. — Gdzie jesteś, Wally?

Usłyszał odpowiedź wypowiedzianą słabym, omdlewającym głosem:

— Jestem pijany, Davidzie. Taki pijany.

— Tego się domyślaliśmy. Gdzie jesteś?

— Musisz mi pomóc. Nie mam nikogo innego. Oscar nie będzie chciał ze mną gadać.

— Jasne, Wally. Wiesz, że ci pomogę, ale gdzie jesteś?

— W kancelarii.

— Będę za czterdzieści pięć minut.

▲   ▲   ▲

Wally leżał na kanapie i chrapał. AC stał w pobliżu i przyglądał mu się bardzo podejrzliwie. Był środowy wieczór. David słusznie przyjął, że Wally brał ostatnio prysznic w pogodny, wczesny poniedziałkowy ranek, w dzień, kiedy zarządzono ponowny proces, sześć dni po fatalnym zawale Oscara i sześć dni po legendarnym już unieważnieniu procesu. Nie mył się, nie golił, nie zmieniał ubrania — miał na sobie ten sam granatowy garnitur i białą koszulę co wtedy, gdy David widział go ostatni raz. Brakowało krawata. Koszula była poplamiona. Na prawej nogawce spodni pojawiło się niewielkie rozdarcie. Zaschnięte błoto oblepiało podeszwy jego nowych skórzanych półbutów. David szturchnął go lekko w ramię i wypowiedział jego imię. Nic. Wally miał twarz czerwoną i opuchniętą, ale nie było na niej widać żadnych siniaków, zadrapań czy skaleczeń. Może nie awanturował się w barach. Wcześniej David bardzo chciał wiedzieć, gdzie Wally się podziewał, ale teraz już nie. Wally jest bezpieczny. Będzie jeszcze czas na zadawanie pytań, z których jedno brzmi: „Jak się tu dostałeś?". Jego samochód nie stał nigdzie w pobliżu, co David przyjął z pewną ulgą. Może, choć strasznie pijany, Wally miał na tyle rozumu, żeby nie prowadzić. Z drugiej strony mógł rozbić wóz, mogli mu go ukraść albo przejąć.

David uderzył go w ramię i wrzasnął z odległości piętnastu centymetrów. Ciężki oddech Wally'ego ustał na sekundę, ale zaraz powrócił. AC zaskomlał, David wypuścił go na siku i zaparzył dzbanek kawy. Wysłał do Helen SMS: Pijany jak bela, ale żywy. Nie bardzo wiem co dalej. Zadzwonił do Rochelle i przekazał jej wieści. W komórce Oscara odezwała się poczta głosowa.

Po godzinie Wally doszedł trochę do siebie i wypił kubek kawy.

— Dzięki, Davidzie — powtarzał raz po raz. — Dzwoniłeś do Lisy?

— A kim jest Lisa?

— Moja żona. Musisz do niej zadzwonić, Davidzie. Ten sukinkot Oscar nie będzie ze mną gadał.

David postanowił robić dobrą minę do złej gry i przekonać się, dokąd ich ta pogawędka zaprowadzi.

— Dzwoniłem do Lisy.

— Naprawdę? Co powiedziała?

— Powiedziała, że rozwiedliście się lata temu.

— To do niej podobne. — Wally wpatrywał się we własne stopy szklanymi oczami, nie był w stanie albo nie chciał nawiązać kontaktu wzrokowego.

— Mimo to powiedziała, że nadal cię kocha — dodał David, ot tak, dla żartu.

Wally zaczął płakać, tak jak to robią pijacy, gdy szlochają nad wszystkim i niczym. David poczuł się trochę wszawo, ale dobrze się bawił.

— Przepraszam — wymamrotał Wally, ocierając twarz ramieniem. — Bardzo przepraszam, Davidzie, i dziękuję ci. Oscar nie chciałby nawet ze mną rozmawiać, wiesz. Zainstalował się w moim mieszkaniu, ukrywa się przed żoną, opróżnia moją lodówkę. Wróciłem do domu, a tam drzwi zamknięte na klucz i łańcuch. Strasznie się pokłóciliśmy, sąsiedzi wezwali policję, ledwo stamtąd zwiałem. Uciekłem z własnego mieszkania, co to za układ w takim razie?

— Kiedy to się stało?

— Nie wiem. Może godzinę temu. Z jakichś powodów mam trochę zaburzone poczucie czasu. Dzięki, Davidzie.

— Nie ma za co. Posłuchaj, Wally, musimy razem obmyślić jakiś plan. Wygląda na to, że twoje mieszkanie jest niedostępne. Jeśli chcesz spać tutaj i wytrzeźwieć, przyniosę sobie krzesło i dotrzymam ci towarzystwa. AC i ja jakoś cię przez to przeprowadzimy.

— Potrzebna mi pomoc, Davidzie. I nie chodzi tylko o wytrzeźwienie.

— W porządku, ale wytrzeźwienie będzie pierwszym ważnym krokiem.

Wally ni stąd, ni zowąd wybuchnął śmiechem. Odrzucił głowę do tyłu i śmiał się tak głośno, że drżały ściany. Trząsł się, piszczał, zanosił śmiechem, walił rękami po udach, tracił oddech, ocierał policzki, kasłał, a kiedy nie mógł dłużej się śmiać, usiadł i krztusił się przez kilka minut. Gdy odzyskał nad sobą kontrolę, spojrzał na Davida i znów zaczął się śmiać.

— Czy chciałbyś mi coś powiedzieć, Wally?

Ze wszystkich sił próbując się opanować, Wally wykrztusił:

— Przypomniałem sobie moment, kiedy pierwszy raz się tu pojawiłeś, pamiętasz?

— Trochę pamiętam.

— Nie widziałem w życiu kogoś bardziej pijanego od ciebie. Cały dzień w barze, prawda?

— Aha.

— Padłeś uwalony, a potem pogoniłeś tego fiuta Gholstona z przeciwka i niewiele brakowało, a byś mu dołożył.

— Tak mi opowiadano.

— Spojrzałem na Oscara, on spojrzał na mnie i powiedzieliśmy: „Ten facet ma potencjał". — Zapadła cisza, gdy Wally błądził gdzieś myślami. — Rzygałeś dwa razy. No więc kto tu jest pijakiem, a kto trzeźwym gościem?

— Wytrzeźwiejesz, Wally.

Figg przestał się trząść i milczał przez bardzo długą chwilę.

— Zastanawiałeś się kiedyś, w co się tutaj wpakowałeś, Davidzie? Miałeś wszystko, wielką firmę, ogromną pensję, życie prawnika na samym szczycie.

— Niczego nie żałuję, Wally — zapewnił David. W ogromnej większości to była prawda.

Po kolejnej długiej chwili ciszy Wally objął obiema dłońmi kubek z kawą i zapatrzył się w niego.

— Co ze mną będzie, Davidzie? Mam czterdzieści sześć lat, długi większe niż kiedykolwiek, zostałem upokorzony, jestem pijakiem, który nie potrafi uwolnić się od butelki, spłukanym adwokaciną, któremu wydawało się, że może zagrać w pierwszej lidze.

— Teraz nie pora zastanawiać się nad przyszłością, Wally. Potrzebny ci dobry odwyk, musisz się pozbyć całego alkoholu z organizmu, wtedy będziesz w stanie podejmować decyzje.

— Nie chcę skończyć jak Oscar. Jest siedemnaście lat starszy ode mnie, a ja nie chcę być tutaj za siedemnaście lat i zajmować się codziennie tym samym gównem, rozumiesz, Davidzie? Dzięki.

— Nie ma za co.

— Chciałbyś tu być za siedemnaście lat?

— Naprawdę nigdy się nad tym nie zastanawiałem. Staram się tylko przebrnąć jakoś przez ten proces.

— Jaki proces?

Nie wyglądało na to, żeby Wally żartował albo udawał głupiego, dlatego David puścił to mimo uszu.

— Byłeś na odwyku rok temu, prawda, Wally?

Wally skrzywił się, próbując przypomnieć sobie odwyk.

— Jaki dziś dzień?

— Środa, dwudziestego szóstego października.

Wally zaczął kiwać głową.

— Tak, w październiku zeszłego roku. Byłem tam trzydzieści dni, cudowny czas.

— Gdzie byłeś na tym odwyku?

— Och, w Harbor House, trochę na północ od Waukegan. Bardzo lubię to miejsce. Jest tuż nad jeziorem. Pięknie tam. Chyba powinniśmy zadzwonić do Patricka. — Sięgnął po portfel.

— Kim jest Patrick?

— Mój terapeuta — wyjaśnił Wally, podając mu wizytówkę. — „Harbor House. Tu Zaczyna się Nowe Życie. Patrick Hale, kierownik zespołu". Do Patricka można dzwonić o każdej porze dnia i nocy. To część jego pracy.

David zostawił wiadomość na poczcie głosowej Patricka, powiedział, że jest przyjacielem Wally'ego Figga i chciałby się z nim skontaktować w ważnej sprawie. Chwilę później komórka Davida zawibrowała. Dzwonił Patrick, naprawdę zmartwiony złymi wiadomościami o Wallym, ale rzecz jasna gotowy pomóc.

— Niech go pan nie spuszcza z oka — powiedział. — I niech go pan przywiezie, proszę. Za godzinę spotkam się z wami w House.

— Jedziemy, wielkoludzie — powiedział David, biorąc Wally'ego za ramię.

Wally wstał i przez sekundę łapał równowagę. Wyszli ramię w ramię z budynku i wsiedli do SUV-a Davida. Kiedy wjeżdżali na I-94 Północną, Wally chrapał.

⋏ ⋏ ⋏

Z pomocą GPS-u David znalazł Harbor House godzinę po wyjściu z kancelarii. Był to niewielki prywatny ośrodek terapeutyczny, ukryty w lesie na północ od Waukegan w stanie Illinois. David nie mógł dobudzić Wally'ego, więc zostawił go w aucie i wszedł do środka, gdzie w recepcji czekał Patrick Hale. Wysłał dwóch sanitariuszy w białych uniformach i z noszami na kółkach po Wally'ego i pięć minut później wwieźli go do ośrodka, nadal nieprzytomnego. David poszedł za Patrickiem do małego gabinetu, gdzie trzeba było załatwić formalności.

— Ile razy tu był? — zapytał David, chcąc nawiązać rozmowę. — Sprawiał wrażenie, że zna to miejsce bardzo dobrze.

— Niestety, to poufna informacja, przynajmniej jeśli chodzi o mnie. — Ciepły uśmiech Patricka zniknął, gdy zamknęły się drzwi gabinetu.

— Przepraszam.

Patrick zaczął oglądać jakieś papiery przypięte do podkładki z klipsem.

— Mamy niewielki problem z rachunkiem Wally'ego, panie Zinc, i nie bardzo wiem, co z tym zrobić. Widzi pan, kiedy Wally wyszedł rok temu, jego ubezpieczenie płaciło tylko tysiąc dolarów za dzień leczenia. Ponieważ mamy wyjątkowe metody i rezultaty, wyposażenie i personel, opłata dzienna wynosi półtora tysiąca dolarów. Wally wyjechał z długiem wynoszącym niecałe czternaście tysięcy dolarów. Zapłacił kilka rat, ale nadal jest nam winien jedenaście tysięcy.

— Nie odpowiadam za jego rachunki za leczenie ani za leczenie z alkoholizmu. Nie mam też nic wspólnego z jego ubezpieczeniem.

— Cóż, w takim razie nie będzie mógł tu zostać.

— Nie zarabiacie wystarczająco dużo, biorąc tysiąc dolarów za dzień?

— Nie rozmawiajmy o tym, panie Zinc. Bierzemy, ile bierzemy. Mamy sześćdziesiąt łóżek i żadne nie stoi puste.

— Wally ma czterdzieści sześć lat. Dlaczego ktoś miałby za niego ręczyć?

— W normalnej sytuacji nie byłoby takiej potrzeby, ale on nie płaci rachunków.

To było przed krayoxxem, pomyślał David. Powinien pan teraz zobaczyć jego wyciąg z konta.

— Jak długo zatrzymałby go pan tym razem? — zapytał David.

— Ubezpieczenie pokryje jego trzydziestodniowy pobyt.

— Więc to trzydzieści dni niezależnie od tego, jakie postępy robi pański pacjent. I opłaty za ten czas pokrywa ubezpieczalnia, prawda?

— Tak to wygląda.

— Do kitu. A jeśli pacjent wymaga więcej czasu? Mam

428

przyjaciela ze studiów, który dał się złapać kokainie. Kilka razy był na miesięcznym odwyku i nigdy nic z tego nie wynikło. Potrzebował całego roku w zakładzie zamkniętym, żeby się odtruć i z tym skończyć.

— Wszyscy potrafimy opowiadać historie, panie Zinc.

— Pan z pewnością tak. — David rozłożył ręce. — W porządku, panie Hale, co teraz? Obaj wiemy, że jeśli nie zostanie tu na noc, zrobi sobie krzywdę.

— Możemy zapomnieć o dawnym rachunku, ale będziemy potrzebowali kogoś, kto poręczy za opłaty nieobjęte ubezpieczeniem, jakie będą naliczane od teraz.

— To znaczy pięćset dolarów dziennie? Ani centa więcej?

— Właśnie.

David jęknął, wyjął portfel, a z niego kartę kredytową, i rzucił ją na biurko.

— To moja karta American Express. Zgodzę się na maksymalnie dziesięć dni. Przyjadę i zabiorę go za dziesięć dni, a potem wymyślę, co dalej.

Patrick szybko spisał dane z karty i oddał ją Davidowi.

— On potrzebuje więcej niż dziesięciu dni.

— Pewnie, że potrzebuje. Udowodnił już, że trzydzieści to za mało.

— Większość alkoholików wymaga trzech, czterech podejść, jeśli ma im się udać.

— Dziesięć dni, panie Hale. Nie mam zbyt dużo pieniędzy, a praktykowanie prawa z Wallym jest zajęciem bardzo niedochodowym. Nie wiem, co tu robicie, ale zróbcie to szybko. Wracam za dziesięć dni.

▲ ▲ ▲

Kiedy zbliżał się do skrzyżowania płatnej autostrady Tri-State, na tablicy rozdzielczej rozbłysła ostrzegawcza czerwona lampka. Jechał prawie na oparach benzyny. Przez ostatnie trzy dni w ogóle nie sprawdzał wskaźnika paliwa.

Parking dla ciężarówek był zatłoczony, zasyfiały i od dawna wymagał remontu. Po jednej stronie była tam jadłodajnia, po drugiej sklep z podstawowymi artykułami. David napełnił bak, zapłacił kartą kredytową i wszedł do środka, żeby kupić coś do picia. Pracowała tam tylko jedna kasa, do której stała kolejka, dlatego nie śpiesząc się, wziął colę light, torebkę orzeszków i skierował się na front sklepu, kiedy nagle jakby wrósł w ziemię.

Półka była zapchana tanimi zabawkami na Halloween, gadżetami i świecidełkami. Pośrodku, na wysokości oczu, zobaczył przezroczyste plastikowe pudełko z jaskrawokolorowymi... „Paskudnymi zębami". Chwycił je i natychmiast spojrzał na wyraźnie wydrukowaną etykietę. *Made in China*. Wziął wszystkie cztery zestawy, jako dowody, rzecz jasna, ale chciał również usunąć to badziewie ze sklepu, zanim zachoruje kolejne dziecko. Kasjer popatrzył na niego dziwnie, gdy nabijał na kasę jego zakupy. David zapłacił gotówką i pobiegł do SUV-a. Odjechał od dystrybutorów i zaparkował pod latarnią obok osiemnastokołowej ciężarówki.

Posługując się iPhone'em, wygooglował Gunderson Toys. Firma istniała od czterdziestu lat i kiedyś była prywatna. Cztery lata temu została kupiona przez spółkę Sonesta Games, trzecią co do wielkości amerykańską firmę produkującą zabawki.

Teraz był gotów pozwać Sonestę.

Rozdział 43

Reuben Massey przyleciał gulfstreamem G650 należącym do Varrick Laboratories już po zmroku. Wylądował na lotnisku Midway i został natychmiast przejęty przez świtę, z którą pomknął czarnym cadillakiem escalade. Trzydzieści minut później wszedł do Trust Tower i błyskawicznie wjechał windą na sto pierwsze piętro, gdzie Rogan Rothberg miał prywatną jadalnię, z której korzystali tylko wspólnicy stojący najwyżej w hierarchii firmy i ich najważniejsi klienci. Nicholas Walker i Judy Beck już tam czekali razem z Nadine Karros i Marvinem Macklowem, dyrektorem kancelarii prawniczej. Gdy wszyscy zostali sobie przedstawieni i minęło pierwsze skrępowanie, kelner w białym smokingu przyniósł koktajle. Reuben od wielu miesięcy bardzo chciał poznać Nadine Karros. Nie rozczarował się. Rozsiewała wokół siebie tyle wdzięku, że już po pierwszym koktajlu był pod jej urokiem. Kobiety traktował zwykle obcesowo i ciągle polował, choć z drugiej strony nigdy przecież nie wiadomo, jak potoczy się nowa znajomość. Co prawda, nie było tajemnicą, że Nadine jest szczęśliwą mężatką i że praca pochłania ją bez reszty. Przez dziesięć miesięcy znajomości z Nadine Nick Walker widział u niej wyłącznie zaangażowanie w pracę.

— Nic z tego nie wyjdzie — powiedział do szefa, jeszcze w siedzibie Varrick.

Zgodnie z upodobaniami Reubena na obiad podano sałatkę z homara z makaronem w kształcie muszelek. Reuben siedział obok Nadine i spijał każde słowo z jej ust. Bardzo poważnym tonem pochwalił jej sposób prowadzenia sprawy i procesu. Podobnie jak wszyscy siedzący przy stole, z niecierpliwością czekał na szybki wyrok.

— Zebraliśmy się tu, żeby porozmawiać — przypomniał Nick, gdy wyniesiono talerze po deserach i drzwi się zamknęły. — Ale najpierw chciałbym, żeby Nadine powiedziała, co dalej będzie działo się w sądzie.

Bez chwili wahania Nadine zaczęła swoje podsumowanie:

— Zakładamy, że adwokat powódki nie ma więcej świadków. Jeśli farmakolog zjawi się rano, będzie mógł zeznawać, ale zgodnie z naszą wiedzą doktor Threadgill ukrywa się w domu w Cincinnati. Zatem strona przeciwna powinna skończyć o dziewiątej. W tym momencie mamy wybór. Oczywiste wydaje się więc wnioskowanie o wyrok w trybie przyśpieszonym. Sędzia Seawright zgodzi się, żeby tak się stało, i potwierdzi to słownie i na piśmie. My zrobimy to samo razem z adwokatem powódki, jeśli zdecydujemy się na taką drogę postępowania. W moim przekonaniu, które podziela zespół pracujący nad tą sprawą, okoliczności są idealne, żeby sędzia od .razu przyjął nasz wniosek. Stronie powódki nie udało się udowodnić jakichkolwiek, nawet elementarnych zarzutów w tej sprawie i wszyscy, włączając adwokata powódki, o tym wiedzą. Sędziemu Seawrightowi nigdy się ta sprawa nie podobała i szczerze mówiąc, mam wrażenie, że nie może się doczekać, by mieć ją już za sobą.

— Jak wcześniej reagował na wnioski o tryb przyśpieszony, gdy strona pozywająca skończyła przedstawianie sprawy? — zapytał Reuben.

— W ciągu ostatnich dwudziestu lat przyjął ich więcej niż jakikolwiek sędzia federalny w Chicago i stanie Illinois. Nie ma cierpliwości do spraw, w których przedstawianie dowodów nie jest choćby na najniższym standardowym poziomie.

— Ale ja chcę normalnego wyroku — powiedział Reuben.

— W takim razie zapomnimy o wyroku w trybie przyśpieszonym i zaczniemy powoływać świadków. Mamy ich mnóstwo, zapłacił pan za nich i będą nienaganni. Ale mam silne przeczucie, że ława przysięgłych ma już dość.

— Zdecydowanie — włączył się Nick Walker, który nie opuścił ani sekundy procesu. — Podejrzewam, że już zaczęli naradę, mimo upomnień sędziego.

Judy Beck dodała:

— Nasi konsultanci są przekonani, że powinniśmy jak najszybciej zakończyć tę sprawę, na pewno jeszcze przed weekendem. Werdykt jest gotowy, trzeba go tylko ogłosić.

Reuben uśmiechnął się do Nadine i powiedział:

— Więc co pani radzi, pani mecenas?

— Dla mnie zwycięstwo to zwycięstwo. Werdykt w trybie przyśpieszonym to może nie jest szczyt marzeń, ale jeśli chodzi o ławę przysięgłych, zawsze może zdarzyć się jakiś niespodziewany wypadek. Poszłabym łatwiejszą drogą, ale rozumiem, że chodzi o coś więcej niż orzeczenie sędziego.

— Ile spraw rocznie pani prowadzi?

— Przeciętnie sześć. Nie mogę przygotować się do większej liczby niezależnie od personelu pomocniczego.

— I od ilu lat pani nie przegrała?

— Od jedenastu. Sześćdziesiąt cztery zwycięstwa z rzędu. Ale kto by to liczył? — Ostatnia, wyświechtana kwestia wywołała śmiech głośniejszy, niż należało, ale wszystkim potrzebne było odprężenie.

— Czy kiedykolwiek czuła się pani tak pewna procesu i ławy przysięgłych? — chciał wiedzieć Reuben.

Nadine napiła się wina, pomyślała przez chwilę, po czym pokręciła głową.

— Nie przypominam sobie.

— Jeśli przejdziemy całą procedurę do wyroku, jakie są nasze szanse na wygraną?

Wszyscy wpatrywali się w nią, gdy znów upiła łyk wina.

— Prawnik nie powinien bawić się w takie przewidywania, panie Massey.

— Ale pani nie jest typowym prawnikiem, pani Karros.

— Dziewięćdziesiąt pięć procent.

— Dziewięćdziesiąt dziewięć — poprawił ją ze śmiechem Nick Walker.

Reuben wypił spory łyk trzeciej szkockiej, oblizał usta i oznajmił:

— Chcę wyroku. Chcę, żeby przysięgli obradowali krótko i wrócili na salę sądową z werdyktem dla Varrick Laboratories. Dla mnie wyrok będzie odrzuceniem zarzutów, zemstą i zapłatą, a to znacznie więcej niż zwycięstwo. Wezmę ten wyrok i rzucę w twarz całemu światu. Nasi ludzie od PR i agencje reklamowe czekają już w gotowości, i aż ich świerzbi, żeby z tym ruszać. Koane, nasz człowiek w Waszyngtonie, zapewnia, że wyrok spowoduje cofnięcie zakazu przez Agencję do spraw Żywności i Leków i odwróci bieg wydarzeń. Nasi prawnicy z wybrzeża są przekonani, że wyrok jeszcze bardziej wystraszy chłopców od pozwów zbiorowych i wyśle ich gdzie pieprz rośnie. Chcę wyroku, Nadine. Czy może mi go pani zapewnić?

— Jak powiedziałam, jestem na dziewięćdziesiąt pięć procent pewna, że tak.

— No to wszystko ustalone. Żadnego wyroku w trybie przyśpieszonym. Pogrzebmy żywcem tych bydlaków.

Rozdział 44

Dokładnie o dziewiątej woźny ogłosił, że sąd idzie; wszedł sędzia Seawright, a wszyscy wstali. Kiedy przysięgli zajęli miejsca, polecił ostro:

— Proszę kontynuować, panie Zinc.

David wstał i odpowiedział:

— Strona powódki zakończyła przedstawianie sprawy.

Sędzia Seawright nie był tym zaskoczony.

— Stracił pan kolejnych świadków, panie Zinc?

— Nie, Wysoki Sądzie. Po prostu więcej ich nie mamy.

— Bardzo dobrze. Wniosek, pani Karros?

— Nie, Wysoki Sądzie, jesteśmy gotowi do dalszego postępowania.

— Właśnie tego się spodziewałem. Proszę wezwać swojego pierwszego świadka.

David również się tego spodziewał. Łudził się, że proces skończy się jeszcze tego ranka, ale było oczywiste, że Nadine i jej klient poczuli krew. Od tej chwili pozostanie mu jedynie słuchać i obserwować adwokata z prawdziwego zdarzenia, który na sali sądowej jest w swoim żywiole.

— Obrona wzywa doktora Jessego Kindorfa.

David zerknął na przysięgłych i zobaczył kilka uśmiechów. Za chwilę ujrzą na żywo prawdziwą sławę.

Jesse Kindorf był kiedyś naczelnym lekarzem wojskowym Stanów Zjednoczonych. Piastował tę funkcję przez sześć lat, budząc niesłychane kontrowersje. Prawie codziennie surowo ganił producentów tytoniu, organizował wielkie konferencje prasowe, na których zwracał uwagę na zawartość tłuszczu i kalorii w jedzeniu z popularnych fast foodów. Zjadliwie potępiał niektóre z najbardziej szanowanych amerykańskich korporacji, producentów żywności, którzy bez wątpienia odpowiadali za wyrób i reklamowanie niezdrowego jedzenia. W różnych okresach swojej kadencji był na wojennej ścieżce z masłem, jajkami, czerwonym mięsem, cukrem, napojami gazowanymi i alkoholem, ale największą wrzawę wywołał, gdy wyskoczył z pomysłem zakazu picia kawy. Doskonale czuł się w świetle reflektorów, a z jego dobrym wyglądem, sportową sylwetką i ciętym dowcipem stał się najsławniejszym naczelnym lekarzem wojskowym w historii. Zmiana strony barykady i zgoda na zeznawanie na rzecz ogromnej korporacji była jasnym sygnałem dla przysięgłych, że ufa temu lekowi.

I był kardiologiem z Chicago. Zajął miejsce dla świadka i posłał przysięgłym olśniewający uśmiech. Jego przysięgłym. Nadine przystąpiła do nudnego procesu prezentowania kwalifikacji Kindorfa, by nikt nie wątpił w jego kompetencje jako biegłego. David zerwał się na równe nogi i jej przerwał:

— Wysoki Sądzie, wszyscy przyjmujemy, że doktor Kindorf jest ekspertem w dziedzinie kardiologii.

Nadine obróciła się, uśmiechnęła i powiedziała:

— Dziękuję panu.

Sędzia Seawright warknął:

— Dziękuję, panie Zinc.

Z zeznań doktora Kindorfa wynikało, że przez ostatnie kilka lat przepisywał krayoxx tysiącom pacjentów i nie stwierdził jakichkolwiek skutków ubocznych. Lek działał doskonale na mniej więcej dziewięćdziesiąt procent chorych i bardzo skutecznie obniżał poziom cholesterolu. Jego dziewięćdziesięciojednoletnia matka zażywała krayoxx, w każdym razie dopóki nie został wycofany z rynku przez Agencję do spraw Żywności i Leków.

Asystentka Davida napisała coś na kartce z notesu i podała ją szefowi: *Ciekawe, ile mu płacą?*

David odpisał, jakby omawiali ważny błąd w zeznaniu: *Mnóstwo*.

Nadine Karros i doktor Kindorf odbywali bezbłędną rundę, jak w baseballu: ona wykonywała piękny rzut, on odbijał piłkę daleko poza boisko. Przysięgli mieli ochotę wiwatować.

W którymś momencie sędzia Seawright zapytał:

— Czy chce pan zadać świadkowi jakieś pytania, panie Zinc?

David wstał i odpowiedział spokojnie:

— Nie, Wysoki Sądzie.

Przymilając się przysięgłym, Nadine wezwała jakiegoś doktora Thurstona, bardzo eleganckiego czarnego dżentelmena z siwą brodą, w doskonale skrojonym garniturze. Doktor Thurston również pochodził z Chicago i był kierownikiem grupy złożonej z trzydziestu pięciu kardiologów i chirurgów naczyniowych. W wolnym czasie wykładał na wydziale medycznym Uniwersytetu Chicagowskiego. Żeby nie przeciągać sprawy, David nie kwestionował jego kompetencji. Doktor Thurston i jego zespół w ciągu ostatnich sześciu lat przepisali krayoxx dziesiątkom tysięcy pacjentów, osiągając spektakularne wyniki leczenia bez żadnych skutków ubocznych. Jego zdaniem lek jest zupełnie nieszkodliwy. Co więcej, zarówno on, jak i jego koledzy postrzegają krayoxx jako cudowne lekarstwo.

Jego brak odczuwany jest bardzo dotkliwie i, tak, zamierza od razu wznowić jego przepisywanie w chwili, gdy znów będzie dostępny na rynku. Jednak największe wrażenie doktor Thurston wywarł na przysięgłych, gdy powiedział, że sam od czterech lat zażywa krayoxx.

Żeby przyciągnąć uwagę kobiety latynoskiego pochodzenia wchodzącej w skład ławy przysięgłych, obrona wezwała na świadka doktor Robertę Seccero, kardiologa i naukowca z kliniki Mayo w Rochester w stanie Minnesota. David dał zielone światło jej referencjóm, a doktor Seccero, nikogo zresztą tym nie zaskakując, ćwierkała niczym ptaszek w wiosenny poranek. Leczyła głównie kobiety i lek pomagał na wszystko, no, może poza traceniem wagi. Statystyka w żaden sposób nie potwierdzała, że u ludzi przyjmujących krayoxx zwiększało się prawdopodobieństwo ataku serca lub wylewu w porównaniu z osobami, które go nie zażywały. Ona i jej współpracownicy bardzo dokładnie to zbadali i nie mają najmniejszych wątpliwości. W swojej dwudziestopięcioletniej karierze doktor Seccero nie spotkała leku, który byłby bezpieczniejszy i bardziej skuteczny.

Tęcza została dopełniona, gdy pani Karros wezwała na świadka młodego koreańskiego lekarza z San Francisco, który dziwnym trafem był bardzo podobny do przysięgłego numer dziewiętnaście. Doktor Pang wygłosił entuzjastyczną pochwałę leku i był bardzo niezadowolony z jego wycofania z rynku. Przepisywał go setkom pacjentów i osiągał wyjątkowo dobre wyniki w leczeniu.

David nie miał pytań również do doktora Panga. Nie zamierzał ścierać się z żadnym z tych renomowanych lekarzy. Miał kłócić się o kwestie medyczne z najlepszymi specjalistami w tej dziedzinie? Nie, dziękuję bardzo. Siedział na krześle i raz po raz zerkał na zegarek, którego wskazówki przesuwały się bardzo powoli.

Nie było wątpliwości, że gdyby wśród przysięgłych znalazł się ktoś o litewskim pochodzeniu, Nadine wyczarowałaby z magicznego cylindra kolejnego eksperta o litewsko brzmiącym nazwisku i niepodważalnych kompetencjach.

Piątym świadkiem była kierowniczka zakładu kardiologii na wydziale medycznym uniwersytetu Northwestern. Nazywała się Parkin i jej zeznanie było trochę inne. Została wynajęta do przeprowadzenia dogłębnej analizy historii chorób Percy'ego Klopecka. Zapoznała się z jego dokumentacją medyczną od dwunastego roku życia oraz stanem zdrowia jego rodzeństwa i rodziców, zebrała również oświadczenia od jego przyjaciół i współpracowników, którzy zgodzili się jej pomóc. W dniu śmierci Percy zażył prinzide i levatol na nadciśnienie, insulinę na zaawansowaną cukrzycę, bexnin na artretyzm, plavix na rozrzedzenie krwi, colestid na miażdżycę i krayoxx na wysoki poziom cholesterolu. Na uspokojenie brał xanax, który albo wyżebrywał od przyjaciół, albo podkradał żonie, albo kupował przez internet i brał codziennie, żeby zwalczać stres wywoływany życiem „z tą babą", jak wyraził się jeden z jego kolegów z pracy. Czasami łykał fedamin hamujący łaknienie, po którym miał rzekomo mniej jeść, ale skutek był odwrotny. Palił przez dwadzieścia lat, ale udało mu się rzucić w wieku czterdziestu jeden lat za pomocą nicotrexu, gumy do żucia z nikotyną, o której wiadomo, że silnie uzależnia. Żuł ją non stop, dochodząc do trzech paczek dziennie. Zgodnie z wynikami badania krwi wykonanego rok przed śmiercią wątroba Percy'ego działała coraz gorzej. Uwielbiał gin i jak wynika z zestawienia na jego karcie kredytowej dostarczonego przez panią Karros, kupował co najmniej dwa litry tygodniowo w Bilbo's Spirits przy Stanton Avenue, pięć przecznic od miejsca zamieszkania. Często źle się czuł rankami, narzekał na ból głowy, dlatego na zaśmieconym biurku w pracy trzymał dwie wielkie butelki ibuprofenu.

Kiedy doktor Parkin skończyła długą opowieść o nałogach i zdrowiu Percy'ego, wydawało się, że zrzucanie winy za jego śmierć na jeden lek jest co najmniej niesprawiedliwe. Nie dokonano sekcji zwłok — Iris była zbyt wytrącona z równowagi, żeby w ogóle o tym pomyśleć — ponieważ nie istniała żadna wskazówka, że umarł na atak serca. Jego śmierć mogła być spowodowana „zaburzeniami oddychania".

Wally i Oscar zastanawiali się wcześniej nad ekshumacją ciała i dokładniejszym zbadaniem, co go zabiło, ale Iris strasznie się wtedy wściekła. Poza tym ekshumacja, sekcja i ponowny pochówek kosztowałyby prawie dziesięć tysięcy dolarów, dlatego Oscar stanowczo odmówił wyłożenia takich pieniędzy.

Zdaniem doktor Parkin Percy Klopeck umarł młodo, ponieważ był genetycznie predestynowany do wczesnej śmierci, którą jeszcze bardziej uprawdopodobnił stylem życia. Wyraziła też opinię, że określenie skumulowanych skutków niewiarygodnej baterii leków, które przyjmował, jest niemożliwe.

Biedny Percy, pomyślał David. Przeżył krótkie, nudne życie, umarł spokojnie we śnie, nie mając zielonego pojęcia, że jego nałogi i niedomagania będą kiedyś tak dokładnie omówione przez obcą osobę na jawnym procesie w sali sądowej.

Zeznanie doktor Parkin było miażdżące i nie padło w nim nawet jedno słowo, które David chciałby podważyć jakimkolwiek pytaniem. O dwunastej trzydzieści sędzia zarządził przerwę do czternastej.

David i Helen wymknęli się z gmachu sądu na długi, przyjemny lunch. David zamówił butelkę białego wina, a Helen, która rzadko piła, zgodziła się na jeden kieliszek. Wznieśli toast za Percy'ego, niech odpoczywa w pokoju.

⋏ ⋏ ⋏

Zdaniem Davida, nowicjusza, Nadine i obrona mieli niewielką wpadkę przy pierwszym świadku zeznającym po południu. Okazał się nim doktor Litchfield, kardiolog i chirurg naczyniowy ze słynnej na całym świecie kliniki w Cleveland, gdzie przyjmował pacjentów, uczył i prowadził badania. Miał przed sobą mozolne zadanie zapoznania przysięgłych z echokardiogramem Percy'ego, przy czym pomagał sobie tym samym nagraniem wideo, które zwaliło ich z nóg, gdy opowiadał o nim doktor Igor Borzov. Wyczuwając, że ponowne oglądanie wideo nie będzie dobrze przyjęte, Nadine docisnęła pedał gazu i poprosiła o skróconą wersję zeznania. Wnioski przedstawiały się następująco: nie wystąpiło żadne obniżenie wydajności zastawki mitralnej. Lewa komora nie była powiększona. Jeśli pacjent rzeczywiście zmarł na atak serca, jego przyczyny nie dawało się ustalić.

Wniosek — Borzov to idiota.

David wyobrażał sobie przez chwilę Wally'ego, który leży w wygodnym łóżku, ubrany w piżamę lub koszulę nocną, czy cokolwiek zakładano pacjentom w Harbor House, trzeźwy, rozluźniony po lekach uspokajających, który może coś czyta albo po prostu wpatruje się w jezioro Michigan i myślami jest miliony kilometrów od jatki w sali sądowej numer 2314. A przecież to wszystko dzieje się z jego winy. Przez całe miesiące, kiedy uganiał się po Chicago, zaglądał do tanich zakładów pogrzebowych, rozkładał broszury w siłowniach i lokalach fastfoodowych, nigdy, nawet raz, nie wyhamował, żeby dowiedzieć się czegoś o krayoxxie z fizjologicznego i farmakologicznego punktu widzenia i rzekomo powodowanych przez ten lek uszkodzeniach zastawek serca. Entuzjastycznie i bezmyślnie założył, że medykament jest zły. Podpuszczany przez cwaniaków, takich jak Jerry Alisandros i inne gwiazdy od pozwów zbiorowych, szybko dołączył do pochodu i zaczął liczyć pieniądze. Czy odpoczywając teraz na odwyku, myśli o tym procesie, o sprawie, która spadła na Davida, podczas gdy Oscar i on liżą rany? Nie, uznał David, Wally na pewno nie przejmuje się procesem. Wally ma większe zmartwienia: trzeźwość, bankructwo, pracę, firmę.

Następnym biegłym był profesor medycyny, naukowiec z Harvardu, który badał krayoxx i opublikował o nim artykuł w „New England Journal of Medicine". Davidowi udało się nawet wywołać tłumione chichoty, gdy nie zakwestionował kompetencji profesora.

— Wysoki Sądzie, jeśli jest z Harvardu, to nie wątpię, że jego referencje są nadzwyczajne. Musi być bardzo inteligentny — powiedział.

Na szczęście przysięgli nie zostali poinformowani, że David jest absolwentem wydziału prawa na Harvardzie, w przeciwnym razie ten dowcip mógłby odbić się na nim rykoszetem. Absolwenci Harvardu, którzy mówili o tym głośno, nie byli zbyt dobrze postrzegani w Chicago.

Bardzo głupie, przeczytał w notatce od asystentki.

Nie odpisał. Dochodziła szesnasta i David marzył tylko o tym, by stamtąd wyjść. Profesor rozwodził się nad metodami badań. Żaden z przysięgłych go nie słuchał. Większość wydawała się odmóżdżona, ogłupiała wypełnianiem obywatelskiej powinności w tak bezsensowny sposób. Jeśli to właśnie umacnia demokrację, to miej nas Panie w opiece.

David zastanawiał się, czy przysięgli omawiali już między sobą sprawę. Każdego ranka i każdego popołudnia sędzia wygłaszał ten sam wykład o niedozwolonych kontaktach, zakazie czytania czegokolwiek o procesie w gazetach i internecie i konieczności powstrzymywania się od rozmów o sprawie, dopóki nie zostaną przedstawione wszystkie dowody. Istniały stosy badań nad zachowaniem sędziów przysięgłych, dynamiką grupowego podejmowania decyzji i tak dalej, i z większości wynikało, że przysięgli nie mogą wytrzymać i zaczynają plotkować o adwokatach, świadkach, a nawet sędziach. Mają skłonność do tworzenia par, zaprzyjaźniania się, separowania w klikach i obozach i do przedwczesnego namysłu. Z drugiej strony rzadko identyfikują się z całą grupą. Znacznie częściej ukrywają przed innymi kameralne i potajemne spotkania.

David przestał słuchać kolegi z Harvardu i przerzucił kilka kartek w notesie. Wznowił pracę nad brudnopisem listu:

Szanowni Państwo,

reprezentuję rodzinę Thui Khainga, pięcioletniego syna dwojga imigrantów z Birmy, którzy przebywają legalnie w Stanach Zjednoczonych.

Od 20 listopada zeszłego roku do 19 maja bieżącego roku Thuya był pacjentem szpitala dziecięcego Lakeshore w Chicago. Połknął niemal zabójczą dawkę ołowiu i jego życie wielokrotnie musiało być podtrzymywane respiratorem. Zgodnie z opinią lekarzy — załączam do tego listu podsumowanie oświadczeń — Thuya doznał bardzo poważnego i nieodwracalnego uszkodzenia mózgu. Rokowania nie przewidują, by dożył dwudziestych urodzin.

Źródłem ołowiu połkniętego przez Thuyę jest zabawka wyprodukowana w Chinach i importowana przez Państwa oddział, Gunderson Toys. To gadżet na Halloween o nazwie „Paskudne zęby". Według opinii doktora Biffa Sandroniego, toksykologa, o którym na pewno Państwo słyszeli, sztuczne wampirze zęby są pokryte farbą w różnych kolorach, w której skład wchodzi ołów. Załączam kopię wyników badań doktora Sandroniego i życzę miłej lektury.

Dołączam również kopię pozwu, który w najbliższej przyszłości zostanie złożony przeciwko Sonesta Games w sądzie federalnym w Chicago.
Chciałbym porozmawiać...

— Jakieś pytania, panie Zinc? — rzucił sędzia Seawright. I znowu David wstał szybko i powiedział:

— Nie, Wysoki Sądzie.

— Bardzo dobrze. Jest teraz kwadrans po piątej. Odraczam rozprawę do dziewiątej rano, sędziów przysięgłych w dalszym ciągu obowiązują omawiane wcześniej zasady.

ᴧ ᴧ ᴧ

Wally siedział na wózku inwalidzkim ubrany w biały bawełniany szlafrok i tanie płócienne kapcie. Sanitariusz wtoczył wózek do pokoju odwiedzin, gdzie czekał już David, stojąc przy ogromnym oknie, zapatrzony w ciemność nad jeziorem Michigan. Sanitariusz wyszedł i zostali sami.

— Dlaczego siedzisz na wózku? — zapytał David, opadając na skórzaną kanapę.

— Muszę siedzieć — odpowiedział Wally cicho i powoli. — Od kilku dni dają mi jakieś pigułki, które, hm, mają złagodzić parę rzeczy. Gdybym spróbował chodzić, mógłbym się przewrócić, rozwalić sobie głowę czy coś w tym rodzaju.

Dwadzieścia cztery godziny po trzydniowym cugu i nadal wyglądał fatalnie. Oczy miał przekrwione i opuchnięte, twarz smutną i przygnębioną. Jego włosy prosiły o strzyżenie.

— Interesuje cię proces, Wally?

Chwila wahania, a potem:

— Myślałem o nim, tak.

— Myślałeś o nim? To cholernie miło z twojej strony. Powinniśmy jutro skończyć, my, to znaczy ja z naszej strony sali sądowej, zostawiony sam sobie, tylko z żoną, która udaje asystentkę i ma dość oglądania, jak jej mąż dostaje po tyłku. Po drugiej stronie sali najwyraźniej przybywa facetów w ciemnych garniturach krzątających się wokół uroczej Nadine Karros, która, możesz mi wierzyć, Wally, jest lepsza, niż o niej mówią.

— Sędzia nie będzie kontynuował procesu?

— Z jakiego niby powodu, Wally? Kontynuował do kiedy i po co? Co dokładnie zrobilibyśmy w ciągu, powiedzmy, kolejnych trzydziestu albo sześćdziesięciu dni? Wynajęlibyśmy prawdziwego adwokata, który podjąłby się prowadzenia tej sprawy? Jak odbyłaby się taka rozmowa? „Chcemy niewiele, proszę pana, obiecujemy panu sto tysięcy dolarów i połowę naszego honorarium, jeśli wejdzie pan na salę sądową, mając bardzo kiepskie akta, gówniane fakty, niesympatyczną klientkę, sędziego, który jest jeszcze mniej sympatyczny, a za przeciwnika zespół niezwykle utalentowanych prawników, reprezentujących potężną korporację, która jest pozwana". Kto dałby się w to wrobić, Wally?

— Chyba jesteś zły, Davidzie?

— Nie, Wally, to nie złość, to po prostu potrzeba rzucania gromów, kurwowania i upuszczenia pary.

— To dalej, nie krępuj się.

— Poprosiłem wcześniej o odroczenie i myślę, że Seawright się nad tym zastanawiał, ale po co? Nikt nie może powiedzieć, kiedy będziesz w stanie wrócić. Oscar prawdopodobnie nie wróci nigdy. Zgodziliśmy się więc ciągnąć to i zakończyć.

— Przykro mi, Davidzie.

— Mnie też. Czuję się tam jak idiota, gdy siedzę bez sprawy, bez pojęcia, bez broni, bez niczego, czym mógłbym walczyć. To strasznie frustrujące.

Wally pochylił głowę, jakby miał zamiar płakać. Zamiast tego jednak wymamrotał:

— Przepraszam, przepraszam.

— W porządku, posłuchaj, ja też cię przepraszam. Nie przyszedłem tu, żeby ci dokładać. Chciałem sprawdzić, jak się czujesz. Martwię się o ciebie, podobnie jak Rochelle i Oscar. Jesteś chory i chcemy ci pomóc.

Kiedy Wally podniósł wzrok, w jego oczach błyszczały łzy, a gdy się odezwał, usta mu drżały:

— Nie mogę tak dalej, Davidzie. Myślałem, że mam to już za sobą, przysięgam, że tak było. Rok, dwa tygodnie i dwa dni, a potem coś we mnie wstąpiło. Byliśmy w sądzie w poniedziałek rano, byłem zdenerwowany jak cholera, właściwie przerażony, i ogarnęła mnie przemożna ochota na drinka. Pamiętam, myślałem, rozumiesz, że parę głębszych załatwi sprawę. Dwa szybkie piwa i się uspokoję. Alkohol to taki kłamca, taki potwór. Kiedy zaczęła się przerwa na lunch, wybiegłem z sądu, znalazłem jakąś kafejkę z reklamą piwa w oknie. Usiadłem przy stoliku, zamówiłem kanapkę, wypiłem trzy piwa i, o rany, ależ to smakowało. Lepiej się poczułem. Pamiętam, że po powrocie na salę sądową, rozumiesz, myślałem, że dam radę. Mogę pić i nie mam z tym problemu. Przecież pozbyłem się go, prawda? Nie ma problemu. A teraz popatrz na mnie. Z powrotem na odwyku, wystraszony jak wszyscy diabli.

— Gdzie jest twój samochód, Wally?

Wally zastanawiał się przez długą chwilę i w końcu się poddał:

— Nie mam zielonego pojęcia. Parę razy urwał mi się film.

— Nie martw się, znajdę twój wóz.

Wally otarł policzki wierzchem dłoni, a potem nos rękawem szlafroka.

— Przepraszam, Davidzie. Myślałem, że trafia nam się szansa.

— Nigdy nie mieliśmy szansy, Wally. Z tym lekiem wszystko jest w porządku. Daliśmy się ponieść panice, która prowadziła donikąd, i nie zdawaliśmy sobie z tego sprawy, aż było za późno.

— Ale proces jeszcze się nie skończył, prawda?

— Proces się skończył, tylko adwokaci jeszcze nie wyszli. Przysięgli jutro wydadzą ostateczny werdykt.

Na kilka minut zapadło milczenie. Wally nie potrafił spojrzeć na Davida. W końcu powiedział cicho:

— Dzięki, że przyszedłeś, Davidzie. Dzięki, że się mną zaopiekowałeś. I podziękuj Oscarowi i Rochelle. Mam nadzieję, że od nas nie odejdziesz.

— Nie mówmy teraz o tym. Zdrowiej i się odtruwaj. Wpadnę po ciebie w przyszłym tygodniu, zorganizujemy kolejne zebranie w firmie i podejmiemy kilka decyzji.

— Brzmi świetnie. Kolejne zebranie firmowe.

Rozdział 45

Emma miała paskudną noc, dlatego rodzice nosili ją na rękach, zmieniając się co godzina. Kiedy Helen oddała ją Davidowi o wpół do szóstej i wróciła do łóżka, oświadczyła, że jej kariera asystentki na szczęście dobiegła końca. Bardzo lubiła lunche, ale nic poza tym, teraz ma jednak chore dziecko, którym musi się opiekować. Davidowi udało się uciszyć Emmę butelką z mlekiem i karmiąc ją, wszedł do internetu. Cena akcji Varrick Laboratories osiągnęła czterdzieści dolarów w czwartek po południu. Stały wzrost ceny przez tydzień był kolejnym dowodem, że proces idzie fatalnie dla powódki, a zresztą nie potrzeba było na to dodatkowych dowodów. Z czystej, chorobliwej ciekawości David sprawdził jeszcze blog Niezdecydowanego Przysięgłego, który napisał:

W jednym z najbardziej jednostronnych procesów w historii wymiaru sprawiedliwości USA sprawy toczą się coraz gorzej dla spadkobierczyni zmarłego, szkalowanego Percy'ego Klopecka. Podczas gdy zespół obrońców Varrick Laboratories nie przestaje rozdeptywać nieszczęsnego i bardzo niekompetentnego adwokata reprezentującego Iris Klopeck, człowiek niemal współczuje przegranej stronie. Niemal, bo nie do końca. Pytanie, które aż prosi się o odpowiedź, brzmi: jakim cudem tak szmatława sprawa w ogóle trafiła na wokandę, została w sądzie i dotarła do ławy przysięgłych? Mówimy tu o aż nieprzyzwoitym marnowaniu czasu, pieniędzy i talentu! Tak jest, talentu obrony. Talentu najwyraźniej jednak brakuje po drugiej stronie sali sądowej, gdzie zdezorientowany David Zinc przyjął unikalną strategię stawania się niewidzialnym. Powinien przepytywać świadków. Powinien zgłaszać sprzeciwy. Powinien wykonać choć jeden ruch, żeby pomóc swojej sprawie. Ale on po prostu siedzi całymi godzinami, udaje, że robi notatki, wymienia kartki ze swoją nową asystentką, gorącą laską w krótkiej spódniczce, przyprowadzoną, żeby pokazywała nogi i odwracała uwagę od faktu, że powódka nie ma żadnej sprawy, a jej adwokat jest niekompetentny. Przysięgli nie wiedzą, że nowa asystentka to naprawdę Helen Zinc, żona idioty siedzącego przed nią. Ta lasencja nie jest żadną asystentką, nie ma ani przygotowania, ani doświadczenia procesowego, dlatego idealnie pasuje do klaunów z kancelarii Finleya i Figga. Jej obecność to cwane posunięcie, żeby zrobić wrażenie na mężczyznach z ławy przysięgłych i zrównoważyć zapierającą dech w piersiach obecność Nadine Karros, która jest prawdopodobnie najskuteczniejszym adwokatem, jakiego Niezdecydowany Przysięgły oglądał w akcji.

Miejmy nadzieję, że ta szmatława sprawa odejdzie dzisiaj do lamusa. I może sędzia Seawright okaże dość rozsądku, żeby nałożyć sankcje za tak niepoważny pozew.

David tak się obruszył, że ścisnął mocno Emmę, która natychmiast straciła zainteresowanie butelką. Zamknął laptop i sklął sam siebie za czytanie tego bloga. Nigdy więcej, przysiągł sobie. Nie po raz pierwszy zresztą.

▲ ▲ ▲

Mając werdykt w ręku, Nadine Karros postanowiła przycisnąć trochę mocniej. Jej pierwszym świadkiem w piątkowy ranek był doktor Mark Ulander, wiceprezes Varrick Laboratories i dyrektor do spraw badań. Stosując się do przygotowanego wcześniej scenariusza, szybko przeszli przez część formalną. Ulander miał trzy dyplomy i przez ostatnie dwadzieścia dwa lata nadzorował opracowywanie w Varrick mnóstwa leków. Krayoxx był jego największą dumą. Firma wydała ponad cztery miliardy dolarów na wprowadzenie go do obrotu. Jego zespół składający się z trzydziestu naukowców tyrał przez osiem lat nad udoskonalaniem tego specyfiku, nad zyskaniem pewności, że obniżał poziom cholesterolu, niczego nie pozostawiając przypadkowi, jeśli chodzi o jego bezpieczeństwo dla zdrowia, i zyskał zezwolenie Agencji do spraw Żywności i Leków. Wymienił szczegółowo bardzo surowe procedury testowania, stosowane zresztą nie tylko przy krayoxxie, ale przy wszystkich produktach Varrick. Firma ryzykowała reputację przy każdym leku, którego formułę opracowała, więc dbałość o nieskazitelną opinię Varrick Laboratories towarzyszyła każdemu aspektowi badań. Umiejętnie reżyserowany przez Nadine doktor Ulander przedstawił imponujący obraz skrupulatnych wysiłków podjętych, by wyprodukować tak idealne remedium jak krayoxx.

451

Nie mając nic do stracenia, David postanowił zaryzykować i włączył się do gry. Przepytywanie zaczął od:

— Doktorze Ulander, porozmawiajmy o testach klinicznych, o których pan wspomniał.

Na to, że David znajdzie się na podium, przysięgli byli zupełnie nieprzygotowani. I choć było dopiero piętnaście po dziesiątej, czekali już tylko na obrady, by potem iść do domów.

— Gdzie odbywały się testy kliniczne? — zapytał David.

— Krayoxxu?

— Nie, aspiryny dla dzieci. Oczywiście, że krayoxxu.

— Przepraszam, tak, oczywiście. Zastanówmy się. No cóż, jak powiedziałem, testy kliniczne były prowadzone na szeroką skalę.

— To słyszałem, doktorze Ulander. Pytanie nie jest trudne. Gdzie przeprowadzano testy kliniczne?

— No tak, wstępne testy były robione na grupie z wysokim poziomem cholesterolu w Nikaragui i Mongolii.

— Proszę mówić dalej. Gdzie jeszcze?

— W Kenii i Kambodży.

— Czy Varrick Laboratories wydały cztery miliardy dolarów, żeby czerpać zyski w Mongolii i Kenii?

— Na to nie potrafię odpowiedzieć, panie Zinc. Nie mam nic wspólnego z marketingiem.

— W porządku. Ile testów klinicznych przeprowadzono w Stanach Zjednoczonych?

— Żadnego.

— Ile leków Varrick jest w tej chwili poddawanych testom?

Nadine Karros wstała i powiedziała:

— Zgłaszam sprzeciw, Wysoki Sądzie, to nie ma nic wspólnego ze sprawą. Nie chodzi nam przecież o inne leki.

Sędzia Seawright milczał chwilę i podrapał się po brodzie.

— Sprzeciw oddalony. Przekonajmy się, dokąd to zmierza.

David nie był pewny, dokąd zmierza, ale właśnie odniósł maleńkie zwycięstwo nad panią Karros. Ośmielony parł dalej:

— Może pan odpowiedzieć na to pytanie, doktorze Ulander. Ile leków Varrick jest obecnie testowanych?

— Około dwudziestu. Gdybym miał chwilę, mógłbym je wymienić.

— Dwadzieścia brzmi dobrze. Oszczędzajmy czas. Ile pieniędzy w tym roku Varrick Laboratories przeznaczy na testowanie opracowywanych leków?

— Mniej więcej dwa miliardy.

— W zeszłym roku, dwa tysiące dziesiątym, jaki procent zysku netto pochodził ze sprzedaży na rynkach zagranicznych?

Doktor Ulander wzruszył ramionami, wyglądał na zakłopotanego.

— Cóż, musiałbym sprawdzić w wykazach finansowych.

— Jest pan wiceprezesem firmy, mam rację? I zajmuje pan to stanowisko od szesnastu lat, tak?

— Tak.

David wziął do ręki cienki skoroszyt, przerzucił stronę i powiedział:

— To sprawozdanie finansowe z zeszłego roku, z którego jasno wynika, że osiemdziesiąt dwa procent zysku ze sprzedaży pochodzi z rynku amerykańskiego. Czy pan go widział?

— Oczywiście.

Karros wstała.

— Sprzeciw, Wysoki Sądzie. Wyniki finansowe mojego klienta nie są przedmiotem sprawy.

— Oddalam. Wyniki finansowe pani klienta są sprawą publiczną.

Kolejne niewielkie zwycięstwo i po raz drugi David poczuł dreszcz emocji.

— Czy osiemdziesiąt dwa procent to właściwa liczba, doktorze Ulander?

— Jeśli pan tak twierdzi.

— Ja niczego nie twierdzę. To jest tutaj, w opublikowanym sprawozdaniu.

— W porządku, osiemdziesiąt dwa procent.

— Dziękuję panu. Z dwudziestu leków, które państwo teraz testują, ile jest poddawanych badaniom w Stanach Zjednoczonych?

Świadek zazgrzytał zębami, zacisnął szczęki i odpowiedział:

— Żaden.

— Żaden — powtórzył David z emfazą i popatrzył na sędziów przysięgłych. Kilka twarzy zdradzało zainteresowanie. Milczał przez kilka sekund, po czym podjął: — Zatem Varrick Laboratories mają osiemdziesiąt dwa procent dochodu ze sprzedaży w tym kraju, a testują leki w takich miejscach, jak Nikaragua, Kambodża i Mongolia. Dlaczego, doktorze Ulander?

— To bardzo proste, panie Zinc. Przepisy prawne w naszym kraju bardzo ograniczają badania, opracowywanie nowych leków, urządzeń i procedur.

— Świetnie. A więc winę za to, że leki testowane są na ludziach w dalekich krajach, zrzuca pan na rząd?

Karros znów wstała.

— Sprzeciw, Wysoki Sądzie. To przekręcanie sensu wypowiedzi świadka.

— Oddalam. Sędzia słyszał, co świadek powiedział. Proszę kontynuować, panie Zinc.

— Dziękuję, Wysoki Sądzie. Może pan odpowiedzieć na pytanie, doktorze Ulander?

— Przepraszam, a jak ono brzmiało?

— Czy zeznaje pan, że powodem, dla którego pańska firma

przeprowadza testy kliniczne w innych krajach, jest fakt, że w Stanach Zjednoczonych istnieje za dużo przepisów?

— Tak, to jest powód.

— Czy to prawda, że Varrick Laboratories testują leki w krajach rozwijających się, żeby uniknąć zagrożenia sprawami sądowymi, w razie gdyby coś poszło źle?

— Zdecydowanie nie.

— Czy to prawda, że Varrick Laboratories testują leki w krajach rozwijających się, bo tam praktycznie nie istnieją żadne przepisy?

— Nie, to nieprawda.

— Czy to prawda, że Varrick Laboratories testują leki w krajach rozwijających się, bo znacznie łatwiej znaleźć tam króliki doświadczalne za parę dolarów?

Nastąpiło lekkie poruszenie za lewym ramieniem Davida, kiedy zareagowała horda obrońców. Karros zerwała się na równe nogi i rzuciła stanowczo:

— Sprzeciw, Wysoki Sądzie.

Sędzia Seawright, który pochylił się do przodu, oparty na łokciach, odpowiedział spokojnie:

— Proszę sprecyzować sprzeciw.

Po raz pierwszy od tygodnia Nadine wyraźnie zabrakło słów.

— Cóż, po pierwsze, mój sprzeciw budzi tematyka pytań, która nie ma nic wspólnego ze sprawą. To, co mój klient robi z innymi lekami, nie dotyczy tego procesu.

— Ten sprzeciw już oddaliłem, pani Karros.

— Poza tym sprzeciwiam się używaniu przez pana mecenasa określenia „króliki doświadczalne".

Ten termin był wyraźnie ryzykowny, ale używano go często i pasował do sytuacji. Sędzia Seawright zastanawiał się przez chwilę. Oczy wszystkich były zwrócone na niego. David zerknął na przysięgłych i na kilku twarzach spostrzegł wyraz rozbawienia.

— Sprzeciw oddalony. Proszę pytać dalej, panie Zinc.

— Czy nadzorował pan wszystkie badania w tysiąc dziewięćset dziewięćdziesiątym ósmym roku?

— Tak, już mówiłem, to należy do moich obowiązków od dwudziestu dwóch lat.

— Dziękuję. A więc czy w tysiąc dziewięćset dziewięćdziesiątym ósmym roku Varrick Laboratories przeprowadzały testy kliniczne leku o nazwie amoxitrol?

Ulander rzucił spanikowane spojrzenie w kierunku stołu obrońców, przy którym kilku adwokatów również wyglądało na spanikowanych. Karros znowu zerwała się z miejsca i oświadczyła głośno:

— Sprzeciw, Wysoki Sądzie! Sprawa nie dotyczy tego leku. Jego historia jest zupełnie bez związku.

— Panie Zinc?

— Wysoki Sądzie, ten lek ma paskudną historię, dlatego nie dziwię się, że firma wolałaby utrzymać ją w tajemnicy.

— Dlaczego mielibyśmy poznawać historię innego leku, panie Zinc?

— Cóż, Wysoki Sądzie, mam wrażenie, że ten świadek został powołany, żeby rozwiać wszelkie wątpliwości dotyczące reputacji firmy. Zeznawał przez sześćdziesiąt cztery minuty i większość tego czasu poświęcił na próbę przekonania sędziów przysięgłych, że jego pracodawca przywiązuje ogromną wagę do procedur testów bezpieczeństwa. Dlaczego nie mogę tego zgłębiać? Dla mnie to jest jak najbardziej związane ze sprawą i moim zdaniem na pewno zainteresuje przysięgłych.

— Wysoki Sądzie, ten proces dotyczy krayoxxu i niczego więcej — zareagowała szybko Nadine. — Wszystko inne jest odciąganiem uwagi od sprawy.

— No cóż, jak słusznie zauważył pan Zinc, sama poruszyła pani temat reputacji firmy, pani Karros. Nie musiała pani tego robić, ale teraz furtka jest już otwarta. Sprzeciw oddalony. Niech pan kontynuuje, panie Zinc.

Furtka rzeczywiście stała otworem, a historia Varrick Laboratories była łatwym łupem. David nie bardzo wiedział dlaczego, ale czuł się podekscytowany. Jego brak pewności siebie zniknął. Strach również. Stał sam naprzeciwko adwokackich ważniaków i zdobywał punkty. Nadszedł czas na występ.

— Pytałem o amoxitrol, doktorze Ulander. Na pewno pan pamięta.

— Pamiętam.

Nieco teatralnym gestem David wskazał przysięgłych i powiedział:

— No to proszę opowiedzieć przysięgłym o tym leku. Jakie miało być jego działanie?

Ulander skurczył się na krześle i znów spojrzał na stół obrońców, szukając pomocy. Z ociąganiem się zaczął mówić, ale używał bardzo krótkich zdań.

— Amoxitrol był pomyślany jako pigułka aborcyjna.

Żeby mu pomóc, David zapytał:

— Pigułka aborcyjna, którą można zażyć do jednego miesiąca po zajściu w ciążę, coś w rodzaju przedłużonej wersji tak zwanej tabletki siedemdziesiąt dwie godziny, mam rację, doktorze?

— Mniej więcej.

— Tak czy nie?

— Tak.

— Tabletka w praktyce rozpuszczała płód, który był potem wydalany razem z produktami przemiany materii, czy tak, doktorze?

— W skrócie tak, ten specyfik miał działać właśnie w taki sposób.

Wiedząc, że wśród przysięgłych jest co najmniej siedmiu

katolików, David nawet nie musiał patrzeć, żeby się przekonać, jak to zostało przyjęte.

— Czy prowadzili państwo testy kliniczne amoxitrolu?

— Tak.

— Gdzie?

— W Afryce.

— Gdzie w Afryce?

Ulander przewrócił oczami i wykrzywił usta.

— Nie umiem odpowiedzieć, rozumie pan, musiałbym to sprawdzić.

David podszedł wolno do swojego stołu, przerzucił kilka kartek i wyjął spomiędzy nich skoroszyt. Otworzył go, wyciągnął kilka kartek, a wracając do podium, zapytał, jakby czytał ze sprawozdania:

— W jakich trzech państwach afrykańskich Varrick Laboratories prowadziły badania kliniczne pigułki aborcyjnej o nazwie amoxitrol?

— Na pewno w Ugandzie. Po prostu nie...

— Czy Uganda, Botswana i Somalia to te miejsca? — zapytał David.

— Tak.

— Na ilu Afrykankach przeprowadzono badania?

— Ma pan tam odpowiedź, panie Zinc.

— Czy liczba czterysta się zgadza, doktorze?

— Tak.

— A ile Varrick Laboratories zapłaciły każdej ciężarnej Afrykance za usunięcie płodu tą właśnie tabletką?

— Ma pan tam odpowiedź, panie Zinc.

— Pięćdziesiąt dolarów, doktorze Ulander?

— Domyślam się, że tak.

— Nie musi się pan domyślać, doktorze. Mam to sprawozdanie przed sobą.

David, nie śpiesząc się, przewrócił stronę, pozwalając, żeby żałosna wysokość tej sumy zapadła wszystkim w pamięć.

Nadine Karros wstała i powiedziała:

— Wysoki Sądzie, wnoszę sprzeciw. Sprawozdanie, z którego korzysta pan Zinc, nie jest dołączone do dowodów. Nie widziałam go.

David odparował:

— Jestem pewny, że pani mecenas je widziała, Wysoki Sądzie. Jestem pewny, że widziały je wszystkie grube ryby z Varrick.

— Co to za sprawozdanie, z którego pan korzysta, panie Zinc? — chciał wiedzieć sędzia.

— To wynik dochodzenia przeprowadzonego w dwa tysiące drugim roku przez Światową Organizację Zdrowia. Ich naukowcy śledzą największe firmy farmaceutyczne świata i sposoby, w jakie wykorzystują one ludzi-króliki doświadczalne w biednych krajach, żeby testować leki, które mają nadzieję wprowadzić na rynki w krajach bogatych.

Sędzia uniósł obie ręce i powiedział:

— Wystarczy. Nie może pan korzystać z tego sprawozdania, skoro nie jest dowodem.

— Nie przedstawiam go jako dowodu, Wysoki Sądzie. Korzystam z niego, by zakwestionować zeznania świadka i podać w wątpliwość znakomitą reputację tej cudownej firmy. — Do tego czasu David pozbył się wszelkich zahamowań w doborze słów. W końcu co ma do stracenia?

Sędzia Seawright zmarszczył czoło, kolejny raz podrapał się po brodzie, najwyraźniej zbity z tropu.

— Pani Karros — powiedział.

— Pan Zinc wybiera fakty ze sprawozdania, którego nie ma wśród dowodów, sprawozdania, którego przysięgli nie mogą zobaczyć, chyba że w jakiś sposób uda mu się dołączyć je do dowodów — powiedziała, najwyraźniej poruszona.

— Zrobimy tak, panie Zinc: może pan korzystać z tego sprawozdania, ale tylko, by zakwestionować twierdzenia świadka. Informacje muszą być podawane w sposób bezpośredni i dokładnie i w najmniejszym stopniu nie mogą być przez pana interpretowane. Zrozumiał pan?

— Oczywiście, Wysoki Sądzie. Chce pan egzemplarz tego raportu?

— To byłoby pomocne.

David podszedł do swojego stołu, wziął dwa kolejne skoroszyty i dostojnym krokiem przeszedł przez salę sądową, mówiąc:

— Mam dodatkowy egzemplarz dla Varrick, choć jestem pewny, że wszyscy stamtąd go widzieli. Prawdopodobnie trzymają go w sejfie.

— Wystarczy już tych nieistotnych komentarzy, panie Zinc — warknął sędzia.

— Przepraszam. — David podał sędziemu egzemplarz, a potem rzucił drugi na stół przed Nadine Karros. Z powrotem na podium, zajrzał do notatek, a potem zaczął wpatrywać się w doktora Ulandera. — Zatem, panie doktorze, wracamy do amoxitrolu. Kiedy Varrick Laboratories testowały ten środek, czy ktoś w firmie przejmował się wiekiem tych młodych Afrykanek w ciąży?

Przez kilka sekund Ulander nie był w stanie dobyć głosu. W końcu wymamrotał:

— Jestem przekonany, że tak.

— Świetnie. Więc jaki wiek uznali państwo za zbyt młody, doktorze Ulander? Jakie były wytyczne Varrick dotyczące wieku?

— Obiekty badania musiały mieć co najmniej osiemnaście lat.

— Czy widział pan kiedykolwiek to sprawozdanie, doktorze?

Ulander popatrzył desperacko na Nadine Karros, która razem z resztą zespołu obrońców stchórzyła i nie nawiązywała z nikim kontaktu wzrokowego. Ostatecznie Ulander wydukał bez przekonania:

— Nie.

Sędzia przysięgły numer trzydzieści siedem, pięćdziesięcioletni czarny mężczyzna, wydał z siebie coś w rodzaju syku, który musiał być słyszany przez wszystkich i trochę kojarzył się ze słowem „szlag".

— Czy to prawda, panie doktorze, że amoxitrol podawano czternastoletnim dziewczynkom w ciąży, żeby pozbyć się płodów? Strona dwudziesta druga, Wysoki Sądzie, ostatni akapit, drugi wiersz.

Ulander nie odpowiedział.

ᴧ ᴧ ᴧ

Reuben Massey siedział obok Judy Beck w pierwszym rzędzie po stronie obrony. Jako stary weteran wojen z pozwami zbiorowymi wiedział, że zachowanie pozorów zupełnego spokoju i pewności siebie ma zasadnicze znaczenie. Niemniej serce waliło mu jak młotem ze złości, miał ochotę skoczyć i złapać Nadine Karros za kark. Jakim cudem do tego doszło? W jaki sposób ta furtka została nie tylko uchylona, ale wręcz otworzona z kopa na oścież?

Przy trybie przyśpieszonym Varrick Laboratories wygrałyby bez problemu, on siedziałby za swoim biurkiem, bezpieczny i z umocnioną pozycją w zarządzie spółki, napawałby się zwycięstwem i pociągał za sznurki, żeby przywrócić krayoxx na rynek. Zamiast tego patrzył, jak jego wysoko ceniona firma jest obrzucana błotem przez jakiegoś nowicjusza.

ᴧ ᴧ ᴧ

Nowicjusz tymczasem naciskał.

— A więc, doktorze Ulander, czy amoxitrol był kiedykolwiek wprowadzony do obrotu?

— Nie.

— Mieli państwo z tym jakiś problem, prawda?

— Tak.

— Jakie były przykładowe skutki uboczne?

— Nudności, zawroty głowy, bóle głowy, omdlenia... Ale to powszechne objawy przy silnych środkach antykoncepcyjnych.

— Zapomniał pan o krwawieniu z brzucha, nie mylę się, doktorze Ulander? Jestem pewny, że to zwykłe przeoczenie.

— Zdarzały się krwotoki. Dlatego przerwaliśmy badania.

— Przerwali je państwo stosunkowo szybko, prawda, panie doktorze? W rzeczywistości próby zostały zakończone mniej więcej osiemdziesiąt dni po ich rozpoczęciu, czy tak?

— Tak.

Dla większego efektu David zamilkł na chwilę. Jego następne pytanie było najbardziej brutalne. W sali sądowej zapadła cisza.

— Doktorze Ulander, ile ciężarnych kobiet z badanej grupy zmarło na skutek krwotoku z brzucha?

Świadek zdjął powoli okulary i położył je na udach. Przetarł oczy, zerknął na Reubena Masseya, zagryzł zęby, spojrzał na przysięgłych i powiedział:

— Powiadomiono nas o jedenastu.

David opuścił na moment głowę, położył plik papierów na swoim stole i zamienił go na inny. Nie miał pojęcia, jak daleko może się posunąć, ale nie miał zamiaru rezygnować, dopóki nie będzie mu to nakazane. Wrócił na podium, ułożył kartki i powiedział:

— Zatem, panie doktorze, porozmawiajmy o niektórych innych lekach Varrick Laboratories, które dostały się na rynek.

Karros wstała i powiedziała:

— Ten sam sprzeciw, Wysoki Sądzie.

— Takie samo oddalenie, pani Karros.

— W takim przypadku, Wysoki Sądzie, czy możemy prosić o krótką przerwę?

Dochodziła jedenasta, minęła normalna pora przerwy zarządzanej przez sędziego o dziesiątej trzydzieści. Sędzia spojrzał na Davida i powiedział:

— Ile czasu jeszcze to panu zajmie, panie Zinc?

David uniósł notes i odpowiedział:

— Boże, Wysoki Sądzie, nie wiem. Mam tu długą listę niedobrych leków.

— Spotkajmy się więc w moim gabinecie. Porozmawiamy o tym. Piętnaście minut przerwy.

Rozdział 46

Mając wśród przysięgłych trzech czarnych, David podjął taktyczną decyzję, że będzie dłużej zajmował się Afryką. Podczas przerwy sędzia Seawright postanowił, że David zagłębi się w historię tylko trzech dodatkowych leków.

— Chcę, żeby przysięgli zajęli się tą sprawą dziś po południu — zaznaczył.

Karros nadal wnosiła sprzeciwy, bywało, że bardzo gorączkowe, ale Seawright je oddalał.

Sędziowie przysięgli i doktor Ulander zajęli miejsca.

— Zatem, doktorze Ulander, czy pamięta pan lek o nazwie klervex? — spytał David.

— Pamiętam.

— Czy był produkowany i sprzedawany przez pańską firmę?

— Tak.

— Kiedy został dopuszczony przez Agencję do spraw Żywności i Leków?

— Zastanówmy się... Chyba na początku dwa tysiące piątego.

— Czy nadal jest na rynku?

— Nie.

— Kiedy wycofano go ze sprzedaży?

— Dwa lata później, w dwa tysiące siódmym, w czerwcu, jak mi się wydaje.

— Czy pańska firma dobrowolnie wycofała ten lek, czy też zostało to nakazane przez Agencję do spraw Żywności i Leków?

— Zostało nakazane przez Agencję.

— A w czasie jego wycofywania pańska firma miała wytoczonych kilka tysięcy procesów z powodu klervexu, mam rację?

— Ma pan rację.

— Jestem laikiem w tych sprawach, na co był ten lek?

— Na nadciśnienie... dla pacjentów cierpiących na podwyższone ciśnienie krwi.

— Czy miał jakieś nieprzyjemne skutki uboczne?

— Zdaniem prawników od pozwów zbiorowych miał.

— Cóż, a co z Agencją do spraw Żywności i Leków? Nie wycofała go z rynku tylko dlatego, że adwokaci narobili zamieszania, prawda? — Mówiąc to, David trzymał w rękach kolejny raport i lekko nim machał.

— Wydaje mi się, że nie.

— Nie pytam pana o to, co się panu wydaje, doktorze. Widział pan ten raport Agencji. Klervex wywoływał ostre, nawet oślepiające migrenowe bóle głowy u tysięcy pacjentów, prawda?

— Zgodnie z opinią urzędu, tak.

— Czy podważa pan ustalenia Agencji?

— Tak, podważam.

— Pan nadzorował testy kliniczne tego leku?

— Mój personel i ja nadzorujemy testy wszystkich farmaceutyków produkowanych przez naszą firmę. Wydawało mi się, że już to ustaliliśmy.

— Najmocniej przepraszam. Ile testów klinicznych zostało dokonanych przy badaniu klervexu?

— Co najmniej sześć.

— Gdzie je przeprowadzano?

Ciosy miały padać, dopóki przesłuchanie się nie skończy, dlatego Ulander parł naprzód, byle mieć to za sobą.

— Cztery w Afryce, jeden w Rumunii i jeden w Paragwaju.

— Ilu osobom podawano klervex w Afryce?

— W każdym teście grupa badawcza liczyła około tysiąca osób.

— Czy pamięta pan, w jakim to było kraju lub krajach?

— Niezbyt dokładnie. Kamerun, Kenia, może Nigeria. Czwartego nie mogę sobie przypomnieć.

— Czy te cztery testy były prowadzone jednocześnie?

— Ogólnie rzecz biorąc, tak. Trwały ponad dwanaście miesięcy na przełomie lat dwa tysiące dwa i dwa tysiące trzy.

— Czy to prawda, że pan, to znaczy pan osobiście, wiedział prawie natychmiast, iż pojawiły się poważne problemy z tym lekiem?

— Co pan rozumie przez „prawie natychmiast"?

David podszedł do stosu papierów, wybrał jeden dokument i zwrócił się do sędziego:

— Wysoki Sądzie, chciałbym dodać do dowodów tę wewnętrzną notatkę wysłaną do doktora Marka Ulandera przez laborantkę Darlene Ainsworth, datowaną na czwartego maja dwa tysiące drugiego roku.

— Proszę mi ją pokazać — powiedział sędzia.

Nadine wstała.

— Wysoki Sądzie, zgłaszam sprzeciw, to bez związku ze sprawą i nie zachowano właściwego trybu składania dokumentów.

Sędzia Seawright przebiegł wzrokiem po dwóch kartkach notatki. Spojrzał na doktora Ulandera i powiedział:

— Czy otrzymał pan tę notatkę, doktorze?

— Tak.

David włączył się, żeby pomóc:

— Wysoki Sądzie, to pismo wyciekło z Varrick dzięki informatorowi jednego z adwokatów składających pozew zbiorowy dwa lata temu w sprawie klervexu. Wtedy też potwierdzono jego autentyczność. Doktor Ulander dobrze je zna.

— Wystarczy, panie Zinc. Zostanie dopuszczone.

Pan Zinc kuł żelazo, póki gorące:

— Notatka jest datowana na czwartego maja dwa tysiące drugiego roku, zgadza się, doktorze Ulander?

— Zgadza się.

— Zatem mniej więcej po dwóch miesiącach, od kiedy Varrick Laboratories rozpoczęły testy kliniczne w Afryce, to pismo trafiło na pańskie biurko. Proszę spojrzeć na stronę drugą, ostatni akapit. Czy mógłby pan go przeczytać przysięgłym, panie doktorze?

Świadek najwyraźniej nie miał ochoty na czytanie czegokolwiek, ale poprawił okulary i zaczął:

— *Pacjenci przyjmują klervex od sześciu tygodni, czterdzieści miligramów, dwa razy dziennie. U siedemdziesięciu dwóch procent stwierdzono obniżenie ciśnienia skurczowego i rozkurczowego. Skutki uboczne budzą jednak niepokój. Pacjenci skarżą się na zawroty głowy, nudności, wymioty i wielu, około dwudziestu procent, ma bóle głowy tak silne, że konieczne byłoby wstrzymanie podawania leku. Po porównaniu notatek innych laborantów tutaj, w Nairobi, proponowałabym zawieszenie testów klervexu.*

— Czy testy zostały wstrzymane, doktorze?

— Nie.

— Czy z innych ośrodków nadeszły podobne sprawozdania?

Ulander westchnął i spojrzał bezradnie na stół obrony.

— Mam kopie innych sprawozdań, doktorze Ulander, może one pomogą panu odświeżyć pamięć — zaproponował David.

— Tak, były inne sprawozdania — odpowiedział Ulander.

— A ta laborantka, Darlene Ainsworth, czy nadal pracuje w Varrick?

— Wątpię.

— To znaczy tak czy nie, doktorze?

— Nie, już dla nas nie pracuje.

— Czy to prawda, doktorze Ulander, że została zwolniona miesiąc po przesłaniu panu tej notki służbowej o horrorze wywoływanym przez klervex?

— Nie ja ją zwolniłem.

— Ale została zwolniona z Varrick, prawda?

— Cóż, nie jestem pewny, w jaki sposób odeszła z firmy. Może sama zrezygnowała.

David znów podszedł do stołu i wziął gruby plik papierów. Spojrzał na sędziego Seawrighta i powiedział:

— Wysoki Sądzie, to zapis zeznania doktora Ulandera z procesu w sprawie klervexu, jaki odbył się dwa lata temu. Czy mogę z niego skorzystać, by pomóc mu odświeżyć pamięć?

— Proszę odpowiedzieć na pytanie — warknął sędzia do świadka. — Czy ta osoba została zwolniona z Varrick miesiąc po przesłaniu panu tej notki?

Wystraszony naganą Wysokiego Sądu Ulander natychmiast odzyskał pamięć i odpowiedział:

— Tak, została zwolniona.

— Dziękuję — mruknął sędzia.

David patrzył na sędziego, gdy mówił:

— A więc mimo tych ostrzeżeń z ośrodków badawczych kierownictwo Varrick wywierało naciski na Agencję do spraw Żywności i Leków, by uzyskać zgodę na wprowadzenie tego leku na rynek w dwa tysiące piątym roku?

— Lek został dopuszczony w dwa tysiące piątym roku.

— A gdy go dopuszczono, Varrick Laboratories agresywnie reklamowały go w naszym kraju, prawda, panie doktorze?

— Nie mam nic wspólnego z marketingiem.

— Ale jest pan w zarządzie.

— Jestem w zarządzie.

— A potem rozpętało się piekło. Skargi na ostre migreny i inne skutki uboczne, co najmniej osiem tysięcy osób pozwało was do sądu w dwa tysiące piątym, tak, doktorze?

— Nie mam dostępu do tych danych.

— Cóż, więc nie szukajmy dziury w całym. Postaram się podsumować to trochę szybciej. Czy pańska firma zdecydowała się na proces gdziekolwiek w tym kraju, by bronić leku o nazwie klervex?

— Na jeden proces.

— W przypadku ponad dwudziestu pięciu tysięcy pozwów firma zgodziła się na ugodę, tak wynika z danych z zeszłego tygodnia, nie mylę się, panie doktorze?

Nadine wróciła do akcji.

— Sprzeciw, Wysoki Sądzie. Ugody w innych sprawach nie mają nic wspólnego z tym procesem. Myślę, że pan Zinc posuwa się za daleko.

— Ja o tym decyduję, pani Karros. Ale pani sprzeciw jest podtrzymany. Panie Zinc, żadnego wspominania o innych ugodach.

— Dziękuję, Wysoki Sądzie. A teraz, doktorze Ulander, czy pamięta pan lek Varrick o nazwie ruval?

Ulander westchnął i wbił wzrok w swoje buty. David wrócił do stołu, żeby znowu pogrzebać w papierach i wziąć nowy plik dokumentów wyciągniętych z brudów Varrick. W krótkich słowach przedstawił fakty: 1. Ruval miał łagodzić bóle migrenowe, ale bardzo podnosił ciśnienie krwi; 2. Testowano go na cierpiących na migreny w Afryce i Indiach; 3. W Varrick wiedziano o skutkach ubocznych, ale starano się ukrywać tę wiedzę; 4. Katastrofalne notki służbowe zostały odkryte przez adwokatów, którzy wnieśli pozwy; 5. Agencja do spraw Żywności i Leków ostatecznie wycofała lekarstwo z rynku; 6. Prawnicy Varrick nadal bronili firmę przed pozwami zbiorowymi, choć żaden z pozwów nie trafił na wokandę.

O trzynastej David postanowił, że skończy. Maglował doktora Ulandera bez litości przez prawie trzy godziny, właściwie bez kontrataków ze strony Karros. Nabił sobie wystarczająco dużo punktów. Przysięgli, początkowo rozbawieni paskudnymi sprawkami Varrick, byli już gotowi zjeść lunch, odbyć naradę i wrócić do domu.

— Szybki lunch — powiedział sędzia. — Spotykamy się o czternastej.

ᴀ ᴀ ᴀ

David znalazł pusty kąt w kawiarni na drugim piętrze budynku sądu i jadł kanapkę, przeglądając notatki, kiedy poczuł, że ktoś zachodzi go od tyłu. To był Taylor Barkley, pracownik Rogana Rothberga, jeden z niewielu, których znał i z którymi okazjonalnie wymieniał pozdrowienia na sali sądowej.

— Masz chwilkę? — zapytał Taylor, siadając na krześle.

— Jasne.

— Ładny atak. Nadine popełniła kilka błędów, ale ten był naprawdę duży.

— Dzięki — odpowiedział David, jedząc.

Barkley rozejrzał się nerwowo po sali, jakby rozmawiali o jakichś strasznie ważnych tajemnicach.

— Trafiłeś może przypadkiem na blogera, który sam siebie nazywa Niezdecydowanym Przysięgłym? — David skinął głową, więc Barkley ciągnął: — Nasi chłopcy z działu technicznego są bardzo dobrzy i go namierzyli. Siedzi na sali sądowej trzy rzędy za tobą, granatowy sweter, biała koszula, trzydzieści lat, łysiejący, okulary, wygląd głupka. Nazywa się Aaron Deentz, pracował kiedyś dla jakiejś kancelarii średniej wielkości w śródmieściu, ale wywalili go, gdy zaczęła się recesja. Teraz pisze blog i próbuje być ważny, bo chyba nie może znaleźć pracy.

— Po co mi to mówisz?

— Ma prawo pisać blog, każdy może przebywać na sali sądowej. Większość z tego, co pisze, jest nieszkodliwa, ale wziął na cel twoją żonę. Ja chętnie bym mu przywalił. Pomyślałem tylko, że może chciałbyś to wiedzieć. Do zobaczenia. — I z tymi słowami odszedł.

ᴀ   ᴀ   ᴀ

O czternastej Nadine Karros wstała i oznajmiła:

— Wysoki Sądzie, obrona zakończyła przedstawianie swojego stanowiska.

To posunięcie zostało przedyskutowane wcześniej w gabinecie sędziego i nikogo nie zaskoczyło. Sędzia Seawright nie tracił czasu i powiedział:

— Panie Zinc, może pan zwrócić się do przysięgłych z mową końcową.

David nie miał ochoty przemawiać do przysięgłych i prosić o współczucie dla jego klientki, Iris Klopeck, ale gdyby adwokat, który prowadził sprawę od początku, uchylał się od końcowego podsumowania, byłoby to wyjątkowo niestosowne. Stanął na podium i zaczął dziękować sędziom za wypełnianie obowiązku. Potem przyznał się, że to jego pierwszy proces i że początkowo miał zajmować się tylko zbieraniem materiałów, lecz splot wydarzeń rzucił go na tę salę, a on sam fatalnie się teraz czuje, bo nie poszło mu najlepiej. Trzymał w ręku dokument i wyjaśnił, że to zapis z rozprawy wstępnej, rodzaj zarysu procesu, na jaki obie strony się zgodziły na długo przed wyborem sędziów przysięgłych. Tak dla ciekawości podał, że na stronie trzydziestej piątej jest lista biegłych powołanych przez obronę. Dwudziestu siedmiu! Wszyscy z tytułem doktora przed nazwiskiem. Dzięki Bogu obrona nie wezwała ich wszystkich, ale z całą pewnością ich wynajęła i im zapłaciła. Po co pozwanemu aż tylu bardzo drogich ekspertów? Może pozwany ma jednak coś do ukrycia? I po co pozwanemu aż tylu prawników? — zastanawiał się David, machając ręką w kierunku zespołu Rogana Rothberga. Jego klientka, Iris Klopeck, nie mogłaby sobie pozwolić na zatrudnienie takich talentów. Siły nie były równe, a wynik z góry przesądzony. Tylko przysięgli mogą to teraz naprawić.

Mówił niecałe dziesięć minut i z zadowoleniem opuścił podium. Kiedy wracał do stołu, zerknął na miejsca dla widzów i nawiązał kontakt wzrokowy z Aaronem Deentzem, Niezdecydowanym Przysięgłym. David wpatrywał się w niego przez kilka sekund, a potem Deentz odwrócił wzrok.

Nadine Karros perorowała przez pół godziny i udało jej się znowu zwrócić uwagę przysięgłych na krayoxx i odciągnąć ich myśli od nieprzyjemnych testów klinicznych omawianych przez Zinca. Energicznie broniła Varrick Laboratories i przypomniała sędziom o wielu bardzo dobrze znanych i cieszących się zaufaniem lekach, które firma dała światu. W tym krayoxx, lekarstwo, które przetrwało ten tydzień, jako że strona powódki zawiodła na całej linii i nie przedstawiła żadnego dowodu, że jest z nim coś nie w porządku. Tak, może ona i Varrick wynajęli dwudziestu siedmiu znanych ekspertów na świadków, ale to bez znaczenia. Znacznie ważniejsze jest to, że dowody przedstawione przez biegłego strony pozywającej, która skierowała sprawę do sądu, okazały się zupełnie bez wartości.

David przysłuchiwał się jej wystąpieniu z podziwem. Była spokojna i doskonale kontrolowała głos, jej doświadczenie procesowe wyrażało się między innymi w tym, jak się poruszała, mówiła, starannie dobierała słowa, patrzyła na przysięgłych, uśmiechała się do nich i im ufała. Po ich twarzach widać było, że bez wątpienia oni też mają do niej zaufanie.

David zrezygnował z odpowiedzi na mowę końcową strony pozwanej. Sędzia Seawright od razu przeszedł do czytania pouczenia dla przysięgłych, najnudniejszej części procesu. O piętnastej trzydzieści przysięgłych wyprowadzono z sali sądowej, żeby mogli rozpocząć naradę. David chciał wyjść jak najszybciej, dlatego zaniósł wielkie pudło z dokumentami do SUV-a w garażu. Kiedy wjeżdżał windą na dwudzieste trzecie piętro, jego komórka zawibrowała. Wiadomość tekstowa: Przysięgli są gotowi. Uśmiechnął się i wyszeptał:

— To nie trwało długo.

Kiedy na sali sądowej zapadła cisza, woźny wprowadził przysięgłych. Przewodniczący podał pisemny werdykt protokolantce, która przekazała go sędziemu Seawrightowi.

— Werdykt wygląda na ważny — stwierdził sędzia.

Kartka została zwrócona przewodniczącemu, który wstał i przeczytał:

— My, sędziowie przysięgli, oddalamy zarzuty wobec pozwanego, Varrick Laboratories.

Nikt na sali nie zareagował. Sędzia Seawright odprawił rytuały po ogłoszeniu werdyktu i zwolnił przysięgłych. David nie miał ochoty dłużej się tam kręcić i wysłuchiwać bolesnych bredni w rodzaju „Dobra robota", „Fakty nie do obalenia", „Więcej szczęścia następnym razem". W chwili gdy sędzia uderzył młotkiem i zamknął rozprawę, David wziął ciężką teczkę i niemal wybiegł z sali sądowej. Przeciskał się przez tłum i śpieszył korytarzem, gdy kątem oka spostrzegł znajomy granatowy sweter. Jego właściciel wchodził do toalety. David poszedł za nim. Już w środku rozejrzał się i nie zobaczył nikogo poza Aaronem Deentzem. David umył ręce. Kiedy Deentz skończył przy pisuarze, odwrócił się i go zobaczył.

— Pan jest Niezdecydowanym Przysięgłym, prawda? — zapytał David, a Deentz zamarł. Był zdemaskowany.

— I co z tego? — mruknął z ironicznym uśmieszkiem.

David zgiął ramię i prawym sierpowym wcelował idealnie w mięsistą szczękę Niezdecydowanego Przysięgłego, którego tak to zaskoczyło, że w ogóle nie zareagował. Tylko stęknął, gdy otrzymał cios. David szybko walnął go jeszcze lewą pięścią prosto w nos.

— To za lasencję, palancie! — warknął, kiedy Deentz osuwał się na podłogę.

David wyszedł z toalety i w dalekim końcu korytarza zobaczył spory tłum. Znalazł schody i zbiegł nimi do głównego lobby. Puścił się sprintem na drugą stronę ulicy do garażu i dopiero gdy zamknął SUV-a, odzyskał oddech i powiedział do siebie:

— Jesteś kretynem.

▲   ▲   ▲

David wracał do kancelarii okrężną drogą i dotarł tam w piątkowe późne popołudnie. Ku jego zaskoczeniu Oscar siedział przy stole z Rochelle i pił jakiś napój. Był wymizerowany i blady, ale uśmiechał się i powiedział, że czuje się dobrze. Lekarz zakazał mu przebywać w kancelarii dłużej niż dwie godziny dziennie, choć on utrzymywał, że bardzo chętnie wróciłby do pracy.

David przedstawił im bardzo skróconą wersję procesu. Parodia rosyjskiego akcentu doktora Borzova wywołała śmiech. Krąży mnóstwo dowcipów o kancelarii Finleya i Figga, dlaczego więc nie pośmiać się z samych siebie. Kiedy opisywał gorączkowe poszukiwania doktora Threadgilla, śmiali się jeszcze bardziej. Nie mogli uwierzyć, że Helen dała się wciągnąć do pracy. Gdy opisał im twarze przysięgłych w trakcie pokazu nagrania wideo z Iris, Rochelle otarła oczy chusteczką.

— I mimo mojego błyskotliwego wystąpienia przysięgli ustalili werdykt w siedemnaście minut.

Kiedy wesołość minęła, rozmawiali o Wallym, ich upadłym towarzyszu. Mówili o rachunkach i niewiadomej przyszłości. Oscar zaproponował, żeby nie myśleli o tym do poniedziałku.

— Coś wymyślimy — powiedział.

Bardzo zaskoczył Davida i Rochelle zmianą, jaka w nim zaszła. Był teraz skłonny do refleksji, miły. Może zawał serca i operacja złagodziły jego charakter i przypomniały mu, że on też kiedyś umrze. Dawny Oscar miotałby gromy na Wally'ego i szalał ze złości, że firmę czeka nieunikniona ruina finansowa, ale ten nowy wydawał się nastawiony dziwnie optymistycznie.

Po godzinie najprzyjemniejszej rozmowy, w jakiej David brał udział w tej kancelarii, powiedział, że musi iść. Jego asystentka czeka z obiadem i chce się dowiedzieć, jaki jest wynik procesu.

Rozdział 47

Przez weekend David krzątał się po domu, załatwiał sprawunki dla Helen, spacerował z Emmą po okolicy, umył i wypolerował oba samochody, i nie spuszczał oka z wrzawy w internecie, jaka powstała wokół olśniewającego zwycięstwa Varrick. W sobotnim wydaniu „Sun-Timesa" pojawiła się krótka notka, ale ani słowa nie napisano w „Tribune". Niemniej w internecie aż huczało po przeżytym wstrząsie. Machina public relations Varrick Laboratories pracowała pełną parą, a wyrok opisywano jako definitywne oddalenie zarzutów wobec krayoxxu. Wszędzie cytowano szefa Varrick, Reubena Masseya, natarczywie zachwalającego lek, potępiającego adwokatów od pozwów zbiorowych, obiecującego „miażdżyć kauzyperdów" w każdej sali sądowej, do której ośmielą się wejść, chwalącego mądrość chicagowskich przysięgłych i domagającego się większych praw, chroniących niewinne korporacje przed nieuzasadnionymi pozwami. Jerry Alisandros był niedostępny i niczego nie komentował. Rzeczywiście nie ukazały się żadne komentarze prawników, którzy pozwali Varrick Laboratories.

— Po raz pierwszy w najnowszej historii milczy całe środowisko adwokatów zajmujących się pozwami zbiorowymi — zauważył jeden z dziennikarzy.

Telefon zadzwonił w niedzielę o czternastej. Doktor Biff Sandroni dostał w piątek rano FedExem zestaw „Paskudnych zębów" mniej więcej w tym samym czasie, kiedy David znęcał się nad doktorem Ulanderem. Doktor Sandroni obiecał natychmiast je zbadać.

— Są dokładnie takie same, Davidzie, pokryte tą samą farbą na bazie ołowiu. Bardzo toksyczne. Proces będzie łatwiutki. Rozprawa się zacznie i skończy, to najlepszy materiał, jaki w życiu widziałem.

— Kiedy będziesz miał wyniki na piśmie?

— Wyślę ci je e-mailem jutro.

— Dzięki, Biff.

— Powodzenia.

Godzinę później David i Helen posadzili Emmę w foteliku w samochodzie i wyruszyli do Waukegan. Chcieli odwiedzić Wally'ego, ale chodziło też o dodatkową korzyść, bo w samochodzie mała zawsze spała.

Po czterech dniach trzeźwości Wally wyglądał na wypoczętego i był gotów opuścić Harbor House. David zrelacjonował mu proces, jednak nie chciał się powtarzać i generalnie nie był w nastroju do żartów, pominął więc fragmenty, które w piątkowe popołudnie wywołały śmiech Oscara i Rochelle. Wally nie przestawał go przepraszać, aż w końcu David poprosił go, żeby przestał to robić.

— To się skończyło, Wally. Musimy iść do przodu.

Rozmawiali o tym, jak pozbyć się klientów wrobionych w krayoxx, i o problemach, jakie mogą się z tym wiązać. Niezależnie od tego, jak bardzo sprawy się skomplikowały, ich decyzja była ostateczna: kończą z krayoxxem i Varrick Laboratories.

— Nie muszę już dłużej tu być — powiedział Wally.

Siedzieli sami na końcu korytarza. Helen została w samochodzie ze śpiącą Emmą.

— Co mówi twój terapeuta?

— Zaczynam powoli mieć dość tego faceta. Posłuchaj, Davidzie, wypadłem z torów, bo ciśnienie zrobiło się za duże, to wszystko. Teraz uważam się za trzeźwego. Już liczę dni. Wrócę do Anonimowych Alkoholików i będę się modlił, nie tracąc nadziei, że wytrwam. Możesz mi wierzyć, Davidzie. Nie lubię być pijany. Czeka nas szukanie jakiejś roboty, dlatego muszę wytrzeźwieć.

Pamiętając o liczniku, który nabija pięćset dolarów dziennie, David chciał, żeby Wally wyszedł z kliniki najszybciej, jak to możliwe, choć z drugiej strony nie wierzył, żeby dziesięciodniowa kuracja coś dała.

— Pogadam z tym terapeutą. Nie pamiętam, jak się nazywa?

— Patrick Hale. Tym razem naprawdę ten facet mnie nie oszczędza.

— Może tego właśnie potrzebujesz, Wally.

— Daj spokój, Davidzie. Wyciągnij mnie stąd. Coś wykombinujemy, tym razem tylko ty i ja. Nie jestem pewny, czy z Oscara będzie jakiś pożytek.

Pominęli milczeniem fakt, że Oscar był wcześniej bardzo sceptyczny, jeśli chodzi o krayoxx i pozwy zbiorowe. Głęboki dół, w jakim się teraz znajdowali, został wykopany przez Wallisa T. Figga. Jeszcze przez chwilę rozmawiali o Oscarze, jego rozwodzie, zdrowiu i nowej dziewczynie, która zdaniem Wally'ego tak naprawdę nie jest aż taka nowa, ale David nie pytał o szczegóły.

Kiedy wychodził, Wally znów zaczął go błagać:

— Wyciągnij mnie stąd, Davidzie. Mamy za dużo roboty.

David uściskał go na pożegnanie i wyszedł z pokoju odwiedzin. „Robota", o której Wally bez przerwy wspominał, to gigantyczne zadanie uwolnienia się od mniej więcej czterystu niezadowolonych klientów, zlikwidowanie pozostałości po procesie Iris Klopeck, uporanie się ze stosem niezapłaconych rachunków i codzienny mozół w budynku, którego hipoteka jest obciążona na dwieście tysięcy dolarów. W ostatnich miesiąca kancelaria zaniedbywała innych klientów, dlatego wielu z nich zdążyło już wynająć innych adwokatów, a rutynowe poszukiwania nowych spraw praktycznie nie były prowadzone.

David zastanawiał się wcześniej nad odejściem, nad otworzeniem własnej kancelarii lub poszukaniem pracy w innej niedużej firmie. Gdyby odszedł, zabrałby oczywiście ze sobą sprawę Thui Khainga. Oscar i Wally nigdy by się o niej nie dowiedzieli. Gdyby dostał za nią pieniądze, wypisałby czek dla kancelarii Finleya i Figga na spłatę jego części hipoteki obciążającej budynek. Ale takie rozmyślania nie były przyjemne. Uciekł z jednej firmy i nigdy nie wracał do niej myślami. Jeśli uciekłby z tej drugiej, zawsze by tego żałował. W rzeczywistości David wiedział, że nie potrafiłby zostawić kancelarii Finleya i Figga, z dwoma niedomagającymi wspólnikami i ciżbą niezadowolonych klientów oraz wierzycieli dobijających się do drzwi.

⋏　⋏　⋏

W poniedziałek rano telefony dzwoniły bez przerwy. Rochelle odebrała kilka i oznajmiła:

— To wszystko ludzie od krayoxxu z pytaniem, jak wygląda ich sprawa.

— Niech je pani odłączy — powiedział David i harmider ucichł. Dawny Oscar powrócił. Siedział w swoim gabinecie za zamkniętymi drzwiami i przerzucał papiery na biurku.

O dziewiątej David skończył pisać list, który chciał wysłać około czterystu klientom wierzącym, że mają sprawę w sądzie. Napisał w nim:

Szanowna(y) Pani(e)!

W zeszłym tygodniu nasza kancelaria brała udział w pierwszym procesie przeciwko Varrick Laboratories, producentowi krayoxxu. Rozprawa nie przebiegła zgodnie z naszymi założeniami i nie zakończyła się sukcesem. Sędziowie przysięgli uwolnili Varrick od zarzutów. Ponieważ znane są już wszystkie dowody, stało się jasne, że wytaczanie kolejnych spraw tej firmie byłoby nierozważne. Z tego powodu wycofujemy się z reprezentowania Pani(a) w tej sprawie. Może Pan(i) zwrócić się o radę do innych prawników.

Z tego, co nam wiadomo, firma Varrick Laboratories przedstawiła przekonujący dowód na to, że krayoxx nie uszkadza zastawek serca ani innych organów wewnętrznych.

Z poważaniem
mecenas David Zinc

Kiedy drukarka zaczęła wypluwać te listy, David poszedł na górę, żeby zacząć przygotowania do następnej walki w sądzie federalnym, choć w ten poniedziałkowy ranek było to ostatnie miejsce, w którym chciałby się znaleźć. Miał już przygotowany luźny szkic pozwu przeciwko Sonesta Games i konspekt listu, który zamierzał wysłać do szefa działu prawnego tej firmy. Czekając na wyniki badań Sandroniego, wygładzał i poprawiał oba pisma.

Akcje Varrick osiągnęły cenę czterdzieści dwa i pół dolara na otwarcie giełdy w poniedziałek rano, najwyższą od dwóch lat. David przejrzał strony finansowe i blogi, gdzie nadal wrzało od spekulacji dotyczących przyszłych procesów z krayoxxem w roli głównej. Ponieważ Davida to już nie dotyczyło, szybko stracił zainteresowanie.

Przeszukał prawie nieprzeniknioną stronę internetową okręgu Cook — sądy, przestępstwa, nakazy, zgłoszenia — lecz nie znalazł żadnego wpisu świadczącego o tym, że Aaron Deentz wniósł oskarżenie o napaść. W sobotę Niezdecydowany Przysięgły napisał na blogu o zakończeniu procesu Klopeck, ale słowem nie wspomniał o pobiciu w męskiej toalecie na dwudziestym trzecim piętrze budynku sądu federalnego.

Oscar miał przyjaciela, który miał przyjaciela pracującego przy zgłaszaniu przestępstw. Facet miał mieć oko na sprawę wniesioną przez Deentza.

— Naprawdę go sprałeś? — zapytał Oscar z nieskrywanym podziwem.

— Tak, chociaż to było głupie.

— Nie martw się. To tylko zwykłe pobicie. Mam przyjaciół.

Kiedy nadszedł raport Sandroniego, David przeczytał go uważnie i niewiele brakowało, a zacząłby się ślinić.

Zawartość ołowiu w farbie wykorzystanej do pokrycia „Paskudnych zębów" jest na poziomie toksycznym. Każde dziecko albo dorosły, używając tej zabawki w sposób, do jakiego została zaprojektowana, to znaczy wkładając ją do ust, będzie narażać się na poważne ryzyko wchłonięcia dużej ilości farby, której składnikiem jest ołów.

Jakby tego było mało, doktor Sandroni dodał:

W czasie trzydziestu lat badania produktów jako źródła zatruć, a zwłaszcza zatruć ołowiem, nigdy nie natknąłem się na produkt, który byłby zaprojektowany i wyprodukowany z takim brakiem odpowiedzialności.

David skserował szóstą stronę raportu i włożył do skoroszytu, w którym były kolorowe zdjęcia oryginalnego zestawu „Paskudnych zębów" używanego przez Thuyę i zdjęcia nowych, kupionych przez niego przed tygodniem. Dodał kopię pozwu i zaświadczenie o stanie zdrowia chłopca wystawione przez jego lekarzy. W uprzejmym, ale bardzo bezpośrednim liście do pana Dylana Kotta, głównego radcy prawnego zatrudnionego w Sonesta Games, David proponował przedyskutowanie sprawy, zanim trafi na wokandę. Niemniej ta propozycja była ważna tylko przez czternaście dni. Rodzina chłopca dużo wycierpiała, nadal cierpi i ma prawo do zadośćuczynienia.

Kiedy wyszedł na lunch, wziął ze sobą skoroszyt i wysłał go FedExem do Sonesta Games, ekspresem. Nikt w firmie nie wiedział, co robi. Do kontaktu podał adres domowy i numer komórki.

Gdy David wracał, Oscar wychodził. Jego kierowcą była drobna kobieta o niewiadomym pochodzeniu etnicznym. W pierwszej chwili David pomyślał, że to Tajka, potem wydała mu się bardziej latynoską. Niezależnie od wszystkiego, miło się z nią rozmawiało na chodniku przed budynkiem. Była co najmniej dwadzieścia lat młodsza od Oscara i podczas krótkiej rozmowy David zorientował się, że tych dwoje zna się od pewnego czasu. Oscar, który wyglądał na bardzo zmęczonego po krótkim i łatwym poranku w kancelarii, wolno wsiadł od strony pasażera do małej hondy i odjechali.

— Kto to był? — David zapytał Rochelle, zamykając frontowe drzwi.

— Dopiero teraz ją poznałam. Ma jakieś dziwne imię, którego nie zapamiętałam. Wiem od niej, że zna Oscara od trzech lat.

— To, że Wally ugania się za spódniczkami, nie jest dla nikogo tajemnicą. Ale muszę przyznać, że Oscar mnie zaskoczył. A panią?

Rochelle się uśmiechnęła:

— Panie Davidzie, kiedy chodzi o miłość i seks, nic nie jest w stanie mnie zaskoczyć. — Wzięła różową karteczkę do zapisywania wiadomości telefonicznych i podała mu ją. — A skoro o tym mowa, może zechce pan zadzwonić do tego faceta.

— Kim on jest?

— Goodloe Stamm. Adwokat prowadzący rozwód Pauli Finley.

— Nie mam pojęcia o prawie rodzinnym, pani Gibson.

Rochelle rozejrzała się ostentacyjnie po pokoju, po całym biurze, i powiedziała:

— Nie ma nikogo innego. Lepiej będzie, jeśli szybko się go pan nauczy.

Stamm zaczął niezbyt mądrze:

— Fatalna sprawa z tym wyrokiem, ale prawdę mówiąc, spodziewałem się tego.

— Ja też — odpowiedział David krótko. — W czym mogę panu pomóc?

— Cóż, po pierwsze, jak się czuje pan Finley?

— Oscar czuje się dobrze. Zawał miał dopiero dwa tygodnie temu. Prawdę mówiąc, był dzisiaj w kancelarii przez kilka godzin i powoli zdrowieje. Przypuszczam, że zadzwonił pan, żeby spytać o dalsze pozwy dotyczące krayoxxu, w nadziei, że wpadnie nam do kieszeni trochę pieniędzy. Odpowiedź brzmi „nie", niestety dla nas i dla naszych klientów, i oczywiście dla pani Finley, bo nie ma szans, żeby wyciągnąć choćby centa z tych spraw. Nie będziemy odwoływali się od wyroku w sprawie Klopeck. Jesteśmy w trakcie powiadamiania wszystkich naszych klientów od krayoxxu, że wycofujemy się z prowadzenia tej sprawy. Zastawiliśmy kancelarię, żeby sfinansować ten proces, a kosztował nas około stu osiemdziesięciu tysięcy dolarów w gotówce. Starszy wspólnik dochodzi do siebie po zawale serca i wszczepieniu by-passów. Młodszy zrobił sobie kilka dni wolnego. Firma jest w tej chwili prowadzona przeze mnie i jedną sekretarkę, która, nawiasem mówiąc, wie o prawie znacznie więcej ode mnie. Na wypadek gdyby interesował pana majątek pana Finleya, mogę pana zapewnić, że nigdy wcześniej nie był tak spłukany. O ile dobrze zrozumiałem jego propozycję złożoną pańskiej klientce, chce jej zostawić dom, meble, jej samochód, połowę gotówki w banku, a jest tam mniej niż pięć tysięcy, w zamian za prostą zgodę na rozwód. On chce się od niej uwolnić, panie Stamm. Radziłbym, żeby państwo, to znaczy pan i pana klientka, skorzystali z tej propozycji, zanim Oscar zmieni zdanie.

Stamm trawił to przez chwilę, po czym powiedział:

— Doceniam pańską szczerość.

— To dobrze. Zdradzę panu coś jeszcze. W imieniu swojego klienta przestępcy, Justina Bardalla, złożył pan pozew przeciwko Oscarowi Finleyowi za tamten nieszczęsny wypadek z bronią. Przeczytałem akta. Wiem, że pański klient wraca do więzienia za próbę podpalenia. Jak wspomniałem, pan Finley jest na granicy bankructwa. Firma, która go ubezpiecza, odmawia wypłaty odszkodowania, bo jej zdaniem jego działanie było intencjonalne i nie wynikało z zaniedbania obowiązków. Zatem bez kwoty z ubezpieczenia i własnego majątku pan Finley jest nietykalny dla sądu. Nie wyciśnie pan z niego ani centa. Pański pozew jest bezwartościowy.

— A co z budynkiem, w którym mieści się kancelaria?

— Hipoteka jest bardzo obciążona. Niech pan posłucha, Stamm, nie doprowadzi pan do wyroku, bo pański klient to recydywista przyłapany na próbie popełnienia kolejnego przestępstwa. To nie zrobiłoby najlepszego wrażenia na przysięgłych. A nawet gdyby miał pan szczęście i wyrok by zapadł, pan Finley następnego dnia ogłosi bankructwo. Nie może się pan do niego dobrać, rozumie pan?

— Ten przekaz do mnie dotarł.

— Nic nie mamy i niczego nie ukrywamy. Niech pan pogada z panią Finley i panem Bardallem i wszystko im wyjaśni. Chciałbym jak najszybciej zamknąć obie te sprawy.

— Dobrze, już dobrze. Zobaczę, co da się zrobić.

Rozdział 48

Minął tydzień bez odpowiedzi z Sonesta Games. David śledził kalendarz i zegar. Tłumił w sobie nadzieję na szybką ugodę i drżał na myśl o składaniu pozwu w sądzie federalnym przeciwko wielkiej korporacji. Tę zdradliwą drogę właśnie przebył. Czasami czuł się jak stary Wally — zagubiony w marzeniach o łatwych pieniądzach.

Do kancelarii powoli zaczynała wracać rutyna, sprawy szły jak przedtem. Rochelle przyjeżdżała każdego ranka wpół do ósmej i rozkoszowała się chwilami spokoju z AC. Potem pojawiał się David, a następnie Wally, którego samochód został odholowany podczas jego pijackiego cugu i nie ucierpiał. Oscar przyjeżdżał koło dziesiątej, dostarczany przed frontowe drzwi przez jego dziewczynę, uroczą panią, która nawet na Rochelle robiła dobre wrażenie. W którymś momencie co rano Wally stawał przed kolegami i mówił głośno, który dzień nie pije. I tak nastał dwunasty dzień trzeźwości. A potem trzynasty i kolejne. Oni gratulowali mu i dodawali otuchy, on miał powody do dumy. Prawie co wieczór chodził na spotkania Anonimowych Alkoholików gdzieś w mieście.

Niezadowoleni klienci od krayoxxu nadal wydzwaniali, lecz Rochelle przełączała ich wszystkich do Wally'ego i Davida. Byli przygnębieni, a nawet żałowali prawników, w przeciwieństwie do innych, nastawionych wojowniczo. Spodziewali się przecież pieniędzy — i co się stało? Adwokaci przepraszali i starali się zrzucić winę na jakąś tajemniczą „federalną ławę przysięgłych", która opowiedziała się za producentem leku. Prawnicy szybko wskazywali też, że krayoxx jest bezpiecznym lekiem, co „udowodniono w sądzie". Innymi słowy, proces przepadł, ale wszyscy mają zdrowsze serca, niż myśleli.

Podobne rozmowy odbywały się w całym kraju, kiedy dziesiątki mierzących wysoko adwokatów wycofywało się ze sprawy krayoxxu. Jeden z prawników z Phoenix złożył wniosek o wycofanie pozwów dotyczących czterech klientów zabitych jakoby przez krayoxx. Jego wniosek spotkał się z natychmiastową reakcją Nadine Karros, domagającej się zastosowania Reguły 11, będącej jednym z jej narzędzi taktycznych. Varrick Laboratories domagały się sankcji za składanie nieuzasadnionych pozwów i przedstawiły szczegółowy wykaz rachunków, dowodzący, że przygotowując się do obrony, wydały osiem milionów dolarów. Masowe wycofywanie spraw z sądów przez speców od pozwów zbiorowych było oznaką, że prawnicy Varrick rozpoczęli polowanie. Wojny wywołane sankcjami Reguły 11 miały się toczyć przez całe miesiące.

Dziesięć dni po wydaniu werdyktu Agencja do spraw Żywności i Leków cofnęła zakaz sprzedaży krayoxxu, którym Varrick natychmiast zalały rynek. Reuben Massey szybko uzupełnił braki w rezerwach finansowych, a jego priorytetem stało się gromienie środowiska adwokatów od pozwów zbiorowych za tak podłe potraktowanie jego ukochanego leku.

▲ ▲ ▲

Jedenaście dni po werdykcie i nadal ani słowa od Aarona Deentza. Niezdecydowany Przysięgły przestał pisać blog bez podania przyczyny. David miał dwa pomysły związane z wniesieniem oskarżenia za zwykłe pobicie. Po pierwsze, jeśli Deentz go oskarży, narazi się na ryzyko wyjawienia swojej tożsamości. Jak wielu blogerów rozkoszował się anonimowością i swobodą, które pozwalały mu pisać praktycznie wszystko. Fakt, że David wiedział, kim jest, i zwrócił się do niego, używając pseudonimu, tuż przedtem, zanim go uderzył, musiał zasiać w nim ziarno niepokoju. Jeśli Deentz będzie domagał się sprawy, nie uniknie pojawienia się w sądzie i przyznania się, że jest Niezdecydowanym Przysięgłym. A jeżeli naprawdę jest bez pracy i szuka jakiejś posady, jego blog może mu to bardzo utrudnić. Przez ostatnie dwa lata wypisywał paskudne rzeczy o sędziach, prawnikach i kancelariach adwokackich. Z drugiej strony dostał dwa potężne ciosy. David nie miał wrażenia, że złamał mu jakieś kości, ale uszkodzenia musiały być solidne, nawet jeśli tylko przejściowe. Ponieważ Deentz był prawnikiem, na pewno uprze się, żeby iść do sądu i tam się zemścić.

David nie wspomniał Helen o pobiciu. Wiedział, że zareagowałaby dezaprobatą i zamartwiałaby się ewentualnym aresztowaniem i śledztwem. Dlatego postanowił, że powie jej o tym tylko wtedy, gdy Deentz go oskarży. Innymi słowy, powie jej później. Może. I wtedy wpadł na pewien pomysł. W książce telefonicznej widniał tylko jeden Aaron Deentz, dlatego późnym popołudniem David wybrał jego numer.

— Chciałbym mówić z Aaronem Deentzem — powiedział.

— To ja. A kto mówi?

— David Zinc, panie Deentz. Dzwonię, żeby pana przeprosić za moje zachowanie po ogłoszeniu wyroku. Byłem wytrącony z równowagi, zły i zadziałałem bez zastanowienia.

Cisza, a potem:

— Złamał mi pan szczękę.

W pierwszej chwili David poczuł ukłucie męskiej dumy z faktu, że potrafił zadać cios z taką siłą, ale cała brawura zniknęła, gdy David pomyślał o procesie cywilnym za uszkodzenie ciała.

— Jeszcze raz przepraszam, naprawdę nie miałem zamiaru niczego panu łamać ani w ogóle robić panu krzywdy.

Następne słowa Deentza były bardzo znaczące:

— Skąd pan wie, kim jestem?

A więc boi się, że straci przykrywkę. David zmyślił odpowiedź na poczekaniu:

— Mam kuzyna, który jest maniakiem komputerowym. Zajęło mu to dwadzieścia cztery godziny. Nie powinien pan zamieszczać nowych wpisów zawsze o tej samej porze każdego dnia. Jeszcze raz przepraszam za tę szczękę. Jestem gotów pokryć koszty leczenia. — Zaproponował to, bo nie miał innego wyjścia, niemniej skrzywił się na samą myśl o kolejnym wyłożeniu kasy.

— Czyżby proponował mi pan ugodę, Zinc?

— Jasne. Zapłacę za leczenie, a pan nie wniesie oskarżenia ani nie będzie domagał się odszkodowania za uszkodzenie ciała.

— Boi się pan, że pozwę pana za pobicie?

— Nie do końca. Gdybym musiał bronić się przed zarzutem pobicia, zadbałbym, żeby sędzia przeczytał niektóre z pańskich komentarzy, i bardzo wątpię, czy zrobiłoby to na nim dobre wrażenie. Sędziowie nie znoszą takich blogów. Sędzia Seawright czytał go codziennie i wpadał w furię, bo jego zdaniem rzeczy, które pan pisał, mogły mieć wpływ na przebieg procesu, gdyby któryś z przysięgłych na nie natrafił. Jego personel próbował ustalić tożsamość Niezdecydowanego Przysięgłego. — David kłamał jak z nut, ale też trudno było odmówić mu realizmu.

— Czy powiedział pan o tym komuś jeszcze? — zapytał Deentz, a David nie potrafił stwierdzić, czy jest spłoszony, wystraszony, czy po prostu mówi w taki sposób z powodu złamanej szczęki.

— Nikomu.

— Straciłem ubezpieczenie razem z pracą. Na dzisiaj za samo leczenie muszę zapłacić cztery tysiące sześćset dolarów. Druty mam założone na miesiąc, a potem nie wiem, co będzie.

— Złożyłem panu propozycję — przypomniał David. — Umowa stoi?

— Tak, chyba tak — padło po długiej chwili ciszy.

— Jeszcze jedna rzecz, panie Deentz.

— O co chodzi?

— Nazwał pan moją żonę lasencją.

— Tak, cóż... ja... tak... nie powinienem tego robić. Pańska żona jest bardzo atrakcyjna.

— To prawda, ale to bardzo mądra kobieta.

— Bardzo przepraszam.

— I jest moja.

⅄ ⅄ ⅄

Pierwszym zwycięstwem Wally'ego od czasu wyroku było doprowadzenie do końca ugody rozwodowej Oscara. Ponieważ majątek praktycznie nie istniał, a obie strony rozpaczliwie chciały się od siebie uwolnić, spisana umowa była prosta, jeśli w ogóle jakikolwiek dokument prawniczy można uznać za prosty. Kiedy Oscar i Wally podpisali ją tuż pod nazwiskami Pauli Finley i Goodloe'a Stamma, Oscar wpatrywał się w podpisy przez dłuższą chwilę i nie potrafił stłumić uśmiechu. Wally złożył umowę w sądzie okręgowym. Datę rozprawy wyznaczono na połowę stycznia.

Oscar uparł się, żeby to uczcić butelką szampana, bezalkoholowego, rzecz jasna, i cały zespół firmy zebrał się późnym popołudniem na nieoficjalnym spotkaniu. Ponieważ wszyscy znali wynik — piętnasty dzień trzeźwości — wznoszono toasty nie tylko za Oscara Finleya, nowego kawalera do wzięcia, ale też za Wally'ego. Był czwartek, dziesiąty listopada, i choć ich maleńka kancelaria miała całą masę długów i bardzo niewielu klientów, można było odnieść wrażenie, że każdy za wszelką cenę chce cieszyć się tą chwilą. Poobijani i upokorzeni, nadal wykazywali oznaki życia.

W chwili gdy David opróżnił kieliszek, jego telefon komórkowy zawibrował. Przeprosił wszystkich i poszedł na górę.

⋏ ⋏ ⋏

Dylan Kott przedstawił się jako wieloletni wiceprezes i główny radca prawny Sonesta Games. Dzwonił z siedziby firmy w San Jacinto w Kalifornii. Podziękował Davidowi za list, jego ton i rozsądne podejście do problemu, zapewnił, że cała góra firmy zapoznała się dokładnie z załącznikami i mówiąc szczerze, bardzo się tym „przejęli". On również się tym martwi.

— Chcielibyśmy się spotkać, panie Zinc, twarzą w twarz.

— A celem tego spotkania będzie...? — zapytał David.

— Rozmowa o tym, jak uniknąć sprawy sądowej.

— I złej prasy?

— Oczywiście. Jesteśmy producentem zabawek, panie Zinc. Nasz wizerunek jest bardzo ważny.

— Gdzie i kiedy?

— Mamy centrum dystrybucyjne i biuro w Des Plaines, bardzo niedaleko pana. Czy moglibyśmy się tam spotkać w poniedziałek rano?

— Tak, ale tylko wtedy, jeśli naprawdę poważnie myśli pan o ugodzie. Jeśli planuje pan jakieś prawne zagrywki, zapomnijmy o tym. Zaryzykuję rozprawę w sądzie.

— Proszę, panie Zinc, jest stanowczo za wcześnie na groźby. Zapewniam pana, że rozumiemy powagę sytuacji. Niestety, już wcześniej przez to przechodziliśmy. Wyjaśnię panu wszystko w poniedziałek.

— W porządku.

— Czy to dziecko ma prawnego reprezentanta ustanowionego przez sąd?

— Tak. To jego ojciec.

— Czy będzie pan mógł przywieźć w poniedziałek oboje rodziców?

— Jestem pewny, że tak. Ale po co?

— Carl LaPorte, nasz dyrektor generalny, chciałby ich poznać i przeprosić w imieniu firmy.

Rozdział 49

Budynek okazał się jednym z nowoczesnych magazynów w rzędzie, który zajmował całe akry i ciągnął się niemal bez końca od Des Plaines i przedmieść Chicago. Dzięki GPS-owi David znalazł go bez problemu i o dziesiątej w poniedziałkowy ranek przeprowadził Soe i Lwin Khaingów przez frontowe drzwi kompleksu biurowego z czerwonej cegły, przylepionego do ściany masywnego magazynu. Natychmiast zaprowadzono ich korytarzem do sali konferencyjnej, gdzie zaproponowano kawę, ciasta i soki. Odmówili. David czuł, jak żołądek mu się kurczy, nerwy miał napięte jak postronki. Khaingowie zaniemówili z wrażenia.

Do sali weszło trzech elegancko ubranych facetów z rodzaju tych, jacy pracują w korporacjach: Dylan Kott, główny radca prawny, Carl LaPorte, dyrektor generalny, oraz Wyatt Vitelli, główny księgowy. Dokonano pośpiesznej prezentacji, a potem Carl LaPorte poprosił wszystkich, żeby usiedli, i starał się, jak mógł, rozładować napięcie. Znów zaproponowano wszystkim kawę, ciasto i soki. Nie, dzięki. Kiedy szybko stało się jasne, że Khaingowie są zbyt onieśmieleni, by rozmawiać, LaPorte sposępniał i powiedział:

— No dobrze, zacznijmy od początku. Wiem, że mają państwo bardzo chorego synka, i szanse na to, że mu się polepszy, są niewielkie. Mam czteroletniego wnuka, jedynego wnuka, i nawet nie potrafię sobie wyobrazić, przez co przechodzicie. W imieniu firmy Sonesta Games biorę pełną odpowiedzialność za to, co się stało waszemu dziecku. To nie my jesteśmy producentem tej zabawki, „Paskudnych zębów", ale należy do nas niewielkie przedsiębiorstwo, które importowało ją z Chin. Ponieważ to nasza firma, odpowiedzialność spada na nas. Jakieś pytania?

Lwin i Soe wolno pokręcili głowami.

David przyglądał się temu zdumiony. W czasie procesu słowa Carla LaPorte'a byłyby graniem fair. Przeprosiny w imieniu firmy zostałyby dołączone do materiału dowodowego i miałyby ogromne znaczenie dla ławy przysięgłych. Fakt, że bierze na siebie odpowiedzialność i robi to jednoznacznie, bez wahania, był ważny z dwóch powodów: po pierwsze, firma postępuje uczciwie, po drugie, sprawa nie trafi do sądu. Obecność dyrektora generalnego, głównego księgowego i radcy prawnego stanowiła oczywisty sygnał, że przynieśli ze sobą książeczkę czekową.

LaPorte mówił dalej:

— Nic, co powiem, nie wróci waszemu synkowi zdrowia. Mogę tylko powiedzieć, że bardzo mi przykro, i obiecać, iż nasza firma zrobi wszystko, żeby państwu pomóc.

— Dziękuję — odezwał się Soe, podczas gdy Lwin ocierała oczy.

Po długim milczeniu, w czasie którego LaPorte wpatrywał się w ich twarze z ogromnym współczuciem, powiedział:

— Panie Zinc, proponuję, żeby rodzice zaczekali w innym pokoju, a my zaczniemy omawiać sprawę.

494

— Zgoda — odpowiedział David.

Jakaś sekretarka zmaterializowała się niespodziewanie i wyprowadziła Khaingów. Kiedy drzwi się zamknęły, LaPorte przeszedł do rzeczy:

— Kilka propozycji. Zdejmijmy marynarki i się odprężmy. Może nam to zająć trochę czasu. Nie będzie panu przeszkadzało, jeśli będziemy mówili sobie po imieniu, panie Zinc?

— Nic a nic.

— To dobrze. Jesteśmy firmą z Kalifornii, a tam panuje raczej nieformalny styl. — Wszystkie marynarki zostały zdjęte, krawaty poluzowane. Carl spytał: — Jak chciałbyś to załatwić, Davidzie?

— To wy zorganizowaliście to spotkanie.

— Racja, więc trochę o nas na pewno nie zaszkodzi. Po pierwsze, jesteśmy trzecim co do wielkości producentem zabawek w Ameryce, w zeszłym roku mieliśmy sprzedaż sięgającą ponad trzech miliardów dolarów.

— Zaraz za Mattelem i Hasbro — wtrącił David uprzejmie. — Przeczytałem wszystkie wasze sprawozdania roczne i tony innych dokumentów. Znam wasze produkty, historię, finanse, kluczowy personel, filie, strategię spółki, która działa długofalowo. Wiem, u kogo jesteście ubezpieczeni, ale rzecz jasna wysokość ubezpieczenia nie jest ujawniona. Jestem bardzo zadowolony, że tu jestem, i mogę siedzieć i rozmawiać, jak długo zechcecie. Nie mam żadnych planów na dzisiaj, a moi klienci wzięli wolny dzień. Ale żeby ruszyć sprawy do przodu, proponowałbym zacząć od razu.

Carl uśmiechnął się i spojrzał na Dylana Kotta i Wyatta Vitellego.

— Jasne, wszyscy mamy dużo pracy — powiedział. — Odrobiłeś lekcje, Davidzie, więc powiedz, co ci chodzi po głowie.

David przesunął po stole dowód numer jeden i zaczął:

— To końcowe orzeczenia w sprawach o uszkodzenie mózgu wydane przez ostatnie dziesięć lat, dotyczą tylko dzieci. Numer pierwszy to dwanaście milionów dolarów zasądzone w New Jersey w zeszłym roku dla sześciolatka, który zatruł się ołowiem, żując plastikową figurkę bohatera kreskówki. Sprawa jest w sądzie apelacyjnym. Spójrzcie na numer czwarty: dziewiętnaście milionów przyznane werdyktem sądu w Minnesocie. Sprawa trafiła do sądu apelacyjnego w zeszłym roku. Mój ojciec pracuje w Sądzie Najwyższym Minnesoty i jest bardzo konserwatywny, jeśli chodzi o podtrzymywanie wysokich wyroków. Głosował jednak za podtrzymaniem tego werdyktu, podobnie jak reszta sędziów. Jednogłośnie. To był kolejny przypadek zatrucia ołowiem, dziecko i zabawka. Numer siódmy dotyczy siedmioletniej dziewczynki, która o mało się nie utopiła, gdy noga utknęła jej w odpływie zupełnie nowego basenu w klubie w Springfield w Illinois. Przysięgli obradowali niecałą godzinę i przyznali rodzinie odszkodowanie wysokości dziewięciu milionów. Na stronie drugiej spójrzcie na numer trzynasty. Dziesięcioletni chłopak został uderzony w głowę kawałkiem metalu wyrzuconym przez przemysłową kosiarkę, niezabezpieczoną łańcuchami. Poważne uszkodzenie mózgu. Sprawę rozpatrywał sąd federalny w Chicago i przyznał pięć milionów odszkodowania za uszkodzenie ciała i dwadzieścia milionów odszkodowania za straty moralne. Odszkodowanie za straty moralne zostało zmniejszone do pięciu milionów w sądzie apelacyjnym. Nie muszę omawiać tych wszystkich spraw, bo jestem pewny, że te obszary nie są wam obce.

— To chyba oczywiste, Davidzie, że chcemy uniknąć rozprawy.

— Rozumiem, ale chciałbym zwrócić uwagę, że ta sprawa zrobi potężne wrażenie na sędziach przysięgłych. Po trzech dniach patrzenia na Thuyę Khainga przywiązanego do krzesełka przysięgli mogą zasądzić większe odszkodowanie niż te, o których wspomniałem. Taka możliwość powinna być brana pod uwagę w naszych negocjacjach.

— Rozumiem. Jakie są twoje żądania? — chciał wiedzieć Carl.

— Cóż, ugoda powinna obejmować kilka segmentów odszkodowania. Niektóre łatwo będzie wycenić, inne znacznie trudniej. Zacznijmy od wydatków ponoszonych przez rodzinę na opiekę nad dzieckiem. Na dzisiaj wydają około sześciuset dolarów miesięcznie na jedzenie, lekarstwa i pieluchy. Niedużo, ale rodziców i tak na to nie stać. Chłopiec potrzebuje pielęgniarki przynajmniej na kilka godzin dziennie i pełnoetatowego specjalisty od rehabilitacji, żeby przynajmniej powstrzymać zanik mięśni i stymulować mózg.

— Jak długo będzie żył zgodnie z przewidywaniem lekarzy? — zapytał Wyatt Vitelli.

— Tego nikt nie wie. Nie napisałem tego w liście, bo jeden z lekarzy mówi o roku lub dwóch, a inny, że chłopiec może osiągnąć pełnoletność. Rozmawiałem ze wszystkimi lekarzami i zdaniem każdego z nich próba przewidywania długości jego życia jest bezcelowa. Przez ostatnie pół roku spędziłem z chłopcem trochę czasu i zauważyłem niewielką poprawę niektórych funkcji, bardzo niewielką. Myślę, że powinniśmy negocjować warunki przy założeniu, że będzie żył jeszcze dwadzieścia lat.

Trzej mężczyźni skinęli głowami.

— Gołym okiem widać, że jego rodzice nie zarabiają dużo. Mieszkają w niewielkim, tanim lokum z dwoma starszymi córkami. Rodzina potrzebuje domu z mnóstwem miejsca i sypialnią przystosowaną do potrzeb Thui. Nie musi to być nic wyszukanego. To prości ludzie, ale mają swoje marzenia. —

David przesunął po stole trzy egzemplarze dowodu numer dwa, które szybko zostały podniesione z blatu.

David odetchnął głęboko i dalej kuł żelazo:

— Oto nasza propozycja ugody. Po pierwsze, zostały wyszczególnione rodzaje odszkodowania. Numer pierwszy pokrywa wydatki, o których mówiłem, plus wynagrodzenie pielęgniarki zatrudnianej na część etatu wysokości trzydziestu tysięcy rocznie, plus utrata zarobków matki, to jest dwadzieścia pięć tysięcy rocznie, bo chciałaby rzucić pracę i zajmować się synem. Dodałem również koszt nowego samochodu, którym mogliby go wozić na rehabilitację. Zaokrągliłem to do stu tysięcy rocznie przez dwadzieścia lat, w sumie więc mamy dwa miliony dolarów. Przy dzisiejszych płacach możecie mu zapewnić dożywotnią rentę za milion czterysta tysięcy. Rehabilitacja to szara strefa, bo nie umiem powiedzieć, jak długo będzie potrzebna. Przyjmując jednak dwadzieścia lat, dożywotni koszt wyniósłby siedemset tysięcy dolarów. Następna jest sprawa nowego domu w ładnej okolicy z dobrymi szkołami: pięćset tysięcy. Kolejne zagadnienie to szpital dziecięcy Lakeshore. Tamtejsi lekarze uratowali mu życie, i to za darmo, w każdym razie rodzina nic nie zapłaciła, ale myślę, że poniesione koszty powinny zostać zwrócone. Szpital niechętnie mi je podał, ale w końcu się dowiedziałem: to sześćset tysięcy.

David doszedł do trzech milionów dwustu tysięcy dolarów, ale żaden z trzech mężczyzn nawet nie sięgnął po długopis. Nikt nie zmarszczył czoła, nie pokręcił głową. Nie widział też żadnych oznak, które wskazywałyby, że ich zdaniem stracił rozum.

— Przechodząc do spraw trudniej mierzalnych, wpisałem utratę radości życia przez chłopca i stres dla rodziny. Wiem, że to bardzo śliskie obszary, ale zgodnie z prawem obowiązującym w Illinois to straty, które uprawniają do odszkodowania. Proponuję milion osiemset tysięcy.

David położył dłonie na stole i czekał na reakcję. Nikt nie wydawał się zaskoczony.

— Okrągła suma pięciu milionów dolarów — podsumował Carl LaPorte.

— A co z honorarium adwokata? — zapytał Dylan Kott.

— Rany, prawie o tym zapomniałem. — Wszyscy się uśmiechnęli. — Moje honorarium nie może być odliczone z odszkodowania dla rodziny. To opłata dodatkowa. Trzydzieści procent od całej sumy, jaką tu mamy, albo półtora miliona.

— Bardzo ładna wypłata — stwierdził Dylan.

Niewiele brakowało, a David wspomniałby o milionach, jakie ci trzej mężczyźni zarobili w poprzednim roku w postaci pensji i akcji firmy, ale się powstrzymał.

— Miło by było, gdybym mógł zatrzymać to dla siebie, ale w tym przypadku to niemożliwe.

— Sześć i pół miliona dolarów. — Carl odłożył swój egzemplarz materiałów od Davida i się przeciągnął.

— Sprawiacie wrażenie ludzi skłonnych do zrobienia tego, co należy — powiedział David. — No i nie chcecie nagłośnienia sprawy, podobnie jak nie chcecie ryzykować spotkania z nieprzyjaźnie nastawioną ławą przysięgłych.

— Nasz wizerunek jest bardzo ważny — podkreślił Carl. — Nie zanieczyszczamy rzek, nie produkujemy tanich karabinów, nie uchylamy się od wypłaty odszkodowań ani też nie oszukujemy rządu na lewych kontraktach. Produkujemy zabawki dla dzieci. To bardzo proste. Jeśli rozejdzie się, że wyrządzamy dzieciom krzywdę, będzie po nas.

— Czy mogę spytać, gdzie znalazłeś te zabawki? — odezwał się Dylan.

David opowiedział im o tym, jak Soe Khaing kupił pierwszy

zestaw „Paskudnych zębów" rok wcześniej, i o swoich poszukiwaniach tej zabawki w najróżniejszych miejscach w całym Chicago. Carl z kolei przyznał się, że firma również włożyła sporo wysiłku w jej namierzenie i w ciągu ostatnich osiemnastu miesięcy zawarła ugodę w dwóch identycznych sprawach. Mieli teraz nadzieję, że zestawy malowane farbą zawierającą ołów zostały w całości wycofane z rynku i zniszczone, ale nie mieli pewności. Prowadzą wojnę z kilkoma fabrykami w Chinach i przenieśli większość produkcji do innych krajów. Zakup Gunderson Toys okazał się kosztowną inwestycją. Posypały się kolejne historie, jakby obie strony potrzebowały odpoczynku od myślenia o ugodzie, którą negocjowali.

Po godzinie poprosili Davida, żeby zostawił ich samych, ponieważ chcieli się naradzić.

◣ ◣ ◣

David wypił filiżankę kawy ze swoimi klientami, a po kwadransie ta sama sekretarka poprosiła go, żeby wrócił do sali konferencyjnej. Zamknęła za nim drzwi. David był gotów zawrzeć ugodę lub wyjść.

Kiedy zajęli miejsca, Carl LaPorte powiedział:

— Byliśmy przygotowani na wypisanie czeku na pięć milionów dolarów i zakończenie w ten sposób całej sprawy, Davidzie, ale ty chcesz znacznie więcej.

— Nie zgodzimy się na pięć milionów, bo ta sprawa jest warta dwa razy tyle. Chcemy sześć i pół miliona, wóz albo przewóz. Jutro złożę pozew.

— Sprawa będzie się ciągnęła latami. Czy twoich klientów stać na czekanie? — zapytał Kott.

— Niektórzy z naszych sędziów federalnych stosują Regułę osiemdziesiąt trzy dziewiętnaście, nazywaną błyskawicznym procesem, i możecie mi wierzyć, że to się sprawdza w praktyce.

W ciągu roku ta sprawa będzie już na wokandzie. Mój ostatni pozew był o wiele bardziej skomplikowany, a rozprawa zaczęła się już po dziesięciu miesiącach. Tak, moi klienci przeżyją jakoś do chwili wydania wyroku przez ławę przysięgłych.

— Nie wygrałeś tamtej sprawy, prawda? — zapytał Carl, unosząc brwi, jakby wiedział wszystko o procesie Iris Klopeck.

— Nie, nie wygrałem, ale bardzo dużo się nauczyłem. Dysponowałem marnymi dowodami. Tym razem dowody są twarde. Kiedy przysięgli wysłuchają wszystkiego, sześć i pół miliona będzie się wydawało jałmużną.

— Zaoferujemy pięć milionów.

David przełknął głośno ślinę, spojrzał na Carla LaPorte'a i powiedział:

— Nie słuchasz tego, co mówię, Carl. To sześć i pół miliona teraz, a znacznie więcej za rok od tej chwili.

— Odrzucisz pięć milionów dla tych biednych imigrantów z Birmy?

— Właśnie to zrobiłem i nie będę dalej negocjował. Wasza firma jest dobrze ubezpieczona. Sześć i pół miliona nie przekracza na pewno waszego limitu.

— Może, ale składki ubezpieczeniowe nie są tanie.

— Nie będę się targował, Carl. Umowa stoi czy leży?

Carl odetchnął głęboko i wymienił spojrzenia z Dylanem Kottem i Wyattem Vitellim. Wzruszył ramionami, uśmiechnął się i wyciągnął do Davida rękę.

— Stoi.

David potrząsnął energicznie jego ręką.

— Ale pod jednym warunkiem: to będzie ściśle poufne — zaznaczył Carl.

— Oczywiście.

— Każę moim chłopakom z działu prawnego przygotować taką umowę — odezwał się Dylan.

— To nie będzie konieczne. — David sięgnął po aktówkę, wyjął papierową teczkę, a z niej cztery egzemplarze dokumentu i rozdał je wszystkim. — To tekst umowy zawierający wszystkie warunki. Jest dość prosta i obejmuje wszelkie możliwe formy poufności. Pracuję w bardzo małej kancelarii adwokackiej, ale mamy trochę skomplikowanych spraw. W moim najlepiej pojętym interesie jest zachowanie tego w tajemnicy.

— Przygotowałeś tekst ugody na sześć i pół miliona dolarów? — upewnił się Carl.

— Masz go w ręku. Ani centa mniej. Tyle ta sprawa jest warta.

— Ta ugoda musi być zatwierdzona przez sąd, prawda? — spytał Dylan.

— Tak. Już ustanowiłem prawnego opiekuna dziecka, jest nim ojciec. Sąd musi zatwierdzić ugodę i będzie nadzorował wypłatę pieniędzy w nadchodzących latach. Oczekuje się ode mnie, że będę wypełniał coroczne sprawozdanie finansowe i spotykał się z sędzią raz w roku, ale akta mogą pozostać zapieczętowane, żeby zapewnić im tajność.

Przeczytali tekst umowy, a potem Carl LaPorte podpisał ją w imieniu firmy. David również ją podpisał, a następnie do sali konferencyjnej zostali przyprowadzeni Soe i Lwin. David wyjaśnił im warunki ugody, a później złożyli podpisy poniżej jego nazwiska. Carl jeszcze raz ich przeprosił i życzył wszystkiego najlepszego. Byli tak oszołomieni i przejęci, że nie mogli wydusić słowa.

Kiedy wychodzili z budynku, Dylan Kott spytał Davida, czy może zamienić z nim słówko na osobności. Khaingowie poszli przodem i czekali przy samochodzie. Kott zręcznie wsunął do ręki Davida białą kopertę i powiedział:

— Nie dostałeś tego ode mnie, dobrze?

David włożył ją do wewnętrznej kieszeni płaszcza.

— A co to jest?

— Lista innych producentów, głównie zabawek, z przypadkami zatrucia ołowiem. Większość wykonano w Chinach, ale niektóre są z Meksyku, Wietnamu i Pakistanu. Importują je amerykańskie firmy.

— Rozumiem. Czy te firmy mogą być dla ciebie konkurencją?

— Chwytasz w lot.

— Dzięki.

— Powodzenia.

Rozdział 50

Ostatnie zebranie pracowników kancelarii Finleya i Figga odbyło się jeszcze tego samego popołudnia. Na usilne naleganie Davida zaczekali, aż Rochelle pójdzie do domu. Oscar był zmęczony i marudny — dobry znak. Jego dziewczyna i szofer w jednej osobie została odesłana o piętnastej, a David obiecał, że po zebraniu sam odwiezie starszego wspólnika do domu.

— To musi być coś ważnego — powiedział Wally, kiedy David zamykał frontowe drzwi i opuszczał żaluzje.

— Bo tak jest. — David usiadł przy stole. — Pamiętacie, chłopaki, sprawę zatrucia ołowiem, o której wspomniałem wam kilka miesięcy temu? — W ich pamięci pozostał jedynie bardzo mglisty ślad, ale przecież tyle się potem działo. — Otóż — David był zadowolony z siebie — ta sprawa bardzo interesująco się rozwinęła.

— No, gadaj — ponaglił go Wally, przewidując coś przyjemnego.

David opowiedział ze szczegółami o swoich działaniach

w imieniu Khaingów. Położył zestaw „Paskudnych zębów" na stole i powoli snuł historię z bardzo szczęśliwym zakończeniem.

— Dziś rano spotkałem się z dyrektorem generalnym i dwoma innymi facetami z zarządu firmy i osiągnęliśmy porozumienie.

Do tego czasu Oscar i Wally niemal spijali każde słowo z jego ust i wymieniali nerwowe spojrzenia. Kiedy David powiedział: „Honorarium adwokata to półtora miliona dolarów", obaj zamknęli oczy i pochylili głowy, jakby się modlili. David przerwał na chwilę i wyjął egzemplarze dokumentu, po jednym dla każdego.

— To propozycja umowy partnerskiej dla nowej kancelarii adwokackiej Finleya, Figga i Zinca.

Wally i Oscar trzymali dokumenty w rękach, ale żaden nawet nie spojrzał na zapis. Wgapiali się w Davida, obaj mieli otwarte usta, zbyt oszołomieni, by coś powiedzieć. David ciągnął:

— Partnerstwo na równych prawach, końcowy wynik finansowy dzielony na trzy równe części, z miesięczną pensją wyliczaną z dochodu netto w poszczególnych miesiącach. Budynek nadal będzie waszą własnością. Powinniście zerknąć na trzeci paragraf na drugiej stronie.

Żaden z nich nie przewrócił strony.

— Po prostu nam powiedz — odezwał się Oscar.

— W porządku, jest tam wyraźnie i jasno napisane, że w nowej kancelarii określona działalność nie będzie możliwa. Nie będziemy płacili łapówek ani żadnych innych pieniędzy policjantom, kierowcom ciężarówek holujących, personelowi karetek czy komukolwiek innemu za podsuwanie nam spraw. Nie będziemy reklamowali się na przystankach autobusowych, kuponach bingo czy w jakikolwiek inny sposób za tanie pieniądze. Prawdę mówiąc, wszelkie działania reklamowe będą musiały zyskać aprobatę komisji marketingowej, która przynajmniej przez pierwszy rok będzie się składała wyłącznie ze mnie. Innymi słowy, koledzy, w naszej kancelarii nie będziemy już uganiali się za karetkami pogotowia.

— Jest w tym coś śmiesznego? — zapytał Wally.

David uśmiechnął się przyjaźnie, ale mówił dalej:

— Słyszeliśmy rozmowy o reklamie na billboardach i w telewizji, to również jest zakazane. Zanim firma podpisze umowę z nowym klientem, wszyscy trzej musimy się na to zgodzić. Podsumowując, nasza kancelaria będzie dążyła do najwyższego standardu. Jakiekolwiek honorarium płacone gotówką będzie od razu księgowane, a księgowość od teraz poprowadzi kompetentny biegły księgowy. W rezultacie, panowie, firma będzie działała jak prawdziwa kancelaria adwokacka. Umowa obowiązuje przez rok, a jeśli któryś z was nie dotrzyma jej warunków, ulegnie rozwiązaniu, a ja poszukam pracy gdzie indziej.

— Wróćmy do zarobków — powiedział Wally. — Nie jestem pewny, czy skończyłeś omawiać tę część.

— Jeśli zgodzimy się na nowe zasady współpracy, sugerowałbym, żebyśmy wykorzystali honorarium za sprawę Khaingów na spłatę banku i posprzątanie bałaganu po krayoxxie, w tym zapłacenie piętnastu tysięcy sankcji nałożonych w czasie procesu. To w sumie około dwustu tysięcy dolarów. Rochelle dostałaby premię wysokości stu tysięcy. To zostawia dla nas milion dwieście tysięcy, które moim zdaniem powinniśmy podzielić sprawiedliwie.

Wally zamknął oczy. Oscar odchrząknął, wstał powoli i podszedł do frontowych drzwi, a potem wyjrzał przez okno. W końcu powiedział:

— Nie musisz tego robić, Davidzie.

— Zgadzam się z nim — dodał Wally, choć bez przekonania. — To twoja sprawa. My niczego przy niej nie zrobiliśmy.

— Rozumiem. Ale ja patrzę na to w ten sposób: nigdy nie natrafiłbym na tę sprawę, gdyby mnie tu nie było. To proste. Rok temu miałem pracę, której nienawidziłem. Przypadkiem trafiłem w miejsce, poznałem was, panowie, a potem dopisało mi szczęście i znalazłem tę sprawę.

— Doskonały argument — przyznał Wally, a Oscar szybko się z nim zgodził.

Oscar wrócił do stołu i wolno usiadł na krześle. Popatrzył na Wally'ego i spytał:

— A co z moim rozwodem?

— Nie ma problemu. Mamy podpisaną ugodę. Twoja żona nie ma żadnego prawa do jakichkolwiek pieniędzy, które zarobiłeś po jej podpisaniu. Rozwód nastąpi w styczniu.

— Też tak to widzę — westchnął Oscar.

— I ja też.

Przez bardzo długą chwilę panowało milczenie, a potem AC wstał z posłania i zaczął nisko warczeć. Odległe wycie syreny karetki pogotowia najpierw było ciche, a potem coraz głośniejsze. Wally zerknął tęsknie na okno.

— Nawet o tym nie myśl — ostrzegł David.

— Przepraszam. Siła przyzwyczajenia — mruknął Wally.

Oscar zaczął chichotać, a zaraz potem śmiali się wszyscy trzej.

Epilog

Bart Shaw zamknął akta i przestał grozić kancelarii Finleya i Figga procesami za nieuczciwe prowadzenie praktyki. Zgarnął prawie osiemdziesiąt tysięcy od Varrick za skuteczne próby nękania firmy i zmuszenia jej do rozpoczęcia procesu Iris Klopeck. Adam Grand napisał skargę do komisji etyki Izby Adwokackiej, ale w końcu przestał zawracać sobie tym głowę. Pięcioro innych klientów spośród żyjących zrobiło to samo, z takim samym skutkiem. Nadine Karros dotrzymała obietnicy i nie domagała się sankcji za nieuzasadniony pozew, choć Varrick Laboratories wszczęły agresywną i zakończoną powodzeniem kampanię zbierania pieniędzy od wielu kancelarii adwokackich reprezentujących powodów w innych sądach. Jerry Alisandros został ukarany ogromną grzywną na południu Florydy, kiedy stało się jasne, że nie ma żadnych planów dalszego pozywania producenta krayoxxu.

Thuya Khaing miał serię bardzo poważnych ataków i zmarł trzy dni po Bożym Narodzeniu w szpitalu dziecięcym Lakeshore. David i Helen, a także Wally, Oscar i Rochelle wzięli udział w skromnej uroczystości pogrzebowej. Obecni na niej byli także Carl LaPorte i Dylan Kott, który z pomocą Davida porozmawiał na osobności z Soe i Lwin. Carl złożył im najszczersze kondolencje i znów wziął na siebie całą odpowiedzialność w imieniu firmy. Zgodnie z warunkami ugody zawartej przez Davida wszystkie należne pieniądze miały zostać wypłacone.

Rozwód Oscara nastąpił w styczniu. Do tego czasu Oscar zdążył już zamieszkać z nową dziewczyną w nowym mieszkaniu i nigdy nie był szczęśliwszy. Wally nie pił i nawet zgłosił się na ochotnika do pomocy innym prawnikom zmagającym się z uzależnieniem.

Justin Bardall został skazany na rok więzienia za próbę podpalenia kancelarii adwokackiej. Zjawił się na sali sądowej na wózku inwalidzkim. Sędzia poinformował go, że Oscar, Wally i David są na sali. Bardall współpracował z prokuratorem, żeby dostać łagodniejszy wyrok. Sędzia, który pierwsze trzydzieści lat kariery spędził na praktykowaniu prawa na ulicach południowo-zachodniego Chicago i miał bardzo złą opinię o łobuzach porywających się na podpalanie kancelarii prawniczych, nie okazał współczucia szefom Justina. Właściciel Cicero Pipe został skazany na pięć lat więzienia, a kierownik budowlany na cztery.

Davidowi udało się oddalić pozew Bardalla przeciwko Oscarowi i firmie.

Nikogo nie zaskoczyło to, że nowa forma działalności firmy nie zdała egzaminu. Po operacji serca i rozwodzie Oscar stracił zainteresowanie pracą i coraz mniej godzin spędzał w kancelarii. Miał trochę pieniędzy w banku i dostawał emeryturę, a jego współlokatorka zarabiała na wygodne życie jako masażystka. (Prawdę mówiąc, poznał ją w sąsiadującym z firmą salonie). Po sześciu miesiącach obowiązywania nowych zasad zaczął przebąkiwać, że chce się wycofać. Wally nadal nie pozbierał się po przygodzie z krayoxxem i stracił serce do uganiania się za innymi sprawami. On również miał nową znajomą, trochę starszą panią z „bardzo ładnym stanem konta", jak to ujął. Stało się również boleśnie jasne, przynajmniej dla Davida, iż żaden ze wspólników nie ma chęci albo talentu do budowania dużych spraw i stawiania się w sądzie, jeśli zaszłaby taka konieczność. Szczerze mówiąc, nie wyobrażał sobie nawet wejścia na salę sądową z nimi dwoma.

Jego radar głośno popiskiwał. David widział ostrzegawcze znaki natychmiast, gdy się pojawiały. Zaczął planować odejście.

Jedenaście miesięcy po urodzeniu się Emmy Helen powiła bliźnięta — chłopców. To doniosłe wydarzenie skłoniło Davida do zastanowienia się nad przyszłością. Wynajął pomieszczenia biurowe niedaleko domu w Lincoln Park, starannie wybierając apartament na czwartym piętrze z widokiem na południe. Widział stamtąd drapacze chmur śródmieścia odcinające się od nieba, z Trust Tower dokładnie pośrodku. Ten widok nie-odmiennie go motywował.

Kiedy wszystko już załatwił, poinformował Oscara i Wally'ego, że odejdzie, gdy umowa wygaśnie po dwunastu miesiącach. Rozstanie było trudne i smutne, choć spodziewane. Przyśpieszyło odejście Oscara na emeryturę. Wydawało się, że Wally również odczuwa ulgę. On i Oscar od razu postanowili sprzedać dom i zamknąć kancelarię. Gdy ściskali sobie ręce i życzyli powodzenia, Wally myślał już o wyjeździe na Alaskę.

David kupił psa i zatrudnił Rochelle. Rozmawiali o tym w sekrecie od miesięcy. Nawet do głowy by mu nie przyszło wyciągnięcie jej z kancelarii, ale nagle okazało się, że została bez pracy. Z większą pensją i dodatkowymi przywilejami, otrzymała tytuł kierowniczki biura i zadowolona wprowadziła się do nowej firmy — David E. Zinc, adwokat.

Nowa kancelaria adwokacka specjalizowała się w sprawach odpowiedzialności za jakość towarów. Kiedy David doprowadził do ugody w dwóch innych przypadkach zatrucia ołowiem, dla niego, Rochelle i powiększającego się personelu stało się jasne, że ta dziedzina może być bardzo lukratywna.

Większość prowadzonych przez niego spraw trafiała do sądu federalnego i w miarę jak interes się rozwijał, David coraz częściej gościł w śródmieściu. Przy każdej okazji zaglądał do Abnera na szybki lunch — kanapka i dietetyczna cola — i żeby trochę się pośmiać. Dwa razy wypił Pearl Harbor z panią Spence, która, choć miała dziewięćdziesiąt siedem lat, nadal obalała codziennie trzy słodkie jak ulepek koktajle. David był w stanie przełknąć tylko jeden, a potem wracał metrem do kancelarii i ucinał sobie drzemkę na kanapie.